MAL D'ENFANT

DU MÊME AUTEUR
CHEZ POCKET

ENQUÊTE DANS LE BROUILLARD
LE LIEU DU CRIME
CÉRÉMONIES BARBARES
UNE DOUCE VENGEANCE
POUR SOLDE DE TOUT COMPTE
UN GOÛT DE CENDRES
LE VISAGE DE L'ENNEMI
LE MEURTRE DE LA FALAISE

Elizabeth George

MAL D'ENFANT

Presses de la Cité

TITRE ORIGINAL : *MISSING JOSEPH*

Traduit par Dominique Wattwiller

ISBN 2-266-07041-X

Pour Deborah

Remerciements

Je dois des remerciements chaleureux à tous ceux qui, en Angleterre, m'ont aidée à réunir la documentation nécessaire à la rédaction de ce roman. Je remercie tout particulièrement Patricia Crowther, auteur du *Chaudron sans couvercle*, qui m'a accueillie chez elle à Sheffield et initiée à la magie ; le révérend Brian Darbyshire, de Saint-André à Slaidburn, qui m'a éclairée sur l'Eglise anglicane et autorisée à me joindre à ses paroissiens ; John King-Wilkinson, dont la propriété familiale, aujourd'hui abandonnée, a servi de modèle à mon manoir de Cotes Hall ; ainsi que Tony Cott, mon directeur littéraire en Angleterre, véritable providence, qui, d'un exemplaire de *Brumes au-dessus de Pendle* à l'emplacement des gares de chemin de fer, a réussi à me procurer à peu près tout ce dont j'avais besoin.

Aux Etats-Unis, je remercie Patty Gram, incollable sur la civilisation britannique ; Julie Mayer, qui a lu cette fois encore mon premier jet ; Ira Toibin, merveilleux ami et mari, qui me soutient sans relâche et respecte mon travail ; Kate Miciak, directrice de collection enthousiaste, toujours prête à me prodiguer ses encouragements judicieux ; et enfin Deborah Schneider, qui est toujours là quand il le faut. C'est à toi que je dédie ce roman, Deborah, avec mon amitié et mon amour.

Ce que j'ai fait, c'est pour l'amour de toi,
De toi, ma chère enfant, de toi, ma fille, qui
Ne sais rien de ce que tu es, car tu ignores
Mon origine....

Shakespeare
La Tempête (I,2)

NOVEMBRE : LA PLUIE

Capuccino, remède New Age destiné à chasser momentanément le blues. Deux ou trois cuillerées d'expresso, un trait de lait fumant, un soupçon de chocolat en poudre le plus souvent insipide. Et soudain la vie redevient vivable. Foutaises.

Deborah Saint James soupira, s'empara de la note qu'une serveuse avait furtivement déposée sur la table au passage.

– Seigneur, murmura-t-elle, atterrée, en lisant l'addition.

En faisant ne fût-ce que vingt mètres à pied, elle aurait pu s'engouffrer tout bêtement dans un pub, obéissant à la petite voix intérieure qui martelait : « Voyons, Deb, pourquoi tant de chichis ? Contente-toi d'aller boire une Guinness quelque part. » Au lieu de quoi, elle avait mis le cap sur l'*Upstairs*, le salon de thé cossu tout marbre, verre et chrome de l'hôtel *Savoy*, où l'on dépensait un fric fou quand on se risquait à consommer autre chose que de l'eau.

Le *Savoy*, elle y était venue pour montrer son press-book à Richie Rica, producteur plein d'entregent de L.A. Sound Machine, maison de disques américaine en plein essor. Il avait traversé l'Atlantique pour choisir le photographe qui immortaliserait Dead Meat, un groupe composé de cinq musiciens originaires de Leeds, dont il supervisait le dernier album.

– Vous êtes la neuvième « putain de photographe » dont je regarde le travail, s'empressa-t-il de préciser. Visiblement, sa patience commençait à s'émousser.

Leur rencontre n'arrangea pas les choses. Loin de là. Avachi sur une frêle chaise dorée, Rica passa en revue le contenu du carton à dessin de Deborah avec autant d'intérêt qu'un croupier distribuant les cartes dans un casino. L'une après l'autre, ses photos atterrirent sur la moquette où elle les regarda s'entasser. Mari, père, belle-sœur, amis, la multitude de relations qu'elle s'était faites à la suite de son mariage. Au milieu de tout ce petit monde, bien sûr, aucune trace d'un Sting, d'un David Bowie ou d'un George Michael. Ce rendez-vous avec Rica, c'était par raccroc qu'elle l'avait décroché. Sur la recommandation d'un confrère, dont le travail avait lui aussi déplu à l'Américain. A en juger par la tête du producteur, elle comprit qu'elle n'aurait guère plus de chance que les autres.

Ce n'était pas tant l'échec qui la chiffonnait que la vue du tas de clichés qui ne cessait de grossir sous la chaise de Rica. Parmi eux, le visage sombre de son mari, ses yeux – dont le bleu-gris tranchait de façon si intense avec le noir de sa chevelure – braqués sur elle. Tu ne t'en tireras pas comme ça, semblaient-ils lui dire.

Elle ne voulait jamais croire Simon, encore moins quand il avait raison. C'était sur ce point qu'achoppait leur mariage : se laissant guider par ses émotions, elle refusait d'envisager les choses rationnellement, rejetant sa façon à lui d'appréhender froidement les faits. Bon sang, Simon, ne me dis pas ce que je dois ressentir, tu ne sais pas ce que j'éprouve... Et elle versait des larmes d'autant plus amères qu'elle savait qu'il avait raison.

Ce qui était le cas à présent, alors qu'à Cambridge, à quelque quatre-vingts kilomètres de là, il examinait un cadavre et, à l'aide d'un jeu de radios, s'efforçait de déterminer à sa manière clinique, neutre, la nature de l'arme qui avait servi à défoncer le visage d'une jeune fille.

Aussi, lorsque, au terme de son examen expéditif, Richie Rica déclara avec un soupir d'ennui à fendre l'âme : « Vous avez peut-être du talent. Mais vous voulez que je vous dise ? Vos photos, y en a pas une qui ferait vendre de la merde, même trempée dans de l'or », accueillit-elle le commentaire sans trop réagir. Ce n'est que lorsqu'il recula pour se lever que son agacement céda carrément le pas à la colère : l'un des pieds de la chaise en accrochant la pile de photos avait crevé la joue ridée de son père.

Et encore ce ne fut même pas cet incident qui lui mit le feu aux joues. Mais plutôt la remarque de Rica avant de se mettre sur pied :

– Merde, j'suis désolé. Mais vous pourrez toujours faire faire un autre tirage de la gueule du vieux, non ?

Ce qui fit qu'elle se retrouva à genoux, les mains bien à plat par terre pour garder l'équilibre tandis qu'elle ramassait les photos, les rangeant dans son carton à dessin dont elle noua soigneusement les rubans ; puis, relevant la tête, elle dit :

– Bizarre. Vous n'avez pas le look d'une petite frappe. Alors comment se fait-il que vous en ayez le comportement ?

Ce qui, indépendamment de la valeur de son travail, lui avait valu de ne pas décrocher la commande.

« C'est que ça ne devait pas se faire, Deb, c'est tout », lui aurait dit son père. A juste titre. Dans la vie, il y a des tas de choses qui ne se font jamais.

Elle rassembla son sac à bandoulière, son carton, son parapluie et se dirigea vers l'imposant hall de l'hôtel. Dépassant une file de taxis en stationnement, elle prit pied sur le trottoir. La pluie matinale avait cessé pour l'instant mais le vent était violent, un de ces vents furieux de Londres qui soufflent du sud-est, prennent de la vitesse en traversant les vastes étendues d'eau et s'engouffrent dans les rues, fouettant vêtements et parapluies. Ajouté au vacarme de la circulation, il grondait avec un bruit infernal dans le Strand. Deborah loucha en direction du ciel où roulaient des nuages gris. La pluie n'allait pas tarder à tomber de nouveau.

Elle avait songé à faire quelques pas avant de rentrer. Elle n'était pas loin de la Tamise et la perspective d'une promenade sur les quais était plus attrayante que celle de retrouver une maison vide qui résonnait encore des échos de sa dernière discussion avec Simon. Mais le vent qui lui rabattait les cheveux dans les yeux et le ciel menaçant la firent se raviser. L'arrivée opportune d'un autobus 11 lui donna une idée.

Elle hâta le pas pour rejoindre les usagers dans la queue. Un instant plus tard, elle se frayait un chemin au milieu des voyageurs. Toutefois, deux pâtés d'immeubles plus loin, une balade sur les quais sous la bourrasque lui parut soudain plus agréable qu'un trajet en autobus. La claustrophobie, un parapluie malencontreusement fiché sur son orteil droit – et dont la propriétaire BCBG sanglée dans un imperméable de chez Aquascutum aurait certainement été plus à sa place du côté de Sloane Square – ainsi que la tenace odeur d'ail qu'exhalait par tous les pores une minuscule grand-mère plaquée contre Deborah finirent par convaincre cette dernière que ce n'était décidément pas son jour.

La circulation s'arrêta à Craven Street, et huit nouveaux voyageurs en profitèrent pour sauter à bord du véhicule. Il se mit à pleuvoir. Comme en réponse à ces trois événements, la grand-mère ouvrit la bouche et poussa un soupir affreux et Aquascutum s'appuya plus lourdement sur la poignée de son parapluie. Deborah essaya de retenir son souffle et sentit qu'elle allait tourner de l'œil.

Vent, pluie, tonnerre, rencontre avec les quatre cavaliers de l'Apocalypse : tout eût été préférable à ça. Même une deuxième entrevue avec Richie Rica. Comme le bus se traînait à l'allure d'un escargot vers Trafalgar Square, Deborah dépassa tant bien que mal cinq skinheads, deux punks, une demi-douzaine de femmes au foyer et un groupe de touristes américains bavardant gaiement. Elle atteignit la porte au moment où la colonne de Nelson se profilait non loin de là. Sautant avec détermination de la plate-forme, elle se retrouva en plein vent, le visage fouetté par la pluie.

Inutile d'essayer d'ouvrir son parapluie. Le vent s'en emparerait comme d'un Kleenex et il filerait le long de la rue. Elle chercha des yeux un refuge. Le square était désert, vaste esplanade de béton, fontaines et lions accroupis. Débarrassé de ses habituelles nuées de pigeons et des sans-abri qui traînaient près des fontaines, grimpaient sur les lions et encourageaient les touristes à jeter des graines aux oiseaux, la place ressemblait pour une fois au monument qu'elle était censée être. Mais elle n'offrait guère d'endroit où s'abriter. De l'autre côté, se dressait la National Gallery, à laquelle on accédait par un escalier imposant, que gravissaient des gens recroquevillés dans leur manteau et qui luttaient pour conserver leur parapluie. Là-bas, elle trouverait un abri. Pas seulement un abri. De la nourriture, pour se restaurer. Des tableaux, si elle en avait envie. Et de la distraction, peut-être. Car ces huit derniers mois, elle n'avait négligé aucune occasion de se distraire.

La pluie commençant à lui mouiller sérieusement les cheveux, Deborah descendit en hâte les marches du métro et, empruntant le passage souterrain, émergea quelques secondes plus tard sur la place. Elle la traversa rapidement, son carton à dessin noir serré contre la poitrine, tandis que le vent s'acharnait sur son manteau et lui rabattait les gouttes drues sur le visage. Le temps d'atteindre la porte du musée, ses chaussures étaient trempées, ses bas crottés, et ses cheveux plaqués sur son crâne par l'averse formaient comme un bonnet de laine humide sur sa tête.

Où aller ? Il y avait une éternité qu'elle n'avait pas mis les pieds dans ce musée. Un peu embarrassant quand on est soi-même une artiste.

La vérité, c'est qu'elle s'était toujours sentie prise à la gorge, écrasée dans les musées. Au bout d'un quart d'heure, elle saturait ; il y en avait trop. Les autres visiteurs se promenaient, regardaient, commentant le moindre coup de pinceau, le nez sur les toiles ; mais Deborah, elle, arrivée au dixième tableau, avait déjà oublié le premier.

Elle déposa ses affaires au vestiaire, attrapa un plan et se mit à errer, contente d'être à l'abri du froid et appréciant le long répit que promettaient de lui offrir le musée et ses vastes collections. Si la chance était vraiment de son côté, Simon l'appellerait pour lui faire savoir que son enquête le retenait à Cambridge. Ainsi leur discussion ne pourrait-elle reprendre.

Elle examina le plan, cherchant quelque chose qui l'inspirât. *Primitifs italiens, Ecole italienne du XVe, Ecole hollandaise du XVIIe, Ecole anglaise du XVIIIe.* Seul un peintre était désigné par son nom. *Léonard de Vinci. Salle 7.*

Elle trouva sans difficulté la petite salle qui n'était guère plus vaste que le bureau de Simon à Chelsea. Contrairement aux autres salles qu'elle avait traversées, celle-ci ne renfermait qu'une seule œuvre : l'étude pour la Vierge et l'Enfant avec sainte Anne et saint Jean Baptiste enfant, de Léonard de Vinci. Et toujours contrairement aux autres salles, la salle 7 avait des allures de chapelle, faiblement éclairée par des projecteurs à l'éclat feutré braqués sur le dessin, pourvue de bancs d'où les visiteurs pouvaient admirer à loisir ce que le plan qualifiait de chef-d'œuvre de Léonard. Pour l'instant, toutefois, ces bancs étaient inoccupés.

Deborah s'assit devant la toile. Et sentit aussitôt une raideur se former dans son dos, une contracture lui tordre la nuque. L'ironie de son choix, évidemment.

Tout cela était causé par l'expression de la Vierge, mélange de dévouement et d'amour infini. Le regard de compréhension et le visage rayonnant de contentement que sainte Anne tournait vers la Vierge. Qui mieux que sainte Anne pouvait comprendre l'extase de sa fille bien-aimée devant le prodigieux Enfant qu'elle avait engendré ? Et l'Enfant lui-même, s'éloignant de sa mère, se penchant vers son cousin, quittant déjà sa mère.

Cette prise de distance, c'était le point que Simon mettait en avant. C'était le scientifique en lui qui s'exprimait, calme, analytique, habitué à considérer le monde en termes de statistiques, sous l'angle pratique. Mais sa conception du monde – le monde même dans lequel il se mouvait – n'était pas la sienne. Il pouvait toujours lui dire, Ecoute-moi, Deborah, il existe des liens autres que ceux du sang... C'était facile pour lui, d'avoir cette philosophie. Pour elle, il en allait tout autrement.

Sans avoir à faire le moindre effort, elle évoqua la photo que le pied de la chaise de Richie Rica avait crevée. La brise printanière ébouriffant les cheveux rares de son père. Une branche qui jetait une ombre pareille à une aile sur la pierre de la tombe de sa mère. Les jonquilles qu'il mettait dans le vase captaient le soleil telles de minuscules trompettes. Sa main crispée sur les tiges comme tous les 5 avril depuis dix-huit ans. Son père avait cinquante-huit ans et c'était son seul parent par le sang.

Deborah examina le dessin de Léonard de Vinci. Les deux silhouettes féminines auraient compris ce que son mari ne comprenait pas. Le sentiment de puissance, le bonheur, la terreur ineffable d'avoir donné la vie à un être sorti de ses entrailles.

Il va falloir laisser votre organisme souffler pendant au moins un an, lui avait dit le médecin, vous en êtes à votre sixième fausse couche. Quatre avortements spontanés, rien que pendant ces neuf derniers mois. Physiquement, vous êtes à bout, vous avez perdu beaucoup trop de sang, votre déséquilibre hormonal est...

Laissez-moi essayer de suivre un traitement contre la stérilité.

Vous n'écoutez donc pas ce que je vous dis ? C'est hors de question pour le moment.

La fécondation in vitro, alors ?

Le problème, chez vous, ce n'est pas la fécondation. C'est la gestation.

Je resterai couchée pendant toute ma grossesse. Je ne bougerai pas. Je ferai n'importe quoi.

Alors inscrivez-vous dans une agence pour adopter un enfant. Utilisez des contraceptifs et refaites une tentative dans un an. Parce que je vous préviens, si vous continuez comme ça, vous aurez droit à une hystérectomie avant même d'avoir trente ans.

Il avait rédigé l'ordonnance.

Mais il doit y avoir une chance d'y arriver, avait-elle insisté d'un ton neutre. Elle ne pouvait pas se permettre de lui montrer à quel point elle était bouleversée. Le patient ne devait se laisser aller à aucun excès émotionnel. Car le praticien en ferait état dans son dossier et cela serait utilisé contre elle.

Le médecin s'était montré humain. Il y a une chance, en effet, lui avait-il dit. L'année prochaine. Quand votre organisme aura récupéré. A ce moment-là, nous examinerons les diverses solutions. Fécondation in vitro. Traitement contre la stérilité. Et tout le reste. Nous vous ferons passer tous les tests possibles. Mais pas avant un an.

Sagement, elle avait commencé à prendre la pilule. Mais le jour où Simon revint avec les formulaires d'adoption, elle freina des quatre fers.

Inutile d'envisager cette solution maintenant. Elle se força à étudier l'esquisse. Les visages étaient sereins. Relativement nets. Le reste de l'œuvre était flou, accumulation de questions demeurées sans réponse. Le pied de la Vierge serait-il levé ou posé par terre ? Sainte Anne continuerait-elle à tendre le doigt vers le ciel ? La main potelée de l'Enfant se poserait-elle sur le menton de saint Jean Baptiste ? Et le paysage à l'arrière-plan ? Etait-ce le Golgotha ? Ou un avenir trop âpre pour ces instants de tranquillité, quelque chose qu'il valait mieux laisser dans l'ombre ?

– Aucune trace de Joseph, évidemment. Aucune trace de Joseph.

Deborah se tourna et aperçut un homme vêtu d'un gros manteau dégoulinant de pluie, une écharpe autour du cou, un feutre sur la tête, qui l'avait rejointe dans la salle. Il ne semblait guère conscient de sa présence, et s'il n'avait pas parlé, elle n'aurait certainement pas remarqué la sienne. Tout de noir vêtu, il était dans un coin de la pièce.

– Aucune trace de Joseph, reprit-il d'un ton résigné.

Un joueur de rugby, songea Deborah, car il était grand et semblait taillé en athlète sous son manteau. Ses mains crispées sur le plan roulé qu'elles tenaient comme on tient un cierge étaient carrées avec des ongles coupés court. Aussi l'imagina-t-elle descendant le terrain de rugby au grand galop et éliminant ses adversaires sur son passage.

Pour l'instant, loin de foncer, il s'avançait vers l'un des cônes de lumière sourde d'un pas révérencieux. Les yeux braqués sur le Léonard de Vinci, il ôta son chapeau, comme il eût pu le faire à l'église. Puis il le laissa tomber sur un banc et s'assit.

Il portait des chaussures à semelle épaisse – des souliers de campagne, solides. Au bout d'un moment, il se passa la main dans les cheveux – des cheveux gris couleur de suie qui commençaient à se clairsemer –, plus machinalement que par réel souci de son apparence. Son visage tourné vers le dessin de Léonard était à la fois inquiet et douloureux, il avait des poches sous les yeux et de grosses rides sur le front.

Il pinça les lèvres. La lèvre inférieure était pleine, la lèvre supérieure mince ; toutes deux formant une grimace rectiligne de chagrin s'efforçaient de contenir un trouble intérieur. Lui aussi en a gros sur le cœur, songea Deborah, touchée par sa peine.

– N'est-ce pas que c'est joli, ce dessin ? murmura-t-elle comme si elle se fût trouvée dans un lieu de prière ou de méditation. Je ne l'avais encore jamais vu.

Il se tourna vers elle. Teint mat, plus vieux qu'il n'y paraissait, il avait l'air surpris qu'une inconnue lui adresse ainsi la parole.

– Moi non plus.

– Et dire que j'habite Londres depuis dix-huit ans... C'est honteux, non ? Je me demande ce que j'ai manqué d'autre encore.

– Joseph.

– Pardon ?

Du plan, il désigna le dessin :

– Vous avez manqué Joseph. Et c'est normal. On nous montre toujours la Madone et l'Enfant.

Deborah jeta de nouveau un coup d'œil au dessin.

– Je n'avais jamais pensé à ça.

– Ou la Vierge et l'Enfant. Ou encore la Mère et l'Enfant. Ou alors l'Adoration des Mages, avec une vache, un âne et un ou deux anges. Mais il est rarissime qu'on voie Joseph. Vous ne vous êtes jamais demandé pourquoi ?

– Peut-être... eh bien, ça n'était pas vraiment le père, n'est-ce pas ?

L'inconnu ferma les yeux.

– Seigneur Dieu.

Il semblait si atterré que Deborah s'empressa de poursuivre :

– On nous a mis dans la tête qu'il n'était pas le père de l'Enfant. Mais comment savoir à quoi s'en tenir ? Aucun de nous n'y était. Et Marie ne tenait pas de journal. Tout ce qu'on nous a raconté, c'est que le Saint-Esprit est venu lui rendre visite accompagné d'un ange ou je ne sais quoi... J'ignore comment ça s'est passé, mais ç'a été un miracle, n'est-ce pas ? Une minute a suffi à la Vierge pour devenir enceinte, et neuf mois plus tard elle s'est retrouvée avec ce bébé dont elle devait compter et recompter les doigts et les orteils pour se persuader qu'il était bien réel. Ce bébé qu'elle désirait était à elle, bien à elle... Enfin, si on croit aux miracles. Si on y croit vraiment.

Ce n'est qu'en voyant l'expression de l'inconnu changer qu'elle se rendit compte qu'elle pleurait. L'incongruité de la scène lui donna soudain envie de rire. Cette souffrance était absurde, qu'ils se repassaient comme au tennis on se renvoie la balle.

Plongeant la main dans la poche de son manteau, il en sortit un mouchoir froissé qu'il lui fourra au creux de la paume.

– Tenez. Je m'en suis juste servi pour m'essuyer le visage. Il est propre.

Deborah eut un rire incertain. S'étant épongé les yeux, elle le lui rendit.

– Les associations d'idées, c'est traître. On croit avoir réussi à se blinder. Mais en fait on n'est à l'abri de rien. Une phrase anodine peut faire remonter à la surface des émotions qu'on croyait refoulées.

Il sourit. Le reste de sa personne était fatigué et plus tout jeune mais il avait un sourire plein de charme.

– C'est ce qui m'est arrivé à moi aussi. J'étais venu me dégourdir les jambes et réfléchir et au lieu de ça, je suis tombé sur ce dessin.

– Qui vous a fait penser à Joseph au moment où vous vous y attendiez le moins ?

– Non. J'y pensais déjà d'une certaine façon en entrant ici. (Il remisa son mouchoir dans sa poche et poursuivit d'un ton volontairement plus léger.) J'aurais préféré faire une promenade dans le parc. D'ailleurs je me dirigeais vers St. James's Park lorsque la pluie s'est remise à tomber. En général, je suis mieux dehors pour réfléchir. Je suis un homme de la campagne, quand j'ai des décisions à prendre, c'est dans la nature que j'arrive le mieux à peser le pour et le contre. Rien de tel qu'une bonne balade en plein air pour vous éclaircir les idées. On y voit plus clair, on distingue plus facilement le pour et le contre, les raisons de dire oui et celles de dire non.

– Peut-être mais ce n'est pas pour autant que cela vous aide à prendre une décision. En tout cas, moi, ça ne m'aide pas. Je me sens incapable de dire oui sous prétexte que c'est ce que les gens attendent de moi.

Il reporta son regard sur l'esquisse, roulant le plan encore plus étroitement entre ses doigts.

– Il m'arrive souvent d'être dans le même cas que vous. C'est pourquoi je sors prendre un bon bol d'air. J'avais mis à mon programme d'aller donner du grain aux oiseaux sur le pont dans le parc, mais... (Il haussa les épaules et sourit tristement.) La pluie m'a chassé du parc.

– Alors vous êtes venu vous réfugier ici. Et vous n'avez pas trouvé trace de saint Joseph.

Attrapant son chapeau, il le mit. Le bord jetait une ombre triangulaire sur son visage.

– Et vous, vous avez vu l'Enfant.

– Oui.

– Quel est le problème ? Vous voulez un enfant ? Vous en avez perdu un ? Ou bien vous souhaitez vous débarrasser d'un enfant que vous portez ?

– Me débarr...

Vivement, il leva la main.

– Vous en *voulez* un. C'est évident. J'aurais dû m'en rendre compte tout de suite. Déceler votre désir d'enfant. Seigneur, pourquoi faut-il que les hommes soient aussi stupides ?

– Il veut que nous en adoptions un. Mais moi, je veux avoir un enfant à moi, de lui, une vraie famille biologique, pas une famille composée de pièces rapportées. Il a ramené les papiers pour l'adoption. Ils sont sur son bureau. Tout ce que j'ai à faire, c'est les signer, mais je ne peux pas. Cet enfant ne serait pas à moi, il ne viendrait pas de moi, de nous. Je ne pourrais pas l'aimer comme s'il était mien.

– Non, en effet. C'est vrai. Vous ne l'aimeriez pas du tout de la même façon.

Elle l'empoigna par le bras. La laine de son manteau était humide et râpeuse.

– Vous, vous me comprenez. Lui, non. Il dit qu'il y a des liens autres que ceux du sang. Mais je ne suis pas d'accord. Et je ne comprends pas.

– Peut-être l'expérience lui a-t-elle enseigné que les êtres humains aiment bien davantage ce pour quoi ils se battent. La chose pour laquelle ils abandonnent tout le reste. Plutôt que celle que le hasard leur apporte.

Elle lui lâcha le bras. Sa main retomba avec un bruit sourd sur le banc. Sans le savoir, cet homme avait prononcé les paroles de Simon. C'était comme si son mari se trouvait dans la pièce.

Elle se demanda comment elle en était arrivée à se confier à un inconnu. Il faut croire que je suis prête à tout pour me trouver un défenseur, songea-t-elle. N'importe qui, pourvu qu'il me comprenne, soit d'accord et me laisse faire à mon idée.

– C'est ce que je ressens, je n'y peux rien.

– Ma chère petite, qui peut y faire quoi que ce soit ?

L'inconnu desserra son écharpe et déboutonna son manteau pour atteindre la poche de sa veste.

– J'ai l'impression qu'une randonnée vous éclaircirait les idées. Il vous faut du grand air, des cieux vastes, des horizons lointains. Et ce n'est pas à Londres que vous trouverez tout cela. Si jamais vous aviez envie de vous promener dans le nord, venez donc dans le Lancashire. Vous y serez la bienvenue. (Il lui tendit sa carte.)

Robin Sage. Presbytère de Winslough.

– Presbytère...

Levant les yeux, Deborah distingua ce que manteau et écharpe avaient dissimulé, le col blanc amidonné qui lui emprisonnait le cou. Elle aurait dû comprendre à la couleur de ses vêtements. Aux propos qu'il avait tenus sur saint Joseph. Au respect avec lequel il avait étudié le dessin de Léonard de Vinci.

Pas étonnant qu'elle lui ait parlé si facilement de ses problèmes et de ses chagrins : elle s'était confessée à un pasteur de l'Eglise anglicane.

DÉCEMBRE : LA NEIGE

Brendan Power pivota vers la porte qui s'ouvrait en grinçant et son frère cadet pénétra dans la sacristie glaciale de l'église Saint-Jean-Baptiste à Winslough. Derrière lui, accompagné par une voix aussi bien intentionnée que chevrotante, l'organiste attaqua les premières mesures du « Vous qui cherchez un refuge sûr ». Et cela après avoir martelé « Mystérieuses sont les voies divines ». Ces deux morceaux, le musicien les avait extraits de son répertoire de sa propre initiative afin sans doute d'assurer Brendan de toute sa sympathie étant donné les circonstances.

– Rien, résuma Hogarth. Des clous. Que dalle. Aucune trace du pasteur. Ta future belle-famille est dans un état de nerfs pas possible, Bren. La maman de ta promise se tord les mains de désespoir en songeant au petit déjeuner de noces qui va être foutu. Rebecca, en rage, a déclaré que la « sale petite garce » allait voir de quel bois elle se chauffait. Quant à son père, il vient de partir à la recherche de cette « misérable vermine », bien décidé à le ramener par la peau des fesses. Drôles de gens, ces Townley-Young.

– Tu es sauvé, si ça se trouve, mon petit Bren.

Frère aîné et témoin de Brendan, Tyrone aurait dû être seul dans la sacristie en compagnie du futur marié et du pasteur. La voix voilée par l'espoir, il regarda Hogarth refermer la porte derrière lui.

– Penses-tu ! fit Hogarth. (Il plongea la main dans la poche de sa jaquette de location qui, malgré les efforts du tailleur, n'arrivait pas à dissimuler ses épaules tombantes. Puis, ayant sorti un paquet de Silk Cuts, il alluma une cigarette, expédiant l'allumette sur le sol d'une pichenette.) Elle le tient, mets-toi bien ça dans le crâne. Alors que ça te serve de leçon, Tyrone : ton outil, garde-le au chaud dans ton pantalon tant qu'il a pas encore de domicile fixe.

Brendan se détourna. Ses deux frères l'aimaient et s'efforçaient de le réconforter. Mais ni les plaisanteries de Hogarth ni l'optimisme de Tyrone n'y pourraient rien changer : il allait devoir épouser Rebecca Townley-Young. Et advienne que pourra. Il s'efforça de chasser cette idée de sa tête, ce qu'il ne cessait de faire depuis qu'elle était passée le voir à son bureau, à Clitheroe, lui montrer les résultats de son test de grossesse.

– Je ne comprends pas ce qui s'est passé, Brendan. Et le médecin qui parlait de me faire suivre un traitement pour régulariser mes règles le jour où je déciderais de fonder une famille... Et maintenant, regarde où on en est.

Regarde un peu dans quel état tu m'as mise, Brendan Power. Toi qui fais partie des jeunes associés du cabinet de papa ! Tsss, tsss. Avoue que tu ferais une drôle de tête s'il te virait.

Mais elle n'avait rien eu de tel à lui dire. Tout ce qu'elle lui avait déclaré, tête baissée, ç'avait été :

– Je me demande ce que je vais bien pouvoir raconter à papa, Brendan. Qu'est-ce que je dois faire ?

Un homme dans une autre situation aurait rétorqué : « Débarrasse-t'en, Rebecca », et il se serait replongé dans son travail. Un autre homme que Brendan mais dans la même situation que lui aurait probablement réagi de manière identique. Seulement Brendan avait encore dix-huit mois à attendre avant que St. John Townley-Young ne décide auquel de ses jeunes avocats il confierait la gestion de ses affaires et de sa fortune, une fois son associé principal actuel parti à la retraite. Et cette décision était d'autant plus capitale qu'elle était assortie d'avantages auxquels Brendan ne pouvait renoncer d'un cœur léger : entrée dans la bonne société, perspective de dénicher d'autres clients de l'envergure de Townley-Young. Bref, cela représentait pour lui un prodigieux bond en avant sur le plan social et professionnel.

C'étaient d'ailleurs les opportunités que risquait de

lui rapporter la clientèle de Townley-Young qui avaient incité Brendan à sortir avec la fille de ce dernier, laquelle était âgée de vingt-huit ans. Il y avait un an à peine qu'il avait intégré le cabinet et il brûlait de se faire une place au soleil. Aussi, lorsque, lui envoyant son associé principal en ambassade, St. John Andrew Townley-Young avait suggéré à Brendan d'accompagner Miss Townley-Young à la vente de chevaux et de poneys de Cowper Day Fair, Brendan avait accepté, tout heureux de ce qu'il avait considéré comme une chance insensée.

A l'époque, l'idée de servir de chevalier servant à Rebecca ne lui avait pas paru repoussante. S'il était vrai que même à son avantage – après une solide nuit de sommeil, une heure passée à se maquiller, mettre des bigoudis et revêtir ses atours les plus seyants – Rebecca avait une fâcheuse tendance à ressembler à la reine Victoria sur le déclin, Brendan s'était dit qu'il réussirait néanmoins à lui faire bonne figure l'espace d'une ou deux rencontres. Pour cela, il comptait sur ses talents de comédien, indispensables chez un avocat, lequel est tenu de posséder un pouvoir certain de dissimulation. Mais il y avait une chose sur quoi il n'avait pas compté : la fermeté avec laquelle, dès le début, prenant le commandement des opérations, Rebecca avait dirigé le cours de leurs relations. La deuxième fois qu'ils s'étaient trouvés seuls, elle l'avait emmené au lit et chevauché avec la frénésie du chasseur qui, du haut de sa monture, voit soudain poindre le museau du renard tant convoité. Lors de leur troisième rencontre, elle l'avait frictionné, caressé, avant de s'empaler sur lui pour finalement se retrouver enceinte.

Il aurait bien voulu pouvoir rejeter tout le blâme sur elle. Mais il ne pouvait oublier que, tandis qu'elle suait, soufflait, se soulevait et retombait contre lui non sans lui faire ballotter dans la figure des seins consternants pareils à des sacs vides, il avait fermé les yeux, souri, murmuré « Bon-Dieu-Becky-quelle-femme » sans cesser de penser à sa carrière.

Aussi allaient-ils être unis aujourd'hui devant Dieu et devant les hommes. Et ce n'était pas l'absence du révérend Sage qui entraverait le cours inéluctable des choses.

– Y a combien de temps qu'il devrait être là ? demanda-t-il à Hogarth.

Son frère consulta sa montre.
– Une demi-heure.
– Aucun des invités n'a quitté l'église ?
Hogarth fit non de la tête.
– Mais le bruit court que c'est toi qui lui as posé un lapin. J'ai fait de mon mieux pour défendre ta réputation, mon vieux. Mais tu devrais te montrer et leur faire coucou de la main, histoire de les rassurer. Remarque, je ne sais pas si ça suffira à calmer la mariée. C'est qui, la petite garce contre qui elle a une dent ? Est-ce que tu aurais déjà commencé à donner des coups de canif dans le contrat ? Note bien que je ne te jette pas la pierre. Bander pour Becky ne doit pas être un mince exploit. Même pour un mec qui aime les défis.
– Lâche-le, Hogie, dit Tyrone. Et éteins ta clope, putain. On est dans une église.
Brendan se dirigea vers l'unique fenêtre, à lancette, de la sacristie. Les vitres étaient aussi crasseuses que la pièce et il dut nettoyer un petit coin de carreau pour pouvoir distinguer le paysage. Le cimetière avec ses pierres tombales semblables à des empreintes de pouce difformes. Et, dans le lointain, les pentes floues et coniques de Cotes Fell se dressant sur fond de ciel gris.
– C'est reparti. Il neige.
Machinalement, il compta les tombes sur lesquelles on avait déposé du houx dont les baies rouges luisaient au voisinage des feuilles vertes hérissées de piquants. Sept. Il en dénombra sept. Les feuillages avaient dû être apportés par des invités, car couronnes et branches étaient à peine saupoudrées de neige.
– Le pasteur aura été appelé pour une urgence. Et il est resté coincé quelque part.
Tyrone le rejoignit. Derrière eux, Hogarth écrasa sa cigarette du talon. Brendan frissonna. Les tuyauteries du chauffage avaient beau grincer, la sacristie était toujours aussi glaciale. Il tâta le mur, qu'il trouva glacé et humide sous sa paume.
– Papa et maman, ça va ?
– Maman est un peu sur les nerfs mais on voit que cette union inespérée la fait bicher. Tu parles ! Le premier de ses fils qui se décide à prendre femme trouve le moyen de s'allier à la noblesse terrienne ! A condition que le pasteur veuille bien se pointer, évidemment. Papa, lui, préférerait prendre ses cliques et ses claques.

– Ça fait des années qu'il ne s'est pas aventuré aussi loin de Liverpool, observa Tyrone. Il est nerveux.

– Bah ! Il se sent mal à l'aise, oui !

Brendan se détourna de la fenêtre pour passer ses frères en revue. Il eut l'impression qu'ils lui renvoyaient sa propre image tant ils se ressemblaient tous les trois. Epaules tombantes, nez crochus, mais à part ça, du flou. Des cheveux hésitant entre le brun et le blond. Des yeux oscillant entre le bleu et le vert. Une mâchoire qui n'était ni veule ni énergique. Bref, ils auraient pu tous les trois jouer le rôle d'un tueur en série, tant leur visage banal se fondait aisément dans la foule. C'était ce que les Townley-Young avaient dû se dire lorsqu'ils avaient rencontré la famille Power au grand complet, songeant sans doute que leurs craintes les plus folles se concrétisaient. Brendan ne songeait pas à s'étonner que son père, les yeux braqués sur la porte, n'eût qu'une hâte : décamper. Ses sœurs devaient ressentir la même chose. Il éprouva une bouffée d'envie. Dans une heure ou deux, pour eux, tout serait fini. Mais pour lui, la vie ne ferait que commencer.

Cecily Townley-Young avait accepté d'être demoiselle d'honneur uniquement parce que son père lui en avait donné l'ordre. S'il n'avait tenu qu'à elle, elle n'aurait même pas assisté au mariage. Leurs liens de parenté exceptés, Rebecca et elle n'avaient jamais rien partagé. Et Cecily ne voyait pas la nécessité de changer quoi que ce soit à cet état de choses.

En effet, elle n'éprouvait pas de sympathie pour Rebecca. Primo, les deux cousines n'avaient pas de points communs. Pour Rebecca, un après-midi de rêve, c'était se traîner d'une vente de poneys à une autre, discuter garrot, retrousser les lèvres caoutchouteuses des chevaux afin d'examiner leurs abominables dents jaunes. Elle trimballait des pommes et des carottes dans ses poches comme d'autres de la petite monnaie et elle passait en revue sabots, scrotums et globes oculaires avec l'intérêt que les femmes normalement constituées accordent généralement aux vêtements. Secundo, Cecily en avait par-dessus la tête de Rebecca. Vingt-deux années d'anniversaires et de fêtes de Pâques, de Noël ou du Nouvel An passées dans la propriété de son oncle – tout ça au nom d'une unité familiale factice qu'il convenait cependant de sauvegarder à tout prix – avaient réduit à néant le peu d'affection qu'elle avait pu jadis éprouver pour sa cousine. Plusieurs fois témoin, lors de ses séjours chez son oncle, des extrémités auxquelles Rebecca pouvait se livrer, Cecily s'était toujours efforcée de se tenir à bonne distance chaque fois qu'elles se trouvaient plus d'un quart d'heure sous le même toit. Tertio, elle la trouvait bête à en pleurer. Rebecca n'avait en effet jamais fait cuire un œuf, rédigé un chèque, ou fait son lit. Chaque fois qu'elle avait un problème, tout ce qu'elle trouvait à dire, c'était : « Papa s'occupera de ça. » Attitude irresponsable et indolente que Cecily détestait.

Aujourd'hui encore, fidèle à son habitude, papa payait de sa personne. La famille avait joué correctement son rôle, attendant sagement le pasteur sous le porche nord glacial, battant la semelle, les lèvres virant au bleu, tandis qu'à l'intérieur de l'église les invités s'agitaient et chuchotaient au milieu des branches de houx et des guirlandes de lierre, se demandant pourquoi on n'allumait pas les cierges et pourquoi la marche nuptiale ne retentissait pas. Ils avaient attendu un bon quart d'heure avant que papa ne traverse la rue en trombe pour aller tambouriner furieusement à la porte du presbytère. Deux minutes plus tard, il était de retour, et son visage d'ordinaire plutôt rouge était blême de rage.

– Il n'est même pas chez lui, avait éructé St. John Andrew Townley-Young. Et tenez-vous bien, cette abrutie... (La gouvernante du pasteur, traduisit Cecily.) ... m'a dit qu'il était déjà parti quand elle est arrivée ce matin. Espèce de sale petite... (Ses mains se crispèrent dans leurs gants couleur tourterelle. Son haut-de-forme tressauta.) Entrez. Entrez tous. Mettez-vous à l'abri du froid. Je prends la situation en main.

– Mais Brendan est là, n'est-ce pas ? avait anxieusement questionné Rebecca. Il n'a pas disparu lui aussi ?

– Malheureusement non, rétorqua son père. La famille Power est là au grand complet. Comme des rats qui refusent de quitter un navire en perdition.

– St. John, murmura sa femme.

– Ne restez pas là, entrez !

– Mais les gens vont me voir, gémit Rebecca. Ils vont voir la mariée.

– Pour l'amour du ciel, Rebecca ! (Townley-Young disparut dans l'église, revint deux glaciales minutes plus tard en annonçant :) Vous n'aurez qu'à attendre sous le clocher.

Puis il repartit pour tenter de mettre la main sur le pasteur.

Et ils attendaient toujours sous le clocher, séparés des invités par une grille à balustres de noyer devant laquelle était tendu un rideau de velours rouge poussiéreux dont la trame était si usée qu'elle laissait passer la lumière des lustres de l'église. Ils captaient les murmures d'inquiétude de l'assistance. Les raclements de pied impatients. Le bruit des recueils d'hymnes qu'on ouvrait et refermait. L'orgue. Sous leurs pieds, tapi dans la crypte, le chauffage grognait comme une mère qui met son enfant au monde.

Cecily lança un regard scrutateur à sa cousine. Jamais elle n'aurait cru Rebecca capable de dénicher un homme assez stupide pour l'épouser. Certes, c'était une riche héritière et elle s'était déjà vu offrir le monstrueux manoir de Cotes Hall – censé abriter son bonheur conjugal une fois qu'on lui aurait passé la bague au doigt et que le registre aurait été signé. Mais Cecily s'était toujours demandé comment la fortune – aussi grande fût-elle – ou la vieille demeure victorienne branlante – à laquelle des travaux de restauration adéquats allaient rendre sa splendeur passée – pourraient constituer des arguments suffisants pour inciter un homme à supporter Rebecca sa vie durant. Mais maintenant... Elle évoqua le souvenir de sa cousine, ce matin, dans les toilettes, le bruit de ses vomissements, son cri : « Est-ce que ça va être comme ça tous les jours ? », suivi des chuchotements fiévreux de sa mère : « Rebecca, moins fort, s'il te plaît. La maison est pleine. » Rebecca, voix perçante : « Je me fous des invités. Je me fous de tout. Ne me *touche* pas. Laisse-moi sortir. » Claquement de porte. Bruit de cavalcade dans le couloir.

Enceinte ? s'était vaguement demandé Cecily en appliquant blush et mascara, estomaquée qu'un homme ait pu entraîner Rebecca dans son lit. Seigneur, si c'était vrai, tout était possible. Elle se mit à détailler sa cousine, à l'affût des signes révélateurs.

Rebecca n'avait pas précisément l'air d'une femme comblée. Et si la grossesse était censée l'épanouir, pour l'instant en tout cas, avec ses bajoues, ses yeux en bille de loto et sa permanente qui lui faisait comme un casque sur le sommet du crâne, elle n'en était pas encore à ce stade. Certes, elle avait pour elle un teint parfait, une bouche plutôt agréable. Mais bizarrement rien n'allait ensemble dans son visage ; ses traits tiraient à hue et à dia.

Ça n'était pas sa faute, songea Cecily. Et à quelqu'un d'aussi peu favorisé par la nature, on aurait dû témoigner un peu de sympathie. Mais chaque fois qu'elle s'y efforçait, Rebecca s'arrangeait pour réduire ses efforts à néant.

Comme maintenant par exemple.

Rebecca faisait les cent pas dans l'espace exigu tout en tripotant furieusement son bouquet. Le sol avait beau être dégoûtant, elle ne se donnait pas la peine d'empêcher sa robe et sa traîne de faire le ménage par terre. C'était sa mère qui devait la suivre pas à pas comme un toutou, soulevant à pleins bras flots de satin et de velours. Cecily se tenait dans un coin, au milieu de deux seaux métalliques, d'un rouleau de corde, d'une pelle, d'un balai et d'une pile de chiffons. Avisant une sorte de crochet sur le mur, elle y suspendit son bouquet. Puis elle releva le bas de sa robe de velours. L'air sentait le renfermé sous les cloches et à peine bougeait-on qu'on heurtait immanquablement un objet noir de crasse. Mais au moins, il faisait chaud.

– Je savais qu'il se passerait un truc dans ce goût-là. (Les mains de Rebecca étranglèrent les fleurs virginales.) Le mariage est dans le lac. Et ils se paient ma tête, bien sûr. Je les entends ricaner.

Mrs. Townley-Young effectua un quart de tour impeccablement synchronisé sur celui de Rebecca et empoigna de nouveaux flots de tissu.

– Tu te fais des idées, ma chérie. Personne ne se moque de toi. C'est une erreur, voilà tout. Un malentendu. Ton père va arranger ça.

– Comment ça, une erreur ? Nous sommes allés voir Mr. Sage hier après-midi. En partant, il nous a dit : « A demain matin. » Et il aurait oublié ? Il serait parti ailleurs ?

– Peut-être y a-t-il eu une urgence. Un mourant. Quelqu'un qui voulait le voir...

– Mais Brendan est retourné lui dire un mot en particulier. (Rebecca s'arrêta d'aller et venir. Yeux étrécis, elle jeta un regard pensif au mur ouest du clocher comme si, à travers lui, elle distinguait le presbytère.) J'étais retournée à la voiture quand il m'a dit qu'il avait oublié de demander quelque chose à Mr. Sage. Il est reparti au presbytère. Il est entré. J'ai attendu une minute. Puis deux, puis trois. Et... (Elle pivota, reprit son manège.) Il ne parlait pas à Mr. Sage du tout. Mais à cette petite garce. Cette sorcière ! Elle est derrière tout ça, maman. Bon Dieu, je vais y aller ; elle va m'entendre.

Cecily trouva que les choses prenaient une tournure intéressante : un peu de distraction ne lui ferait pas de mal. Puisqu'il lui fallait de toute façon s'appuyer cette corvée au nom de la sacro-sainte unité familiale – et du testament de son oncle –, autant essayer de s'amuser un peu.

– Qui ça ? s'enquit-elle donc.

– Cecily, fit Mrs. Townley-Young d'une voix aimable mais ferme.

– Polly Yarkin, siffla Rebecca entre ses dents. Cette sale petite pute, au presbytère.

– La gouvernante du pasteur ? s'étonna Cecily. (Voilà un point qui demandait des éclaircissements. Il y avait déjà une autre femme dans le circuit ? Tout bien considéré, elle ne se sentait pas le cœur de jeter la pierre au pauvre Brendan, mais elle se disait qu'il aurait peut-être pu viser plus haut. Elle poursuivit, faisant l'idiote :) Ah ben ça alors, qu'est-ce qu'elle vient faire là-dedans, Becky ?

– Cecily, mon petit, fit Mrs. Townley-Young d'une voix cette fois nettement moins aimable.

– Elle a la manie de fourrer ses nichons sous le nez des hommes et de guetter leur réaction, dit Rebecca. Il a envie de se la faire. J'en suis sûre. Ça se voit comme le nez au milieu de la figure.

– Brendan t'aime, ma chérie, fit remarquer Mrs. Townley-Young. Et d'ailleurs il t'épouse.

– Il a pris un pot avec elle au *Crofters Inn* la semaine dernière. Juste avant de repartir à Clitheroe. Il ne savait même pas qu'elle s'y trouverait, m'a-t-il dit. Il n'allait tout de même pas faire celui qui ne la reconnaissait pas. Dans un village, tout le monde est censé se connaître.

– Chérie, tu fais une montagne d'une taupinière.

– Il est amoureux de la gouvernante du pasteur ? s'enquit Cecily, l'œil arrondi de naïveté feinte. Mais alors pourquoi est-ce qu'il t'épouse, Becky ?

– Cecily ! dit sa tante d'un ton sec.

– Il ne m'épouse pas ! Il n'y a pas de pasteur pour nous marier ! cria Rebecca.

De l'autre côté du rideau, un silence tomba. L'orgue s'était arrêté de jouer et les mots de Rebecca parurent rebondir d'un mur à l'autre. L'organiste s'empressa d'attaquer : « Couronne d'amour, ô Seigneur, cet heureux jour. »

– Dieu merci, exhala Mrs. Townley-Young dans un souffle.

Des pas vifs retentirent sur les dalles de pierre et une main gantée écarta le rideau rouge. Le père de Rebecca franchit la grille.

– Nulle part. Je ne l'ai trouvé nulle part. (D'une claque sèche, il fit tomber la neige de son manteau et de son haut-de-forme.) Rien au village. Rien près de la rivière. Rien sur le pré communal. Aucune trace de lui nulle part. Ça va lui coûter cher : je vais le faire virer.

Sa femme tendit la main vers lui.

– St. John, qu'allons-nous faire, mon Dieu ? Les invités. Ces tonnes de nourriture. Et Rebecca, dans son état...

– Inutile de me rafraîchir la mémoire. Les détails, je les connais. (Townley-Young écarta le rideau et jeta un coup d'œil dans l'église.) Nous allons être la risée générale pendant les dix années à venir. (Il se tourna vers sa femme et sa fille.) Tu t'es fourrée dans ce guêpier, Rebecca, je devrais te laisser t'en dépêtrer toute seule.

– Papa ! gémit-elle.

– Vraiment, St. John...

Cecily se dit que c'était le moment de se montrer utile. Son père n'allait pas tarder à les rejoindre – les scènes ayant le don de le réjouir – et si tel était le cas, elle avait tout intérêt à lui prouver qu'elle était capable de résoudre une crise familiale. Il ne lui avait toujours pas donné le feu vert pour son printemps en Crète.

– Peut-être qu'on devrait téléphoner, oncle St. John, suggéra-t-elle. Il doit bien y avoir un autre pasteur dans les environs.

– J'ai parlé au constable, dit Townley-Young.

– Mais il ne peut pas les marier, protesta sa femme. Il

nous faut un pasteur. Il faut que le mariage se fasse. Le buffet est prêt. Les invités commencent à avoir faim. Le...

– C'est Sage que je veux. Ici et maintenant. Et si je dois traîner ce petit misérable jusqu'à l'autel par la peau des fesses, je le ferai.

– Mais si quelqu'un l'a appelé... fit Mrs. Townley-Young, s'efforçant de prendre un ton raisonnable.

– Personne ne l'a fait chercher. La petite Yarkin m'a couru après pour me dire que son lit n'était pas défait et que sa voiture était au garage. C'est donc qu'il est dans le coin. Et j'ai ma petite idée sur ce qu'il fabrique.

– Le pasteur ? s'écria Cecily, feignant l'horreur alors qu'elle était parcourue d'un délicieux frisson.

Un mariage forcé, célébré par un homme d'Eglise lubrique, mettant en scène un marié récalcitrant amoureux de la gouvernante du pasteur et une mariée furibonde bien décidée à se venger. Voilà qui valait presque le coup d'être demoiselle d'honneur. Au moins, question détails, elle était aux premières loges.

– Pas le pasteur, oncle St. John. Seigneur, quel scandale !

Son oncle lui jeta un coup d'œil incisif. Il pointa le doigt vers elle et s'apprêtait à prendre la parole lorsque le rideau fut tiré de nouveau. Ils pivotèrent comme un seul homme et découvrirent le constable du coin, sa grosse veste tachée de neige, ses lunettes à monture d'écaille couvertes de buée. Il était tête nue et ses cheveux roux étaient pleins de cristaux blancs. Il les fit tomber de la main.

– Eh bien, Shepherd ? lança Townley-Young. Vous l'avez trouvé ?

– Oui. Mais il est hors de question qu'il célèbre un mariage ce matin.

JANVIER : LE GEL

1

– Ce panneau, il indiquait quoi ? Tu vois de quoi je parle, Simon, non ? Un grand panonceau, juste au bord de la route.

Deborah Saint James ralentit et jeta un regard derrière elle. Ils avaient dépassé un virage et le treillage épais formé par les branches nues des chênes et des marronniers leur cachait la route ainsi que le mur moussu qui la longeait. Là où ils s'étaient arrêtés, la chaussée n'était bordée que par une haie squelettique, dénudée par l'hiver et invisible à la lumière du crépuscule.

– Ce n'était pas le panneau de l'hôtel, si ? Est-ce que tu as aperçu une allée ?

Son mari s'arracha à la rêverie dans laquelle il s'était plongé depuis l'atterrissage à Manchester. Il avait profité du trajet en voiture pour admirer le paysage hivernal du Lancashire tout en se demandant quelle était la nature de l'outil à l'aide duquel on avait coupé le gros câble électrique qui avait servi à lier les mains et les pieds d'un cadavre de sexe féminin retrouvé la semaine précédente dans le Surrey.

– Une allée ? répéta-t-il. Peut-être. Je n'ai pas fait attention. Quant à ton panneau, c'était une publicité pour une voyante.

– Tu plaisantes.

– Non. Serait-ce un des services offerts par l'hôtel et dont tu aurais oublié de me parler ?

– Pas que je sache. (Elle scruta le paysage à travers le pare-brise. La route commençait à grimper et les lumières d'un village brillaient au loin. A un kilomètre et demi, environ.) On n'a pas dû rouler assez.

– Comment s'appelle l'auberge ?

– *Crofters Inn* [1].

– Rien à voir avec le panneau, alors. Quant à cette annonce, elle ne m'étonne pas. Nous sommes dans le Lancashire, après tout. Je suis surpris que l'auberge ne s'appelle pas plutôt *Le Chaudron* [2].

– Si tel était le cas, je n'aurais pas réservé, mon amour. Les années passant, je deviens superstitieuse.

– Je vois. (Il sourit dans l'obscurité grandissante. *Les années passant.* Elle n'avait que vingt-cinq ans. La vitalité et les promesses de la jeunesse.)

Pourtant, elle semblait fatiguée – il savait qu'elle ne dormait pas bien – et avait une petite mine. Quelques jours à la campagne, de longues promenades, du repos, voilà ce dont elle avait besoin. Ces derniers mois, elle avait beaucoup trop travaillé – beaucoup plus que lui –, s'enfermant dans la chambre noire jusqu'à des heures indues, sortant aux aurores pour se rendre à des rendez-vous n'ayant qu'un rapport assez vague avec ses activités habituelles. J'essaie d'élargir mes horizons, disait-elle. Les paysages, les portraits, ça ne suffit pas, Simon. Il faut que je fasse autre chose. Je songe à une approche multimédias, à une exposition, peut-être, cet été. Mais comment veux-tu que je la prépare si je ne me tiens pas au courant de ce qui se fait, si je n'essaie pas de diversifier mon travail, de prendre des contacts... Il n'avait pas essayé de discuter avec elle ni de la freiner. Il s'était contenté d'attendre que la crise passe. En deux ans de mariage, ils en avaient déjà traversé plusieurs. C'était à cette idée qu'il se raccrochait lorsqu'il commençait à désespérer d'arriver à sortir de celle-ci.

Elle ramena une mèche de cheveux roux derrière son oreille, enclencha la vitesse.

– On ferait mieux de pousser jusqu'au village, tu ne crois pas ?

– A moins que tu n'aies envie de consulter la chiromancienne d'abord ?

– Pour connaître mon avenir ? Non, merci.

1. *Auberge des paysans.* (*N.d.T.*)
2. Allusion au chaudron des sorcières, le Lancashire étant un des berceaux de la sorcellerie. (*N.d.T.*)

Il avait parlé sans arrière-pensée mais s'aperçut qu'elle l'avait pris au sérieux.
– Deborah...
Elle lui prit la main. Tout en conduisant, les yeux sur la route, elle appuya la paume de Simon contre sa joue. Il sentit sa peau fraîche. Douce comme l'aube.
– Désolée. Pour une fois que nous sommes tranquilles tous les deux... Empêche-moi de gâcher ces instants.
Mais elle ne croisa pas son regard. De plus en plus souvent, elle évitait de le regarder en face.
Il laissa l'instant passer. Toucha ses cheveux éclatants. Posa la main sur sa cuisse.
Du panneau jusqu'à l'entrée du village, il ne devait pas y avoir plus de deux kilomètres. Winslough était construit à flanc de colline. Ils passèrent d'abord devant l'église – robuste édifice de style anglo-normand avec toit et clocher crénelés, horloge au cadran bleu marquant définitivement trois heures. Puis ils longèrent l'école primaire et une morne rangée de maisons uniformes construites en bordure d'un champ. Au sommet de la colline, dans un espace en forme de Y où la route de Clitheroe croisait celles menant à Lancaster et dans le Yorkshire, ils aperçurent *Crofters Inn*, leur auberge.
Deborah ralentit, laissant tourner le moteur. Elle débarrassa de la buée qui le couvrait un coin du pare-brise, examina le bâtiment et poussa un soupir.
– Eh bien, ça n'est pas terrible. Moi qui croyais... Ç'avait l'air si romantique, sur la brochure...
– C'est parfait.
– C'est du XIVe. A l'intérieur, il y a une grande salle qui servait de tribunal. La salle à manger possède un plafond à poutres apparentes et le bar n'a pas bougé depuis deux cents ans. La brochure disait même que...
– C'est parfait.
– Mais je voulais...
– Deborah... (Elle se décida à le regarder.) Ce n'est pas pour l'hôtel que nous sommes venus jusqu'ici, si ?
De nouveau, elle considéra l'établissement, le voyant à travers l'objectif du photographe, étudiant les divers éléments, la composition. C'était chez elle un réflexe aussi naturel que de respirer.
– Non, convint-elle enfin, mais comme à regret. Tu as raison.

Franchissant une grille, elle s'immobilisa dans le parking aménagé à l'arrière de l'auberge. Comme toutes les autres bâtisses du Lancashire, le bâtiment était construit moitié en calcaire jaune, moitié en meulière. Même vue de dos, en dehors de boiseries blanches et de jardinières vertes où fleurissait un fouillis de pensées d'hiver, l'auberge n'avait rien de spécial. Seul trait particulier, une partie de son toit d'ardoise, concave, pointait au-dessus du reste. Saint James espéra que ce n'était pas sous ce dôme que se trouvait leur chambre.

– Bien, fit Deborah, résignée.

Saint James se pencha, l'obligea à tourner son visage vers le sien et l'embrassa.

– Ça faisait des années que je mourais d'envie de voir le Lancashire, je t'en avais parlé ?

– Dans tes rêves, fit-elle en souriant et en descendant de voiture.

Il ouvrit la portière, sentit l'air froid et humide l'envelopper telle de l'eau, huma l'odeur d'un feu de bois ainsi que les âcres effluves de la terre humide et des feuilles en décomposition. Il souleva sa jambe appareillée et posa le pied sur les pavés. Il n'y avait pas de neige mais le gel bordait la pelouse de ce qui, en été, devait être une guinguette où l'on se restaurait sur le pouce et buvait de la bière. Elle était à l'abandon pour l'instant, mais il l'imagina pleine d'estivants venus faire de la randonnée sur la lande, escalader les collines et pêcher dans la rivière qu'il entendait glouglouter à quelque trente mètres de là. Un chemin y conduisait – qu'il distinguait car sur les dalles tartinées de givre se reflétaient les lumières de l'auberge – et bien que la rivière n'appartînt manifestement pas aux aubergistes, le mur de clôture était percé d'une grille qui y donnait accès. Cette grille était ouverte.

Tandis qu'il l'examinait, il vit une jeune fille la franchir, fourrant un sac en plastique blanc dans un anorak orange trop grand pour elle. Orange fluo, le vêtement arrivait sous le genou de l'adolescente qui était pourtant d'une taille respectable, attirant ainsi l'attention sur ses jambes engoncées dans de grosses bottes de caoutchouc vertes.

A la vue de Deborah et Saint James, elle sursauta. Mais au lieu de filer, elle marcha droit sur eux et, sans plus de cérémonies, empoigna la valise que Saint James sortait du coffre. Jetant un coup d'œil dans le coffre, elle avisa les béquilles et s'en empara également.

– Ah ! Vous voilà ! fit-elle comme si elle était allée à leur recherche du côté de la rivière. Vous êtes un peu en retard, non ? D'après le registre, vous auriez dû arriver vers quatre heures.

– Je n'avais pas précisé d'heure, fit Deborah, prise de court. Notre avion n'a atterri qu'à...

– Ça ne fait rien, coupa l'adolescente. L'essentiel, c'est que vous soyez là. Et il vous reste encore largement le temps de vous retourner d'ici le dîner. (Elle lança un bref regard vers les carreaux couverts de buée de l'auberge, derrière lesquels une silhouette floue s'agitait sous la lumière crue de ce qui devait être la cuisine.) A propos de dîner, un conseil : évitez le bœuf bourguignon. Le cuisinier appelle ça comme ça mais ce n'est que du vulgaire ragoût. Venez, suivez-moi. C'est par ici.

Elle se mit à coltiner la valise vers la porte de derrière. La valise à bout de bras, les béquilles de Saint James sous l'aisselle, elle avançait d'une démarche bizarre, ses bottes tantôt chuintant tantôt claquant sur les pavés. Comprenant qu'ils n'avaient pas le choix, Saint James et Deborah lui emboîtèrent le pas, traversèrent le parking, montèrent quelques marches et franchirent la porte de derrière. Celle-ci ouvrait sur un couloir menant à une pièce dont un panneau indiquait qu'il s'agissait du *Salon réservé aux clients de l'hôtel.*

L'adolescente posa bruyamment la valise par terre et appuya contre le bagage les béquilles dont les extrémités se plantèrent dans une rose fanée du tapis d'Axminster.

– Voilà, annonça-t-elle en se frottant les mains comme pour leur signifier qu'elle avait rempli sa part du contrat. Vous n'oublierez pas de dire à maman que Josie vous attendait dehors ? C'est moi, Josie. (Mouvement du pouce vers sa poitrine.) Ça me rendrait un sacré service. Et je vous revaudrai ça.

Saint James ne put s'empêcher de se demander comment. La jeune fille guettait anxieusement leur réaction.

– D'accord, fit-elle, je vois bien ce que vous êtes en train de vous dire. Eh bien, si vous voulez tout savoir, elle est en pétard après moi. Notez que j'ai rien fait. Enfin, rien de grave. C'est à cause de mes cheveux, surtout, qu'elle est fâchée. Normalement, ils ont pas cette allure-là.

Saint James se demanda si elle parlait du style ou de la couleur, car les deux étaient abominables. La coupe, un carré plus qu'approximatif, semblait avoir été exécutée à l'aide de ciseaux à ongles et d'un rasoir électrique. Cela lui donnait l'air d'Henry V, tel qu'on peut le voir à la National Portrait Gallery. Quant à la couleur, qui tirait sur le saumon et jurait atrocement avec son anorak fluo, c'était manifestement le résultat d'une teinture appliquée avec plus d'enthousiasme que de savoir-faire.

– Mousse.

– Pardon ?

– C'est de la mousse. Pour les cheveux. C'est censé donner des reflets roux, mais ça n'a pas marché. (Elle fourra les mains dans les poches de son anorak.) Vraiment, j'ai pas de pot, je les accumule. Si vous croyez que c'est facile, de se trouver un petit copain quand on a ma taille... Je me suis dit que si j'arrangeais mes cheveux, j'y arriverais peut-être. Je sais. C'est idiot. Pas la peine d'en rajouter. Ça fait trois jours que maman n'arrête pas de me bassiner avec ça. « Qu'est-ce que je vais devenir avec une fille comme toi, Josie ? » Josie, c'est moi. Maman et Mr. Wragg sont propriétaires de l'auberge. Vos cheveux à vous, par contre, ils sont drôlement beaux. (Remarque adressée à Deborah, que Josie passait méthodiquement en revue.) Vous êtes rudement grande, vous aussi, dites donc. Mais j'imagine que vous avez fini votre croissance.

– C'est possible, oui.

– Eh ben, pas moi. D'après le docteur, je risque même de dépasser le mètre quatre-vingts. Tu dois avoir du sang viking dans les veines, me dit-il. Et à chaque fois, il rigole, il me flanque une claque sur l'épaule comme s'il en avait sorti une bien bonne. Mais, bon sang, qu'est-ce que les Vikings seraient venus fabriquer dans le Lancashire, hein ? J'aimerais bien le savoir.

– Quant à votre mère, j'imagine qu'elle aimerait savoir ce que vous fabriquiez près de la rivière ? fit Saint James.

Josie eut l'air gênée.

– J'étais pas près de la rivière. Et de toute façon, je faisais rien de mal. Et c'est juste un petit service que je vous demande. Dites seulement en passant, comme ça, à ma mère que je vous ai attendus dans le parking. Si ça se trouve, ça suffira à la calmer.

– Josephine ! hurla une voix féminine du fond de l'auberge. Josephine Eugenia Wragg !

Josie eut un mouvement de recul.

– J'ai horreur qu'elle m'appelle comme ça. Ça me rappelle l'école. Les copines m'avaient baptisée Josephine Eugenia la grande asperge.

Elle n'avait pas l'air d'une asperge, pourtant. Mais elle était grande et se déplaçait avec la gaucherie d'une adolescente pas encore habituée à son corps. Saint James songea à sa sœur au même âge, affligée elle aussi d'une taille nettement supérieure à la moyenne, de traits aquilins et d'un prénom désastreusement androgyne. Sidney, annonçait-elle, sarcastique, en se présentant. *Dernière* des fils de la famille Saint James. Ses camarades de classe l'avaient abondamment charriée pendant des années.

L'air grave, il dit :

– C'est gentil de nous avoir attendus dans le parking, Josie. C'est agréable d'être accueilli quand on arrive à destination.

Le visage de l'adolescente s'illumina.

– Merci, merci beaucoup, dit-elle, repartant vers la porte par laquelle ils étaient entrés. Je vous revaudrai ça. Vous verrez.

– Je n'en doute pas.

– Traversez le pub. Vous y trouverez quelqu'un qui vous montrera votre chambre. (De la main, elle leur désigna une porte, de l'autre côté de la pièce.) Faut que j'aille retirer ces bottes en vitesse. (Nouveau regard interrogateur.) Vous ne lui parlerez pas des bottes ? C'est celles de Mr. Wragg.

Ce qui expliquait son allure incongrue de plongeur muni de palmes.

– Je suis une tombe, fit Saint James. Deborah ?

– Moi aussi.

Josie sourit et s'éclipsa.

Deborah prit les béquilles de Saint James et jeta un coup d'œil dans la pièce en forme de L, qui faisait office de salon. Les meubles avaient l'air défraîchis, plusieurs abat-jour étaient de guingois. Mais sur une desserte s'empilait une collection de revues destinées aux clients, et une petite bibliothèque paraissait contenir une cinquantaine d'ouvrages. Au-dessus des lambris en pin, le papier semblait récent – coquelicots et roses entrelacés – et le parfum caractéristique d'un pot-pourri flottait dans l'air. Elle se tourna vers Saint James, qui lui souriait.

– Eh bien, Simon ?

– On se croirait à la maison.

– Peut-être pas. Mais en tout cas, ça n'est pas impersonnel.

Elle l'entraîna vers le pub.

Ils étaient arrivés pendant l'heure de la fermeture car il n'y avait âme qui vive, pas plus derrière le bar en acajou qu'autour des tables réservées aux consommateurs. Ils contournèrent tables, tabourets et chaises, passant sous le plafond bas dont les poutres massives noircies par des années de fumée étaient ornées d'une collection de cuivres aux formes bizarres. Dans la cheminée, un feu de bois finissait de se consumer, et la résine faisait parfois entendre des crépitements.

– Où est-ce qu'elle est encore allée se fourrer, cette sacrée gamine ? lança une voix de femme, venant d'une sorte de bureau.

La porte était ouverte à gauche du bar. Juste à côté, s'élevait un escalier aux marches affaissées, comme fatiguées d'être utilisées. La femme sortit et hurla : « Josephine ! » dans l'escalier avant d'apercevoir Saint James et sa femme. Comme Josie, elle sursauta. Comme Josie, elle était grande et mince, dotée de coudes pointus telles des flèches. Elle porta une main gênée à ses cheveux et retira la barrette en plastique ornée de boutons de rose qui maintenait sa chevelure en place. De l'autre, elle se mit à faire tomber des peluches restées accrochées à sa jupe.

– Les serviettes, expliqua-t-elle. Josie devait les plier. Mais comme elle a disparu, j'ai dû m'en charger. Pas commode de vivre avec une fille de quatorze ans.

– Je crois bien que nous l'avons rencontrée, dit Saint James. Dans le parking.

– Elle nous attendait, ajouta Deborah. Elle nous a aidés à transporter nos affaires.

– Ah oui ? (Les yeux de la femme passèrent des Saint James à leurs bagages.) Vous devez être Mr. et Mrs. Saint James, alors. Bienvenue à l'auberge. Nous vous avons donné Skylight.

– Skylight ?

– C'est le nom de votre chambre. Notre meilleure chambre. Un peu froide, peut-être, à cette période de l'année, mais nous avons mis un radiateur supplémentaire.

Froide, le qualificatif était faible pour désigner la température de la pièce où elle les conduisit, deux étages plus haut, sous le toit. Bien que le radiateur électrique fût poussé au maximum, émettant de véritables ondes de chaleur, les trois fenêtres et les deux verrières semblaient véritablement servir de conducteurs au froid du dehors.

Mrs. Wragg tira les rideaux.

– On sert le dîner de sept heures et demie à neuf heures. Vous voulez prendre quelque chose avant ? Du thé, peut-être ? Josie peut vous en monter.

– Pas pour moi, merci, fit Saint James. Deborah ?

– Non.

Mrs. Wragg hocha la tête, se frottant les bras avec ses mains.

– Bon, dit-elle. (Elle se baissa pour ramasser un fil blanc qui traînait sur le tapis. Et l'enroula autour de son doigt.) La salle de bains est par là. Attention à votre tête, la porte est un peu basse. Mais elles le sont toutes, ici. C'est la maison qui veut ça. Elle n'est pas toute jeune. Si vous voyez ce que je veux dire.

– Bien sûr.

Elle s'approcha de la commode et remit en place un miroir, qui trônait sur un napperon. Puis elle ouvrit la penderie :

– Vous avez des couvertures supplémentaires là-dedans, fit-elle en tapotant le chintz de l'unique fauteuil de la pièce. (Puis cessant de tourner autour du pot, elle questionna :) Vous êtes de Londres ?

– Oui, opina Saint James.

– Il n'y a pas beaucoup de gens de Londres qui viennent ici.

– Ce n'est pas la porte à côté.

– C'est pas ça. Les Londoniens, ils vont plutôt dans le Sud. Dorset. Cornouailles. Tout le monde va dans le Sud. (Elle s'approcha du mur derrière le fauteuil et redressa une des deux reproductions qui y étaient accrochées. *Jeunes Filles au piano*, de Renoir.) Les gens qui aiment le froid, ça ne court pas les rues.

– C'est vrai.

– Les gens du nord vont à Londres, eux. Poursuivre des chimères. Londres, Josie ne pense qu'à ça. Est-ce qu'elle vous a questionnés à ce propos ?

Saint James consulta sa femme du regard. Deborah avait ouvert la valise sur le lit. A cette question, elle se retourna, une écharpe mousseuse entre les doigts.

– Non. Elle ne nous a pas soufflé mot de Londres.

Mrs. Wragg parut se rasséréner, puis elle leur adressa un bref sourire.

– Tant mieux. C'est bon signe. Parce que cette petite est prête à tout dès qu'il s'agit de quitter Winslough. (Elle se frotta les mains l'une contre l'autre et, les poings sur les hanches, ajouta :) Bon. Si je comprends bien, vous êtes venus faire une petite cure de bon air et marcher. Ce n'est pas ce qui manque chez nous, le bon air. Dans la lande. Dans les champs. Dans les collines. On a eu de la neige le mois dernier. Ça faisait un bout de temps qu'on n'en avait pas eu. Mais maintenant, il n'y a plus que du gel. Vous allez vous crotter. J'espère que vous avez apporté vos bottes en caoutchouc ?

– Oui.

– Parfait. Pour les balades, demandez à Ben. Mr. Wragg. Mon mari. Il connaît les bons coins. Il vous donnera des tuyaux.

– Merci, dit Deborah. Nous n'y manquerons pas. Nous avons très envie de faire des promenades, en effet. Et de voir le pasteur.

– Le pasteur ?

– Oui.

– Mr. Sage ?

– Oui.

La main de Mrs. Wragg quitta sa hanche pour agripper le col de son chemisier.

– Qu'y a-t-il ? s'enquit Deborah. (Saint James et elle échangèrent un regard.) Mr. Sage est toujours dans la paroisse, n'est-ce pas ?

– Non. Il... (Mrs. Wragg appuya ses doigts contre son cou et termina précipitamment :) Il est allé en Cornouailles. Comme tout le monde. Enfin, si l'on peut dire.

– Comment ça ? fit Saint James.

– C'est... (Elle déglutit.) C'est là-bas qu'il a été enterré.

2

Polly Yarkin passa une lavette humide sur le plan de travail, la replia et la posa avec soin au bord de l'évier. C'était parfaitement inutile. Personne n'avait mis les pieds dans la cuisine du pasteur ces quatre dernières semaines. Et à en juger par la tournure des événements, personne ne s'en servirait avant encore plusieurs semaines. Pourtant elle continuait de venir chaque jour au presbytère comme elle l'avait fait ces six dernières années, entretenant la maison comme elle l'avait entretenue pour Robin Sage et ses deux jeunes prédécesseurs, restés chacun trois ans au village avant de s'envoler vers des horizons plus vastes. Si tant est que pareille chose existât dans l'Eglise anglicane.

Polly s'essuya les mains avec un torchon qu'elle suspendit à son crochet au-dessus de l'évier. Elle avait ciré le linoléum le matin même et, toute contente, constata que lorsqu'elle regardait par terre, le sol immaculé lui renvoyait son reflet. Un reflet un peu flou, évidemment. Un lino n'est pas un miroir. Mais elle distinguait quand même relativement nettement les tortillons de cheveux carotte qui s'échappaient du foulard noué serré sur sa nuque. Ainsi que sa silhouette, qui ployait sous le poids de ses seins gros comme des pastèques.

Elle avait mal dans le bas du dos, et les bretelles de son soutien-gorge trop rempli lui sciaient les épaules. Elle glissa l'index sous l'une d'elles et fit la grimace car la manœuvre, si elle lui avait apporté une seconde de soulagement, n'avait fait qu'empirer les choses de l'autre côté. Tu en as de la chance, Poll, s'extasiaient ses copines moins abondamment pourvues par la nature ; les garçons, ça les rend dingues, de penser à toi. Sa mère, à sa manière ésotérique, avait dit, Conçue dans le cercle, bénie de la Déesse. Et le jour où Polly lui avait parlé de recourir à la chirurgie pour se faire faire une réduction mammaire, elle lui avait flanqué une bonne claque sur le derrière.

Elle s'enfonça les poings dans les reins et consulta l'horloge murale. Six heures et demie. Personne ne viendrait au presbytère à cette heure tardive. Elle n'avait aucune raison de s'attarder.

Polly n'avait d'ailleurs pas de raison de s'incruster chez Mr. Sage. Malgré tout, elle venait tous les matins et restait jusqu'à la tombée du jour. Elle faisait la poussière, le ménage, déclarant à qui voulait l'entendre qu'il était important – particulièrement à cette époque de l'année – de garder la maison en état pour le remplaçant de Mr. Sage. Et pendant qu'elle travaillait, elle s'arrangeait pour surveiller les allées et venues du voisin le plus proche du pasteur.

Elle épiait le voisin depuis la mort de Robin Sage. Depuis que Colin Shepherd – c'était son nom – était venu avec son bloc-notes de constable et ses questions de constable éplucher les affaires de Mr. Sage. Il se contentait de lui jeter un coup d'œil quand elle lui ouvrait la porte chaque matin. Il disait « Bonjour, Polly » et détournait les yeux. Il se rendait dans le bureau du pasteur ou dans sa chambre. Parfois il s'asseyait pour passer le courrier en revue. Il prenait des notes et examinait longuement l'agenda du pasteur comme si l'étude approfondie de ses rendez-vous pouvait lui fournir la clé de sa mort.

Parle-moi, Colin, brûlait-elle de lui dire quand il était là. Comme avant. Redeviens mon ami.

Mais elle ne soufflait mot, se contentant de lui offrir du thé. Et lorsqu'il refusait – Non, merci, Polly. Je m'en vais dans une minute –, elle se remettait au travail, astiquant les glaces, lavant les carreaux, briquant toilettes, sols, lavabos et baignoire jusqu'à ce que ses mains fussent à vif et que la maison fût ruisselante de propreté. Chaque fois que l'occasion se présentait, elle examinait le constable à la dérobée, dressant la liste de ses imperfections, liste qui lui rendrait son sort moins lourd à supporter. Trop carré, le menton. Les yeux ? D'un beau vert mais trop petits. Et carrément ridicule, la coiffure. Il essaie de ramener ses cheveux en arrière mais ils finissent toujours par faire une raie au milieu et par lui retomber sur le front. Et il n'arrête pas de les tripoter, les peignant avec ses doigts.

Mais arrivée aux doigts, elle s'arrêtait net, sa litanie tournait court. Car ses mains étaient les plus belles mains du monde.

Et à cause de ces mains, à la pensée de ces mains glissant sur sa peau, elle se trouvait ramenée à la case départ. Parle-moi, Colin. Comme avant.

Mais jamais il ne lui adressait la parole, ce qui était aussi bien. Car elle n'avait pas vraiment envie qu'entre eux ça redevienne comme avant.

Trop vite à son gré, l'enquête prit fin. Colin Shepherd, constable du village, lut ses conclusions d'une voix calme lors de l'enquête du coroner [1]. Elle avait assisté à la scène comme tout le monde dans la grande salle de l'auberge. Mais contrairement aux autres villageois, elle n'y était allée que pour voir et entendre Colin.

– Mort accidentelle, annonça le coroner. Empoisonnement accidentel.

L'affaire avait été classée.

Mais cela n'avait pas mis fin aux chuchotements ni aux insinuations. Dans un village de la taille de Winslough, les mots « empoisonnement » et « accidentel » constituaient une véritable contradiction dans les termes. Et la porte ouverte à tous les ragots. Polly était restée à son poste, arrivant au presbytère à sept heures et demie, espérant jour après jour que l'enquête serait rouverte et que Colin reviendrait.

Avec lassitude, elle se laissa tomber sur une chaise de cuisine et chaussa les grosses bottes qu'elle avait posées sur le tas de journaux qui ne cessait de grimper. Personne n'avait songé à annuler les abonnements de Mr. Sage. Elle avait été trop occupée à penser à Colin pour s'en charger. Elle le ferait demain, décida-t-elle. Cela lui ferait un nouveau prétexte pour revenir.

En fermant la porte d'entrée, elle resta un instant sur les marches du presbytère pour libérer sa chevelure du foulard qui la retenait prisonnière. Libre, celle-ci se mit à crépiter comme de la paille de fer autour de son

1. Coroner : officier de justice qui enquête lorsqu'il y a mort violente ou suspecte. *(N.d.T.)*

visage, et la brise nocturne la fit se dérouler dans son dos. Elle plia le foulard en triangle, s'arrangeant pour que le slogan « Rita m'a percé à jour à Blackpool » soit invisible. Elle se le mit sur la tête et en noua les extrémités sous son menton. Sa chevelure lui grattait les joues et la nuque. Elle savait que le foulard ne l'embellissait pas, mais au moins il empêchait ses cheveux de lui voler dans les yeux et de se coller sur sa bouche pendant qu'elle marchait. En outre, le fait de s'attarder sur les marches sous la lumière du porche, qu'elle laissait toujours allumée après le coucher du soleil, lui permettait de voir distinctement la maison d'à côté. S'il y avait de la lumière, si la voiture de Colin était dans l'allée...

Mais tel n'était pas le cas.

Tout en longeant l'allée de gravillons et s'engageant sur la route, Polly se demanda ce qu'elle aurait fait si Colin Shepherd s'était trouvé chez lui ce soir-là.

Est-ce qu'elle aurait frappé à la porte ?

Oui ? Oh, bonsoir. Que se passe-t-il, Polly ?

Sonné avec insistance ?

Tu as un problème ?

Collé l'œil à la vitre ?

Tu as besoin de la police ?

Serait-elle entrée d'autorité, commençant à parler, priant qu'il lui réponde ?

Qu'est-ce que tu me veux, Polly ? Je ne comprends pas.

Elle boutonna son manteau avec soin et souffla sur ses mains. La température baissait. Il devait faire moins de cinq degrés. Il y aurait de la glace sur les routes, et s'il pleuvait, du verglas. S'il négociait mal un virage, il perdrait le contrôle de son véhicule. Peut-être tomberait-elle sur lui. Peut-être serait-elle la seule à pouvoir lui venir en aide. Elle poserait sa tête sur ses genoux, sa main sur son front, ramènerait ses cheveux fous en arrière et lui tiendrait chaud. Colin.

– Il vous reviendra, Polly, lui avait dit Mr. Sage, trois jours avant sa mort. Tenez bon. Soyez prête à l'écouter car il va avoir besoin de vous. Plus tôt que vous ne le croyez.

Mais tout ça n'était que du baratin de prêtre, reflétant des croyances idiotes. Si l'on priait suffisamment longtemps, un Dieu vous écoutait, pesant vos requêtes tout en caressant sa longue barbe blanche, et déclarant : « Ouiiiiiii, je vois », avant d'exaucer vos souhaits.

Quel tissu de conneries.

Polly prit la direction du sud pour sortir du village, empruntant le bas-côté de Clitheroe Road. La marche n'était pas aisée car le chemin boueux était encombré de feuilles mortes. Elle percevait le chuintement de ses pas malgré le raffut du vent qui faisait craquer les branches des arbres au-dessus de sa tête.

De l'autre côté de la rue, l'église était plongée dans l'obscurité. Les vêpres ne seraient pas célébrées tant qu'il n'y aurait pas de nouveau pasteur. Le conseil de la paroisse faisait passer des entretiens depuis deux semaines; mais lorsqu'ils découvraient qu'on leur proposait la charge pastorale d'un petit village du nord, les candidats pressentis s'empressaient de déclarer forfait. Comme si l'absence de néons crépitants et d'agitation trépidante signifiait qu'il n'y avait pas d'âmes à sauver à la campagne. C'était loin d'être le cas, au contraire; il y avait même largement de quoi faire en matière de salut à Winslough. Et Mr. Sage s'était rapidement rendu compte que ce n'étaient pas les pécheurs qui manquaient. A commencer par Polly elle-même.

Pécheresse, elle l'était. Et depuis longtemps. Dans le froid, l'hiver, par les nuits embaumées de l'été, au printemps et à l'automne, elle avait dessiné le cercle, tournée vers le nord. Plaçant les bougies aux quatre points cardinaux, se servant de l'eau, du sel et des plantes aromatiques, elle avait recréé un cosmos miniature à partir duquel lancer sa prière. Tous les éléments s'y trouvaient réunis : l'eau, le feu, l'air, la terre. La ficelle autour de sa cuisse. La baguette ferme dans sa main. Elle avait utilisé des clous de girofle en guise d'encens et du laurier comme bois, et elle s'était offerte – cœur et âme – au Rite du Soleil. Pour obtenir santé et vitalité. Elle avait prié pour obtenir l'espoir que les médecins refusaient. Demandé la guérison lorsqu'ils se bornaient à promettre de la morphine pour calmer la douleur jusqu'à ce que la mort mette fin à tout cela.

A la lueur des bougies et du laurier qui brûlait, elle avait psalmodié sa requête à Ceux dont elle avait invoqué la présence :

Faites qu'Annie retrouve la santé.
Déesse et Dieu, exaucez ma prière.

Et elle s'était persuadée que ses intentions étaient pures. Elle priait pour Annie, son amie d'enfance, la douce Annie Shepherd, tendre épouse de Colin. Mais seuls ceux dont l'âme est sans tache peuvent invoquer la Déesse et espérer être entendus. La magie devait être l'œuvre d'âmes pures.

Poussée par une impulsion subite, Polly rebroussa chemin jusqu'à l'église et pénétra dans le cimetière. Il y faisait noir comme dans la gueule du Dieu cornu mais elle n'avait pas besoin de lumière pour retrouver son chemin. Pas plus qu'elle n'avait besoin de lire la stèle pour savoir ce qui était écrit dessus. Anne Alice Shepherd. Et dessous, les dates, suivies de ces mots *A ma très chère femme.* C'était absolument tout. La simplicité même. Colin était quelqu'un de sobre.

– Oh Annie, dit Polly à la stèle dressée dans l'ombre épaisse, près du mur du cimetière, sous un marronnier aux branches foisonnantes. J'ai payé, trois fois payé, comme le disent les Préceptes. Mais je te jure que jamais je n'ai voulu te faire du mal.

Pourtant alors même qu'elle jurait, le doute la tenaillait. Tel un vol de sauterelles, le doute fouaillait sa conscience, la mettant à nu, dévoilant une femme qui avait voulu s'approprier le mari d'une autre.

– Vous avez fait ce que vous pouviez, lui avait dit Mr. Sage, lui tapotant la main. Personne ne peut chasser le cancer à coups de prières. On peut prier pour que les médecins aient la sagesse d'aider le malade. Prier pour que la famille arrive à faire face à son chagrin. Mais la maladie... Non, chère Polly, la maladie ne se chasse pas avec des prières.

Le pasteur avait été animé de bonnes intentions bien sûr, mais il ne la connaissait pas vraiment. Ce n'était pas le genre d'homme capable de comprendre ses péchés. Pour ce qu'elle avait convoité au plus noir de son cœur, il n'y avait pas d'absolution.

Et maintenant elle payait, au centuple, car elle avait attiré sur elle la colère des Dieux. Mais ce n'était pas le cancer qu'ils lui avaient envoyé pour la châtier. La vengeance d'Hammourabi était beaucoup plus subtile.

– Je changerais de place avec toi, Annie, si seulement c'était possible, chuchota Polly. Je t'assure que je le ferais. Oh oui.

– Polly ? (Chuchotement bas, désincarné.)

Elle recula, portant une main à sa bouche. La course de son sang s'accéléra dans ses veines.

– Polly, c'est toi ?

Des pas crissèrent du côté du mur, des bottes de caoutchouc chuintaient sur les feuilles mortes gelées qui tapissaient le sol. C'est alors qu'elle le vit, ombre parmi les ombres. Et sentit l'odeur du tabac pour pipe qui imprégnait ses vêtements.

– Brendan ? (Elle n'eut pas à attendre de confirmation. Le peu de lumière lui permettait de distinguer le nez caractéristique de Brendan Power. Lui seul avait un profil comme ça à Winslough.) Qu'est-ce que tu fabriques ici ?

Il parut prendre la question pour une invitation implicite car il enjamba le muret. Elle esquissa un pas en arrière. Il s'approcha vivement. Elle vit qu'il tenait sa pipe à la main.

– Je suis allé faire un saut au manoir. (Il tapota le fourneau de sa pipe contre la tombe d'Annie, déversant du tabac brûlé qui se répandit comme des taches de rousseur sur la dalle gelée. Puis paraissant soudain se rendre compte de l'inconvenance de sa conduite, il dit :) Je regagnais le village par le sentier. J'ai vu quelqu'un dans le cimetière. Et je... (Il baissa la tête, semblant examiner le haut à peine visible de ses bottes.) J'espérais que ce serait toi, Polly.

– Comment va ta femme ?

Il releva le nez.

– Il y a encore eu des problèmes au manoir. Dus à la malveillance, c'est plus que probable. Un robinet qui est resté ouvert. Résultat, une partie de la moquette est fichue. Rebecca est folle de rage.

– Ça se comprend, non ? Elle a hâte d'avoir son chez-soi. Ça ne doit pas être agréable de vivre chez papa et maman, avec un bébé en route en plus.

– Non, ça n'est pas facile. Pour personne, Polly.

A la chaleur du ton, elle détourna les yeux, regardant vers Cotes Hall où depuis quatre mois décorateurs et corps de métier s'activaient afin de remettre en état le manoir victorien longtemps resté à l'abandon qui devait bientôt accueillir les jeunes mariés.

– Je me demande pourquoi il ne prend pas un gardien de nuit, remarqua Polly.

– Il refuse d'en engager un sous la contrainte. Il prétend qu'il y a assez de Mrs. Spence à Cotes Hall, qu'elle devrait suffire amplement à la tâche. C'est pour ça qu'il la paie, crénom de nom. Pour surveiller le manoir, que diable.

– Et est-ce que... (Elle s'efforça de prononcer le nom d'un ton neutre.) Est-ce que Mrs. Spence n'entend jamais de bruits suspects ?

– Du cottage ? Trop loin du manoir, à ce qu'elle dit. Et quand elle fait des rondes, elle ne voit jamais personne.

– Ah.

Le silence tomba. Brendan se balança d'un pied sur l'autre. Le sol gelé craqua sous son poids. Une rafale de vent traversa les branches du marronnier, faisant voler les cheveux de Polly dans son dos.

– Polly.

Elle reconnut le ton, pressant, suppliant. Cette mine de quémandeur, elle l'avait vue plus d'une fois sur son visage, lorsqu'il lui demandait s'il pouvait s'asseoir à sa table au pub, s'encadrant dans la porte du *Crofters Inn* au moment précis où elle venait d'y entrer, comme averti par un sixième sens surnaturel de ses moindres faits et gestes. Elle sentit son estomac se nouer, ses membres devenir glacés.

Elle savait bien ce qu'il voulait. Tout le monde voulait la même chose : le salut, une forme d'évasion, un secret auquel se cramponner, un rêve si flou fût-il. Que lui importait qu'elle trinquât dans l'aventure ? Existait-il un livre de comptes spécifiant le prix à payer pour les souffrances qu'on infligeait à une âme ?

Tu es marié, Brendan, aurait-elle voulu lui dire d'un ton où se mêlaient patience et compassion. Même si je t'aimais – ce qui n'est pas le cas –, tu as une femme. Va la retrouver maintenant. Mets-toi au lit et fais l'amour à Rebecca. Tu te faisais moins prier, au début, pour l'aimer.

Mais pour son malheur elle n'était pas cruelle. Aussi se contenta-t-elle de dire :

– Faut que je m'en aille, Brendan. Ma mère m'attend pour dîner.

Et elle repartit par où elle était venue.

Elle l'entendit qui la suivait.

– Je t'accompagne. Tu ne devrais pas traîner seule dehors à cette heure.

– C'est à deux pas. Et tu viens de là où je vais, non ?

– Mais je suis passé par le sentier piétonnier, fit-il

comme si sa réponse était la logique même. J'ai coupé à travers prés, enjambé les murets. Je n'ai pas emprunté la route. (Il accorda son pas au sien.) J'ai une torche, ajouta-t-il en la sortant de sa poche. Tu ne devrais pas sortir sans torche la nuit.

– Je n'ai même pas deux kilomètres à faire. Je suis assez grande pour me débrouiller.

– Et moi aussi.

Elle soupira. Elle aurait voulu lui expliquer qu'il ne pouvait pas se promener avec elle dans le noir. On les verrait. On jaserait. On se méprendrait.

Mais elle savait d'avance ce qu'il lui rétorquerait. Ils penseront que je pousse jusqu'à Cotes Hall, lui répondrait-il. J'y vais tous les jours.

Quel innocent il faisait. Le mécanisme de la vie de village lui échappait totalement. Ceux qui les apercevraient se moqueraient bien que Polly et sa mère habitassent depuis maintenant vingt ans dans le pavillon à pignons situé à l'entrée de l'allée menant à Cotes Hall. Personne ne se soucierait de ça. Personne ne penserait que Brendan pût être allé jeter un œil aux travaux effectués au manoir tant il avait hâte de s'y installer avec sa jeune femme. Les villageois parleraient de rendez-vous nocturne. Cela reviendrait aux oreilles de Rebecca. Et Brendan n'aurait pas fini d'en entendre.

Non que Brendan ne fût déjà en train de payer. Polly n'en doutait pas. Elle avait suffisamment pratiqué Rebecca Townley-Young pour savoir qu'être son mari ne devait pas être une sinécure.

C'est pourquoi, le cœur plein de pitié, elle le laissait s'asseoir à sa table, le soir, au *Crofters Inn*. Et pourquoi également elle le laissa marcher près d'elle sur le bas-côté, les yeux fixés sur le faisceau de la torche de Brendan. Elle n'essaya pas de lui faire la conversation, sachant la tournure que prendrait inévitablement une conversation avec Brendan Power.

Quelque quatre cents mètres plus loin, elle glissa sur une pierre et Brendan lui prit le bras.

– Attention.

Elle sentait ses doigts contre son sein. A chaque pas qu'elle faisait les doigts de Brendan se pressaient contre sa poitrine.

Elle haussa les épaules pour se dégager mais il l'agrippa plus fermement.

– Craigie Stockwell, lâcha-t-il soudain pour rompre le silence qui s'installait.

Elle fronça les sourcils.

– Craigie quoi ?

– La moquette, au manoir. Elle venait de chez Craigie Stockwell à Londres. Elle est complètement foutue. Le trop-plein du lavabo avait été obstrué à l'aide d'un chiffon. Dans la nuit de vendredi, je suppose. L'eau a dû couler tout le week-end.

– Et personne ne s'en est aperçu ?

– Nous étions partis pour Manchester.

– Mais personne ne va jeter un coup d'œil en l'absence des ouvriers ? Voir si tout est en ordre ?

– Mrs. Spence ? (Il fit non de la tête.) Elle vérifie uniquement les fenêtres et les portes.

– Mais elle n'est pas censée...

– S'occuper de la maison ? Oui, mais ce n'est pas un vigile. Et j'imagine qu'elle doit avoir les jetons là-bas, toute seule. Sans une présence masculine, je veux dire. L'endroit est plutôt isolé.

Pourtant elle avait réussi à mettre des intrus en fuite, une fois déjà. Polly avait entendu la détonation. Et quelques minutes plus tard, le bruit de cavalcade frénétique de gens qui détalaient, suivi des pétarades d'une moto. L'histoire s'était répandue comme une traînée de poudre au village. Juliet Spence s'était taillé une réputation de femme qu'il ne fait pas bon embêter.

Polly frissonna. Le vent se levait. Il soufflait en brèves rafales glaciales à travers la haie d'aubépine dénudée qui bordait la route. Il gèlerait encore plus fort demain matin.

– Tu as froid, remarqua Brendan.

– Non.

– Tu trembles, Polly. Tiens. (Il lui passa un bras autour des épaules et l'attira dans sa chaleur.) C'est mieux, non ? (Elle ne répondit pas.) On marche au même rythme. Tu as remarqué ? Mais avec ton bras autour de ma taille, on marcherait encore mieux.

– Brendan.

– Tu n'es pas allée au pub cette semaine. Pourquoi ?

Elle ne broncha pas. Elle tenta d'échapper à son étreinte mais il la serra plus fort.

– Tu es allée à Cotes Fell, Polly ?

Elle sentit le froid contre sa joue. Il s'insinuait dans

son cou, l'enlaçait de ses tentacules glacés. Ah, songea-t-elle, nous y voilà. Car il l'avait vue là-haut, un soir de l'automne dernier. Il l'avait entendue formuler sa requête. Il connaissait le pire.

Mais il poursuivit tout naturellement :

– Je suis de plus en plus dingue de randonnée. Je suis déjà allé trois fois au réservoir. J'ai fait une longue promenade vers Bowland et une autre près de Claughton, du côté de Beacon Fell. L'air y est d'une fraîcheur délicieuse. Tu as remarqué ? Au sommet ? Mais je suppose que tu es trop occupée pour aller faire des balades.

Ça y est, ça va sortir, songea-t-elle. Maintenant il va me dire le prix à payer pour tenir sa langue.

– Avec tous les hommes que tu as dans ta vie.

Il lui jeta un regard de biais et poursuivit :

– Les hommes, c'est pas ce qui doit te manquer. C'est sans doute pour ça que tu n'es pas allée au pub. Tu es occupée ailleurs, n'est-ce pas ? Tu sors. Régulièrement. Avec un type spécial.

Un type spécial. Polly eut un petit rire.

– Avoue que c'est le cas. Une femme comme toi. Quel homme refuserait de sortir avec toi ? Pas moi, en tout cas. Tu es une fille fantastique. Ça se voit tout de suite.

Eteignant sa torche, il la fourra dans sa poche. De sa main ainsi libérée, il lui empoigna le bras.

– Tu es si belle, Polly, fit-il en se penchant. Tu sens si bon. Faudrait être marteau pour pas s'en rendre compte.

Il ralentit l'allure, s'immobilisa. Elle se dit qu'il devait avoir une raison de s'arrêter. Ils étaient arrivés à la hauteur de l'allée au bord de laquelle se dressait le pavillon où elle habitait. Mais il la fit pivoter vers lui.

– Polly, murmura-t-il d'un ton pressant. (Il lui caressa la joue.) Si tu savais ce que je ressens pour toi. Je sais que tu t'en es aperçue. Tu ne veux pas me laisser...

Les phares d'une voiture les épinglèrent tels des lapins dans leur faisceau. Pas ceux d'une voiture qui avançait le long de Clitheroe Road, mais ceux d'un véhicule qui cahotait le long du sentier qui menait à Cotes Hall. Comme des lapins apeurés, ils se figèrent. Brendan, une main sur la joue de Polly, l'autre sur son bras. Il était impossible de se méprendre sur ses intentions.

– Brendan ! cria Polly.

Il laissa retomber ses mains et mit un bon mètre entre eux. Mais trop tard. La voiture avança lentement vers eux, ralentit encore. C'était une vieille Land Rover verte, crottée de boue, mais dont le pare-brise et les vitres étaient parfaitement propres.

Polly détourna la tête, non pas tant parce qu'elle voulait éviter qu'on la reconnaisse et jase sur elle – de toute façon, on jaserait –, mais pour éviter de voir le conducteur et la femme qui devait se trouver à ses côtés avec ses cheveux grisonnants et son visage anguleux, et dont Polly voyait distinctement en pensée le bras appuyé sur le dossier du chauffeur, les doigts frôlant sa nuque. Touchant les cheveux roux indisciplinés.

Colin Shepherd et Juliet Spence passaient une nouvelle soirée ensemble. Les Dieux rappelaient à Polly ses péchés.

Au diable l'air et le vent, songea Polly. Il n'y avait pas de justice. Quoi qu'elle fît, ça se retournait contre elle. Elle claqua la porte derrière elle, flanqua un coup de poing dans le battant.

– Polly ? C'est toi, ma beauté ?

Elle entendit les pas lourds de sa mère sur le carrelage du séjour. Accompagnés d'une toux et du cliquetis des multiples bijoux – chaînes, colliers, médailles en or et autres accessoires – dont sa mère jugeait bon de se parer lorsqu'elle se mettait en tenue d'hiver.

– Evidemment que c'est moi, fit Polly. Qui veux-tu que ce soit ?

– J'sais pas, mon cœur. Un beau petit mec qui viendrait me proposer la botte, peut-être ? Les occasions, faut jamais cracher dessus.

Rita Yarkin éclata de rire, respirant bruyamment. Son parfum la précédait de loin. Giorgio. Elle s'en mettait des tonnes. Arrivée devant la porte, elle apparut, imposante, avec sa masse informe du cou aux genoux. Elle s'appuya au chambranle, s'efforçant de reprendre son souffle. La lumière du vestibule faisait briller les colliers qui ornaient sa poitrine massive.

Polly s'accroupit pour délacer ses bottes. La semelle pleine de boue n'échappa pas à sa mère.

– D'où viens-tu, mon pigeon ? (Rita fit brinquebaler

l'un de ses colliers, une redoutable affaire ornée de grosses têtes de chat en cuivre.) Tu es allée faire un petit tour ?

– La route est boueuse, dit Polly en retirant une première botte avec un grognement et s'activant pour retirer la seconde. (Les lacets étaient trempés et ses doigts étaient gourds.) C'est l'hiver, je te signale. Tu as oublié ?

– Ça risque pas, malheureusement. Alors, quoi d'intéressant dans la grouillante métropole aujourd'hui ?

Elle prononçait métro-*peau*-le. Exprès. Ça faisait partie de son personnage. Au village où elle prenait ses quartiers d'hiver, elle jouait l'ignorante. Mais au printemps, à l'automne et l'été, sous le nom de Rita Rularski, elle lisait dans les tarots, les runes et les lignes de la main. Du fond de sa petite cabane de Blackpool, elle prédisait l'avenir, décodait le passé, donnait un sens au présent troublé et récalcitrant de tous ceux qui étaient prêts à les allonger. Habitants de Blackpool, touristes, vacanciers, femmes au foyer curieuses, dames chic en quête de sensations, Rita les recevait tous avec un même aplomb, enveloppée dans un cafetan capable de dissimuler un éléphant, un foulard criard cachant ses cheveux poivre et sel crêpelés.

Mais l'hiver venu, elle redevenait Rita Yarkin, réintégrant Winslough où elle passait trois mois en compagnie de sa fille unique. Elle plantait sa pancarte au bord de la route et attendait une clientèle qui tardait à se manifester. Elle parcourait les magazines et regardait la télé. Elle mangeait comme un ogre et se peignait les ongles.

Polly y jeta un coup d'œil curieux. Violet, aujourd'hui, avec une fine diagonale dorée. La couleur jurait avec celle du cafetan – orange citrouille – mais c'était quand même moins horrible que le jaune de la veille.

– Tu t'es engueulée avec quelqu'un ce soir, ma puce ? Ton aura est toute chiffonnée. C'est pas bon, tu sais. Viens un peu ici. Que je te regarde.

– C'est rien.

Polly s'agitait plus qu'il n'était raisonnablement nécessaire, tapant ses bottes contre la caisse en bois placée près de la porte d'entrée. Elle retira son foulard, qu'elle plia en carré. Puis elle rangea celui-ci dans la poche de son manteau et du plat de la main fit tomber des peluches ainsi que des taches de boue invisibles.

Sa mère ne fut pas dupe de la manœuvre. Arrachant sa lourde masse au chambranle, elle se dirigea vers Polly d'une démarche de canard et la fit pivoter vers elle. Elle scruta son visage, la paume de la main à deux centimètres de sa joue.

– Je vois. (Elle pinça les lèvres et laissa retomber son bras avec un soupir.) Par les étoiles et la terre, mon petit, arrête de te conduire comme une idiote.

Polly fit un pas de côté et se dirigea vers l'escalier.

– Faut que j'aille prendre mes chaussons. J'en ai pour une minute. Ça sent bon. Tu nous as fait un goulasch ?

– Ecoute, Pol. Mr. C. Shepherd n'a rien de plus que les autres. Et il n'a rien à offrir à une femme comme toi. T'as pas encore compris ça ?

– Rita...

– C'est vivre, qui compte. Vivre, t'entends ? Or la vie et la connaissance courent comme du sang dans tes veines. Tu possèdes des dons que j'ai jamais eus. Sers-t'en. Nom d'un chien, ne les gaspille pas. Dieux du ciel, si j'en avais rien que la moitié, le monde m'appartiendrait. Arrête-toi et écoute-moi, mon petit, fit-elle en assenant une claque retentissante sur la rampe.

Polly sentit l'escalier trembler. Elle pivota, lâchant un soupir résigné. Sa mère et elle ne passaient que trois mois ensemble mais ces six dernières années, les jours lui avaient semblé interminables, Rita ne perdant pas une occasion de critiquer le mode de vie de sa fille.

– C'est lui qui est passé dans la voiture à l'instant, n'est-ce pas ? questionna Rita. Ton précieux Colin Shepherd. Et il était avec elle, non ? La femme du manoir. C'est pour ça que tu te mines, hein ?

– C'est rien.

– Ça, c'est bien vrai. C'est rien. Lui-même n'est rien. Alors pourquoi te désoler ?

Mais Colin n'était pas *rien* pour Polly. Au contraire. Comment pouvait-elle expliquer cela à sa mère dont la seule expérience en matière d'amour avait tourné court le jour où son mari avait quitté Winslough le matin du septième anniversaire de Polly afin de se rendre à Manchester pour y acheter « un joli cadeau pour sa petite fille chérie » et n'était jamais revenu ?

Abandonnées, ce n'était pas le mot que Rita utilisait pour décrire sa situation et celle de sa fille. Elle préférait dire qu'elle avait eu de la chance. Car s'il n'avait pas été assez intelligent pour se rendre compte du genre de femmes qu'il plaquait, il valait mieux qu'elles fussent débarrassées de la présence de ce minable.

C'était toujours dans ces termes que Rita avait envisagé l'existence, voyant dans les problèmes, les épreuves ou les coups du sort autant de bénédictions déguisées. Les déceptions ? Des messages implicites de la Déesse. Les rebuffades ? Le signe que le chemin qu'elle désirait emprunter n'était pas le bon. Car depuis longtemps, Rita Yarkin s'était consacrée – cœur, esprit et corps – au culte de la sagesse. Polly admirait sa confiance et sa foi. Regrettant de ne pas les posséder.

– Je ne suis pas comme toi, Rita.

– Mais si. Plus que tu ne crois. Quand as-tu tracé le cercle pour la dernière fois ? Pas depuis que je suis à la maison, si ?

– Si. Deux ou trois fois.

Sa mère haussa un sourcil sceptique.

– Tu fais ça discrètement, alors. Où es-tu allée pour tracer le cercle ?

– A Cotes Fell.

– Et le rite ?

Polly sentit une vague de chaleur lui picoter la nuque. Elle aurait préféré ne pas répondre ; mais sa mère, avec ses pouvoirs, avait l'art de lui tirer les vers du nez.

– Vénus, fit-elle piteusement, détournant les yeux.

Elle attendit un hurlement de rire. Mais rien ne vint.

Rita retira sa main de la rampe et examina Polly.

– Vénus, reprit-elle. Il ne s'agit pas de faire des filtres d'amour, Polly.

– Je sais.

– Alors...

– Mais ç'a un rapport avec l'amour. Tu ne veux pas que je tombe amoureuse. Je le sais, maman. Mais je suis amoureuse et je ne peux pas arrêter d'aimer sous prétexte que tu me l'as interdit. Je l'aime. Si je pouvais cesser, j'arrêterais. Si tu crois que ça m'amuse de souffrir comme ça...

– Je crois que nous choisissons nos tortures. (Rita s'approcha lourdement d'un petit meuble en bois de rose, placé sous l'escalier. Elle se baissa dans la mesure où ses jambes le lui permettaient, ouvrit l'unique tiroir et en sortit deux morceaux de bois en forme de rectangle.) Tiens, prends ça.

Sans poser de question ni protester, Polly prit le bois. L'odeur caractéristique, forte mais agréable, imprégna la pièce.

– Du cèdre.

– Très juste, fit Rita. Brûle-le en l'honneur de Mars. Et demande-lui des forces, ma fille. Laisse l'amour à ceux qui n'ont pas tes dons.

3

Mrs. Wragg s'éclipsa juste après leur avoir annoncé le décès du pasteur. A la question de Deborah, atterrée : « Mais que s'est-il passé ? De quoi diable est-il mort ? », la patronne du pub s'était contentée de répondre : « Je sais pas trop. C'était un ami à vous ? »

Non, bien sûr. Ils n'avaient pas été amis. Ils avaient simplement bavardé quelques minutes à la National Gallery par une pluvieuse journée de novembre. Pourtant le souvenir de la gentillesse de Robin Sage avait fait mal à Deborah lorsqu'elle avait appris sa mort. Elle s'était sentie frappée de stupeur et d'horreur.

– Désolé, mon cœur, dit Saint James lorsque Mrs. Wragg eut refermé la porte derrière elle.

Voyant l'inquiétude noyer ses yeux, Deborah comprit qu'il avait deviné ses pensées, comme seul pouvait le faire un homme qui l'avait connue toute sa vie. Toutefois, il se retint de prononcer les mots qui lui brûlaient les lèvres. *Tu n'y es pour rien, Deborah. Ne va surtout pas t'imaginer que tu causes la mort de tous ceux que tu approches.* Au lieu de parler, il la serra contre lui.

Ils descendirent finalement à sept heures trente. Le pub était plein. Accoudés au bar, les agriculteurs du coin bavardaient. Assises autour des tables, les femmes s'offraient une innocente petite sortie. Deux couples d'un certain âge comparaient leurs cannes. Six adolescents bruyants se lançaient des vannes dans un coin tout en fumant des cigarettes.

De ce groupe animé – au centre duquel et sous les quolibets paillards des copains, un couple flirtait outrageusement, la fille ne s'interrompant que pour boire au goulot d'une bouteille et le garçon pour tirer avidement sur une cigarette – jaillit Josie Wragg. Elle s'était changée et avait revêtu une sorte d'uniforme. Mais un bout de l'ourlet de sa jupe pendait et son nœud papillon rouge était complètement de traviole.

Elle passa derrière le bar en prenant au passage deux menus, puis jetant un regard circonspect au type à la calvitie plus que naissante qui manœuvrait les robinets à bière avec une autorité donnant à penser qu'il ne pouvait s'agir que de Mr. Wragg, le propriétaire du pub, elle déclara d'un ton ampoulé :

– Bonsoir madame, bonsoir monsieur. Vous êtes confortablement installés ?

– Parfaitement bien, dit Saint James.

– Vous voulez sans doute consulter le menu. (Baissant la voix d'un ton :) N'oubliez pas ce que je vous ai dit. Au sujet du bœuf.

Ils évitèrent les fermiers, dont l'un, écarlate, agitait un poing vengeur en beuglant : « C'est un chemin public, vous z'entendez ? *Public*, bon Dieu ! » Louvoyant au milieu des tables, ils atteignirent la cheminée où les flammes dévoraient avec entrain un tas de branches de bouleau. Des regards intrigués se dirigèrent vers eux – les touristes étaient rares dans le Lancashire à cette époque de l'année ; mais à leur « Bonsoir » enjoué les fermiers se contentèrent de répondre par un laconique hochement de tête et les femmes idem. Quant aux adolescents, ils ne mouftèrent pas, fascinés par les contorsions de la blonde et de son copain, lequel s'employait à glisser la main sous son sweat jaune canari. Le sweat ondulait tandis que le poing progressait et, tendant le tissu, faisait penser à un troisième sein.

Deborah prit place sur un banc sous une broderie fanée et absolument pas pointilliste représentant *Un dimanche après-midi à la Grande Jatte*. Saint James s'assit sur le tabouret en face d'elle. Ils commandèrent un sherry et un whisky. Lorsque Josie leur apporta leurs verres, elle se positionna de façon à cacher les amoureux.

– Désolée, dit-elle, fronçant le nez en plaçant devant Deborah son sherry. C'est Pam Rice. Elle a décidé de se donner en spectacle ce soir. Ne me demandez pas pourquoi elle se conduit comme ça. C'est pas une mauvaisc fille. Mais quand elle est avec Todd, elle se croit obligée de... Il a dix-sept ans, ajouta-t-elle, comme si l'âge du garçon expliquait tout.

Mais se rendant compte que l'explication était un peu courte, Josie ajouta :

– Pam n'en a que treize. Enfin, quatorze le mois prochain.

Josie jeta un regard en biais au jeune couple.

– Bon... (Elle se retourna vers les Saint James avec effort.) Qu'est-ce que vous prendrez ? Le saumon est tout à fait mangeable. Le canard aussi. Et le veau... (La porte du pub s'ouvrit, laissant entrer un filet d'air froid qui s'enroula telle de la soie autour de leurs chevilles.) Le veau est préparé avec des tomates et des champignons. Si vous préférez le poisson, il y a une sole aux câpres et...

Josie s'interrompit. Derrière elle, le brouhaha céda soudain la place au silence.

Un homme et une femme se tenaient dans l'encadrement de la porte et la lumière accentuait le contraste qu'ils formaient. La chevelure, d'abord. Les cheveux de l'homme étaient roux. Ceux de la femme poivre et sel. Abondants, raides, ils lui arrivaient à l'épaule. Le visage, ensuite. Si lui avait l'air juvénile et séduisant quoique affublé d'une mâchoire et d'un menton proéminents, elle avait des traits énergiques, volontaires, et ne cherchait nullement à dissimuler son âge sous un quelconque maquillage. Les vêtements, enfin. Il portait une veste sport par-dessus un pantalon classique tandis qu'elle était vêtue d'un caban marine râpé et d'un jean usé et rapiécé au genou.

L'espace d'un instant, ils restèrent immobiles côte à côte, la main de l'homme sur le bras de la femme. Il avait des lunettes à monture d'écaille dont les verres, en captant la lumière, dissimulaient fort à propos ses yeux et sa réaction devant le silence qui l'accueillait. Elle, par contre, balaya la salle d'un lent mouvement de tête circulaire, fixant d'un air décidé ceux qui avaient le cran de croiser son regard.

– ... câpres et...

Josie parut avoir oublié la suite de son speech. Se plantant le crayon dans les cheveux, elle entreprit de se gratter le cuir chevelu.

De derrière le bar, Mr. Wragg qui enlevait la mousse d'un verre de Guinness s'écria :

– Bonsoir, constable. Bonsoir, Mrs. Spence. Ça pince, hein ? Et y paraît que c'est pas près de s'arrêter. Dis donc, Frank, je te sers une autre stout ?

L'un des fermiers pivota vers le bar, imité peu à peu par les autres.

– C'est pas de refus, Ben, décida Frank en tendant son verre.

Ben actionna le robinet.

– T'as des clopes, Billy ? questionna un consommateur. Je peux t'en taper une ?

Une chaise racla le plancher. La sonnerie du téléphone retentit dans le bureau. Lentement, le pub reprit son allure normale.

Le constable se dirigea vers le bar.

– Un Black Bush et une limonade, Ben.

Pendant ce temps, Mrs. Spence dénichait une table à l'écart.

Elle s'en approcha sans se presser, d'autant plus grande qu'elle marchait la tête haute, les épaules droites. Mais au lieu de choisir le banc contre le mur, elle opta pour un tabouret, présentant son dos à la salle. Elle retira sa veste. Elle portait dessous un col roulé ivoire.

– Alors, constable, ça roule ? fit Ben Wragg. Votre père a intégré sa maison de retraite ?

Le constable compta de la monnaie, qu'il posa sur le comptoir.

– La semaine dernière.

– Drôle de bonhomme, votre père, Colin. Sacré flic.

Le constable poussa les pièces vers Wragg.

– Oui. On a eu le temps de le voir à l'œuvre.

Puis, prenant les verres, il rejoignit sa compagne.

Il prit place sur le banc, le visage ainsi tourné vers la pièce. Il examina les tables les unes après les autres. Les uns après les autres, les consommateurs détournèrent les yeux.

Au bout d'un moment, l'un des cultivateurs dit :

– Ça sera tout pour ce soir, Ben. J'ai ma dose.

Un autre enchaîna :

– Faut que je me sauve. J'ai promis à ma grand-mère d'aller lui dire un petit bonjour.

Un troisième se contenta de jeter un billet de cinq livres sur le bar, attendant sa monnaie. Quelques minutes après l'apparition du constable et de Mrs. Spence, la plupart des clients du *Crofters Inn* avaient disparu, laissant derrière eux un consommateur solitaire en costume de tweed qui faisait tourner son verre de gin entre ses doigts, et la bande d'adolescents qui se dirigèrent vers une machine à sous pour y tenter leur chance.

Josie était restée près de la table, la bouche ouverte, les yeux écarquillés. Ce n'est qu'en entendant Ben Wragg aboyer : « Josephine, tu te remues, oui ! » qu'elle reprit ses explications. Et même alors, c'est à peine si elle parvint à bredouiller :

– Et pour le dîner, vous prendrez quoi ?

Avant qu'ils eussent le temps de faire leur choix, elle ajouta :

– La salle à manger est de ce côté, si vous voulez bien me suivre.

Elle leur fit franchir une porte située près de la cheminée et ils pénétrèrent dans une pièce où il faisait bien moins de dix degrés qu'à côté et où flottait un parfum de pain frais qui remplaçait avantageusement l'odeur de tabac froid et d'ale du pub. Elle les installa près d'un radiateur mural et dit :

– Vous allez avoir la salle à manger pour vous tout seuls ce soir. Je fais un saut à la cuisine pour leur dire ce que vous avez... (Là-dessus, elle se rendit compte qu'elle ne savait pas ce qu'ils voulaient manger et se mordilla la lèvre.) Désolée. J'ai la tête ailleurs. Vous n'avez même pas encore commandé.

– Quelque chose qui ne va pas ? s'enquit Deborah.

– Qui ne va pas ? Josie se fourra de nouveau le crayon dans les cheveux.

– Il y a un problème ?

– Un problème ?

– Des ennuis ?

– Des ennuis ?

Saint James décida de mettre un terme à ce petit jeu de ping-pong.

– C'est la première fois que je vois un constable vider un pub en si peu de temps. Alors que ce n'est même pas l'heure de la fermeture.

– Oh non, fit Josie. Ça n'a rien à voir avec Mr. Shepherd. Enfin... C'est juste que... Il s'est passé des choses bizarres au village. Et vous savez comment c'est, dans un petit bled... Zut, je ferais mieux de prendre votre commande. Mr. Wragg, y a rien qui l'énerve plus que de me voir tailler une bavette avec les clients. « Ils viennent pas jusqu'à Winslough pour qu'une gamine comme toi leur casse les oreilles, Josephine », qu'il me dit.

– C'est la femme qui accompagnait le constable ? questionna Deborah.

Josie jeta un coup d'œil vers une porte battante qui semblait donner dans la cuisine.

– Je ferais mieux de me taire.

– Je comprends, dit Saint James en consultant le menu. Je prendrai des champignons farcis en entrée et une sole ensuite. Et toi, Deborah ?

Mais Deborah ne paraissait pas décidée à lâcher le morceau. Si Josie répugnait à répondre, un changement de sujet lui délierait peut-être la langue.

– Est-ce que vous pourriez nous parler du pasteur, Mr. Sage ?

Josie releva vivement la tête de son carnet.

– Vous savez ?

– Quoi ?

Elle désigna le pub du doigt.

– Le pub. A l'instant. Vous êtes au courant ?

– Nous ne savons rien du tout. Si ce n'est qu'il est mort. C'est en partie pour le rencontrer que nous sommes venus à Winslough. Vous pouvez nous dire ce qui s'est passé ? Est-ce qu'il est mort brutalement ? Ou est-ce qu'il a été malade ?

– Non. (Josie baissa le nez sur son calepin et s'appliqua à écrire « champignons farcis et sole ».) Malade, pas vraiment. Enfin, pas longtemps.

– Une maladie soudaine ?

– Soudaine, oui. C'est ça.

– Une crise cardiaque ? Une attaque ? Ce genre de choses ?

– Quelque chose de foudroyant. Il est mort très vite.

– Infection ? Virus ?

Josie paraissait mal à l'aise, déchirée entre la consigne paternelle qui l'incitait à tenir sa langue et le désir de cracher le morceau. Elle se mit à gribouiller dans son carnet.

– Il n'a pas été assassiné ? questionna Saint James.

– Non ! hoqueta l'adolescente. Il... il a été victime d'un accident. Je vous jure. Elle n'aurait pas... Elle n'aurait pas pu... Je la connais bien. Tout le monde ici la connaît. Elle ne lui voulait aucun mal.

– Qui ? fit Saint James.

Les yeux de Josie se rivèrent sur la porte.

– C'est cette femme, Mrs. Spence, n'est-ce pas ? dit Deborah.

– C'était pas un meurtre ! s'écria Josie.

Tout en faisant le service, versant le vin, apportant fromage et café, elle leur raconta l'histoire.

Empoisonnement, leur dit-elle. En décembre dernier. L'histoire sortit par bribes hachées entrecoupées de coups d'œil furtifs en direction de la cuisine, comme si la narratrice craignait de se faire pincer en flagrant délit de bavardage.

– Mr. Sage avait l'habitude de rendre visite à ses paroissiens, s'arrêtant chez les uns pour le thé, chez les autres pour le dîner. « C'est un pique-assiette. Sous prétexte de répandre la bonne parole, il s'en met plein la panse. » Ça, c'est l'opinion de Mr. Wragg. Mais vaut mieux pas en tenir compte parce qu'en dehors de Noël et des enterrements, il met pas souvent les pieds à l'église. Un vendredi soir, donc, il va rendre visite à Mrs. Spence. Ils étaient seuls tous les deux car la fille de Mrs. Spence... Maggie. Ma meilleure copine. Maggie, donc, passait la soirée ici.

Mrs. Spence n'avait jamais fait mystère de son peu de goût pour les services religieux bien que ce fussent les seules occasions de voir un peu de monde au village. Mais elle n'avait pas envie d'être désagréable avec le pasteur. Aussi lorsque Mr. Sage l'avait entreprise, lui demandant de revoir ses positions et de donner une seconde chance à l'Eglise anglicane, elle s'était montrée disposée à l'écouter, étant d'un naturel poli. Le pasteur se rendit dans son cottage, livre de prières en main, prêt à la ramener dans le giron de la religion. Il devait célébrer un mariage le lendemain...

– Unir Becca Townley-Young, cette peste, ce sac d'os, et Brendan Power... Le type qui siffle consciencieusement du gin au bar en ce moment. Vous l'avez sûrement aperçu en arrivant ?

Mais il avait fait faux bond aux futurs jeunes mariés et c'était comme ça qu'on avait découvert qu'il était mort.

– Raide, qu'il était, quand on l'a découvert, les lèvres pleines de sang, les mâchoires complètement crispées.

– Drôle d'empoisonnement alimentaire, commenta Saint James, sceptique. Parce que s'il y avait quelque chose dans la nourriture...

Ce n'était pas de *ce genre* d'empoisonnement alimentaire-là qu'il s'agissait, coupa Josie, se grattant sans vergogne le derrière. Mais d'un véritable empoisonnement.

– Il y avait du poison dans ses aliments ? questionna Deborah.

Mieux que ça : le poison *était* l'aliment qu'il avait avalé. Du panais sauvage, cueilli près de l'étang, à deux pas de Cotes Hall.

– Seulement c'était pas du panais, comme Mrs. Spence le croyait. Mais alors pas du tout !

– Mon Dieu, fit Deborah, commençant à entrevoir les circonstances de la mort du pasteur. Quelle horreur !

– C'était de la ciguë d'eau, résuma Josie dans un souffle. Comme ce qu'on a mis dans le thé de Socrate en Grèce. Elle était persuadée que c'était du panais, Mrs. Spence. Le pasteur aussi, d'ailleurs. Il a mangé et puis... (Elle porta une main à sa gorge, fit d'atroces bruits rauques, roula des yeux et jeta un regard autour d'elle.) Surtout ne dites pas à maman que j'ai mimé la scène. Elle me flanquerait une raclée. Les types, au village, y z'arrêtent pas de faire des blagues de mauvais goût. Et toutes sortes de jeux de mots autour de la cicutaire.

– La cicu quoi ? fit Deborah.

– *Cicuta*, répondit Saint James. C'est le nom latin de cette famille de plantes. *Cicuta maculata. Cicuta virosa.* L'espèce dépend du site.

Les sourcils froncés, il se mit à jouer avec le couteau dont il s'était servi pour couper du gloucester, enfonçant le bout de la lame dans le petit bout de fromage qui traînait encore sur son assiette. Mais au lieu de le voir, ce qu'il aperçut, ce fut un visage longtemps resté enfoui dans son subconscient. Celui du professeur Ian Rutherford de l'Université de Glasgow, qui enfilait sa tenue de chirurgien même pour donner ses cours, et dont la phrase favorite était *un cadavre, il ne faut jamais s'en dégoûter, mesdames et messieurs*. De quel coin de sa mémoire était-il donc sorti ? se demanda Saint James.

– Le lendemain matin, il ne s'est pas pointé à l'église pour le mariage, poursuivit Josie sans se faire prier.

Mr. Townley-Young, le père de la mariée, ne s'en est toujours pas remis. Ce n'est qu'à deux heures et demie qu'on a réussi à mettre la main sur un autre pasteur. Malheureusement, le petit déjeuner de noces était foutu. Plus de la moitié des invités avaient quitté l'église. Y a des gens qui croient que tout ça, c'est un coup de Brendan – qui était forcé de se marier –, parce qu'il est difficile d'imaginer qu'un type à deux doigts de se retrouver en compagnie de Becca Townley-Young pour le reste de sa vie n'ait pas essayé de s'en tirer d'une façon ou d'une autre. Mais si maman m'entendait, elle dirait que je parle à la légère encore une fois et elle me collerait une bonne claque. Elle avait beaucoup de sympathie pour Mr. Sage, maman.

– Et vous ?

– Je l'aimais bien. Tout le monde l'aimait bien, à part Mr. Townley-Young. Il trouvait Mr. Sage trop austère, tout ça parce qu'il refusait d'utiliser de l'encens et de mettre des vêtements sacerdotaux avec de la dentelle. Mais l'encens, la dentelle, les fanfreluches, c'est pas important, quand on est pasteur. Et Mr. Sage, c'était des choses importantes, qu'il s'occupait.

Saint James prêtait une oreille distraite au bavardage de l'adolescente. Après leur avoir servi le café, elle leur tendit une assiette en porcelaine à motif sur laquelle reposaient six petits fours curieusement enduits de sucre glace.

Le pasteur rendait régulièrement visite à ses paroissiens, disait Josie. Il avait créé un club de loisirs pour les jeunes dont elle était la présidente ; il allait voir les gens qui ne pouvaient pas sortir de chez eux et s'efforçait de ramener les non-pratiquants à l'église. Il connaissait chacun par son nom. Le mardi après-midi, il faisait la lecture aux enfants de l'école primaire. Il ouvrait lui-même la porte quand on sonnait au presbytère. C'était un homme simple, qui ne faisait pas de chichis.

– Je l'ai rencontré à Londres, dit Deborah. Je l'ai trouvé fort sympathique.

– Il l'était. Vraiment. Et c'est pourquoi quand Mrs. Spence se pointe quelque part, il y a aussitôt de l'électricité dans l'air.(Josie se pencha au-dessus de la table et remit en place le napperon sur lequel trônaient les petits fours, le positionnant exactement au centre de l'assiette. Puis elle repoussa l'assiette près de la petite lampe de façon à mettre en valeur le glaçage des gâteaux.) C'est pas comme si l'erreur avait été commise par *n'importe qui*, vous comprenez. C'est pas comme si c'était maman qui s'était trompée.

– La personne qui a commis la méprise aurait de toute façon été regardée d'un sale œil, fit observer Deborah. Du fait que Mr. Sage était apprécié de tous.

– C'est pas ça, fit Josie. Mrs. Spence est une fana de botanique. Alors elle aurait dû savoir ce qu'elle cueillait avant de le mettre sur sa table. C'est ce que les gens disent, au pub, en tout cas. Ils ressassent cette histoire un peu comme un chien ronge un os. Y a pas moyen de leur faire lâcher prise. Et ils se fichent pas mal des conclusions de l'enquête du coroner.

– La botanique est son dada et elle ne reconnaît pas la ciguë ? fit Deborah.

– C'est bien ce qui les a embêtés.

Saint James écoutait sans mot dire, retournant le morceau de gloucester avec son couteau, examinant le fromage dont la surface avait l'aspect d'un cratère. Le truculent Ian Rutherford s'imposa de nouveau à son esprit, déposant un à un sur la paillasse des bocaux de spécimens qu'il prenait sur un chariot avec des soins de maniaque. Cependant que le violent fumet de formol qui se dégageait de sa personne coupait radicalement l'appétit à ses étudiants. *Premiers symptômes, mes petits canards,* annonçait-il gaiement en brandissant l'un après l'autre les redoutables bocaux. *Brûlures œsophagiennes, sécrétions salivaires abondantes, nausées. Ensuite, vertiges puis convulsions. Celles-ci sont spasmodiques et entraînent un raidissement de tous les muscles. La bouche hermétiquement fermée rend les vomissements impossibles.* (Coup sec sur le couvercle métallique d'un bocal dans lequel flottait ce qui ressemblait fortement à un poumon humain.) *La mort peut survenir dans les quinze minutes qui suivent et jusqu'à huit heures après l'ingestion du poison. Asphyxie. Arrêt cardiaque. Arrêt respiratoire.* (Nouveau coup sec sur le couvercle.) *Des questions ? Non ? Bien. Alors ce sera tout pour la ciguë. Passons au curare. Premiers symptômes...*

Des symptômes, Saint James commençait à en éprouver, lui aussi, tandis que Josie poursuivait son récit. Un franc malaise même, pour tout dire. Il reposa son couteau, tendit la main vers un petit four. Josie approuva son choix d'un sourire.

– C'est moi qui les ai glacés. Mes préférés, c'est les rose et vert.

– Quel genre de botaniste est Mrs. Spence ? questionna-t-il.

– Une sorte de guérisseuse. Elle ramasse des plantes dans la forêt ou sur les collines, les mélange, les broie et fabrique des remèdes. Contre la fièvre, les crampes d'estomac, les rhumes de cerveau, tout. Maggie – sa fille, ma meilleure copine – n'a jamais mis les pieds chez le médecin. Dès qu'elle a un pet de travers, sa mère lui prépare ce qu'il faut. Si elle a de la fièvre, par exemple, sa mère lui fait une tisane. Une fois que j'étais passée voir Maggie à Cotes Hall – c'est là-bas qu'elles habitent –, j'avais mal à la gorge, elle m'a préparé une mixture à base d'herbe aux écus. J'ai fait des gargarismes avec pendant une journée et mon mal de gorge est parti.

– Autrement dit, les plantes n'ont pas de secrets pour elle.

Josie opina vivement du bonnet.

– C'est pour ça qu'on s'est posé des questions quand Mr. Sage est mort. Les gens se demandaient comment ça se faisait qu'elle s'était trompée. Moi je saurais pas reconnaître un panais d'un autre légume, mais Mrs. Spence...

Elle laissa sa phrase en suspens.

– Mais j'imagine qu'il y a eu enquête du coroner ? dit Deborah.

– Oh oui. Même qu'elle s'est tenue ici, au premier étage, dans la grande salle. Vous l'avez peut-être déjà visitée ? Sinon, jetez un œil avant d'aller vous coucher.

– Qui a témoigné ? s'enquit Saint James. (La réponse promettait d'autant plus d'aggraver son malaise qu'il se doutait de ce que Josie allait lui dire.) En dehors de Mrs. Spence.

– Le constable.

– L'homme qui était avec elle ce soir ?

– Oui. Mr. Shepherd. C'est lui qui a trouvé Mr. Sage – je veux dire le corps – sur le sentier qui va à Cotes Hall et au Fell samedi matin.

– Il a mené l'enquête seul ?

– A ma connaissance, oui. C'est notre constable, après tout.

Saint James vit sa femme se tourner vers lui, tripotant

d'une main une mèche de cheveux. Elle ne souffla mot mais elle le connaissait suffisamment bien pour se douter du tour que prenaient ses pensées.

Cette histoire ne les regardait absolument pas, songea-t-il. Ils étaient venus à Winslough en vacances, dans un village qui était loin de Londres et loin de chez eux, et où aucune obligation professionnelle ne pourrait les empêcher d'avoir la conversation qu'ils ne cessaient de remettre à plus tard.

Pourtant Saint James n'arrivait pas à chasser de son esprit les innombrables questions tant scientifiques que de simple procédure que posait cette affaire. Il lui était encore plus difficile d'ignorer le monologue de Ian Rutherford. En cet instant même, il l'avait en tête, telle une mélodie qui n'a pas de nom. *Il faut que vous ayez la partie la plus épaisse de la plante, mes canards. Elle est très spéciale, cette jolie plante, aussi bien par sa tige que par sa racine. La tige est épaisse et de cette tige partent non pas une mais plusieurs racines. Lorsqu'on coupe la tige comme ça, il s'en dégage une odeur de panais. Maintenant, voyons, qui va reprendre tous ces éléments ?* Sous les sourcils broussailleux qui évoquaient le règne végétal, les yeux bleus de Rutherford faisaient le tour du laboratoire, cherchant parmi les étudiants l'infortuné qui avait le moins bien assimilé ses explications. Il était doué comme pas un pour flairer l'ennui chez ses élèves et c'était toujours celui qui semblait s'être le plus barbé qui avait le redoutable privilège de récapituler. *Mr. Allcourt-Saint James, éclairez notre lanterne, je vous prie. A moins que ce ne soit trop vous demander de si bon matin ?*

Saint James entendait ces mots avec une netteté telle qu'il se revoyait à Glasgow, jeune étudiant de vingt et un ans, l'esprit absorbé non par la toxicologie mais par le souvenir de la jeune femme avec qui il avait finalement réussi à coucher lors des dernières vacances. Arraché à sa rêverie érotique, il avait courageusement tenté de bluffer. *Cicuta virosa*, attaqua-t-il en s'éclaircissant la gorge pour gagner du temps. *Principe toxique, la cicutoxine agit directement sur le système nerveux central, provoque des convulsions violentes, et...* Quant au reste, mystère.

Et quoi, Mr. Saint James ?

Hélas, obnubilé par ce qui s'était passé dans sa chambre, il avait totalement oublié la suite.

Mais aujourd'hui, quinze ans plus tard, dans le Lancashire, Josephine Eugenia Wragg lui apporta la réponse.

– Elle conservait toujours des racines dans la cave. Ainsi que des pommes de terre, des carottes, des panais et toutes sortes de légumes. Chacun dans une corbeille distincte. Alors le bruit a couru que si elle n'en avait pas fait manger exprès au pasteur, quelqu'un avait pu s'introduire chez elle et mélanger la ciguë aux panais, puis attendre qu'elle les fasse cuire et les mange. Mais elle a déclaré au coroner lors de l'enquête que c'était impossible, parce que la cave était toujours fermée à clé. Alors tout le monde a dit d'accord, mettons que ça se soit passé comme ça. Mais alors elle aurait dû savoir que c'était pas du panais parce que...

Bien sûr qu'elle aurait dû le savoir. A cause de la racine, évidemment. Ian Rutherford avait suffisamment insisté sur ce point. Et c'était d'ailleurs ce qu'il avait attendu en vain que son étudiant inattentif lui dise.

Quand on fait des sciences, la prière est inutile, mon garçon.

Bien. On verrait.

4

Voilà que ça recommençait. Le même bruit, toujours. Evoquant des pas hésitants sur les gravillons. Au début, elle avait cru que cela venait de la cour, et bien que se rendant compte qu'elle n'avait pas lieu d'être fière d'en éprouver du soulagement, elle avait néanmoins senti ses craintes diminuer, se disant que le rôdeur nocturne se dirigeait non vers le cottage mais vers Cotes Hall. *Le* rôdeur, oui. C'était sûrement un homme, se dit Maggie Spence. Jamais une femme ne se serait amusée à se promener la nuit dans cette vieille demeure.

Maggie savait qu'elle aurait dû être sur ses gardes, compte tenu de tout ce qui s'était passé au manoir ces derniers mois. Compte tenu notamment de ce qui était arrivé, pas plus tard que le week-end dernier, à la somptueuse moquette dernier cri des Townley-Young. Tendre l'oreille, c'était la seule chose que sa mère avait exigé d'elle avant de sortir avec Mr. Shepherd ce soir. Ça et apprendre ses leçons.

– Je ne serai absente que quelques heures, ma chérie, avait dit maman. Si tu entends du bruit, ne bouge pas. Appelle-moi. D'accord ?

Et c'était ce que Maggie aurait dû faire. Après tout, elle avait les numéros. Ils étaient notés près du téléphone, en bas, dans la cuisine. Domicile de Mr. Shepherd, *Crofters Inn;* domicile des Townley-Young, au cas où. Elle les avait relus juste avant que sa mère ne sorte, brûlant d'envie de lui dire d'un ton faussement innocent : « Tu m'as pas dit que tu allais juste faire un tour au pub, maman ? Alors pourquoi est-ce que tu m'as laissé le numéro de Mr. Shepherd ? » Seulement la réponse à cette question, elle la connaissait, et la poser n'aurait fait que jeter de l'huile sur le feu.

Parfois, pourtant, ça la démangeait et elle avait envie de crier à sa mère : « Je sais ce qui s'est passé le 23 mars ; c'est ce jour-là que c'est arrivé, je sais où ç'a eu lieu et je sais aussi comment. » Mais elle s'abstenait. Même si elle ne les avait pas surpris dans le séjour – elle était rentrée à la maison plus tôt que prévu après s'être chamaillée avec Josie et Pam –, même si elle n'avait pas décollé vite fait l'œil de la vitre en voyant sa mère en action, même si elle n'était pas allée s'asseoir sur la terrasse encombrée d'herbes folles de Cotes Hall pour réfléchir en compagnie de Punkin roulé en boule à ses pieds, elle aurait su à quoi s'en tenir. C'était tellement évident. Il n'y avait qu'à voir comme Mr. Shepherd dévorait sa mère des yeux et le mal que maman se donnait pour éviter de le regarder.

– Ils *baisent* ? avait soufflé Josie Wragg, estomaquée. Et tu les as *vus*, comme je te vois, en train de... ? A poil et tout ? Dans le *séjour* ? Maggie !

Après avoir allumé une Gauloise, elle s'allongea sur son lit. Toutes les fenêtres étaient ouvertes pour que la fumée parte et que Mrs. Wragg ne se doute de rien. Mais Maggie ne voyait pas comment l'air pouvait chasser l'odeur immonde des cigarettes françaises qu'affectionnait Josie. Elle tira une bouffée de sa propre cigarette, s'emplit la bouche de fumée ; puis souffla. Elle ne savait pas encore inhaler la fumée et n'était pas sûre d'avoir envie d'apprendre.

– Ils n'étaient pas complètement à poil, corrigea-t-elle. Pas maman en tout cas. Elle ne s'était même pas déshabillée du tout. C'était pas la peine.

– *Pas la peine* ? Mais alors qu'est-ce qu'ils faisaient ? s'enquit Josie.

– Bon Dieu, Josephine. (Pam Rice bâilla. Elle secoua ses cheveux blonds impeccablement coupés, qui se remirent en place comme par miracle.) Fais travailler ton imagination. Qu'est-ce que tu crois qu'ils faisaient ? Tu devrais le savoir. C'est toi l'expert ici, non ?

Josie fronça les sourcils, se concentrant.

– Mais je vois pas comment... Si elle avait tous ses vêtements sur le dos...

Pam leva les yeux au plafond, feignant une patience

sans bornes. Elle tira longuement sur sa cigarette, puis souffla la fumée avant de l'avaler de nouveau. A la française, comme elle disait.

– Elle avait le truc dans la bouche, dit-elle. Dans la bouche. C'est clair, tu piges ? Ou tu veux que je te fasse un dessin ?

– Dans la..., fit Josie, sérieusement ébranlée. Tu veux dire que son machin était dans...

– Son *machin* ? Tu peux pas parler normalement, Josie ? Ça s'appelle un pénis. OK ? (Pam roula sur le ventre et fixa le bout brasillant de sa cigarette.) J'espère qu'*elle* a eu sa dose aussi. Mais rien n'est moins sûr, vu qu'elle avait encore toutes ses fringues sur le dos. (Nouvel envol de la somptueuse chevelure blonde.) C'est pas Todd qui me laisserait en plan comme ça. Ah non, alors !

Josie plissa le front, s'efforçant désespérément d'assimiler. Elle qui se vantait d'être un puits de science en matière de sexualité féminine – grâce à un exemplaire corné de *Femelles déchaînées au foyer,* qu'elle avait piqué dans la poubelle où sa mère l'avait enfoui après avoir, sur les instances bougonnes de son époux, passé deux longs mois à tenter de devenir « une grande vicieuse » ou quelque chose d'approchant – était visiblement dépassée.

– Est-ce qu'ils... (Elle chercha le mot qui convenait.) Est-ce qu'ils remuaient, Maggie ?

– Nom de Dieu de bordel de merde ! lâcha Pam. C'est pas possible d'être nulle à ce point-là. Pourquoi veux-tu qu'ils bougent ? *Elle* le suce, c'est tout.

– Su... (Josie écrasa sa cigarette sur le rebord de la fenêtre.) La mère de Maggie ? Un mec ? C'est dégoûtant !

Pam ricana languissamment.

– Mais non. C'est digne d'une *femelle déchaînée.* Ni plus ni moins. On parle pas de ça dans ton bouquin, Jo ? Peut-être qu'on se contente de conseiller aux femmes de se tremper le bout des tétons dans de la crème fraîche puis de les servir à leur mec avec des fraises à l'heure du thé ? « Comment étonner son mari 365 jours par an. »

– Il n'y a rien de mal à ce qu'une femme laisse parler sa sensualité, rétorqua Josie non sans dignité. (Baissant la tête, elle se gratta une croûte sur le genou.) Ou sache parler à celle d'un homme.

– T'as raison. Une vraie femme doit savoir quelle caresse produit quoi sur qui. Tu crois pas, Maggie ? (Pam lui lança un regard innocent et plus bleu que bleu.) Tu crois pas que c'est important ?

Maggie s'assit en tailleur et se pinça discrètement la main. Pour se rappeler qu'elle ne devait surtout pas tomber dans le panneau. Elle savait quel genre de détails Pam essayait de lui extorquer – et pareil pour Josie –, mais elle n'avait jamais cafté et elle n'allait pas commencer maintenant.

Josie vint à son secours.

– T' as dit quelque chose à ta mère ? Juste après, je veux dire.

Non, du moins pas à ce moment-là. Et quand elle avait fini par mettre le sujet sur le tapis, sous l'effet de la colère mais aussi pour se protéger, maman lui avait flanqué une claque. Elle lui avait collé non pas une mais deux beignes bien senties. Une seconde après – peut-être en voyant l'expression de surprise et d'incompréhension de Maggie, qu'elle n'avait jamais corrigée de sa vie –, elle avait poussé un cri, empoigné Maggie et l'avait serrée contre elle à lui couper le souffle. Et elles n'avaient jamais plus abordé le sujet.

– C'est moi que ça regarde. Ce sont mes affaires, avait dit maman d'un ton ferme.

Bien, s'était dit Maggie. Tu as tes secrets, j'ai les miens.

Ce qui ne correspondait d'ailleurs pas à la vérité. Maman n'avait pas voulu qu'il en fût ainsi.

Tous les matins, pendant les quinze jours qui avaient suivi leur prise de bec, elle avait monté à Maggie une espèce de thé boueux. Debout au pied de son lit, elle s'était assurée que sa fille l'avalait jusqu'à la dernière goutte. Comme l'adolescente protestait, elle l'avait arrêtée d'un : « Je sais ce qui est bon pour toi. » A ses plaintes lorsque la douleur lui fouaillait le ventre, elle répondait : « Ça passera, ma petite fille. » Et lui épongeait le front à l'aide d'un linge humide et doux.

Maggie examina les ombres fuligineuses de sa chambre et tendit de nouveau l'oreille, se concentrant de façon à savoir s'il s'agissait d'un bruit de pas ou du vent chassant une vieille bouteille de plastique sur les graviers. Elle n'avait pas allumé au premier. Se glissant jusqu'à la fenêtre, elle scruta les ténèbres extérieures, rassurée de pouvoir voir sans être vue. En bas, dans la cour, des ombres projetées par l'aile est de Cotes Hall formaient de grandes cavernes d'obscurité. Créées par les pignons de la vieille demeure victorienne, elles ressemblaient à des puits à ciel ouvert et offraient cent cachettes possibles à d'éventuels rôdeurs. Elle les étudia une à une, s'efforçant de savoir si ce qui paraissait être une silhouette plaquée contre un mur n'était pas seulement un buisson de buis qui aurait eu besoin d'être taillé. Impossible de se faire une opinion. Elle avait hâte que maman et Mr. Shepherd reviennent.

Jamais cela ne l'avait ennuyée qu'on la laisse seule jusqu'à maintenant ; mais peu après leur arrivée dans le Lancashire, elle s'était mise à redouter de rester seule dans le cottage, de jour ou de nuit. Peut-être que c'était des histoires de bébé, cette peur, mais à la minute où maman montait dans la voiture de Mr. Shepherd, à la minute où elle s'engouffrait dans l'Opel pour aller faire des courses, ou s'engageait sur le sentier, ou s'enfonçait dans le bois pour aller cueillir des plantes, Maggie avait l'impression que les murs allaient s'écrouler sur elle. Ce n'était qu'à Cotes Hall qu'elle avait cette sensation de solitude. Et bien que Polly Yarkin habitât au bout de l'allée, c'était quand même à près d'un kilomètre et demi, et eût-elle appelé à l'aide et crié au secours pour une raison ou une autre, Polly ne l'eût jamais entendue.

Maggie avait beau savoir où se trouvait l'arme de sa mère, ça ne la rassurait pas pour autant. Même si elle était entraînée à tirer – ce qui n'était pas le cas –, elle se voyait mal braquant l'arme sur un rôdeur et encore moins pressant la détente. Aussi, lorsque sa mère la laissait seule, elle se terrait dans sa chambre telle une taupe. La nuit, elle se gardait bien d'allumer, guettant le bruit de la voiture qui revenait, le grincement de la clé dans la serrure. Et tout en attendant, elle écoutait les doux ronflements félins de Punkin, qui s'élevaient par bouffées sonores du milieu de son lit. Les yeux braqués vers la petite bibliothèque où le gros Bozo, son éléphant, régnait avec une réconfortante bonhomie sur un petit peuple de peluches, elle serra son cahier contre sa poitrine. Et pensa à son père.

Il vivait dans son imagination, Eddie Spence, coureur automobile, mort à même pas trente ans, le corps déchiqueté dans un accident à Monte-Carlo. C'était le héros d'une histoire jamais racontée, à laquelle maman n'avait fait qu'une allusion, disant : « Ton père est mort dans un accident de voiture, ma chérie. » Ajoutant : « Ne me pose pas de questions, Maggie. Je ne peux pas t'en parler. » Les yeux pleins de larmes lorsque Maggie essayait d'en savoir davantage. Maggie s'efforçait souvent de se rappeler son visage, mais sans succès. Ce qu'elle savait de papa, elle l'avait dans les bras : photos de voitures de Formule Un qu'elle collectionnait et collait dans son cahier de souvenirs, accompagnées de notes sur chaque Grand Prix.

Elle se laissa tomber sur le lit et Punkin bougea. Il leva la tête, bâilla, dressa les oreilles. Tel un radar, elles se tournèrent vers la fenêtre. D'un mouvement souple, il bondit du lit et se jucha sur le rebord de la fenêtre.

De son lit, Maggie le regarda examiner la cour comme elle-même l'avait fait un instant plus tôt, clignant des yeux, remuant la queue en silence. Pour avoir lu un ouvrage très documenté sur les chats, elle savait les félins capables de détecter le plus infime changement dans leur environnement. Aussi se sentit-elle soulagée à l'idée que Punkin veillait et s'arrangerait pour lui faire savoir si elle avait des raisons d'avoir peur.

Un vieux tilleul se dressait devant la fenêtre, et ses branches craquèrent. Maggie tendit l'oreille. Des rameaux crissèrent contre la vitre. Quelque chose racla l'écorce rêche du vieux tronc. Le vent sûrement, se dit Maggie. Mais alors même qu'elle se disait cela, Punkin se leva, arquant le dos. Il y avait quelque chose qui clochait.

Le cœur de Maggie fit un bond dans sa poitrine. Punkin sauta du rebord de la fenêtre et atterrit sur la carpette. Il avait franchi la porte avant que Maggie ait le temps de comprendre : quelqu'un avait dû grimper le long de l'arbre.

Après quoi ce fut trop tard. Elle perçut le bruit sourd d'un corps atterrissant sur le toit d'ardoise du cottage. Des bruits de pas feutrés. Puis des coups frappés au carreau.

Ça n'avait pas de sens. Les cambrioleurs ne s'annonçaient pas. A moins de vouloir s'assurer que la voie était libre et la maison réellement vide. Mais dans ce cas, le plus simple aurait encore été de toquer à la porte ou de sonner et d'attendre.

Elle eut envie de crier. *Vous vous êtes trompé d'endroit. C'est au manoir qu'il faut aller.* Mais au lieu de cela, elle posa son livre par terre et recula contre le mur, cherchant l'abri de l'ombre épaisse. La paume de ses mains la démangeait. Son ventre était noué. Elle aurait voulu appeler sa mère, mais c'était inutile. Un instant plus tard, elle se réjouit de son absence.

– Maggie ? l'entendit-elle appeler doucement. Ouvre-moi, tu veux ? Je me les gèle.

Nick !

Maggie traversa la chambre en trombe. Elle l'apercevait, sur le toit, devant la tabatière, lui souriant de toutes ses dents, ses cheveux noirs et soyeux plaqués contre sa joue telles des ailes. Nick, Nick, songea-t-elle. Mais au moment où elle allait lui ouvrir, elle entendit sa mère : « Pas question que tu restes seule avec Nick Ware. C'est fini, Margaret Jane. Tu as compris ? »

– Maggie ! chuchota Nick. Laisse-moi entrer, bon Dieu. On caille !

Elle avait donné sa parole. Maman avait été à deux doigts de pleurer pendant leur dispute et à la vue de ses yeux brillants de larmes, Maggie avait capitulé, promis.

– Je peux pas.

– Quoi ?

– Ecoute, Nick, maman n'est pas là. Elle est au village avec Mr. Shepherd. Et je lui ai promis...

Il sourit de plus belle.

– Parfait. Génial. Allons, Mag. Laisse-moi entrer.

Elle déglutit avec effort.

– Je peux pas. Je n'ai pas le droit de te voir seul à seul. J'ai promis.

– Pourquoi ?

– Parce que... Tu le sais très bien.

– Mais je voulais seulement te montrer... Oh et puis merde !

– Quoi, Nick ?

– Rien. Ça fait rien.

– Nick, dis-moi.

Il détourna la tête. Il avait les cheveux plus longs sur le dessus de la tête. Comme tous les types de son âge. Mais à la différence des autres ados, il semblait non pas suivre la mode mais l'avoir inventée.

– Nick.

– C'est une lettre. Ça n'a pas d'importance.

– Une lettre de qui ?
– Laisse tomber, je te dis. C'est pas intéressant.
– Mais si tu es venu jusque-là... (Tout d'un coup, ça lui revint.) Nick... Ne me dis pas que tu as eu des nouvelles de Lester Piggott ? Si ? Il t'a répondu ? (Dur à croire. Mais Nick avait la manie d'écrire aux jockeys, dont il collectionnait les autographes. Il possédait déjà ceux de Pat Eddery, Graham Starkey, Eddie Hide. Mais Piggott, c'était pas de la gnognote, c'était vraiment une grande pointure.)

Elle souleva le panneau de la fenêtre à guillotine. Le vent glacé s'engouffra tel un nuage dans la pièce.

De son vieux blouson de cuir – offert à son grand-oncle par un aviateur américain durant la Seconde Guerre mondiale –, Nick sortit une enveloppe.

– Y a pas de quoi se trouver mal, commenta-t-il. C'est jamais qu'une ligne. Mais au moins, y a sa signature. Personne ne croyait qu'il me répondrait, tu te souviens, Mag ? Je voulais que tu saches qu'il m'avait écrit.

Comment laisser dehors quelqu'un qui avait fait tout ce trajet dans un but aussi innocent ? Ç'aurait été mesquin. Même maman n'aurait rien trouvé à y redire. Aussi Maggie lui dit-elle :

– Entre.
– Pas si ça doit te faire avoir des ennuis avec ta mère.
– Ne t'inquiète pas.

Il glissa sa carcasse dégingandée par la fenêtre et la laissa ouverte exprès derrière lui.

– Je te croyais couchée.
– Et moi je croyais qu'il y avait un rôdeur dehors.
– Pourquoi t'avais tout éteint ?

Elle baissa les yeux.

– J'ai peur quand je suis seule. (Lui prenant l'enveloppe des mains, elle admira l'adresse. *Mr. Nick Ware, Esq., Skelshaw Farm.* L'écriture était énergique. Elle la rendit à Nick.) Je suis contente qu'il t'ait répondu. J'étais sûre qu'il le ferait.
– C'est bien pour ça que je voulais que tu la voies.

Rejetant ses cheveux en arrière, il balaya la pièce d'un coup d'œil. Maggie, angoissée, le regarda faire. Il allait remarquer les jouets en peluche, ses poupées trônant dans le fauteuil en rotin. Il examinerait les étagères de la bibliothèque et verrait *Peter Pan*, et ses autres livres de petite fille. Il se rendrait compte qu'elle n'était qu'un bébé. Il ne voudrait plus d'elle après ça. Pourquoi n'avait-elle pas songé à tout cela avant de le laisser entrer ?

– C'est la première fois que je vois ta chambre. C'est chouette, Mag.

Elle sentit fondre ses appréhensions.

– Merci, fit-elle avec un sourire.

– Une fossette, dit-il en touchant du bout de l'index la fossette. J'aime bien quand tu souris.

Précautionneusement, il posa sa main sur son bras. Elle sentit ses doigts froids à travers son pull.

– Tu es gelé.

– Il fait un froid de canard dehors.

Elle avait une conscience aiguë de se trouver dans le noir en territoire interdit. La chambre semblait avoir rétréci depuis qu'il était là et elle savait que le mieux, c'était de l'emmener en bas et de le faire sortir au plus vite. Sauf que maintenant qu'il était là, elle n'avait pas envie qu'il parte, en tout cas pas avant qu'il lui ait montré d'une façon ou d'une autre qu'elle comptait toujours pour lui, malgré ce qui s'était passé depuis octobre dernier. Il ne lui suffisait pas de savoir qu'il aimait ses fossettes, et qu'il aimait les toucher. Les gens aimaient les bébés souriants. Ils n'arrêtaient pas de le dire. Mais elle n'était pas un bébé.

– Elle rentre quand, ta mère ?

D'une minute à l'autre. Il était un peu plus de neuf heures. Mais si elle lui disait la vérité, il prendrait la fuite. Pour son bien, pour lui éviter des ennuis peut-être, mais il s'éclipserait. Aussi préféra-t-elle mentir :

– J'en sais rien. Elle est sortie avec Mr. Shepherd.

Nick était au courant, pour maman et Mr. Shepherd. C'était à lui de jouer.

Elle fit mine d'aller fermer la fenêtre, mais il avait encore sa main sur son bras, aussi n'eut-il aucun mal à l'immobiliser. Sans la brusquer. C'était inutile. Il se contenta de l'embrasser, lui effleurant les lèvres d'un coup de langue. Et elle ne se déroba pas.

– Elle est pas près de rentrer, alors. (La bouche de Nick trouva son cou. Maggie frissonna.) Elle a sûrement de quoi s'occuper.

Sa conscience lui soufflait de défendre sa mère, mais les frissons qui lui parcouraient les bras et les jambes chaque fois qu'il l'embrassait lui mettaient la cervelle à l'envers. Au moment où elle commençait à se ressaisir, la main de Nick se posa sur son sein, jouant avec la pointe. Il se mit à la pétrir doucement jusqu'à ce qu'elle pousse un petit cri de douleur et de plaisir. Relâchant la pression, il recommença presque aussitôt son manège. Délicieux. Tellement bon que ça n'avait plus de nom.

Elle savait qu'elle aurait dû lui parler de sa mère, lui expliquer. Mais elle n'arrivait pas à se concentrer. Et plus les doigts de Nick poursuivaient leur fin travail de pétrissage moins elle avait envie qu'une discussion y mette un terme. Aussi finit-elle par dire faiblement :

– On a passé un accord, ma mère et moi.

Elle sentit le sourire de Nick contre sa bouche. Il n'était pas né de la dernière pluie. Il ne devait pas la croire.

– Tu m'as manqué, chuchota-t-il, l'attirant contre lui. Bon Dieu, Mag, caresse-moi.

Elle savait bien ce qu'il voulait. Elle ne demandait qu'à le faire. Elle voulait Le sentir grossir à travers le tissu du jean, devenir tout raide. Elle pressa sa main contre Lui. Il prit ses doigts, les fit aller et venir de haut en bas, et en tournant.

– Seigneur, murmura-t-il. Seigneur, Mag.

Il fit glisser ses doigts sur toute Sa longueur, jusqu'au bout. Il les referma autour de Lui. Il était lourd contre elle. Elle Le serra doucement, puis plus fort lorsqu'il gémit.

– Maggie. Mag.

Respiration haletante. Il lui arracha son pull. Elle sentit le vent nocturne contre sa peau. Puis les mains de Nick sur ses seins. Et sa bouche lorsqu'il les embrassa.

Elle était comme liquéfiée. Elle flottait. Les doigts contre le jean ne lui appartenaient plus. Ce n'était pas elle qui tirait sur la fermeture Eclair de la braguette. Ce n'était pas elle qui le dévêtait.

– Attends, Mag. Si ta mère rentrait...

D'un baiser, elle le fit taire. Elle avança une main tâtonnante vers les doux globes de chair qu'il l'aida à caresser. Il gémit, ses mains s'aventurèrent sous sa jupe, ses doigts entre ses jambes laissaient comme des traînées de feu.

Puis ils se retrouvèrent sur le lit, le corps pâle de Nick au-dessus d'elle, son corps à elle prêt, hanches soulevées, jambes écartées. Rien d'autre n'avait d'importance.

– Dis-moi quand tu veux que je m'arrête, fit-il. D'accord, Maggie ? On le fait pas jusqu'au bout, cette fois. Dis-moi quand je dois m'arrêter. (Il Le mit contre elle. Il Le frotta contre elle. Le bout. Toute la longueur.) Dis-moi quand je dois arrêter.

Encore une fois. Rien qu'une. Ça ne pouvait pas être un péché si abominable. Elle l'attira contre elle.

– Maggie. Mag, tu crois pas qu'il faudrait qu'on arrête ?

Elle appuya dessus encore plus fort avec sa main.

– Mag. Je vais pas pouvoir tenir.

Elle l'embrassa.

– Si jamais ta mère se pointe...

Lentement, elle bougea les hanches.

– Maggie. Faut pas.

Il Le plongea en elle.

Pute, songea-t-elle. Pouffiasse, salope, putain. Allongée sur le lit, elle fixait le plafond. Les larmes lui montèrent aux yeux, lui descendirent le long de la tempe, lui coulèrent dans l'oreille.

Je suis rien qu'une salope. Une pute. Prête à le faire avec n'importe qui. Pour l'instant, c'est Nick. Mais si demain, un autre mec a envie de me pilonner, y a des chances que je le laisse faire. Je suis rien qu'une pute. Une sale petite pouffiasse.

Se redressant, elle passa les jambes par-dessus le rebord du lit, regarda de l'autre côté de la chambre. Bozo l'éléphant avait toujours son air étonné de pachyderme mais il y avait autre chose dans son regard ce soir. De la déception, sans aucun doute. Elle avait fait une infidélité à Bozo. Mais comparé à ce qu'elle s'était fait à elle-même, ça n'était rien.

Elle posa les pieds par terre et s'agenouilla sur la descente de lit qui lui grattait les genoux. Elle joignit les mains dans l'attitude de la prière, s'efforçant de trouver les mots pour obtenir son pardon.

– Je suis désolée, murmura-t-elle. J'avais pas l'intention de faire ça, mon Dieu. Je me suis dit : s'il m'embrasse, je saurai qu'entre nous, tout est comme avant, malgré ce que j'ai promis à maman. Seulement quand il m'embrasse comme ça, j'ai pas envie qu'il s'arrête, alors il me fait d'autres choses et j'en redemande. J'ai pas envie que ça cesse. Je sais que c'est mal, je le sais. Mais je peux pas m'en empêcher. Mon Dieu, je suis désolée. J'espère qu'il ne m'arrivera rien cette fois. Je ne recommencerai plus. Je ne le laisserai plus recommencer. Je regrette.

Mais jusqu'à quand Dieu pouvait-Il pardonner alors qu'elle savait que ce qu'elle faisait était mal et qu'Il savait qu'elle le savait ? Et qu'elle le faisait parce qu'elle voulait être près de Nick ? On ne pouvait pas marchander éternellement avec Dieu. Elle allait payer, et cher, et le moment de payer ne tarderait pas à arriver.

– Ce n'est pas comme ça que ça fonctionne, mon petit. Dieu ne tient pas de livre de comptes. Il est capable de pardonner à l'infini. C'est pourquoi Il est notre recours suprême, le modèle que nous devons nous efforcer d'imiter. Bien sûr, nous ne pouvons espérer atteindre Son niveau de perfection, mais ce n'est pas ce qu'Il nous demande. Il nous demande simplement d'essayer de nous améliorer, de tirer les leçons de nos fautes et de comprendre les autres.

C'était simple, à en croire Mr. Sage. Elle se rappela le soir d'octobre dernier où il l'avait découverte dans l'église, agenouillée au deuxième rang, le front sur ses poings. Sa prière avait été identique à celle d'aujourd'hui. Seulement ç'avait été la toute première fois, alors. Sur un tas de bâches froissées et maculées de peinture dans un coin de l'office, à Cotes Hall. Nick l'avait doucement aidée à se dévêtir et à s'allonger par terre, doucement mise en condition. « On n'ira pas jusqu'au bout » lui avait-il murmuré. « Dis-moi quand je dois arrêter, Maggie. » Et il n'avait cessé de répéter *Dis-moi quand je dois arrêter, Maggie.* Sa bouche contre la sienne, ses doigts faisant des miracles entre ses jambes, et elle s'était pressée et pressée contre sa main. En quête de chaleur, d'intimité. Désirant qu'on la tienne. Il était tout ce qu'elle désirait, dans l'office. Elle l'avait accepté.

C'étaient les retombées, qu'elle n'avait pas prévues, l'instant où *les filles bien ne font pas ça* avait envahi sa conscience avec la violence du déluge : les garçons ne respectent pas les filles qui... ils racontent tout à leurs copains... dire non, c'est à ta portée... ils ne pensent qu'à une chose... tu veux te faire coller une maladie... et s'il te met enceinte, tu crois qu'il continuera d'en pincer pour toi... tu as cédé une fois, il te poursuivra jusqu'à ce que tu cèdes de nouveau... il ne t'aime pas, s'il t'aimait...

Alors elle était allée à l'église pour les vêpres. N'entendant qu'à moitié les prières. N'entendant qu'à moitié les cantiques. Elle s'était absorbée dans la contemplation du jubé et de l'autel. Et elle avait relu les dix commandements gravés sur les plaques de bronze fixées après le retable, s'attardant sur le septième. C'était la fête de la moisson. Les marches de l'autel disparaissaient sous les offrandes de toutes sortes. Gerbes de blé, pommes de terre nouvelles et haricots dans des paniers emplissaient l'édifice d'une odeur fertile d'automne. Mais Maggie n'en avait pratiquement pas conscience, de même qu'elle ne percevait que de loin les prières récitées et la musique de l'orgue. La lumière du lustre principal semblait tomber droit sur le retable de bronze, et le mot *adultère* tremblotait devant ses yeux. Semblant grossir, semblant l'accuser.

Elle s'efforça de se dire que pour commettre l'adultère l'un des deux partenaires devait être marié et avoir prononcé des vœux. Mais elle savait que sous ce mot se cachaient une foule d'actes abominables, et qu'elle était coupable : pensées impures à propos de Nick, désir démoniaque, fantasmes sexuels, et maintenant, fornication. Son âme était noire et corrompue, elle allait être damnée.

Si seulement elle pouvait prendre sa conduite en horreur, se crisper de dégoût à la pensée de l'acte qu'elle avait commis, Dieu pourrait lui pardonner. Si seulement elle s'était sentie souillée, Il fermerait les yeux sur cette incartade sans lendemain. Si seulement elle n'avait pas envie de recommencer là tout de suite, dans l'église, de sentir Nick contre elle et la merveilleuse chaleur de leurs deux corps fusionnant.

Péché, péché, péché. Baissant la tête, le front sur ses poings, elle resta abîmée, se désintéressant du service religieux. Elle se mit à prier, suppliant Dieu de lui accorder son pardon, les yeux fermés si fort qu'elle avait l'impression de voir des étoiles.

– Pardon, pardon, chuchota-t-elle. Faites qu'il ne m'arrive pas de mal. Je ne recommencerai plus. Je Vous le promets. Je Vous le promets. Pardon.

C'était la seule prière qui lui venait à l'esprit, elle la répéta machinalement, tout à son besoin de communiquer avec le plan surnaturel. Elle n'entendit pas le pasteur approcher et ne se rendit compte que les vêpres étaient finies et que l'église était vide que lorsqu'une main se posa fermement sur son épaule. Poussant un petit cri, elle releva la tête. Les lustres étaient éteints. La seule lumière encore allumée venait de la lampe d'autel, dont la lueur verdâtre éclairait un côté du visage du prêtre, accentuant les poches sous ses yeux.

– Il est le pardon incarné, dit doucement le pasteur. (Sa voix était apaisante, aussi apaisante qu'un bain chaud.) N'en doutez pas. Il n'existe que pour pardonner.

La sérénité du ton et la bonté des propos firent monter les larmes aux yeux de Maggie.

– Pas ça. Je vois mal comment Il pourrait pardonner ça.

La main serra plus fort son épaule. Puis la relâcha. Il s'assit sur le banc et elle s'assit à son tour. Il lui montra du doigt le jubé.

– Si les dernières paroles du Seigneur ont été : « Pardonne-leur, mon Père », et que son Père a pardonné – ce qu'Il a fait –, pourquoi ne vous pardonnerait-Il pas ? Quel que soit votre péché, mon petit, il ne peut pas être plus terrible que celui qui a consisté à mettre à mort le Fils de Dieu, si ?

– Non, murmura-t-elle en pleurant. Mais je savais que ce que je faisais était mal, et je l'ai fait quand même, parce que j'en avais envie.

Il sortit un mouchoir de sa poche et le lui tendit.

– C'est la nature même du péché. Confrontés à la tentation, nous devons choisir, et nous faisons le mauvais choix. Vous n'êtes pas seule à agir de la sorte. Mais si en votre âme et conscience vous êtes décidée à ne plus pécher, Dieu vous accordera Son pardon. Vous pouvez en être sûre.

Justement, le problème, c'est qu'elle n'était pas soutenue par une ferme résolution. Elle aurait bien voulu promettre. Mais malheureusement, elle voulait Nick encore plus fort.

– C'est le problème, fit-elle.

Et elle raconta tout au pasteur.

– Maman est au courant, dit-elle pour finir, jouant avec le mouchoir, le triturant. Elle est en colère après moi.

Le pasteur baissa la tête.
– Quel âge avez-vous, mon petit ?
– Treize ans.
– Mon Dieu, fit-il avec un soupir.
Les larmes embuèrent de nouveau les yeux de Maggie. Elle les essuya, hoquetant en parlant :
– Je suis mauvaise. Je le sais. Et Dieu le sait, Lui aussi.
– Ce n'est pas ça. (Il posa fugacement sa main sur la sienne.) C'est cette hâte à vouloir mener une vie d'adulte qui me gêne. Que de problèmes en perspective pour quelqu'un qui est si jeune.
– Ce n'est pas un problème.
Il sourit.
– Non ?
– Je l'aime. Il m'aime.
– C'est généralement comme ça que les ennuis commencent.
– Vous vous moquez de moi.
– Je vous dis la vérité. (Il braqua les yeux vers l'autel. Il avait les mains sur les genoux et Maggie vit ses doigts se crisper.) Comment vous appelez-vous ?
– Maggie Spence.
– C'est la première fois que je vous vois à l'église.
– Nous... maman n'est pas très pour.
– Je vois. Les péchés de la chair. Vous êtes bien jeune pour vous poser ce problème, Maggie. Les Grecs, déjà, dans l'Antiquité prônaient la modération en tout. Ils savaient ce qu'on risque à laisser la bride sur le cou à ses appétits.
Elle fronça les sourcils, l'air interrogateur.
Remarquant sa mimique, il poursuivit :
– Le sexe, c'est une forme d'appétit aussi, Maggie. Comme la faim. Ça commence par de la curiosité, pas par des gargouillements d'estomac, bien sûr. Mais ça devient bientôt un besoin tyrannique. Et malheureusement, ça n'est pas comme la boulimie ou l'alcoolisme, qui ont des répercussions désagréables immédiates sur l'organisme. Au contraire, ça procure une sensation de bien-être et de détente, qu'on a envie d'éprouver encore et encore.
– C'est comme une drogue ?
– Oui. Et comme pour beaucoup de drogues, les effets néfastes ne sont pas visibles tout de suite. Même

si, intellectuellement, on sait qu'on court des risques, la promesse du plaisir est tellement séduisante qu'on se laisse aller au lieu de résister. C'est à ce moment-là qu'il faut se tourner vers le Seigneur. Lui demander de nous donner la force de refuser. Il a Lui aussi été soumis à la tentation. Il sait ce que c'est que d'être humain.

– Maman ne me parle pas de Dieu, dit Maggie. Elle ne me parle que du sida, de l'herpès, des risques de grossesse. Elle cherche à me faire peur, à me dégoûter du sexe.

– Vous êtes dure avec elle. Ses craintes sont fondées. La sexualité est associée à des réalités cruelles de nos jours. Votre mère a raison de ne pas vous les dissimuler.

– D'accord. Mais et elle, alors ? Parce que, quand Mr. Shepherd et elle... (Son mouvement de protestation tourna court. Quel que fût son état d'esprit, elle ne pouvait trahir les secrets de sa mère.)

Le pasteur inclina la tête sur le côté mais fit celui qui ne comprenait pas où elle voulait en venir.

– La grossesse, la maladie sont les conséquences éventuelles à affronter quand on se livre aux plaisirs de la sexualité. Mais, hélas, dans le feu de l'action on n'y pense pas. On ne pense qu'à l'urgence.

– Pardon ?

– Au besoin de faire l'amour. Tout de suite. On se dit, ça ne peut pas m'arriver, ça ne m'arrivera pas. Poussé par le désir d'une gratification physique immédiate, on refuse de voir la réalité en face. Je ne tomberai pas enceinte ; il ne me refilera aucune maladie car je suis persuadée qu'il n'en a pas. Et c'est à force de faire l'autruche qu'on finit par payer.

Il se mit à genoux et lui fit signe de l'imiter.

– Seigneur, dit-il, les yeux sur l'autel, aidez-nous à voir Votre volonté dans toutes choses. Lorsque la tentation est trop forte, que nous sommes mis à l'épreuve, permettez-nous de nous rendre compte que c'est par Votre amour que nous sommes mis à l'épreuve. Lorsque nous trébuchons et que nous péchons, pardonnez-nous nos offenses. Et donnez-nous la force d'éviter les occasions de succomber à l'avenir.

– Amen, murmura Maggie.

A travers ses cheveux épais, elle sentit la main du pasteur se poser légèrement sur sa nuque en un geste fraternel et apaisant.

– Etes-vous décidée à ne plus pécher, Maggie Spence ?

– Je vais essayer.

– Alors je vous absous au nom du Père, du Fils et du Saint-Esprit.

Il sortit dans la nuit avec elle. Les lumières étaient allumées dans le presbytère de l'autre côté de la rue, et Maggie voyait Polly Yarkin qui, dans la cuisine, mettait le couvert pour le dîner.

– Bien sûr, poursuivit le pasteur, l'absolution, la ferme décision, c'est une chose. L'autre est plus difficile.

– Ne plus recommencer ?

– Et avoir d'autres activités de façon à éviter la tentation. (Il ferma l'église avec sa clé, qu'il fourra dans la poche de son pantalon. Bien que la nuit fût fraîche, il ne portait pas de manteau et son col romain luisait à la lumière de la lune. Il observa pensivement Maggie tout en se tripotant le menton.) Je suis en train de mettre sur pied un club de loisirs pour les jeunes de la paroisse. Peut-être aimeriez-vous en faire partie. Il y aura des réunions, des activités de toutes sortes, bref de quoi vous occuper et vous distraire. Ce ne serait peut-être pas une mauvaise idée.

– J'aimerais bien, mais... maman et moi ne fréquentons aucune église. Ça m'étonnerait qu'elle me laisse venir. La religion... Elle dit que la religion laisse un goût amer dans la bouche. (Maggie baissa la tête. C'était peu élégant de dire ça, surtout après ce que le pasteur avait fait pour elle. Elle poursuivit en hâte :) Je ne suis pas d'accord avec elle. Enfin, je n'y connais pas grand-chose. Je n'y suis pour ainsi dire jamais allée. A l'église, je veux dire.

– Je vois. (Il plongea la main dans sa poche et en sortit un bristol blanc qu'il lui tendit.) Dites à votre maman que j'aimerais aller la voir. Mon nom et mon numéro de téléphone sont sur la carte. Peut-être réussirai-je à la faire changer d'idée à propos de l'église. Ou à la convaincre de vous laisser vous joindre à nous.

Il sortit du cimetière avec elle et lui effleura l'épaule en signe d'au revoir.

Le club de loisirs était une chose susceptible d'avoir l'approbation de maman, si seulement elle consentait à fermer les yeux sur le fait qu'il était parrainé par l'église. Mais lorsque Maggie lui avait remis la carte du pasteur, maman l'avait examinée pendant une éternité et lorsqu'elle avait relevé la tête, elle avait l'air tout chose et sa bouche avait une drôle d'expression.

Tu es allée trouver quelqu'un d'autre, disait son visage aussi clairement que si elle avait parlé. *Tu ne m'as pas fait confiance.*

Maggie essaya de la réconforter et de l'empêcher de prononcer cette accusation.

– Josie connaît Mr. Sage, maman. Pam Rice aussi. Josie dit qu'il n'est là que depuis trois semaines mais qu'il essaie de ramener les gens à l'église. Josie dit que le club de loisirs...

– Nick Ware en fait partie ?

– J'en sais rien. Je ne lui ai pas posé la question.

– Ne mens pas, Margaret.

– Je ne mens pas. Je pensais... Le pasteur voudrait t'en parler. Il voudrait que tu lui téléphones.

Maman se dirigea vers la poubelle, déchira la carte en deux et l'enfouit parmi le marc de café et les épluchures.

– Je n'ai pas l'intention de discuter avec un prêtre, Maggie. Pas plus de ça que d'autre chose.

– Mais maman, il veut juste...

– La discussion est terminée.

Pourtant malgré le refus de maman de l'appeler, Mr. Sage était venu à trois reprises au cottage. Winslough était un petit village et il n'avait eu aucun mal à découvrir où les Spence habitaient. Lorsqu'il avait déboulé à l'improviste un après-midi, donnant son chapeau à Maggie venue lui ouvrir, maman était dans la serre, où elle rempotait des plantes aromatiques. Lorsque Maggie lui avait annoncé la visite du pasteur, elle lui avait dit sèchement :

– Va au pub. Je te passerai un coup de fil quand j'en aurai fini.

L'intonation pleine de colère, la fixité de son visage firent comprendre à Maggie qu'il valait mieux ne pas poser de questions. Elle savait depuis longtemps sa mère fâchée avec la religion. Mais elle ignorait pourquoi.

Et puis Mr. Sage était mort. Comme papa, songea Maggie. Et il m'aimait comme papa. Je le sais.

Maintenant, dans sa chambre, Maggie s'aperçut qu'elle était à court de mots pour prier. Elle était une pécheresse, une salope, une pouffiasse, une pute. Bref, la créature la plus abominable qui existât sur terre.

Elle se releva et se frotta les genoux, tout rouges et douloureux d'être restés en contact avec la descente de lit rèche. Très lasse, elle se dirigea vers la salle de bains et fouilla dans le placard à la recherche de ce que maman y cachait avec soin.

– Voilà comment ça se passe, lui avait expliqué Josie en confidence lorsqu'elles étaient tombées sur le bizarre récipient en plastique avec son embout tout aussi bizarre enfoui au milieu des serviettes. Après avoir baisé, la femme remplit ce récipient d'huile et de vinaigre. Puis elle s'enfonce le tuyau à l'intérieur, elle s'injecte le liquide, et comme ça elle a pas d'enfant.

– Mais elle va sentir la salade, intervint Pam Rice. Tu es sûre que c'est comme ça que ça se passe, Jo ?

– Absolument, Miss Je-sais-tout.

Maggie examina l'espèce de bouteille. Elle frissonna. Ses genoux se dérobèrent un instant sous elle mais elle se dit qu'il lui faudrait y passer. Elle descendit l'objet au rez-de-chaussée dans la cuisine et le posa sur le plan de travail, puis elle prit l'huile et le vinaigre. Josie n'avait pas précisé les quantités. Moitié huile, moitié vinaigre, sans doute. Elle déboucha le vinaigre, commença à verser.

La porte de la cuisine s'ouvrit.

Et sa mère entra.

5

Comme il n'y avait rien à dire, Maggie continua de verser, surveillant le niveau du vinaigre. Lorsque le répicient fut à moitié plein, elle reboucha le vinaigre avant d'ôter le bouchon de la bouteille d'huile.

– Au nom du ciel, Margaret, on peut savoir ce que tu fabriques ?

– Rien.

A quoi bon fournir des explications ? La manœuvre n'était-elle pas limpide ? Le vinaigre. L'huile. Le récipient en plastique au bec curieusement allongé posé sur le plan de travail. Que pouvait-elle être en train de faire sinon s'apprêter à se débarrasser des sécrétions qu'un homme avait déposées dans son corps ? Et cet homme, si ça n'était pas Nick Ware, qui cela pouvait-il être ? Juliet Spence referma la porte derrière elle. *Clic.* A ce bruit, Punkin jaillit des ténèbres du séjour et glissa à travers la cuisine pour se frotter contre ses jambes. Tout en miaulant doucement.

– Le chat a faim.

– J'ai oublié de lui donner à manger, dit Maggie.

– Comment ça, tu as oublié ? Qu'est-ce que tu faisais donc ?

Maggie ne répondit pas. Elle versa l'huile dans le récipient, regardant le liquide jaune onduler et tournoyer en mouvements gracieux au contact du vinaigre.

– Réponds-moi, Margaret.

Maggie entendit le sac de sa mère heurter la chaise de cuisine. Suivi de sa grosse veste. Puis le chuintement de ses bottes tandis qu'elle traversait la pièce.

Maggie n'avait jamais eu l'occasion de se rendre compte de la supériorité que sa haute taille conférait à sa mère. Celle-ci semblait la dominer de toute sa hauteur, semblable à un ange assoiffé de vengeance. Un faux mouvement de sa part et l'épée tomberait.

– Tu comptais en faire quoi, de cette mixture ? s'enquit Juliet Spence sur le ton prudent de quelqu'un qui est sur le point de vomir.

– M'en servir.

– Dans quel but ?

– Aucun.

– Tu m'en vois ravie.

– Pourquoi ?

– Parce que si tu t'es mis en tête de procéder à une toilette intime, tu vas avoir de sacrées surprises si tu t'amuses à te doucher avec de l'huile. Nous sommes d'accord, Margaret ? C'est d'hygiène que nous parlons, n'est-ce pas ? Et de rien d'autre, n'est-ce pas ? Tout ce qui t'intéresse, c'est t'assurer que ton sexe est propre et net.

Maggie posa l'huile près du vinaigre sur le plan de travail. Et contempla la mixture qu'elle avait préparée.

– J'ai vu Nick Ware pédaler sur son vélo le long de Clitheroe Road en rentrant, poursuivit sa mère. (Les mots se pressaient sur ses lèvres, elle les expectorait avec un bruit de dents qui s'entrechoquent.) Je ne suis pas sûre d'avoir vraiment envie de savoir ce que sa présence sur la route – combinée avec tes expériences en matière d'émulsion – peut signifier.

Maggie effleura du doigt le bock, le tuyau et la canule en plastique et examina sa main. Comme le reste de sa personne, celle-ci était petite et potelée, creusée de fossettes. Bref, tout le contraire des mains de sa mère. Les siennes étaient totalement inadaptées aux gros travaux, inaptes à creuser ou travailler la terre.

– Ton mélange d'huile et de vinaigre, ça n'a rien à voir avec Nick Ware, si ? Dis-moi que c'est une simple coïncidence si je l'ai vu regagner le village il n'y a pas dix minutes.

Maggie agita le récipient et regarda l'huile glisser à la surface du vinaigre. La main de Juliet Spence se referma sur son poignet avec violence. Maggie sentit aussitôt ses doigts s'engourdir.

– Tu me fais mal.

– Alors, accouche, Margaret. Dis-moi que Nick Ware n'a pas mis les pieds ici pendant mon absence. Dis-moi que tu n'as pas recouché avec lui. Parce que tu pues le sexe, figure-toi. Tu t'en rends compte seulement ? Tu te rends compte que tu pues le sexe ?

– Je pue le sexe ? Et alors ? Toi aussi !

Les doigts de Juliet se crispèrent convulsivement, ses ongles taillés ras s'enfoncèrent dans la tendre chair du poignet de Maggie. L'adolescente poussa un cri et essaya de se dégager ; mais en se débattant, elle heurta le récipient en plastique qui dégringola dans l'évier. La mixture se répandit en une traînée huileuse. Et tout en s'écoulant, le liquide gras laissa des gouttes rouges et dorées sur la porcelaine blanche.

– Sans doute penses-tu que je ne l'ai pas volé, remarqua Juliet. Coucher avec Nick, c'est le meilleur moyen de te venger. Et ça fait des mois que tu as envie de te venger, n'est-ce pas ? Maman a un amant et tu vas t'arranger pour lui en faire baver.

– Ça n'a rien à voir avec toi. Je me fiche pas mal de ce que tu fais. De comment tu le fais. Ou même de quand. J'aime Nick. Et il m'aime.

– Je vois. Et lorsque tu te retrouveras avec un petit dans le ventre, que tu l'auras mis au monde, tu te figures qu'il t'aimera encore ? Est-ce qu'il plaquera l'école pour vous nourrir tous les deux ? Quel effet tu crois que ça te fera, Margaret Jane Spence, d'être mère à même pas quatorze ans ?

Juliet la relâcha et pénétra dans le garde-manger. Maggie se frictionna le poignet, écoutant le bruit sec des bocaux qu'on ouvrait et refermait sur le comptoir de marbre ébréché. Sa mère reparut, posa une bouilloire sur la cuisinière.

– Assieds-toi, dit-elle.

Maggie hésita, touillant du bout des doigts le mélange d'huile et de vinaigre qui tachait encore l'évier. Elle savait ce qui l'attendait – ce serait certainement identique à ce qui avait suivi sa première rencontre avec Nick, au manoir, en octobre. Sauf que, cette fois, elle n'ignorait rien de la signification de l'ordre que sa mère venait de lui donner. Elle en eut froid dans le dos. Quelle idiote elle avait été, trois mois plus tôt. Tous les matins, maman lui avait monté une tasse d'un liquide épais – qu'elle prétendait être de la tisane, un breuvage destiné tout particulièrement aux femmes –, et Maggie l'avait bu docilement bien qu'en faisant la grimace. Persuadée que c'étaient des vitamines comme sa mère le déclarait, nécessaires à toute fillette devenant une femme. Mais maintenant, elle se remémora une conversation à voix basse que maman avait eue avec Mrs. Rice dans cette même cuisine, deux ans plus tôt. Mrs. Rice l'avait suppliée de lui donner quelque chose pour « le faire passer » et maman avait dit : « C'est impossible, Marion. J'ai juré. Si tu veux t'en débarrasser, il va falloir que tu t'adresses à une clinique. » Là-dessus, Mrs. Rice s'était mise à pleurer, disant : « Ted ne veut pas en entendre parler. Il me tuerait s'il savait que je... » Et six mois plus tard, elle avait mis au monde des jumeaux.

– Assieds-toi, je te dis, répéta Juliet Spence. (Elle versa l'eau sur les racines séchées dont l'odeur âcre s'éleva avec la vapeur. Elle ajouta deux cuillérées de miel au breuvage, remua vigoureusement et l'apporta sur la table.) Viens ici.

Maggie éprouva de violentes douleurs au ventre sans même avoir goûté à la boisson. Douleurs fantômes, souvenir de la première fois.

– Pas question que je boive ça.

– Tu le boiras.

– Non. Tu veux faire passer le bébé, hein ? Mon bébé. Le mien et celui de Nick. Comme en octobre dernier. Tu m'as raconté des salades : tu disais que c'étaient des vitamines, pour fortifier mon squelette, me donner davantage d'énergie. Tu m'as dit que les femmes avaient besoin de plus de calcium que les petites filles et que comme je n'étais plus une gamine, je devrais le boire. Seulement c'étaient des craques, n'est-ce pas ? Tu mentais. Tu voulais être sûre que je n'aurais pas de bébé.

– Cesse de faire l'hystérique.

– Tu crois que ça y est ? Que j'ai un bébé dans le ventre ? C'est pour ça que tu veux me faire boire ce truc ?

– Si c'est ce qui t'est arrivé, nous renverserons le cours des choses. Voilà tout.

– Tu veux faire passer un bébé ? Mon bébé ? Non !

Maggie recula, heurtant le bord de l'évier.

Juliet posa la tasse sur la table, un poing sur la hanche. De son autre main, elle se frotta le front.

L'éclairage de la cuisine faisait paraître son visage émacié. Les touches de gris dans ses cheveux semblaient à la fois plus ternes et plus accusées.

– Que comptais-tu faire avec ce vinaigre et cette huile, si ce n'est essayer d'empêcher la conception d'un bébé ?

– C'est... fit Maggie toujours contre l'évier.

– Différent ? Pourquoi ? Parce que c'est facile ? Parce qu'avec ce mélange tu fais tout partir sans douleur, tu mets un terme aux choses avant qu'elles n'arrivent ? Comme c'est commode. Malheureusement, ce n'est pas comme ça que ça marche. Viens ici. Et assieds-toi.

Maggie attira l'huile et le vinaigre contre elle en un geste de protection dérisoire. Sa mère poursuivit.

– Même si l'huile et le vinaigre étaient des contraceptifs efficaces – ce qui n'est pas le cas, je te le signale –, pour faire effet la douche vaginale doit être administrée dans les cinq minutes qui suivent les rapports.

– Je m'en fiche. C'est pas pour ça que je voulais l'utiliser. Je voulais être propre.

– Comme tu voudras. Et maintenant, tu bois ou est-ce qu'il va falloir qu'on discutaille toute la nuit ? Parce que ni toi ni moi ne bougerons d'ici tant que tu n'auras pas bu, Margaret. Fais-moi confiance.

– Je l'avalerai pas. Tu peux pas me forcer. J'aurai le bébé. Il est à moi. Je l'aurai. Je l'aimerai. Oui, je l'aimerai.

– Aimer... Tu ne sais pas ce que c'est.

– Si !

– Vraiment ? Dans ce cas, ça signifie quoi, pour toi, faire une promesse à quelqu'un qu'on aime ? C'est des mots ? Du vent ? Quelque chose que tu te laisses extorquer pour avoir la paix ? Des paroles que tu prononces sans y croire pour faire plaisir, calmer le jeu, arriver à tes fins ?

Maggie sentit les larmes affluer à ses yeux. Les objets posés sur le plan de travail – grille-pain cabossé, boîtes métalliques, mortier et pilon, bocaux en verre – perdirent définitivement leur netteté tandis qu'elle se mettait à pleurer.

– Tu m'avais fait une promesse, Maggie. Nous avions passé un accord. Veux-tu que je te rafraîchisse la mémoire ?

Maggie se cramponna au robinet de l'évier, le tournant et le retournant, dans le seul but de se rattacher à quelque chose de concret qu'elle pouvait contrôler. Punkin sauta sur la paillasse et s'approcha d'elle. Il se mit à louvoyer entre les bocaux et les boîtes, s'arrêtant pour renifler des miettes restées collées au grille-pain. Il poussa un miaulement plaintif et se frotta contre son bras. Elle tendit la main vers lui et plongea son visage dans son cou. Il sentait le foin mouillé.

– Si on ne quittait pas le village, si j'acceptais de rester, je ne le regretterais pas. Je n'aurais pas à m'en mordre les doigts. Tu t'en souviens ? Tu te rappelles m'avoir donné solennellement ta parole ? Tu étais assise à cette même table, en août dernier, pleurant et me suppliant de rester à Winslough. « Pour une fois, maman. Arrêtons de déménager pour un oui ou pour un non. J'ai des copines ici. J'ai envie de finir l'école. Je ferai tout ce que tu voudras. Dis-moi qu'on va rester. »

– C'était vrai, pour mes copines. Josie et Pam.

– C'était une forme de vérité, une demi-vérité. C'est sans doute pour ça que deux mois plus tard, tu t'envoyais en l'air, à Cotes Hall, avec un gamin de quinze ans. Sans compter les autres.

– C'est faux !

– Qu'est-ce qui est faux, Maggie ? Tes amours avec Nick ? Ou le fait que tu es prête à baisser ta culotte devant le premier qui a envie de t'en faire tâter ?

– Je te déteste !

– Oui. Je crois que c'est clair. Et je le regrette infiniment. Parce que moi, je ne te déteste pas.

– Tu en fais autant. (Maggie pivota vers sa mère.) Tu me fais la morale et tu ne vaux pas mieux que moi. Tu baises avec Mr. Shepherd. Tout le monde est au courant.

– C'est donc ça ? Tu as treize ans. Jamais je n'avais encore pris d'amant. Tu as décidé que ce n'était pas maintenant que j'allais commencer. Je dois ne vivre que pour toi, comme avant. C'est cela ?

– Non.

– Et si tu dois te faire mettre en cloque pour m'obliger à en passer par tes volontés, tu le feras.

– Non !

– Parce qu'un bébé, c'est quoi au fond, Maggie ? Quelque chose dont on se sert pour obtenir ce qu'on veut. Tu veux Nick ? Bien, fais l'amour avec lui. Tu veux que maman s'intéresse à tes problèmes? Bien. Fais-toi faire un enfant. Tu veux que tout le monde t'apprécie? Ecarte les jambes dès qu'on vient te renifler d'un peu près. Tu veux...

Maggie empoigna la bouteille de vinaigre et la jeta par terre, où elle vola en éclats en rencontrant le carrelage. Des bouts de verre jaillirent. L'air s'emplit d'un parfum acide qui piquait les yeux. Punkin se mit à cracher, le poil hérissé.

– J'aimerai mon bébé, s'écria-t-elle. Je l'aimerai et je le soignerai et il m'aimera. C'est fait pour ça, les bébés. Ils aiment leur maman. Et leur maman les aime.

Juliet Spence jeta un coup d'œil sur les dégâts. Au voisinage des carreaux crème, le vinaigre avait la couleur du sang dilué.

– C'est génétique, fit-elle, épuisée. C'est l'instinct. (Elle tira une chaise et se laissa tomber dessus. Elle prit la tasse entre ses mains.) Les bébés ne sont pas des machines à aimer, dit-elle, s'adressant à la tasse. Ils ne savent pas aimer. D'ailleurs ils ignorent ce qu'est l'amour. Ils n'ont que des besoins. Faim, soif, sommeil, couches mouillées. Et c'est tout.

– C'est faux, contra Maggie. Ils nous aiment. Ils nous appartiennent. A cent pour cent. On peut les prendre dans ses bras, dormir avec eux, les câliner. Et quand ils grandissent...

– Ils nous brisent le cœur. D'une façon ou d'une autre. On en arrive toujours là.

D'un revers de main, Maggie s'essuya la joue.

– Tu veux pas que j'aie quelque chose à aimer. C'est ça, la vérité. Toi, tu as Mr. Shepherd. Mais moi, j'ai rien.

– Tu crois ça? Et moi, tu ne m'as pas?

– C'est pas suffisant, maman.

– Je vois.

Maggie prit le chat et le pressa contre elle. L'attitude de sa mère trahissait le chagrin, l'échec : ses longues jambes allongées devant elle, elle était vautrée sur son siège. Maggie s'en fichait pas mal. Elle poussa son avantage. Pourquoi n'aurait-elle pas essayé de profiter de la situation? Maman pourrait toujours aller chercher du réconfort auprès de Mr. Shepherd si sa question la blessait.

– Je veux que tu me parles de papa.

Sa mère ne dit mot. Faisant tourner la tasse entre ses

doigts. Sur la table il y avait un paquet de photos prises à Noël. Elle s'en empara. Les vacances avaient commencé avant l'enquête du coroner, et elles s'étaient donné du mal pour se mettre à l'unisson en cette période de fête, s'efforçant d'oublier ce qui pourrait arriver si Juliet comparaissait devant le tribunal. Elle passa les clichés en revue. Des photos d'elle et de sa fille. Il en avait toujours été ainsi, année après année, les deux femmes avaient vécu seules.

Maggie épia sa mère. Quêtant une réponse. Toute sa vie elle avait attendu, trop effrayée pour exiger des détails, n'osant pas bousculer sa mère, culpabilisant à l'idée qu'elle pût fondre en larmes. Mais ce soir, elle n'avait plus envie d'attendre.

– Je veux que tu me parles de papa.

Sa mère ne dit rien.

– Il n'est pas mort, n'est-ce pas ? Il n'est pas mort. Il me cherche. C'est pour ça qu'on passe notre temps à déménager d'un endroit à l'autre.

– Non.

– Parce qu'il veut me retrouver. Il m'aime et se demande où je suis passée. Il pense à moi tout le temps. N'est-ce pas ?

– Ton imagination travaille beaucoup trop, Margaret.

– Je veux savoir.

– Quoi ?

– Qui est mon père. Ce qu'il fait. A quoi il ressemble. Pourquoi il ne vit pas avec nous. Pourquoi nous ne l'avons jamais vu.

– Il n'y a rien à dire.

– Je lui ressemble, n'est-ce pas ? Sûrement que si, parce que je ne te ressemble pas du tout, à toi.

– Cette discussion ne sert à rien.

– Tu te trompes. Je saurai enfin à quoi m'en tenir. Et si je veux le retrouver...

– Impossible. Il a disparu.

– Non.

– Je te dis que si, Maggie. Et inutile d'essayer de me tirer les vers du nez. Je refuse d'en dire davantage. Je refuse de te mentir. Il nous a quittées quand tu es née.

Les lèvres de Maggie tremblèrent. Elle essaya de se contrôler, n'y parvint pas.

– Il m'aime. Papa m'aime. Et si tu me laissais le retrouver, je te le prouverais.

– C'est à toi que tu as envie de le prouver. Et comme tu n'arrives pas à mettre la main sur ton père, tu te rabats sur Nick.

– Non.

– C'est l'évidence, Maggie. Ça crève les yeux.

– C'est faux! J'aime Nick. Et Nick m'aime. (Elle attendit que sa mère réagisse. Juliet se contentant de faire tourner la tasse sur la table d'un quart de tour, Maggie durcit le ton.) Si je suis enceinte, je garderai le bébé. T'entends? Mais je ferai pas comme toi. Je n'aurai pas de secrets pour lui. Il saura qui est son père.

Passant devant la table, elle quitta la pièce. Sa mère ne fit aucun effort pour la retenir. Emportée par sa colère, sûre d'avoir raison, elle atteignit le palier du premier, s'immobilisa.

Dans la cuisine, elle entendit une chaise racler le carrelage. L'eau coula dans l'évier. La tasse heurta la porcelaine. Un placard fut ouvert. Il y eut le bruit de mitraille des croquettes pour chat qu'on versait dans un bol. Le bol résonna quand on le déposa sur les carreaux.

Après ça, un temps de silence. Puis un hoquet rauque. Et ces mots : « Oh, mon Dieu. »

Juliet n'avait pas prié depuis quatorze ans, non qu'elle n'en eût éprouvé le besoin, mais parce qu'elle ne croyait plus en Dieu. Elle y avait cru, à un moment donné. Prière quotidienne, présence au service religieux, communion sincère avec une déité aimante faisaient alors partie intégrante d'elle-même, au même titre que ses organes, son sang et sa chair. Mais elle avait perdu la foi aveugle qui aide tellement à croire en l'inconnaissable et en l'inconnu le jour où elle avait réalisé que la justice, divine ou non, n'existait pas, dans un monde où les bons souffraient mille tourments tandis que les méchants s'en tiraient sans une égratignure. Dans sa jeunesse, elle s'était cramponnée à l'idée que chacun devrait un jour rendre des comptes. Elle avait compris qu'elle n'assisterait peut-être pas au jugement de chaque pécheur; mais que, pour chaque pécheur, le moment de passer devant le tribunal divin viendrait inéluctablement. D'une façon ou d'une autre. Qu'il fût encore en vie ou déjà mort. Mais maintenant, elle savait qu'il en allait autrement. Dieu n'existait pas. Personne n'écoutait les prières, ne redressait les torts, n'atténuait les souffrances d'une manière ou d'une autre. Il n'y avait que la vie – un processus brouillon –, et l'attente des fugaces instants de bonheur qui la rendaient tolérable. En dehors de ça, il n'y avait rien, que la lutte pour empêcher ces fugaces instants de vous être dérobés.

Elle laissa tomber deux torchons blancs par terre et les regarda s'imprégner de vinaigre, devenir roses. Tandis que, perché sur le plan de travail, Punkin observait le déroulement des opérations, l'air solennel, les yeux fixes, elle mit les torchons dans l'évier et s'en fut chercher un balai et un balai-éponge. Ce dernier était inutile, les torchons ayant absorbé le liquide. Mais elle savait par expérience que le travail physique vous empêche de ressasser. C'est d'ailleurs pourquoi elle s'activait tous les jours dans la serre, arpentait les bois à l'aube avec ses paniers, entretenait son potager avec un soin maniaque et soignait ses fleurs plus par nécessité que par orgueil.

Ayant balayé les morceaux de verre, elle les jeta dans la poubelle. Elle décida de renoncer à utiliser le balai-éponge. Mieux valait astiquer le carrelage à genoux, à la main, jusqu'à ce que la douleur irradie le long de ses bras et de ses jambes. Sur la liste des activités à même de servir de substitut à la réflexion, juste après les activités physiques venait la douleur physique. Lorsque gros travaux et douleur allaient de pair, on n'était plus capable d'aligner deux idées. Aussi se mit-elle à briquer le carrelage, poussant le seau de plastique bleu devant elle, tendant le bras, décrivant des arcs de cercle douloureux pour ses muscles, faisant claquer la serpillière mouillée contre les carreaux avec tant d'énergie qu'elle en avait presque le souffle coupé. Une fois son nettoyage terminé, la transpiration lui collant les cheveux sur le front, elle l'essuya avec la manche de son col roulé. Le pull était encore imprégné de l'odeur de Colin. Sexe et cigarettes, sombre musc de son corps pendant l'amour.

Elle retira son col roulé et le laissa tomber sur sa veste. L'espace d'un instant, elle se dit que c'était Colin, le responsable. Rien ne serait venu troubler le cours de leur existence, si elle n'avait pas, dans un instant de désir égocentrique, cédé à ses pulsions. Sexuellement inactive pendant des années, elle avait cru ne plus jamais éprouver de désir pour un homme. Aussi lorsque le désir s'était emparé d'elle sans prévenir, elle s'était trouvée prise au dépourvu.

Elle se maudit de n'avoir pas été assez forte pour résister, d'avoir oublié ce que ses parents lui avaient martelé dans son enfance : la passion ne conduit qu'à la destruction, le salut réside dans l'indifférence.

Mais ça n'était pas la faute de Colin. S'il était coupable, c'était d'avoir aimé et agi en conséquence, poussé par le doux aveuglement de l'amour. Cela, elle le comprenait bien. Car elle aussi, aimait. Pas Colin – jamais elle ne baisserait sa garde au point de laisser un homme occuper dans sa vie la place d'un égal –, mais Maggie, pour qui coulait tout son sang avec un abandon angoissé confinant au désespoir.

Mon enfant. Mon amour d'enfant. Ma fille. Que ne ferais-je pour t'éviter de souffrir.

Mais il y avait une limite à la protection parentale. Cette limite apparaissait dès que l'enfant s'essayait à voler de ses propres ailes : touchant la cuisinière alors qu'on le lui avait mille fois défendu, jouant trop près du bord de la rivière, en hiver, quand le niveau de l'eau est dangereusement haut, sifflant une goutte de cognac en cachette, tirant une bouffée d'une cigarette en douce. Que Maggie eût choisi – délibérément, avec une prescience assez vague des conséquences – de découvrir le monde de la sexualité adulte alors qu'elle n'était encore qu'une enfant, avec la façon de voir d'une enfant, était bien le seul acte de rébellion auquel Juliet ne s'était pas attendue de la part de l'adolescente. Elle avait pensé à la drogue, à la musique tapageuse, à l'alcool, au tabac, aux tenues vestimentaires et aux coupes de cheveux excentriques. Elle avait pensé au maquillage, aux disputes, aux *tu ne peux pas comprendre tu es trop vieille* mais jamais au sexe. Pas encore. Le sexe, ce serait pour plus tard. Bêtement, elle n'avait pas fait la relation entre la sexualité et la petite fille qui demandait encore à sa maman de lui brosser les cheveux le matin, attachant sa longue chevelure rousse à l'aide d'une barrette.

Elle connaissait les principes régissant le développement d'un enfant, du nouveau-né à l'adulte autonome. Elle avait lu les ouvrages spécialisés, décidée à être la meilleure des mères. Mais dans le cas présent, quelle attitude adopter? Comment faire plaisir à Maggie, concilier réalité et fiction, pour lui donner le père qui lui manquait ? Et même si elle était capable de faire ça pour sa fille et pour elle-même – ce qu'elle ne ferait pas pour un empire –, qu'est-ce que sa capitulation apprendrait à Maggie ? Que le sexe n'est pas l'expression de l'amour entre deux êtres mais un piège diabolique.

Maggie et le sexe. Juliet refusait d'y penser. Les années passant, elle était devenue de plus en plus experte dans l'art de la répression, refusant de s'attarder sur ce qui évoquait malheur ou tourment. Elle avançait, les yeux fixés sur l'horizon lointain qui recélait la promesse de la découverte de nouveaux endroits, de nouvelles expériences ; la promesse d'une forme de paix et d'un sanctuaire chez des gens qui, par tempérament et habitude, gardaient leurs distances, n'essayant pas de frayer avec les étrangers taciturnes. Et jusqu'en août dernier, Maggie s'était bien trouvée de se focaliser elle aussi sur cet horizon.

Juliet laissa sortir le chat et le regarda disparaître dans les ombres projetées par Cotes Hall. Elle monta au premier. La porte de Maggie était fermée, mais elle ne frappa pas, comme elle aurait pu le faire une autre nuit, entrant s'asseoir sur le lit de sa fille, lissant ses cheveux, effleurant des doigts sa peau de pêche. Elle pénétra dans sa propre chambre de l'autre côté du palier et retira le reste de ses vêtements dans l'obscurité. En se dévêtant ainsi, une autre nuit, elle aurait pensé à la chaleur des mains de Colin sur son corps. S'autorisant à revivre leurs ébats quelques instants, à se remémorer son image au-dessus d'elle dans la pénombre de la chambre. Mais ce soir, elle se déshabilla comme un automate, attrapa sa robe de chambre de laine et se dirigea vers la salle de bains pour se faire couler un bain.

Je pue le sexe. Toi aussi !

Comment pouvait-elle défendre à sa fille de faire ce qu'elle-même faisait ? Si elle voulait obtenir un résultat, il fallait qu'elle renonce à Colin et déménage comme elle l'avait fait par le passé, sans un regard en arrière, en coupant tous les ponts. C'était la seule solution. Si la mort du pasteur n'avait pas suffi à lui remettre les idées en place ni à lui faire comprendre ce qu'elle pouvait ou ne pouvait pas faire dans la vie – avait-elle vraiment cru pouvoir se retrouver dans la peau de l'épouse aimante du constable du coin ? –, les relations de Maggie avec Nick Ware s'en chargeraient.

Mrs. Spence, je m'appelle Robin Sage. Je suis venu vous parler de Maggie.

Et elle l'avait empoisonné. Cet homme plein de compassion qui ne leur voulait que du bien, à sa fille et à elle. Quel genre d'existence pouvait-elle espérer mener à Winslough maintenant que tout le monde la soupçonnait, que tous les chuchotements la condamnaient, et que seul le coroner avait eu le courage de lui demander ouvertement comment elle avait pu commettre une erreur aussi ahurissante ?

Elle se baigna lentement, se concentrant sur ses sensations : contact du gant contre sa peau, bouillonnement de la vapeur s'élevant autour d'elle, gouttes d'eau coulant entre ses seins. Le savon avait un parfum de rose, elle le huma pour oublier tous les autres : elle voulait se laver des souvenirs et se délivrer de la passion.

Je veux que tu me parles de papa.

Que puis-je te dire, mon petit cœur ? Que passer les doigts dans tes fins cheveux de bébé ne lui faisait ni chaud ni froid. Que la vue de tes cils et de leur ombre duveteuse sur tes joues lorsque tu dormais ne lui donnait pas envie de te serrer dans ses bras. Que le spectacle de ta main poisseuse brandissant fièrement une sucette ne l'aurait jamais fait éclater de rire. Que tu ne l'intéressais que silencieuse et endormie à l'arrière d'une voiture. Qu'il n'a jamais vraiment cru à ton existence. Tu n'étais pas le centre de son univers. Comment veux-tu que je te dise tout cela, Maggie ? Je ne veux pas être celle qui démolit ton rêve.

Ses membres lui semblaient lourds tandis qu'elle s'essuyait. Son bras pesait une tonne alors qu'elle se brossait les cheveux. Dans la glace de la salle de bains couverte d'une fine pellicule de buée, elle observa sa silhouette, image sans visage, dont le seul détail à peu près net était la chevelure qui virait rapidement au gris. Le reste de son corps, elle ne le voyait pas, mais elle le connaissait par cœur. C'était un corps vigoureux, capable de tenir la distance, tout de chair ferme, que les gros travaux ne rebutaient pas. C'était un corps de paysanne, fait pour porter des enfants et accoucher comme en se riant. Et elle aurait dû en avoir beaucoup. Ils auraient dû se presser à ses pieds, remplir la maison de leurs copains et de leurs affaires. Ils auraient dû jouer, apprendre à lire, s'écorcher les genoux, casser les carreaux, pleurer de désarroi dans ses bras devant les imprévus de la vie. Mais elle ne s'était vu confier qu'une seule vie, elle n'avait eu qu'une seule fois la chance d'essayer de faire d'un enfant un être mûr.

Etait-elle responsable? se demanda-t-elle pour la énième fois. Sa vigilance de parent s'était-elle émoussée du fait de son désir de femme?

Elle reposa sa brosse à cheveux sur le rebord du lavabo et traversa le palier jusqu'à la porte fermée de la chambre de sa fille. Elle colla l'oreille au battant. Aucune lumière ne filtrait de sous la porte. Tournant doucement la poignée, elle entra.

Maggie dormait, et ne se réveilla pas lorsque la lumière du palier toucha son lit. Comme souvent, elle avait repoussé ses couvertures et elle était couchée sur le côté, les genoux remontés, femme-enfant en pyjama rose dont la veste veuve de ses deux premiers boutons laissait entrevoir le croissant d'un sein épanoui à l'aréole nettement visible contre la peau blanche. Elle avait descendu son éléphant en peluche des étagères où il trônait depuis leur arrivée à Winslough. Il était plaqué contre son ventre, les pattes toutes droites comme les jambes d'un soldat au garde-à-vous; sa vieille trompe était tout esquintée. Il en avait vu de dures, au fil des années.

Juliet recouvrit sa fille et la regarda. Les premiers pas, songea-t-elle, cette drôle de démarche vacillante de bébé découvrant la joie d'être debout, s'accrochant au pantalon de maman, exultant de commencer à se déplacer. Puis la course, les cheveux flottant au vent, les bras potelés tendus, persuadée que maman serait là pour l'attraper et la retenir. Cette façon de s'asseoir, jambes écartées, bien tendues, un pied pointant vers le nord-est, l'autre vers le nord-ouest. Cette manière de s'accroupir pour ramasser une fleur des champs ou examiner un insecte.

Mon enfant. Ma fille. Je suis loin de connaître toutes les réponses, Margaret. Le plus souvent, j'ai l'impression d'être une enfant, en plus âgée, mais une enfant, moi aussi. J'ai peur mais je ne peux pas te montrer ma peur. Je connais le désespoir mais je ne peux pas partager mon chagrin. Tu me crois forte – maîtresse de ma vie et de ma destinée – mais j'ai l'impression que je vais être démasquée à tout moment et que le monde me verra – et toi aussi – telle que je suis, faible et tiraillée par le doute. Tu veux que je sois compréhensive. Tu veux que je te dise comment les choses vont se passer. Tu veux que je te réconforte et que d'un coup de baguette magique je fasse disparaître injustice et tourments. Mais je ne peux pas. Je ne saurais même pas comment m'y prendre.

Etre mère, Maggie, s'occuper d'un enfant, ça ne s'apprend pas. On le fait. Et ça ne vient pas naturellement : il n'est pas naturel qu'une vie dépende complètement de la vôtre. C'est la seule occupation qui vous donne à ce point le sentiment de votre utilité et celui de votre solitude. Et dans les moments de crise comme celui-ci, il n'existe pas d'ouvrage auquel se référer pour savoir quoi répondre ou comment empêcher une enfant de se faire du mal.

Les enfants vous volent bien plus que votre cœur, ma chérie. Ils vous volent votre vie. Ils font sortir de vous le meilleur et le pire, et en retour ils vous donnent leur confiance. Mais le prix à payer est incroyablement élevé, et les récompenses minces et longues à venir.

Et à la fin, quand on se prépare à lâcher le nouveau-né, l'enfant, l'adolescent dans l'âge adulte, c'est avec l'espoir que ce qui reste derrière est un peu plus consistant que les bras vides de maman.

APRÈS LES SOUPÇONS

6

Signe encourageant, lorsqu'il tendit le bras pour la caresser – lui passant la main tout le long de la colonne vertébrale –, elle ne bougea ni ne tenta de le repousser. Il reprit donc espoir. Certes, elle ne lui adressa pas la parole et ne cessa pas pour autant de s'habiller. Mais pour l'instant Lynley était prêt à accepter tout ce qui n'était pas un rejet pur et simple, prélude à un départ. Si le fait de tomber amoureux et d'être payé de retour devait vous rendre heureux à jamais, Helen Clyde et lui n'avaient pas encore atteint ce stade.

C'est le début, s'efforça-t-il de se persuader. Ils n'étaient pas encore habitués à être amants après avoir, quinze ans durant, été de simples amis l'un pour l'autre. Pourtant, il aurait bien aimé qu'elle arrête de se rhabiller et revienne se coucher. Les draps étaient encore imprégnés de la douce chaleur de son corps et le parfum de sa chevelure embaumait son oreiller.

Elle n'avait pas allumé. Elle n'avait pas non plus ouvert les rideaux sur la lumière liquide de l'hiver londonien.

Mais malgré cela, il la voyait distinctement grâce au maigre soleil qui filtrait à travers les nuages et les rideaux. N'eût-il pas réussi à la distinguer qu'il l'aurait *vue* quand même en imagination car il y avait belle lurette qu'il connaissait par cœur son visage, ses gestes, la moindre parcelle de son corps. Même si la chambre avait été noire comme un four, il aurait pu dessiner avec ses mains la courbe de sa taille, l'angle exact que faisait sa tête lorsqu'elle rejetait ses cheveux en arrière, le galbe de ses mollets, de ses chevilles et de ses talons, le renflement de ses seins.

Ce n'était pas la première fois qu'il aimait ; à trente-six ans, il avait aimé plus souvent qu'à son tour. Mais jamais auparavant il n'avait éprouvé ce besoin formidablement primitif, impérieux de dompter et de posséder une femme. Au cours des deux derniers mois – Helen était sa maîtresse depuis deux mois –, il s'était dit que cette faim disparaîtrait si elle acceptait de l'épouser. Le désir de la dominer – et de la voir se soumettre – ne pouvait guère trouver à s'exercer dans un climat d'égalité et de dialogue. Et si tel était le genre de relations qu'il voulait établir avec elle, cet aspect de sa personnalité qui avait besoin de contrôler toutes choses, cet aspect de son moi était celui auquel il lui faudrait renoncer. Et vite.

Le problème, c'est que la sachant hors d'elle, connaissant ce qui l'avait mise dans cet état et ne pouvant en toute honnêteté lui en tenir rigueur, il avait malgré tout envie de la forcer à reconnaître, excuses à l'appui, qu'elle avait tort, et qu'elle devait donc réintégrer le lit.

Ce qui le ramenait au problème numéro un. Il s'était réveillé à l'aube, excité par la chaleur de son corps pressé contre le sien. Il avait passé sa main contre la courbe de sa hanche. Et, bien qu'encore endormie, elle s'était tournée dans ses bras pour faire lentement l'amour comme on peut le faire le matin. Après, ils étaient restés couchés au milieu des oreillers et couvertures en désordre, et sa tête sur sa poitrine, sa main sur son sein, sa chevelure telle de la soie entre ses doigts, elle avait dit :

– J'entends battre ton cœur.

Ce à quoi il avait répondu :

– C'est rassurant. Ça veut dire que tu ne l'as pas encore brisé.

Elle avait ri, lui mordillant la pointe du sein, puis bâillé et posé sa question.

A laquelle, comme un fieffé imbécile qu'il était, il avait répondu, sans chercher à atermoyer ni essayer de noyer le poisson. Non. Il s'était éclairci la gorge et lui avait balancé la vérité. De là était partie leur dispute – Helen l'ayant accusé de la traiter comme un objet. « Me faire ça à moi, Tommy, moi que tu prétends aimer. » Dispute d'où avait découlé la décision d'Helen de se rhabiller et de s'en aller sans ajouter un mot. Pas parce qu'elle était folle de rage, mais pour prendre du recul, « faire le point », pour utiliser une expression qui lui était familière.

Seigneur, le sexe fait décidément de nous des abrutis, se dit-il. Un moment de détente et une vie entière passée à le regretter. Et le plus terrible était qu'en la regardant s'habiller – enfiler les laconiques bouts de soie et de dentelle auxquels les femmes tiennent à donner le nom de sous-vêtements –, il sentait la chaleur du désir l'envahir à nouveau. Son corps était la preuve vivante que la colère d'Helen était fondée. Pour lui, le plus dur pour un mâle, c'était de gérer la faim animale qui pousse un homme à désirer une femme quelles que soient les circonstances et parfois – force lui était de le reconnaître à sa grande honte – à cause des circonstances, comme si une demi-heure de travaux de séduction pouvait prouver quoi que ce soit en dehors de la faculté du corps à trahir l'esprit.

– Helen.

Elle s'approcha de la commode et prit sa lourde brosse en argent pour se brosser les cheveux. Une petite psyché se dressait au milieu des photos de famille ; elle en régla l'inclinaison de façon à se voir dedans.

Il n'avait pas envie de se disputer avec elle, mais se sentait forcé de se défendre. Malheureusement, compte tenu du motif de la querelle qu'elle avait choisi – ou plus exactement que son comportement et ses paroles l'avaient amenée à choisir –, sa seule défense résidait dans un examen approfondi du passé d'Helen, lequel n'était pas exempt de zones d'ombre.

– Helen, nous sommes adultes. Nous avons beaucoup de souvenirs communs. Mais nous en avons également d'autres, qui nous sont propres. Il ne serait pas sérieux de l'oublier. Pas plus qu'il ne serait sage de porter des jugements fondés sur des événements qui ont eu lieu avant notre... Avant ce que nous vivons maintenant.

Intérieurement, il grimaça de la maladresse avec laquelle il s'efforçait de dissiper le malentendu. Bon Dieu, nous sommes amants. Je te désire, je t'aime, et sacré nom de Dieu, toi aussi. Alors arrête de te torturer pour une chose qui n'a rien à voir avec toi. C'est clair, Helen ? C'est bien clair ? Parfait. Maintenant, reviens au lit.

Elle reposa la brosse, laissant la main dessus, lui tournant toujours le dos. Elle n'avait pas encore enfilé ses chaussures.

Lynley crut voir dans ce détail une nouvelle raison d'espérer. Tout comme il puisait de l'espoir dans la certitude que, pas plus que lui, elle ne souhaitait une rupture définitive. Certes, Helen était en colère après lui – plus qu'il ne l'était après lui-même –, mais elle n'avait pas pour autant tiré un trait sur leur amour ni renoncé entièrement à lui. Sans doute parviendrait-il à lui faire entendre raison, ne serait-ce qu'en lui démontrant comment, au cours de ces deux derniers mois, lui-même aurait facilement pu se méprendre sur ses aventures masculines s'il avait été assez idiot pour évoquer les fantômes de ses anciens amants, comme elle venait d'évoquer ceux de ses maîtresses. Elle lui rétorquerait, évidemment, qu'elle se moquait éperdument de ses anciennes petites amies. Qu'elle n'y avait jamais fait la moindre allusion. Et que ce qui la révoltait, c'était son attitude envers les femmes en général, cette façon qu'il avait de proclamer sans vergogne je-vais-m'en-taper-une-ce-soir-et-un-drôle-de-bon-coup-encore en accrochant une cravate à la porte de sa chambre quand il se trouvait en galante compagnie.

– Je suis comme toi, Helen ; je n'ai pas vécu comme un moine. Je ne m'en suis jamais caché.

– Qu'est-ce que ça signifie ?

– C'est la réalité. Et si nous nous mettons à faire de la corde raide entre le passé et l'avenir, nous allons nous casser la figure. Ce qui compte, c'est ce que nous avons : le présent. Et après ça, l'avenir. C'est de ça qu'on devrait se préoccuper en premier lieu, à mon avis.

– Ça n'a rien à voir avec le passé, Tommy.

– Mais si, justement. Est-ce que tu ne m'as pas dit, il y a dix minutes à peine, que tu avais l'impression d'être la petite pouffiasse que Sa Seigneurie s'envoyait le dimanche soir ?

– Tu n'as pas bien compris.

– Vraiment ? (Il se pencha par-dessus le bord du lit et ramassa sa robe de chambre tombée par terre pendant la nuit.) Ce qui te met le plus en rogne, c'est la cravate accrochée à la porte...

– Pas la cravate. Ce qu'elle implique.

– ... ou le fait que, comme j'ai été assez bête pour le

reconnaître, j'aie déjà eu recours à ce stratagème auparavant ?

– Tu me connais suffisamment pour ne pas avoir à poser une question pareille.

Il se leva, enfila sa robe de chambre en cachemire et ramassa les vêtements qu'il avait retirés à la hâte la veille vers onze heures et demie.

– Et moi je crois qu'au fond tu es plus honnête avec toi-même que tu ne l'es avec moi en ce moment.

– Tu m'accuses ? Je n'aime pas beaucoup ce genre d'accusation. Ni ce qu'elle implique d'égocentrisme.

– Quel égocentrisme ? Le tien ou le mien ?

– Tu sais bien ce que je veux dire, Tommy.

Traversant la chambre, il ouvrit les rideaux. Sombre journée. Un vent violent chassait les nuages dans le ciel, tandis qu'une mince couche de gel recouvrait, telle de la gaze, la pelouse et les rosiers du jardinet. Un des chats du voisinage était perché sur le mur de brique contre lequel grimpait une solanacée. Il avait l'air impérieux et lointain qui est l'apanage des félins. Lynley ne put s'empêcher de le lui envier.

Se détournant de la fenêtre, il vit qu'Helen surveillait ses mouvements dans la glace. Il alla se placer derrière elle.

– Si je voulais, Helen, je pourrais me rendre dingue à penser aux hommes avec lesquels tu as couché. Je pourrais t'accuser de les avoir utilisés pour satisfaire tes désirs, flatter ton ego, t'aider à te donner une bonne opinion de toi-même. Mais ce n'est pas ça qui m'aiderait à retrouver mon calme. Ma colère serait toujours là, à la surface, prête à rejaillir. Je ne ferais que la dissimuler, la nier en tournant toute mon attention vers toi.

– Astucieux, dit-elle.

– Quoi ?

– Ta façon d'éviter le vrai problème.

– Qui est ?

– Ce que je ne veux pas être.

– Ma femme.

– Non. La petite amie de Lord Asherton. La dernière bombe sexuelle découverte par l'inspecteur Lynley. Celle à propos de laquelle son valet de chambre et lui échangent un clin d'œil salace lorsque le brave Denton apporte le plateau du petit déjeuner.

– Bien. Je vois. Alors épouse-moi. Ça fait douze mois

que je te le demande. Si tu acceptes de régulariser notre liaison – ce que j'ai été le premier à te proposer –, tu n'auras plus à te soucier des commérages.

– Ce n'est pas aussi simple. Et les commérages ne sont pas ce qui me préoccupe le plus.

– Tu ne m'aimes pas ?

– Bien sûr que je t'aime. Tu le sais.

– Alors ?

– Je refuse d'être traitée comme un objet.

Il hocha lentement la tête.

– Et tu as eu l'impression d'en être un, ces deux derniers mois ? Quand nous étions ensemble ? La nuit dernière aussi ?

Son regard vacilla. Il vit ses doigts se crisper sur le manche de la brosse.

– Non, non.

– Ce matin, alors ?

Elle cilla.

– J'ai horreur de discuter avec toi.

– Mais il ne s'agit pas d'une discussion.

– Tu essaies de me piéger.

– J'essaie de débusquer la vérité. (Il aurait voulu passer ses doigts dans sa chevelure, la faire pivoter vers lui, prendre son visage dans ses mains. Toutefois, il se contenta de poser ses mains sur ses épaules.) Si nous ne pouvons pas supporter le passé de l'autre, autant dire que nous n'avons pas d'avenir. Ça se résume à ça, quoi que tu dises. Je suis capable de vivre avec le tien : Saint James, Cusick, Rhys Davies-Jones, et tous les autres. Que tu aies couché avec eux une nuit ou un an. Est-ce que tu peux vivre avec le mien ? C'est ça, la question, à mon avis. Et pas ce que je ressens à l'égard des femmes.

– Tu te trompes.

Percevant l'intensité de l'intonation, la résignation de sa voix, il la fit pivoter vers lui, comprenant soudain.

– Oh mon Dieu, Helen, soupira-t-il. Je n'ai pas eu d'autre femme depuis que tu es entrée dans ma vie. Il ne m'est même pas venu à l'idée d'en avoir une.

– Je sais, fit-elle, posant sa tête contre son épaule. Et pourtant ça ne m'aide pas.

Sa lecture terminée, le sergent Barbara Havers froissa la deuxième page dc l'interminable note de service du commissaire principal Sir David Hillier, en fit une boulette et l'expédia d'un lob énergique par-dessus la table de l'inspecteur Lynley dans la poubelle qu'elle avait placée près de la porte pour faire un peu de sport, et où gisait déjà la page précédente. Elle bâilla, se gratta vigoureusement le cuir chevelu, posa la tête sur son poing et continua sa lecture.

Ses collègues et elle étaient d'accord : ils avaient mieux à faire que de lire l'interminable épître de Hillier sur les considérations relatives à la direction d'une enquête portant sur des faits susceptibles d'avoir un rapport avec l'IRA. S'ils reconnaissaient volontiers que Hillier s'inspirait de la libération des six de Birmingham – et ils étaient peu nombreux à nourrir de la sympathie pour les membres de la police du West Midland qui avaient fait l'objet d'une investigation à la suite de ça –, il n'en restait pas moins qu'ils étaient trop accaparés par leur travail pour perdre leur temps à apprendre par cœur le mémoire du commissaire principal.

Contrairement à ses collègues, Barbara ne suivait pas une demi-douzaine d'affaires différentes pour l'instant. Elle profitait au contraire d'un congé de deux semaines longtemps attendu. Pour ses vacances, elle avait projeté de bricoler dans le pavillon où elle était née, à Acton, avant de le confier à un agent immobilier et d'emménager dans un studio qu'elle avait déniché à Chalk Farm, dans un cottage coincé derrière une grande bâtisse edwardienne d'Eton Villas. La maison elle-même avait été divisée en quatre appartements et un studio. Lesquels n'étaient malheureusement pas dans les moyens de Barbara. Mais le cottage, situé au fond du jardin sous un faux acacia, était trop petit pour que quiconque, un nain excepté, pût l'habiter en s'y sentant à l'aise. Si Barbara n'était pas une naine, ses aspirations en matière de logement n'étaient pas démesurées : elle ne comptait pas recevoir, n'envisageait ni de se marier ni de fonder une famille, travaillait énormément et n'avait besoin que d'un endroit pour dormir. Le cottage lui avait semblé fait pour elle.

Tout excitée, elle avait signé le bail. A trente-trois ans, ce serait la première fois qu'elle vivrait ailleurs qu'à Acton où elle avait passé ces vingt dernières années. Elle songea à la façon dont elle le décorerait, aux fournisseurs chez qui elle achèterait ses meubles, aux photos et aux gravures qu'elle accrocherait aux murs. Elle alla dans un centre de jardinage et passa soigneusement les plantes en revue, notant ce qui poussait bien dans les jardinières et ce qui avait besoin de soleil. Elle mesura les fenêtres, examina la porte. Puis elle regagna Acton, l'esprit bouillonnant d'idées, qui lui parurent toutes plus saugrenues les unes que les autres lorsqu'elle se rendit compte de l'énormité des travaux à entreprendre dans la maison de ses parents.

Travaux de peinture à l'intérieur, réparations diverses à l'extérieur, pose d'un papier peint neuf, ponçage des boiseries, arrachage des mauvaises herbes dans le petit jardin de derrière, nettoyage des moquettes... La liste s'allongeait à l'infini. Indépendamment du fait qu'elle se trouvait être seule pour retaper une maison qui n'avait pas été entretenue depuis sa sortie de l'école secondaire – détail en soi particulièrement déprimant –, elle ne pouvait se défendre d'éprouver un curieux sentiment de malaise chaque fois qu'une partie du travail était terminée.

Tout ça, à cause de sa mère. Ces deux derniers mois, Mrs. Havers les avait passés à Greenford, non loin de Londres par la Central Line [1]. Elle s'était bien habituée à Hawthorn Lodge, mais Barbara se demandait quand même s'il était bien raisonnable de vendre le pavillon d'Acton et de s'installer dans un quartier plus agréable, dans un petit cottage plein de charme qui lui parlait d'une vie nouvelle, d'espoirs et de rêves, et où sa mère n'aurait aucune place. Car ne faisait-elle pas plus que vendre un pavillon trop grand afin de financer le séjour de sa mère à Greenford ? La vente du pavillon ne révélait-elle pas un égoïsme monstrueux ? Ou bien ces tiraillements de conscience occasionnels qui accompagnaient sa soif de liberté n'étaient-ils qu'un point focal commode sur lequel concentrer son attention de façon à l'empêcher de regarder en face ce qu'ils cachaient ?

Tu as ta vie, se répétait-elle vigoureusement plus de douze fois par jour. Ce n'est pas un crime de vouloir vivre sa vie, Barbara. Pourtant, elle avait l'impression que c'en était un. Elle passait donc d'un état d'esprit à un autre, faisant la liste de tout ce qui devait être entrepris, désespérant d'y arriver, et redoutant le jour où –

1. Ligne de métro. *(N.d.T.)*

les travaux terminés – la maison serait vendue et où elle se retrouverait finalement seule.

Dans ses rares moments d'introspection, Barbara convenait que le pavillon était la dernière chose à laquelle elle pouvait se raccrocher, ultime vestige de sécurité dans un monde où elle n'avait plus personne à qui se raccrocher. Qu'elle eût été incapable de se faire des amis – la longue maladie de son père, le lent naufrage mental de sa mère ne lui en avaient pas laissé le loisir – importait peu. Le fait d'habiter la même maison décrépite, le même quartier lui avait procuré un sentiment de sécurité. Y renoncer, se lancer dans l'inconnu... Parfois, le pavillon d'Acton lui semblait infiniment préférable.

Il n'y a pas de réponses, lui aurait dit l'inspecteur Lynley, il faut se jeter à l'eau. A la pensée de Lynley, Barbara s'agita sur son fauteuil et se força à lire le premier paragraphe de la troisième page de la note de service de Hillier.

Sans rien y comprendre. Car elle n'arrivait pas à se concentrer. Ayant évoqué par mégarde l'image de son supérieur hiérarchique direct, elle se mit à penser à ce qu'elle lui devait.

Comment allait-elle s'en sortir ? Elle se tortilla sur son siège, posa le mémoire sur les rapports et chemises qui s'empilaient sur la table en son absence et plongea la main dans son sac à bandoulière à la recherche de ses cigarettes. Elle en alluma une et souffla la fumée vers le plafond, plissant les yeux pour éviter que la fumée ne les pique.

Elle était la débitrice de Lynley. Il nierait, bien entendu, avec un air si ahuri qu'elle douterait momentanément du bien-fondé de ses déductions. Mais elle connaissait les faits, et elle n'aimait pas du tout la situation dans laquelle ils la mettaient. Comment le rembourserait-elle ? Jamais il ne voudrait en entendre parler tant que l'écart entre leurs situations financières respectives serait aussi important. Jamais il ne la laisserait parler de dette.

Qu'il aille au diable, songea-t-elle, il sait trop de choses, il est trop astucieux, trop intelligent pour se laisser pincer en flagrant délit de générosité. Elle fit pivoter le fauteuil et se retrouva face à un meuble sur lequel était posée une photo de Lynley et Lady Helen. Elle lui adressa une grimace.

– Bon courage pour le marida, inspecteur, fit-elle en jetant la cendre de sa cigarette par terre. Et allez vous faire voir.

– Tout de suite, sergent ? Ou est-ce que ça peut attendre encore un moment ?

Barbara pivota à la vitesse de l'éclair.

Lynley se tenait dans l'encadrement de la porte, son manteau de cachemire jeté négligemment sur l'épaule. Dorothea Harriman – secrétaire de leur patron – le suivait de près. Désolée, mima Harriman à Barbara avec force moulinets du bras. Je ne l'ai pas vu arriver. Je n'ai pas eu le temps de vous prévenir. Lorsque Lynley jeta un coup d'œil par-dessus son épaule, Harriman lui lança un sourire éblouissant et disparut dans un envol de cheveux blonds.

Barbara se mit debout d'un bond.

– Vous êtes en vacances, fit-elle.

– Vous aussi.

– Alors qu'est-ce que...

– Et vous, qu'est-ce que vous fabriquez à la boîte ?

Elle tira longuement sur sa cigarette.

– J'étais dans le secteur. J'ai fait un saut en passant.

– Ah.

– Et vous, inspecteur ?

– Moi, pareil.

Entrant dans son bureau, il accrocha son manteau au porte-manteau. Contrairement à elle, qui, afin de faire vacancière, avait revêtu un jean et un vieux sweat-shirt élimé pour venir au Yard, orné du slogan *Achetez anglais, s'il vous plaît*, Lynley était en tenue de travail. Costume trois-pièces, chemise immaculée, cravate en soie, sempiternelle chaîne de montre jaillissant du gilet. Il se dirigea vers sa table de travail – qu'elle se hâta de libérer –, jeta un regard désapprobateur au bout brasillant de sa cigarette et commença à trier les rapports, chemises, enveloppes, mémoires et notes de service.

– Qu'est-ce que c'est ? s'enquit-il, brandissant les huit dernières pages du document que Barbara lisait.

– Le point de vue de Hillier sur la façon de travailler avec l'IRA.

Il tapota sa poche de veste, sortit ses lunettes et parcourut la page des yeux.

– Bizarre. Est-ce que Hillier perdrait la main ? On dirait que ça commence au milieu.

Barbara tendit la main vers la poubelle, d'où elle extirpa les deux premières pages qu'elle lissa contre sa cuisse massive avant de les lui tendre, laissant tomber de la cendre sur le poignet de sa veste par la même occasion.

– Havers...

– Désolée. (Elle chassa le plus gros de la cendre d'une pichenette. Le peu qui restait, elle le frotta pour le faire disparaître, ne réussissant qu'à le faire pénétrer dans le tissu.) C'est bon pour la laine.

– Eteignez cette saleté, vous voulez bien.

Avec un soupir, elle écrasa son mégot contre la semelle de sa chaussure. Puis elle l'expédia en direction de la poubelle ; mais il manqua son but et atterrit sur le sol. Lynley leva la tête de la note de Hillier, examina le mégot par-dessus ses lunettes et haussa un sourcil interrogateur.

– Désolée, dit Havers, qui prit le mégot et le fourra dans la corbeille.

Elle remit cette dernière à sa place près du bureau. Il la remercia. Elle se laissa tomber sur une des chaises réservées aux visiteurs et commença à tripoter un début d'accroc à la jambe droite de son jean.

Il semblait parfaitement détendu, calme. Ses cheveux blonds toujours aussi bien coupés épousaient harmonieusement son crâne. Elle aurait bien aimé savoir qui les coupait car ils ne semblaient jamais dépasser de plus d'un millimètre la longueur que leur propriétaire affectionnait. Ses yeux marron étaient limpides, pas cernés, et il n'avait pas de rides nouvelles sur le front. Mais il n'en restait pas moins qu'il aurait dû être en vacances avec Lady Helen Clyde. Ils devaient partir pour Corfou. Ils étaient même censés partir à onze heures. Mais il était dix heures et quart et, à moins que Lynley n'envisageât de se rendre à Heathrow en hélicoptère dans les dix minutes à venir, il était clair qu'il n'allait nulle part. Du moins pas en Grèce. Et pas aujourd'hui.

– Eh bien, fit-elle, joviale, Helen est avec vous, monsieur ? Elle s'est arrêtée au mess pour tailler une bavette avec MacPherson sans doute ?

– Non aux deux questions.

Il continua sa lecture. Il venait de terminer le troisième feuillet et le froissait comme elle-même avait froissé les deux premiers. A cette différence près qu'il semblait agir machinalement, comme pour s'occuper les mains. Il y avait un an qu'il avait renoncé au tabac, mais il arrivait encore que ses doigts cherchent un substitut à la cigarette.

– Elle n'est pas malade ? Est-ce que vous ne deviez pas partir pour...

– En effet. Mais les projets, ça va, ça vient. (Il la regarda par-dessus ses lunettes. *Venons-en-au-fait*, sergent.) Et vous, Havers ? Vous avez changé d'idée, vous aussi ?

– Je fais une pause. Vous savez ce que c'est. Les gros travaux, c'est pas de la tarte. J'ai les mains en compote. Alors je souffle un peu.

– Je vois.

– Notez bien que c'est pas la peinture qui m'a mis les mains dans cet état-là.

– Quoi ?

– Les travaux de peinture. L'intérieur. Trois types se sont pointés chez moi il y a deux jours. Des entrepreneurs. Ils avaient un papier, spécifiant qu'ils devaient repeindre l'intérieur du pavillon. Ça m'a semblé bizarre car je n'avais contacté aucun entrepreneur. Et encore plus bizarre quand j'ai découvert que les travaux avaient été payés d'avance.

Fronçant les sourcils, Lynley mit la note de service sur un rapport traitant des relations entre la police et les Londoniens.

– Bizarre, en effet, dit-il. Ils ne s'étaient pas trompés d'adresse ?

– Pas du tout. Ils connaissaient mon nom. Et ils m'ont même appelée sergent. Et ils m'ont demandé comment c'était de bosser à la Criminelle, pour une femme. Des bavards, ces mecs. Je me demande comment ils ont su que je travaillais à la Metropolitan Police.

Comme de bien entendu, le visage de Lynley était indéchiffrable.

– Vous avez examiné le devis, Havers ? Vous vous êtes assurée qu'ils étaient bien chez la bonne personne ?

– Et comment. Et ils étaient drôlement doués, les gars. En deux jours, la maison a été repeinte de fond en comble.

– Etonnant, fit-il en se replongeant dans sa lecture.

Elle compta de un à cent avant d'attaquer de nouveau :

– Monsieur.
– Hmmm.
– Vous les avez payés combien ?
– Qui ça ?
– Les peintres.
– Quels peintres ?
– Arrêtez de faire l'innocent. Vous savez bien de quoi je parle.
– Les types qui ont repeint votre pavillon ?
– Combien vous les avez payés ? Je sais que c'est vous. Pas la peine d'essayer de me raconter des salades. En dehors de vous, seuls MacPherson, Stewart et Hale savent que je passe mes vacances à bricoler. Et ils ont pas assez de pognon pour me faire un cadeau pareil. Alors combien ? Et combien de temps me donnez-vous pour vous rembourser ?

Lynley mit son rapport de côté et entreprit de triturer sa chaîne de montre. Il sortit la montre de sa poche, l'ouvrit et prit tout son temps pour lirc l'heure.

– Je refuse que vous me fassiez la charité, bordel. Je refuse qu'on me prenne en charge, je ne suis pas une demeurée. Je ne veux rien devoir à quiconque.
– Devoir quelque chose à quelqu'un, c'est contraignant. Comment se mettre en colère après quelqu'un qui est votre créancier ? Comment puis-je garder mes distances si je suis tenue par des liens quelconques ?
– Les dettes, c'est pas des liens, monsieur.
– Certes. Mais la gratitude, si.
– Autrement dit, vous m'avez achetée ?
– A supposer que j'y sois pour quelque chose – ce qui reste à démontrer –, je vous signale que je n'ai pas pour habitude d'acheter mes amis, sergent.
– Façon de dire que vous les avez payés cash et probablement avec un bon pourboire à la clé pour qu'ils ferment leur gueule. (Elle se pencha en avant, assenant de petites claques sur son bureau.) Je ne veux pas de votre aide, monsieur. Pas sous cette forme. Je ne veux rien accepter que je ne puisse rendre. Et en outre... Même si ça n'était pas le cas, je ne suis pas prête...

Perdant pied, elle souffla.

Parfois elle oubliait qu'il était son supérieur hiérarchique. Pire, elle oubliait ce qu'elle s'était formellement juré de se rappeler : que cet homme était comte, qu'il portait un titre, qu'il y avait dans sa vie des gens qui lui donnaient du *milord.* Certes, aucun de ses collègues, depuis dix ans qu'il était au Yard, ne l'avait jamais appelé autrement que Lynley; mais elle n'avait pas le culot nécessaire pour se sentir sur un pied d'égalité avec quelqu'un dont la famille côtoyait des êtres mythiques qu'on appelait *Votre Grâce.* Ça lui foutait les jetons, rien que d'y penser; ça lui donnait la chair de poule quand elle y réfléchissait. Et quand elle se laissait aller à être naturelle – comme maintenant –, elle avait l'impression de se conduire comme une imbécile. On ne se confie pas à un aristocrate. Sait-on seulement si les gens qui ont du sang bleu dans les veines ont une âme ?

– Et même si ça n'était pas le cas, reprit Lynley, j'imagine que plus le moment de quitter Acton approche, plus vous vous posez des questions. Avoir un rêve, c'est une chose. Le réaliser, c'en est une autre, n'est-ce pas ?

Elle se laissa aller contre le dossier de sa chaise, le dévisageant.

– Bon Dieu, comment Helen fait-elle pour vous supporter ?

Il eut un sourire bref et ôta ses lunettes qu'il remit dans sa poche.

– Justement, pour l'instant, elle a du mal.

– Annulé, le voyage à Corfou ?

– J'en ai peur. A moins qu'elle n'aille là-bas seule. Ce ne serait pas la première fois.

– Et pourquoi ?

– Je la perturbe.

– Pourquoi ?

Il fit pivoter son fauteuil non vers le meuble et la photo d'Helen mais vers la fenêtre où les derniers étages du terne bâtiment de l'après-guerre abritant le Home Office avaient presque le gris plombé du ciel. Il mit ses doigts en clocher sous son menton.

– Nous nous sommes disputés à propos d'une cravate.

– Une cravate ?

Il désigna celle qu'il portait.

– J'avais accroché une cravate à la poignée de la porte de ma chambre hier soir.

Barbara fronça les sourcils.

– La force de l'habitude ? Comme quand on appuie au milieu du tube pour en faire sortir la pâte dentifrice ?

Une manie qui vous tape sur les nerfs quand l'éclat de la romance toute neuve commence à se ternir légèrement ?

– Si seulement ce n'était que ça.

– Alors quoi ?

Il soupira. De toute évidence, il n'avait pas envie de s'appesantir sur le sujet.

– Aucune importance, fit-elle. De toute façon, c'est pas mes oignons. Désolée que ça ait foiré. Les vacances, je veux dire. Vous étiez si impatient de partir.

Il joua avec le nœud de sa cravate.

– J'avais laissé ma cravate dehors avant que nous allions nous coucher.

– Et alors ?

– Je n'ai pas pensé un instant qu'elle pourrait s'en apercevoir. Et puis c'est une chose qu'il m'arrive de faire à l'occasion.

– Alors ?

– Effectivement, Helen n'a rien remarqué. Mais le lendemain matin, elle m'a demandé comment il se faisait que Denton ne nous avait jamais dérangés depuis que nous étions... ensemble.

La lumière se fit dans l'esprit de Barbara.

– Pigé. La cravate. C'est un signal. Quand elle est accrochée à la porte, Denton sait que vous n'êtes pas seul.

– Eh bien... oui.

– Et vous lui avez raconté ça ? Nom de Dieu, mais vous êtes complètement idiot, inspecteur.

– Je n'ai pas réfléchi. J'étais dans une douce euphorie sexuelle. Pas en état de penser. Comme un écolier. Elle m'a dit : « Tommy, comment se fait-il que Denton ne nous ait jamais surpris et ne soit jamais entré avec le plateau du petit déjeuner pendant que j'étais avec toi ? » Et je lui ai dit la vérité.

– Que vous vous serviez de la cravate pour faire savoir à Denton qu'Helen était dans votre chambre ?

– Oui.

– Et que vous en aviez fait autant avec d'autres femmes auparavant ?

– Ma foi, non. Je ne suis pas stupide à ce point-là. Mais elle n'est pas folle : elle s'est dit que j'utilisais ce truc depuis des années.

– C'est vrai ?

– Oui. Non. Enfin, ces derniers temps, j'ai eu recours à ce stratagème uniquement quand j'étais avec elle. Ce qui ne veut pas dire qu'avant, je n'aie pas suspendu ma cravate à la poignée. Mais depuis qu'elle et moi... Il n'y a pas eu d'autre femme dans ma vie. Oh, et puis la barbe !

Barbara hocha solennellement la tête.

– Je comprends sa réaction.

– Elle prétend que c'est encore un exemple de ma misogynie foncière. Elle soutient que mon valet de chambre et moi échangeons des sourires lubriques au petit déjeuner à propos des soupirs et des gémissements en provenance de ma chambre pendant la nuit.

– Bien entendu, vous êtes innocent.

Il pivota vers elle.

– Pour qui me prenez-vous, sergent ?

– Pour rien. Pour ce que vous êtes.

Elle tripota l'accroc de son jean avec un intérêt décuplé.

– Evidemment, vous auriez pu renoncer à prendre votre thé au lit. Après avoir pris l'habitude de recevoir des femmes chez vous pour la nuit. Ainsi, vous n'auriez pas eu à inventer un signal. Ou vous auriez pu préparer votre petit déjeuner vous-même, et remonter en douce avec le plateau. (Elle pinça les lèvres en songeant à Lynley farfouillant dans sa cuisine – à condition qu'il sût où elle se trouvait – à la recherche de la bouilloire et s'efforçant d'allumer la cuisinière.) Ç'aurait été une expérience salutaire pour vous, monsieur. Qui sait, vous auriez peut-être même pu vous risquer à préparer des toasts.

Et là-dessus, elle pouffa de rire. Elle se plaqua une main sur la bouche et le regarda par-dessus sa paume, honteuse de se moquer de lui mais amusée de l'imaginer en train de suspendre sa cravate à sa porte sans que sa belle s'en rende compte et ne lui demande ce qu'il fabriquait.

Le visage de Lynley demeura impassible. Il secoua la tête, se mit à feuilleter le reste du rapport de Hillier.

– Je ne sais pas, fit-il avec componction. Les toasts, je crois que c'est au-dessus de mes forces.

Elle hurla carrément de rire tandis qu'il faisait plus discrètement chorus.

– Dieu merci, à Acton, des problèmes comme ça, on n'en a pas.

– Ce qui explique votre manque d'empressement à partir, j'imagine.

Bien joué, songea-t-elle. Il n'était décidément pas homme à louper une ouverture ; d'ailleurs il n'en ratait pas une. Elle se leva et s'approcha de la fenêtre, glissant les doigts dans la poche arrière de son jean.

– Ce n'est pas pour cela que vous êtes ici ? questionna-t-il.

– Je vous l'ai dit. Je passais.

– Vous aviez besoin de distraction, Havers. Moi aussi.

Elle regarda par la fenêtre. Elle apercevait le sommet des arbres de St. James's Park. Totalement dépouillés de leurs feuilles, frissonnant au vent, ils ressemblaient à des gravures.

– Je ne sais pas, inspecteur. Je sais ce que j'ai envie de faire. Et j'ai peur de le faire.

Sur le bureau, le téléphone sonna. Elle fit mine de répondre.

– Laissez, dit Lynley. Nous ne sommes pas là.

Ils le regardèrent continuer à sonner, comme des gens qui espèrent agir sur les événements par la seule force de leur volonté. L'appareil cessa de sonner.

– Je suis sûre que vous me comprenez, poursuivit Barbara comme s'ils n'avaient pas été interrompus.

– Lorsque les dieux veulent vous rendre fou, ils vous accordent ce que vous souhaitez le plus au monde, dit Lynley.

– Helen.

– La liberté.

– On fait une sacrée paire.

– Inspecteur Lynley ? fit Dorothea Harriman depuis la porte.

Elle était vêtue d'un tailleur d'un noir pimpant, dont un galon soulignait le col et les revers. Un petit bibi était perché avec insolence sur le haut de son crâne. Elle semblait prête à faire une apparition au balcon de Buckingham Palace le dimanche d'avant le 11 novembre. Il ne lui manquait guère que le coquelicot [1].

– Oui, Dee ? fit Lynley.

– Le téléphone.

– Je ne suis pas là.

1. Fleur portée à la mémoire de ceux qui ont été tués pendant les deux guerres mondiales. *(N.d.T.)*

– Mais...

– Le sergent et moi sommes occupés, Dee.

– Mais c'est Mr. Saint James, inspecteur. Qui vous appelle du Lancashire.

– Saint James ? (Lynley échangea un rapide coup d'œil avec Barbara.) Mais je le croyais parti en vacances avec son épouse.

– Comme tout le monde, on dirait, fit Havers en haussant les épaules.

7

Lynley filait avec la Bentley le long de Clitheroe Road, route en pente menant au village de Winslough. L'après-midi touchait à sa fin. Le soleil moelleux, qui disparaissait à mesure que le jour laissait place à la nuit, perçait avec peine le brouillard nappant le paysage. Ses rais étroits frappaient les vieux édifices de pierre – église, école, maisons et boutiques caractéristiques de l'architecture du Lancashire – et modifiait la couleur des bâtiments qui, de fauve noir de suie, virait à l'ocre.

Sous les pneus de la voiture, la chaussée était humide, ce qui était normal dans le nord à cette époque de l'année, et les flaques d'eau laissées par la glace et le gel luisaient sous la lumière. Le ciel, les haies et les arbres se reflétaient dans l'eau des flaques.

Lynley ralentit à environ cinquante mètres de l'église. Il se gara sur le bas-côté et sortit dans l'air qui avait le coupant d'une lame. Il perçut la fumée d'un feu de bois proche. L'odeur du bois sec en train de brûler rivalisait avec celles du fumier, de la terre fraîchement retournée, de la végétation gorgée d'eau et pourrissante en provenance des champs qui s'étalaient à perte de vue par-delà la haie épineuse bordant la route. Il regarda par-dessus la haie.

A gauche, la haie s'incurvait vers le nord-est, suivant le tracé de la route, cédant la place à l'église puis, quelque quatre cents mètres plus loin, au village lui-même. A l'extrême droite, un rideau d'arbres s'épaississait pour former un bois de chênes au-dessus duquel s'élevait une colline recouverte de gel et surmontée d'une mouvante guirlande de brouillard. Juste devant lui, les champs non clos descendaient en pente douce vers un ruisseau. Sur l'autre rive, le terrain s'élevait à nouveau, ponctué d'un patchwork de murets en pierre sèche. Entre les murets se dressaient les fermes. Même à cette distance, Lynley distinguait les bêlements des moutons.

Il s'appuya contre la carrosserie pour examiner Saint-Jean-Baptiste. Comme le village, l'église était sans fioritures, avec un toit d'ardoise et, pour tout ornement, un clocher agrémenté d'une horloge et de créneaux de style normand. Entourée d'un cimetière et de marronniers, sur ce fond de ciel brumeux, elle avait l'air parfaitement anodin.

Les prêtres, après tout, étaient censés n'être que des personnages de second plan dans le théâtre de la vie et de la mort. Leur rôle était celui de conciliateur, de conseiller, d'intercesseur entre le pénitent et le Seigneur. Ils offraient des services qui, liés au divin, prenaient de l'importance mais de ce fait même il existait une distance entre eux et leurs paroissiens, laquelle semblait interdire toute forme d'intimité pouvant déboucher sur un meurtre.

Pourtant pareilles associations d'idées relevaient du sophisme. Lynley en avait bien conscience. Il était dans la police depuis suffisamment longtemps pour savoir que sous les apparences les plus innocentes pouvaient se cacher culpabilité, péché et honte. Si le meurtre avait fait voler en éclats la tranquillité de cette campagne somnolente, la faute n'en incombait ni aux étoiles ni au mouvement incessant des planètes, mais à un cœur retors.

– Il se passe ici des choses bizarres, lui avait dit Saint James le matin même au téléphone. D'après ce que j'ai compris, le constable a réussi à éviter de mettre la Criminelle régionale dans le coup. En outre, il semble être en excellents termes avec la femme qui a fait manger la ciguë au pasteur, Robin Sage.

– Mais il y a sûrement eu une enquête du coroner, Saint James.

– Oui. La femme – Juliet Spence – a reconnu avoir servi la ciguë à Sage ; mais elle a déclaré que c'était un accident.

– Si l'affaire en est restée là et que le coroner a rendu un verdict d'empoisonnement accidentel, force nous est de supposer que l'autopsie et les autres indices – quelle que soit la personne qui les a rassemblés – corroboraient cette version.

– Mais si l'on songe au fait qu'elle connaît les plantes...

– Les erreurs, ça arrive. Pense au nombre de décès provoqués par l'ingestion de champignons vénéneux cueillis par de prétendus experts.

– Ça n'est pas tout à fait la même chose.

– Tu m'as bien dit qu'elle avait pris la ciguë pour du panais sauvage, non ?

– Oui. Et c'est là que l'histoire se gâte.

Saint James lui exposa les faits.

La plante n'était pas facile à différencier d'un certain nombre d'autres de la même famille – les ombellifères – et les similitudes concernaient essentiellement les parties de la plante qui ne se mangeaient pas : les feuilles, les tiges, les fleurs et le fruit.

Pourquoi pas le fruit ? voulut savoir Lynley. Est-ce que toute cette affaire ne venait pas du fait qu'on avait cueilli, fait cuire et mangé le fruit ?

Pas du tout, rétorqua Saint James. Bien que le fruit fût aussi dangereux que le reste de la plante, c'étaient des capsules sèches qui, contrairement à la pêche ou à la pomme, n'avaient pas de chair et donc aucun intérêt gastronomique. Quelqu'un qui aurait cueilli de la ciguë d'eau en croyant ramasser du panais n'aurait absolument pas mangé le fruit. Il aurait au contraire arraché la plante pour en consommer la racine.

– Et c'est là que ça coince, dit Saint James.

– Parce que la racine est très caractéristique ?

– Exactement.

Lynley fut forcé d'admettre que, même si ces caractéristiques n'étaient pas légion, elles étaient malgré tout suffisantes pour qu'un esprit curieux fût amené à se poser des questions.

C'est en partie pourquoi, défaisant la valise préparée en prévision de l'hiver clément de Corfou, il y avait entassé de quoi affronter le froid pénétrant du nord et avait emprunté la M1 jusqu'à la M6 pour plonger ensuite dans le Lancashire avec ses landes désolées, ses collines bardées de nuages et ses vieux villages où était née, trois cents ans plus tôt, la fascination de son pays pour la sorcellerie.

Roughlee, Blacko, Pendle Hill n'étaient guère distants du village de Winslough. Non plus que le Trough of Bowland, que vingt femmes avaient traversé pour se rendre au château de Lancaster, où elles avaient été jugées puis exécutées. Fait bien connu des historiens, les persécutions faisaient rage lorsque les tensions s'exacerbaient. Et il fallait alors un bouc émissaire pour faire diversion. Lynley se demanda vaguement si la mort du pasteur Sage avait constitué une tension suffisante.

Renonçant à contempler l'église, il retourna jusqu'à la Bentley. Il mit le contact, et la cassette qu'il écoutait depuis Clitheroe se remit en marche. Le *Requiem* de Mozart. La sombre combinaison de cordes et de bois, accompagnant le chœur solennel, semblait adapté aux circonstances. Il quitta le bas-côté pour s'engager sur la chaussée.

Si ce n'était pas une erreur qui avait tué Robin Sage, c'était quelque chose d'autre et les faits semblaient indiquer que cet *autre chose* était un meurtre. Lynley songea à ce que Saint James lui avait dit à propos de la racine de la plante.

– C'est la racine qui permet de distinguer la ciguë d'eau ou ciguë vireuse des autres membres de la famille des ombellifères, lui avait expliqué son ami. Le panais sauvage possède une racine unique. Tandis que celle de la ciguë, pleine de tubercules, forme une masse charnue.

– Il n'est pas possible que cette plante-là n'ait eu qu'une seule racine ?

– C'est possible, oui. Tout comme il pourrait arriver qu'une autre plante ait exactement à l'inverse deux ou trois racines adventices. Mais statistiquement, c'est fort peu probable, Tommy.

– Sans doute. Pourtant on ne peut pas rejeter cette éventualité.

– D'accord avec toi. Mais même si cette plante avait présenté ce type d'anomalie, il existe d'autres caractéristiques au niveau de la partie souterraine de la tige qu'une herboriste chevronnée comme Juliet Spence n'aurait pu manquer de remarquer. Coupée dans le sens de la longueur, Tommy, la tige de la ciguë d'eau présente des nœuds et des entre-nœuds.

– Cette fois, je nage, Simon. La science n'est pas mon domaine, il va falloir que tu m'aides.

– Excuse-moi. On appelle ça des alvéoles. Elles sont

creuses et un cylindre de moelle court horizontalement dans la cavité centrale.

– Et ces alvéoles n'existent pas chez le panais ?

– Duquel ne sort pas la gemme, liquide jaune huileux, lorsqu'on coupe la tige.

– Mais est-ce qu'elle l'aurait coupée, la tige ? Dans le sens de la longueur ?

– Non à la deuxième question. C'est peu probable. Quant à la première question, comment aurait-elle pu extirper la racine sans couper la tige d'une manière ou d'une autre ? Si elle s'était contentée d'arracher la racine, la séparant de la tige, le fameux liquide huileux serait apparu.

– Et ç'aurait suffi à lui mettre la puce à l'oreille ? Imagine qu'elle ait été distraite et n'ait rien remarqué ? Imagine que quelqu'un se soit trouvé là pendant sa cueillette ? Peut-être discutait-elle avec une amie ou se disputait-elle avec son amant ? Peut-être essayait-on sciemment de détourner son attention.

– Ce sont des possibilités qui méritent d'être examinées.

– Laisse-moi passer quelques coups de téléphone.

Les réponses que Lynley avait obtenues avaient piqué sa curiosité. Ses vacances à Corfou avec Helen étant tombées à l'eau, il fourra un gros pantalon de tweed, un jean et des pulls dans sa valise et enfourna le tout dans le coffre non sans y avoir ajouté des bottes en caoutchouc, des chaussures de randonnée et un anorak. Il y avait des semaines qu'il voulait quitter Londres. Bien sûr, il aurait préféré s'envoler pour Corfou ; mais il lui faudrait se contenter du *Crofters Inn* et du Lancashire pour son escapade.

Il longea la rangée de bâtisses uniformes indiquant le commencement du village et découvrit l'auberge au croisement des trois routes, exactement à l'endroit indiqué par Saint James. Saint James et Deborah étaient dans le pub quand Lynley entra.

Le pub n'était pas encore ouvert pour la soirée. Les appliques de fer avec leurs petits abat-jour n'étaient pas allumées. Près du bar, quelqu'un avait posé un tableau noir sur lequel les plats du jour étaient inscrits à la craie fuchsia. Il y avait des *lasania*, du *steake* et du *pouddingue* au caramel. Si la cuisine était aussi fantaisiste que l'orthographe, on pouvait s'attendre au pire. Lynley se promit d'éviter le pub et de dîner plutôt au restaurant.

Saint James et Deborah étaient installés sous l'une des deux fenêtres donnant sur la rue. Sur la table, devant eux, les restes du thé de l'après-midi voisinaient avec des chopes et une liasse de papiers que Saint James rangeait dans la poche intérieure de sa veste.

– Ecoute-moi, Deborah... disait-il.

Ce à quoi elle répondait :

– Non. Je croyais qu'on avait passé un accord.

Elle croisa les bras en un geste que Lynley connaissait bien. Il ralentit l'allure.

Trois bûches brûlaient dans l'âtre près de leur table. Deborah se détourna et regarda les flammes.

– Sois raisonnable, dit Saint James.

– Sois gentil.

Puis l'une des bûches glissa et une pluie d'étincelles dégringola dans la cheminée. Saint James s'empara du petit balai. Deborah s'écarta, aperçut Lynley.

– Tommy, fit-elle avec un sourire de soulagement tandis qu'il s'avançait dans la lumière du feu de bois.

Il posa sa valise près de l'escalier et s'approcha d'eux.

– Tu as fait vite, remarqua Saint James à qui Lynley tendit la main avant de piquer un baiser sur la joue de Deborah.

– J'ai eu vent arrière tout le temps.

– Et pour te dégager du Yard ? Ça n'a pas été trop dur ?

– Tu oublies que je suis en vacances. J'étais passé ranger mon bureau quand j'ai eu ton coup de fil.

– On t'a empêché de partir en vacances ? s'émut Deborah. Mais Simon, c'est affreux !

– Une bénédiction, tu veux dire, Deb, fit Lynley avec un sourire.

– Mais vous deviez avoir des projets, Helen et toi.

– Oui. Seulement elle a changé d'avis à la dernière minute. Et je me suis retrouvé le bec dans l'eau. J'avais le choix entre faire un saut dans le Lancashire ou rester chez moi à Londres à tourner en rond. J'ai préféré le Lancashire. Ça me change, au moins.

– Helen sait que tu es là ? s'enquit Deborah.

– Je l'appellerai ce soir.

– Tommy...

– Je sais. Je me suis mal conduit. J'ai ramassé mes billes et pris la fuite.

Il se laissa tomber sur le siège voisin de celui de Deborah et s'empara d'un sablé resté sur l'assiette. Il se versa du thé et remua le sucre en mâchant son gâteau. Il jeta un coup d'œil autour de lui. La porte donnant sur le restaurant était fermée. Les lumières, derrière le bar, éteintes. La porte du petit bureau était entrebâillée, mais rien ne bougeait à l'intérieur, et tandis qu'une troisième porte derrière le bar était suffisamment ouverte pour laisser passer une lance de lumière qui transperçait les bouteilles d'alcool suspendues au-dessus du comptoir, aucun bruit ne se faisait entendre.

– Il n'y a personne ? questionna Lynley.

– Ils sont quelque part par là. Il y a une sonnette sur le bar.

Il hocha la tête sans faire mine de bouger.

– Ils savent que tu es du Yard, Tommy.

Lynley haussa le sourcil.

– Comment ça ?

– Il y a eu un coup de fil pour toi pendant le déjeuner. Les consommateurs n'ont parlé que de ça.

– Pour l'incognito, c'est râpé.

– Ça ne t'aurait peut-être pas rendu service d'être venu ici incognito.

– Qui est au courant ?

– Que tu appartiens à la brigade criminelle ? (Saint James se laissa aller contre le dossier de son siège et embrassa la pièce du regard comme pour battre le rappel de ses souvenirs.) Les propriétaires. Six ou sept personnes du coin. Et un groupe de randonneurs qui doivent être loin à l'heure qu'il est.

– Tu es certain, pour les villageois ?

– Ben Wragg – le propriétaire du pub – taillait une bavette avec deux habitués quand sa femme est venue lui annoncer la nouvelle. Les autres ont été mis au parfum pendant qu'ils déjeunaient. En tout cas, c'est comme ça que Deborah et moi avons appris la chose.

– J'espère que les Wragg en ont profité pour faire payer un supplément aux consommateurs.

Saint James sourit.

– Non. En revanche, ils ont fait passer le message. Le sergent Dick Hawkins, de la police de Clitheroe, demandait l'inspecteur Thomas Lynley.

– Je lui ai demandé d'où sortait cet inspecteur Lynley, ajouta Deborah en prenant son plus bel accent du

Lancashire. Et devine un peu ce qu'il m'a répondu, Tommy ? « C'est un policier de New Scotland Yard ! Même qu'il va loger *ici* ! Il a retenu une chambre y a pas trois heures. C'est *moi* qui l'ai eu au bout du fil. Y vient faire quoi, exactement, à Winslough, d'après vous ? » (Deborah fronça le nez de surexcitation.) Tu es l'attraction de la semaine, Tommy.

Lynley ne put s'empêcher de pouffer de rire.

Saint James remarqua d'un air songeur :

– Mais Clitheroe n'est pas le *constabulary* [1] dont dépend Winslough, que je sache. Et Hawkins n'a pas précisé appartenir à une quelconque brigade criminelle. S'il l'avait fait, tout le monde aurait été au courant.

– Clitheroe n'est que le service départemental, dit Lynley. Et Hawkins est le supérieur hiérarchique du constable de Winslough. Je me suis entretenu avec lui ce matin au téléphone.

– Mais Hawkins n'appartient pas à la brigade criminelle ?

– Non. Et tu avais raison sur ce point, Saint James. Quand j'ai parlé au sergent Hawkins, il m'a affirmé que le CID [2] de Clitheroe s'était borné à photographier le corps, examiner les lieux du crime, relever des indices matériels et prendre les dispositions concernant l'autopsie. C'est Shepherd lui-même qui s'est occupé du reste : l'enquête et les interrogatoires. Mais pas seul.

– Qui l'a aidé ?

– Son père.

– C'est sacrément bizarre.

– Bizarre et irrégulier, mais pas illégal. D'après ce que m'a précisé le sergent Hawkins, le père de Shepherd était inspecteur principal du *constabulary* de Hutton-Preston à l'époque. Evidemment, il s'est arrangé pour court-circuiter le sergent Hawkins et mener la danse.

– Il *était* inspecteur principal, as-tu dit ? Pourquoi *était* ?

– L'affaire Sage a été sa dernière affaire. Il a pris sa retraite peu après.

– Alors Colin Shepherd a dû s'arranger avec son père pour que le CID soit tenu hors du coup, dit Deborah.

1. Service de police régional. *(N.d.T.)*
2. *Criminal Investigation Department* : la Criminelle. *(N.d.T.)*

– Ou alors c'est son père qui a voulu que ça se passe comme ça.
– Mais pourquoi ? murmura Saint James.
– C'est précisément ce qu'il va nous falloir découvrir.

Ensemble, ils prirent Clitheroe Road en direction de l'église, longèrent la rangée d'immeubles ternes dont les fenêtres blanches étaient recouvertes d'une crasse centenaire qu'aucun nettoyage ne pourrait jamais faire disparaître.

La maison de Colin Shepherd était près du presbytère, juste en face de Saint-Jean-Baptiste. Parvenus là, ils se séparèrent. Deborah traversa la route pour aller visiter l'édifice, laissant Saint James et Lynley interroger le constable.

Deux voitures étaient garées dans l'allée devant le bâtiment de brique, une Land Rover crottée vieille d'au moins dix ans et une Golf tout aussi crottée mais relativement neuve. Il n'y avait pas de véhicule dans l'allée voisine. Cependant tandis qu'ils contournaient la Land Rover et la Golf pour atteindre la porte de Colin Shepherd, une femme s'approcha d'une des fenêtres du presbytère et les suivit du regard sans chercher à se cacher. D'une main, elle libérait ses cheveux carotte emprisonnés dans un foulard noué sur la nuque. De l'autre, elle boutonnait son manteau marine. Elle resta postée devant la vitre même après s'être rendu compte que Saint James et Lynley l'avaient repérée.

Un petit panneau rectangulaire était apposé sur la maison de Colin Shepherd. Le mot POLICE y était gravé en bleu et blanc. Comme dans la majorité des villages, la résidence du constable était également son lieu de travail. Lynley se demanda si Shepherd y avait amené Juliet Spence pour l'interroger.

Un chien se mit à aboyer en réponse à leur coup de sonnette. Parti du fond de la maison, l'aboiement se rapprocha, résonna plus distinctement derrière la porte d'entrée. Il devait s'agir d'un gros chien, peu accueillant.

Une voix d'homme lança :
– Du calme, Leo, assis.

Les aboiements cessèrent immédiatement.

La lampe du porche s'alluma bien qu'il ne fît pas tout à fait nuit et la porte s'ouvrit.

Un grand retriever noir assis près de lui, Colin Shepherd les passa en revue. Son visage ne trahissait pas la moindre curiosité. Ses visiteurs ne tardèrent pas à comprendre pourquoi.

– Vous êtes de la Criminelle de Scotland Yard. Le sergent Hawkins m'a dit que vous passeriez sans doute aujourd'hui.

Lynley sortit sa carte et présenta Saint James, auquel Shepherd dit, après lui avoir jeté un regard bref :

– Vous êtes descendu à l'auberge, n'est-ce pas ? Je vous ai aperçu hier soir.

– Ma femme et moi étions venus rendre visite à Mr. Sage.

– La jeune femme rousse. Elle était près du réservoir ce matin.

– Elle souhaitait se promener sur la lande.

– Le brouillard tombe vite dans nos régions. Ce n'est pas prudent de se promener de ce côté quand on ne connaît pas les lieux.

– Je le lui dirai.

Shepherd recula. Le chien se leva, un grondement au fond de la gorge. Shepherd dit :

– Du calme. Retourne près du feu.

Le chien trottina docilement vers une autre pièce.

– Vous vous en servez dans votre métier ? s'enquit Lynley.

– Non. Seulement pour chasser.

Shepherd désigna de la tête un porte-manteau au bout de l'entrée étroite. Dessous, trois paires de bottes en caoutchouc étaient alignées, deux d'entre elles couvertes de boue fraîche. Près des bottes était posé un panier en métal. Shepherd attendit que Lynley et Saint James aient accroché leurs manteaux. Puis il les conduisit le long du couloir vers la pièce où le retriever s'était réfugié.

Ils pénétrèrent dans un séjour où brûlait un feu auquel un homme plus âgé que Shepherd était en train d'ajouter une bûche.

Malgré les années qui les séparaient, il était évident qu'il s'agissait du père de Colin Shepherd. Ils avaient de nombreux points communs. Stature, torse puissant, hanches étroites. Leur chevelure était différente, celle du père se clairsemait et virait au sable, ce qui arrive fréquemment chez les blonds lorsqu'ils grisonnent. Le fils avait des doigts longs et fins, des mains expressives et sûres, tandis que le père avait les articulations déformées d'un homme de son âge.

Mr. Shepherd senior claqua vivement ses paumes l'une contre l'autre comme pour faire tomber la poussière du bois. Puis il leur tendit la main en signe de bienvenue.

– Kenneth Shepherd, se présenta-t-il. Inspecteur principal en retraite. Brigade criminelle de Hutton-Preston. Mais vous êtes au courant.

– En effet, le sergent Hawkins m'a dit qui vous étiez.

– Il a bien fait. Heureux de vous rencontrer. (Il jeta un coup d'œil à son fils.) Tu as quelque chose à offrir à ces messieurs, Col ?

Le visage du constable demeura impassible malgré l'affabilité de la question de son père. Derrière leurs lunettes à monture d'écaille, ses yeux restèrent prudents.

– Bière, dit-il. Whisky, cognac. Et un sherry de derrière les fagots.

– Annie savait le choisir, remarqua l'inspecteur principal. Paix à son âme, la chère petite. J'y goûterais volontiers. Et vous, messieurs ?

– Rien pour moi, dit Lynley.

– Pour moi non plus, ajouta Saint James.

Sur une petite table en bois fruitier, Colin servit son père et il se versa une rasade d'un alcool qui était dans une carafe. Pendant qu'il s'activait, Lynley examina la pièce.

Elle était meublée avec parcimonie, au hasard des besoins de son propriétaire, qui devait acheter ses meubles dans les ventes et se moquait de leur aspect. Le dossier du canapé fatigué était recouvert d'une couverture à carreaux tricotée à la main qui réussissait à masquer les anémones roses volumineuses mais heureusement passées du tissu. Deux fauteuils dépareillés exhibaient une tapisserie usée jusqu'à la trame et les dossiers portaient la marque des générations de têtes qui s'y étaient appuyées. En dehors d'une table basse en bois courbé, d'un lampadaire en cuivre et de la table supportant les alcools, le seul élément intéressant était accroché au mur. Il s'agissait d'une vitrine renfermant une collection d'armes à feu. C'étaient les seules choses qui avaient l'air d'être entretenues et qui allaient de pair avec le retriever qui s'était installé sur un vieux duvet devant la cheminée. Ses pattes, comme les bottes de l'entrée, étaient crottées de boue.

– Gibier à plumes ? fit Lynley avec un coup d'œil aux armes.

– J'ai même eu un daim, une fois. Mais j'ai renoncé. Le plus drôle, c'est la traque. Tuer est moins intéressant.

– Au début, on croit que c'est le contraire. Mais c'est faux.

Son verre de sherry à la main, l'inspecteur principal désigna du bras le canapé et les fauteuils.

– Asseyez-vous, fit-il, se laissant tomber sur le canapé. On vient de se payer un grand tour à pied. Je ne tiens plus sur mes cannes ! Je file dans un quart d'heure. J'ai une jeunesse de cinquante-huit printemps qui m'attend pour dîner à la maison de retraite. Mais j'ai le temps de tailler une bavette avant de partir.

– Vous n'habitez pas Winslough ? questionna Lynley.

– Ça fait des années que j'ai mis les voiles. Y a pas assez d'agitation ici pour moi. Et pas assez de femmes non plus.

Le constable s'approcha du feu avec son verre, s'accroupit sur les talons et caressa la tête du retriever. Leo ouvrit les yeux et posa son menton contre la chaussure de Shepherd. Sa queue se mit à frétiller de contentement.

– T'es plein de boue, dit Shepherd, tirant doucement les oreilles du chien. T'es pas beau à voir.

Son père renifla.

– Les chiens. Seigneur. Quand on les a dans la peau, c'est comme les femmes.

Lynley ne laissa pas passer l'ouverture, bien qu'il fût certain que l'inspecteur principal n'avait pas pensé qu'il pût utiliser sa remarque de cette façon. Tout comme il était persuadé que la présence de Mr. Shepherd senior chez son fils n'avait aucun rapport avec une randonnée sur la lande.

– Pourriez-vous nous parler de Mrs. Spence et de la mort de Robin Sage ?

– Ça n'est pas vraiment du ressort du Yard, si ?

Si elle n'était pas franchement hostile, la remarque avait fusé trop vite pour ne pas avoir été préparée à l'avance.

– Officiellement ? Non.
– Officieusement, alors ?
– Vous êtes sûrement conscient des irrégularités de l'enquête, inspecteur. Le CID n'a pas été mis sur le coup. Les liens unissant votre fils au meurtrier...
– Il ne s'agit pas d'un meurtre, mais d'un accident.
Colin Shepherd leva les yeux du chien, son verre à la main. Il demeura accroupi près du feu. Né et élevé à la campagne, il devait pouvoir rester dans cette position pendant des heures sans éprouver la moindre gêne.
– La décision de ne pas faire appel au CID était peut-être irrégulière mais certainement pas illégale, remarqua l'inspecteur principal. Colin se sentait d'attaque pour s'occuper de l'enquête. J'ai dit d'accord. Et il s'en est occupé. J'ai travaillé avec lui pendant la quasi-totalité de l'investigation. Si c'est l'absence du CID qui chiffonne les gens du Yard, qu'ils se rassurent : j'étais là.
– Vous avez assisté à tous les interrogatoires ?
– Les principaux, oui.
– Inspecteur, vous savez que ce n'est pas régulier du tout. Je n'ai pas besoin de vous dire que lorsqu'un crime a été commis...
– Il ne s'agissait pas d'un crime, coupa le constable. (Il garda la main posée sur la tête du chien. Mais ses yeux se braquèrent sur Lynley.) Les enquêteurs sont venus crapahuter sur la lande et retourner rocs et pierres ; au bout d'une heure, leur opinion était faite. Il ne s'agissait pas d'un crime. Mais d'un accident. C'était aussi mon avis. Celui du coroner également. Et celui du jury. Point final.
– Vous en avez eu la certitude dès le début ?
Le chien s'agita tandis que la main du constable se crispait.
– Bien sûr que non.
– Et pourtant, hormis les enquêteurs, vous n'avez fait venir personne du CID ? Des gens dont c'est le métier de déterminer si un décès est le résultat d'un accident, d'un suicide ou d'un meurtre.
– C'est moi qui ai pris la décision de ne pas faire appel à eux, dit l'inspecteur principal.
– En fonction de quoi ?
– D'un coup de fil que je lui avais passé, dit le fils.
– Vous avez signalé la mort de Mr. Sage à votre père ? Pas au commissariat de Clitheroe ?

– Aux deux. J'ai dit à Hawkins que je m'en occupais. Mon père a donné le feu vert. Après avoir parlé à Juliet... Mrs. Spence, tout m'a semblé clair.
– Et Mr. Spence, vous l'avez interrogé ?
– Il n'y a pas de Mr. Spence.
– Je vois.
Le constable baissa les yeux, fit tourner l'alcool dans son verre.
– Cela n'a rien à voir avec nos relations.
– Mais ça complique les choses. Vous devez vous en rendre compte.
– Il ne s'agissait pas d'un meurtre.
Saint James se pencha en avant.
– Comment se fait-il que vous soyez si affirmatif, constable ?
– Elle n'avaiît pas de mobile. Elle ne connaissait pas cet homme. C'était la troisième fois qu'ils se voyaient. Il essayait de la persuader d'aller à l'église. Et il voulait lui parler de Maggie.
– Maggie ? s'enquit Lynley.
– Sa fille. Juliet avait eu des problèmes avec Maggie et le pasteur s'y était trouvé mêlé. Il voulait aider Juliet, servir de médiateur entre elle et la petite, lui donner des conseils. Leurs relations s'arrêtaient là. Et il aurait fallu que je fasse appel à la brigade criminelle, que je la fasse embarquer pour ça ?
– Elle avait le moyen et l'occasion, remarqua Lynley.
– C'est des conneries, et vous le savez, intervint l'inspecteur principal.
– Papa...
Le père de Shepherd lui coupa la parole, brandissant son verre de sherry.
– J'ai les moyens de tuer chaque fois que je me mets au volant de ma vœloiture. J'en ai l'occasion quand j'appuie sur la pédale. Est-ce que je commets un meurtre, inspecteur, si je heurte quelqu'un qui se met malencontreusement en travers de ma route ? Faut-il dans ce cas convoquer le CID ? Ou peut-on parler d'accident ?
– Papa...
– Si tel est votre raisonnement, pourquoi votre fils a-t-il mis le CID dans le coup en vous demandant d'intervenir ?
– Parce qu'il *connaît* personnellement cctte femme,

nom de Dieu. Il voulait que je sois là pour l'aider à garder la tête froide. Ce qu'il a fait. De bout en bout.

– En votre présence, du moins. Mais vous avez reconnu vous-même que vous n'aviez pas assisté à tous les interrogatoires.

– Je n'avais foutre pas besoin...

– Papa, fit Shepherd d'un ton sec. (Se radoucissant, il enchaîna :) Quand Sage est mort, ça a fait du vilain. Juliet connaît les plantes et on a eu du mal à croire qu'elle avait confondu la ciguë d'eau avec le panais. Mais c'est pourtant bien ce qui s'est passé.

– Vous en êtes certain ? glissa Saint James.

– Sûr et certain. Elle a été malade elle-même, la nuit où Mr. Sage est mort. Elle avait une fièvre de cheval. Elle a vomi à quatre ou cinq reprises jusqu'à deux heures du matin. Vous n'allez pas me dire que quelqu'un qui n'a pas de mobile aurait avalé sciemment du poison le plus violent qui soit pour camoufler un meurtre en accident. La ciguë, ça n'est pas comme l'arsenic, inspecteur. On ne peut pas s'immuniser contre cette substance. Si Juliet avait voulu tuer Mr. Sage, elle n'aurait pas fait la bêtise de manger de la ciguë. Elle aurait pu y rester. Elle a eu de la chance d'en réchapper.

– Comment savez-vous qu'elle a été malade ? questionna Lynley.

– J'étais là.

– Au dîner ?

– Après. J'étais passé la voir.

– Quelle heure était-il ?

– Onze heures environ. Après ma dernière ronde.

– Pourquoi ?

Shepherd vida son verre et le posa par terre. Il ôta ses lunettes et les essuya contre la manche de sa chemise de flanelle.

– Constable ?

– Parle, mon garçon, dit l'inspecteur principal. Autrement il ne te lâchera pas.

Shepherd haussa les épaules et remit ses lunettes.

– Je voulais m'assurer qu'elle était seule. Maggie était allée dormir chez une de ses copines...

Il poussa un soupir, changea de position.

– Et vous avez cru que Sage allait passer la nuit avec Mrs. Spence ?

– Il lui avait rendu visite à trois reprises. Je n'avais

pas de raison de penser que Juliet l'avait pris pour amant. Je me posais la question, c'est tout. Ça me tarabustait. Je ne suis pas fier de moi, mais bon...

– Elle se serait amusée à prendre pour amant un homme qu'elle ne connaissait ni d'Eve ni d'Adam, ou presque, constable ?

Shepherd prit son verre ; puis, constatant qu'il était vide, il le reposa par terre. Un ressort grinça : l'inspecteur principal remuait sur son canapé.

– Elle aurait fait ça, Mr. Shepherd ? insista Lynley.

Les lunettes du constable étincelèrent brièvement à la lueur du feu tandis qu'il relevait la tête pour croiser le regard de Lynley.

– Comment savoir de quoi une femme est capable ? Surtout une femme qu'on aime.

Lynley dut reconnaître qu'il y avait du vrai là-dedans. Et beaucoup de vrai, même. Les gens n'arrêtaient pas de discourir sur la confiance. Mais il se demanda combien étaient capables de vivre en faisant réellement confiance à leur partenaire. Sans que le doute vînt rôder dans leur esprit telles des guêpes en folie.

– Je suppose que Sage avait disparu quand vous êtes arrivé ?

– Oui. Il était parti à neuf heures, d'après elle.

– Où était-elle ?

– Au lit.

– Malade ?

– Oui.

– Mais elle est venue vous ouvrir ?

– J'ai frappé. Pas de réponse. Je suis entré.

– La porte n'était pas fermée à clé ?

– J'ai un jeu de clés. (Il intercepta le coup d'œil que Saint James jeta à Lynley.) Ce n'est pas elle qui me l'a donné. C'est Townley-Young. Les clés du cottage, celles de Cotes Hall, de toute la propriété. Ça lui appartient. Mrs. Spence en est le gardien.

– Elle sait que vous possédez ce trousseau ?

– Oui.

– Par mesure de sécurité ?

– Je suppose.

– Vous vous en servez souvent ? Quand vous faites votre ronde de nuit ?

– En général, non.

Lynley s'aperçut que Saint James contemplait le

constable d'un air pensif, sourcils froncés, tout en se tripotant le menton.

– Est-ce que ça n'était pas un peu risqué de vous introduire chez elle, de nuit, comme ça ? Imaginez qu'elle ait été au lit avec Mr. Sage ?

La mâchoire de Shepherd se crispa mais il répondit avec naturel :

– Dans ce cas, je l'aurais tué de mes mains.

8

Deborah passa le premier quart d'heure à l'intérieur de l'église Saint-Jean-Baptiste. Sous le plafond à poutres, elle longea l'allée centrale pour se diriger vers le chœur, suivant de son doigt ganté les sculptures ornant les bancs. De l'autre côté de la chaire, l'un des bancs était séparé des autres par une grille surmontée d'une plaque de bronze où était gravé un nom. Townley-Young. Deborah souleva le loquet et s'approcha, se demandant quelle espèce de gens pouvaient bien vouloir maintenir vivace la tradition aussi déplaisante que séculaire qui consiste à s'isoler de ceux qu'ils considèrent comme leurs inférieurs.

S'étant assise sur le banc étroit, elle regarda autour d'elle. L'air glacial sentait le renfermé. Lorsqu'elle souffla, son haleine forma un petit panache blanc devant son visage avant de disparaître bientôt, tel un nuage emporté par le vent. Près du banc se trouvait un lutrin sur lequel était posé un feuillet indiquant les cantiques chantés lors d'un office précédent. En haut de la liste, le numéro 388. Machinalement, elle ouvrit un hymnaire et lut :

Seigneur Jésus, qui as porté en Ton cœur
Le poids de notre honte et de nos péchés,
Et qui, du haut des cieux, désormais Te penches pour
[partager
Les combats qu'à l'extérieur nous livrons, la crainte
[qui nous ronge,

Puis ses yeux tombèrent sur :

Afin que nous puissions aimer, comme Tu les as aimés,
Les malades et les handicapés, les sourds et les aveugles,
Et partager, comme Tu les as partagés,
Tous les chagrins de l'humanité.

Et elle fixa les mots, la gorge serrée, comme s'ils avaient été écrits pour elle. Ce qui n'était pas le cas.

D'un geste sec, elle referma le recueil de cantiques. A gauche de la chaire, un étendard pendait mollement au bout de sa hampe métallique. Elle l'examina. Sur le fond d'un bleu fané se détachait en lettres jaunes le mot *Winslough*. En dessous l'église Saint-Jean-Baptiste était représentée selon la technique du patchwork, un patchwork par endroits fort usé. Elle se demanda à quoi servait cette bannière, quand elle avait été accrochée là, si elle avait jamais vu la lumière du jour, qui l'avait confectionnée et pourquoi. Elle se représenta une vieille paroissienne assemblant patiemment les carrés d'étoffe, s'insinuant dans les bonnes grâces du Seigneur en tirant l'aiguille. Combien de temps avait-elle mis à réaliser cet ouvrage ? L'avait-on aidée ? Est-ce que quelqu'un savait tout ça ? Est-ce que quelqu'un se donnait la peine de consigner ces détails ?

Je m'en donne, du mal, se dit Deborah, pour me dominer, éprouver le calme qu'est censée apporter une visite à l'église.

Elle était entrée non pour communier avec le Seigneur mais parce qu'une promenade en fin d'après-midi, le long de Clitheroe Road, en compagnie de son mari et de l'homme qui était à la fois le plus vieil ami de Simon, son ancien amant et le père de l'enfant qu'elle aurait pu avoir, lui semblait le meilleur moyen d'échapper au sentiment d'avoir été trahie.

Il m'a entraînée dans le Lancashire sous un faux prétexte, songea-t-elle avec un rire amer. Elle qui, la première, avait trahi.

Elle avait découvert les papiers de l'agence d'adoption camouflés entre le pyjama et les chaussettes de son mari. Et ce manège avait soulevé en elle une vague d'indignation. Il voulait simplement en parler avec elle, lui avait-il expliqué lorsqu'elle avait lancé les formulaires sur la commode. Il pensait que le moment était venu de tout mettre à plat et de réfléchir.

Pour elle, c'était tout réfléchi. Aborder ce sujet, ce serait entamer une conversation vouée à tourner au cyclone, gagnant en vitesse et en violence du fait des malentendus, détruisant tout sur son passage par des mots lancés sous l'empire de la colère et du désir de se justifier. La famille, ce n'est pas le sang qui la constitue, lui dirait-il de son ton raisonnable, car Simon Allcourt-Saint James, en bon scientifique et chercheur qu'il était, était la raison incarnée. La famille, ce sont les gens qui la composent. Des gens liés les uns aux autres par le temps, l'expérience et la durée, Deborah. Les liens que nous nouons avec les autres sont le fruit du jeu des émotions, de notre réceptivité face à leur demande, de notre soutien mutuel. L'attachement d'un enfant pour ses parents n'a rien à voir avec le fait que tel ou tel l'a mis au monde. Cet attachement découle des contacts constants qu'il a avec ceux qui le nourrissent, le guident et en qui il a confiance. Tu le sais très bien.

Ce n'est pas ça, aurait-elle voulu lui répondre tout en sentant les larmes qu'elle méprisait l'empêcher de parler.

Alors, c'est quoi ? Dis-le-moi. Aide-moi à comprendre.

Le mien... ce ne serait pas... le tien. Ça ne serait pas nous. Tu ne comprends donc pas ? Pourquoi refuses-tu de comprendre ?

Il la regarderait sans parler, non pour la punir par son silence comme elle l'avait jadis cru, mais pour réfléchir et tenter de résoudre le problème. Il réfléchirait à une stratégie alors que ce qu'elle voulait, c'était qu'il pleure et montre par ses larmes qu'il comprenait son chagrin.

Mais parce qu'il ne ferait jamais ça, elle ne pouvait lui dire l'indicible. Elle ne se l'était même pas avoué à elle-même. Elle ne voulait pas du chagrin qui accompagnerait les mots. Alors elle luttait pour les empêcher d'envahir sa conscience et les repoussait en critiquant ce qui faisait la grande force de Simon : le refus de se laisser vaincre par les circonstances quelles qu'elles fussent, sa capacité à prendre la vie comme elle était et à la plier à ses désirs.

Tu t'en moques, dirait-elle. Tu te fiches de ce que je ressens. Tu refuses de comprendre.

Ce matin, elle était partie se promener pour éviter un affrontement. Sur la lande, tandis que le vent lui soufflait dans la figure, qu'elle marchait sur le sol inégal, évitant les touffes de genêts épineux, foulant la bruyère brunie par l'hiver, elle s'était efforcée de rayer tout ça de ses pensées, se concentrant sur l'effort physique.

Maintenant, dans la quiétude de l'église, il lui était plus difficile d'éviter le problème.

Certes elle pouvait examiner les plaques commémoratives, regarder la lumière déclinante foncer les couleurs des vitraux, déchiffrer les dix commandements inscrits sur le retable et se demander à combien d'entre eux elle avait failli. Elle pouvait frotter ses pieds contre le bois gauchi du banc ancestral des Townley-Young et compter les trous de mite qui crevaient l'étoffe rouge dissimulant en partie la chaire. Elle pouvait admirer les boiseries du jubé et du baldaquin. Elle pouvait s'étonner du timbre des cloches. Mais elle ne pouvait faire taire la voix de sa conscience, qui lui disait la vérité et la forçait à l'écouter.

Remplir ces papiers, pour moi, c'est renoncer. C'est admettre la défaite. Me dire que j'ai échoué, que je ne suis pas une femme. La souffrance s'estompera mais elle n'aura jamais de fin. Et ce n'est pas juste. C'est la seule chose que je veuille vraiment... cette chose si simple et pourtant impossible à atteindre.

Deborah se leva et poussa la petite grille du banc. Le grincement de la grille agit comme un déclic, lui remettant en mémoire les mots de Simon.

Pourquoi est-ce que tu te martyrises, Deborah? Est-ce que ta conscience te dit que tu as péché et que la seule manière d'expier est de remplacer une vie par une autre, que tu créerais? C'est ça que tu es en train de faire? Te punir? Et c'est pour moi que tu le fais? Tu crois que tu me dois ça?

En partie, peut-être. Car il était le pardon personnifié. S'il avait été différent, la tarabustant, lui faisant remarquer qu'elle était responsable de son échec, elle aurait peut-être eu moins de mal à le supporter. Mais c'était parce qu'il passait son temps à essayer de trouver des solutions, à se faire du souci pour sa santé qu'elle avait autant de mal à se pardonner.

Foulant le tapis rouge usé, elle s'engagea dans l'allée centrale et gagna la porte nord de l'église. Elle sortit. Le froid plus vif la faisant frissonner, elle rentra son écharpe dans le col de son manteau.

De l'autre côté de la rue, il y avait toujours deux voitures garées dans l'allée du constable. Une lumière était allumée sous le porche. Mais derrière la fenêtre on ne voyait personne.

Deborah se détourna et pénétra dans le cimetière. La terre était lourde comme sur la lande ; tout autour il y avait des buissons de ronces. Le rouge profond d'un cornouiller sanguin fleurissait une tombe. Au sommet de celle-ci se dressait un ange, tête baissée, bras tendus, comme prêt à plonger dans les tiges couleur feu.

Les tombes n'étaient pas très bien entretenues. Il y avait un mois à peine que Mr. Sage était mort mais le manque d'intérêt pour ce qui se passait aux abords immédiats de l'église semblait remonter à bien plus longtemps que cela. Le sentier était encombré de mauvaises herbes. Les tombes recouvertes de feuilles mortes noirâtres. Les pierres tombales tachées de boue et verdies par les mousses.

L'une d'elles semblait adresser un reproche muet aux autres. Elle venait d'être balayée. On l'avait désherbée. La pierre qui l'ornait était nette et propre. Deborah s'en approcha.

Anne Alice Shepherd. Décédée à l'âge de vingt-sept ans. Au cours de sa vie, elle avait été la *très chère femme* de quelqu'un et, à en juger par l'état de sa sépulture, après sa mort, elle l'était restée.

Une touche colorée attira l'attention de Deborah, aussi incongrue dans le camaïeu de gris ambiant que celle formée par le cornouiller sanguin. Elle se baissa pour mieux voir.

A la base de la stèle, deux ovales rose vif entrelacés brillaient, posés sur un nid grisâtre. Elle constata que le nid était un monticule de cendres au cœur duquel avait été placée une petite pierre lisse. Sur la pierre étaient peints les ovales entrelacés qui lui avaient tapé dans l'œil. Deux anneaux rose fluo tracés avec précision et de taille identique.

Curieuse offrande à faire aux morts. L'hiver appelait plutôt la guirlande de houx ou à défaut le genièvre. Dans le pire des cas, il se contentait de ces hideuses fleurs en plastique qui moisissaient sous leur globe également en plastique. Mais des cendres et une pierre ? Et quatre morceaux de bois qui maintenaient la pierre en place ?

Elle la toucha du doigt, la trouva lisse comme du verre. Et presque aussi plate. Elle avait été placée juste au centre de la pierre tombale, mais elle reposait au cœur des cendres tel un message destiné aux vivants et non comme un clin d'œil affectueux aux morts.

Deux anneaux entrelacés. Doucement, sans déplacer la cendre, Deborah s'empara de la pierre, à peine plus grosse qu'une pièce d'une livre au creux de sa main. Ôtant son gant, elle sentit le galet froid comme une flaque d'eau dormante dans sa paume.

Malgré leur couleur bizarre, les anneaux lui rappelaient les alliances qu'on voit gravées en relief et en or sur les cartons d'invitation. Comme leurs homologues imprimés sur les bristols, elles formaient des cercles parfaits, cercles symbolisant l'union et l'unité réalisées au sein d'un couple qui s'aime. « Grâce à l'union des corps, des âmes et des esprits, avait lancé le prêtre lors de son mariage avec Simon quelque deux ans plus tôt, ces deux êtres n'en feront bientôt plus qu'un. »

Sauf que ça ne se passait jamais tout à fait comme ça. Il y avait l'amour et avec lui la confiance. L'intimité et avec elle la certitude chaleureuse. La passion et avec elle les moments de joie. Mais s'il était vrai que les deux cœurs devaient battre à l'unisson, que les deux esprits devaient penser de manière identique, la symbiose ne s'était pas produite avec Simon. Ou si elle avait eu lieu, elle avait été fugace.

Pourtant ils s'aimaient. D'un amour immense qui colorait toute sa vie. Elle ne pouvait imaginer un monde dans lequel cet amour n'aurait pas de place. La question qu'elle se posait, c'était de savoir si leur amour était assez fort pour vaincre la peur et déboucher sur la compréhension.

Ses doigts se refermèrent sur la pierre aux anneaux. Elle la garderait en guise de talisman.

– Cette fois, t'es dans une sacrée putain de merde, mon gars. Est-ce que tu t'en rends compte, seulement ? Ils se sont mis en tête de rouvrir l'enquête sur la mort du pasteur et t'as pas l'ombre d'une chance de les en empêcher. Tu vois ce que je veux dire ?

Colin emporta son verre de whisky dans la cuisine. Il le plaça sous le robinet. Bien qu'il n'y eût pas de vaisselle sale dans l'évier ni sur le plan de travail, il fit couler du liquide vaisselle dans le verre et de l'eau dedans jusqu'à ce que les bulles de savon se forment. Elles débordèrent et glissèrent le long de la paroi tandis que l'eau en coulant faisait mousser de plus belle le détergent.

– C'est ta carrière qui est en jeu, maintenant, fiston. Parce que, crois-moi, du plus minable des agents de police au commissaire divisionnaire de Hutton-Preston, tout le monde va entendre parler de cette affaire. Tu en es conscient, non ? La prochaine fois qu'il se trouvera un poste vacant au CID, tu peux être sûr qu'ils se souviendront de ta bavure. Et tu pourras toujours repasser pour l'avoir.

Colin prit la lavette et l'enfonça dans le verre avec autant de précision que s'il avait nettoyé l'un de ses fusils. Il en fit une boule, qu'il tourna à l'intérieur du verre avant de frotter soigneusement le bord. Bizarre comme à des moments comme celui-ci Annie lui manquait. Ça venait toujours à l'improviste en une bouffée de chagrin puis de désir qui, jaillie de ses reins, remontait jusqu'au cœur et c'était toujours à propos de choses si banales qu'il était pris au dépourvu et en souffrait à chaque fois.

Il cilla. Un frisson le secoua. Il frotta le verre plus fort.

– Tu crois que je peux te filer un coup de main, c'est ça ? poursuivit son père. Je suis intervenu une fois...

– Parce que tu le voulais bien. Je ne t'ai jamais rien demandé, papa. Je n'avais pas besoin de toi.

– Tu perds la boule ou quoi ? C'est pas possible, tu déménages ? Cette bonne femme t'a rendu marteau !

Colin rinça le verre, l'essuya avec autant de soin qu'il l'avait lavé et le posa près du grille-pain poussiéreux et plein de miettes. C'est alors seulement qu'il se décida à regarder son père.

L'inspecteur principal se tenait dans l'encadrement de la porte comme à son habitude. Lui barrant la route. La seule façon d'éviter la discussion aurait été de passer devant lui pour aller bricoler dans le garde-manger ou le garage. Mais de toute manière son père le suivrait. Colin comprit qu'il n'était pas loin d'exploser.

– A quoi diable pensais-tu ? éclata Mr. Shepherd senior. Sacré nom de Dieu de bordel de merde, à quoi est-ce que tu pensais ?

– Inutile de revenir là-dessus. On en a déjà parlé cent fois. C'était un accident. Je l'ai dit à Hawkins. J'ai suivi la procédure.

– Ne me fais pas rire ! Un cadavre qui puait le meurtre par tous les pores. Langue déchiquetée. Ventre gonflé comme celui d'une truie. Des plantes écrasées tout autour comme s'il s'était battu avec le démon. T'appelles ça un accident ? Tu racontes ça, le bec enfariné, à ton supérieur hiérarchique ? Bon Dieu, je me demande pourquoi ils t'ont pas viré.

Colin croisa les bras sur la poitrine, s'appuya contre le plan de travail et s'obligea à respirer calmement. Ils savaient pertinemment pourquoi tous les deux.

– C'est parce que tu les en as empêchés, papa. Tu leur en as pas laissé l'occasion. Mais tu m'as pas laissé ma chance à moi non plus, d'ailleurs.

Le visage de Mr. Shepherd senior vira au pourpre.

– Sacré nom de Dieu ! Une chance ? Mais il ne s'agit pas d'un jeu. Il s'agit de la vie et de la mort. Il s'agit toujours de la vie et de la mort. Seulement cette fois, mon petit, va falloir que tu te débrouilles seul.

Il avait roulé les manches de sa chemise en rentrant de promenade. Il se mit à les baisser, tirant sur le tissu, le remettant en place avec des gestes brusques. Sur le mur à sa droite, l'horloge d'Annie en forme de chat agitait sa queue faisant office de balancier tandis que ses yeux bougeaient à chaque tic-tac. L'inspecteur avait rendez-vous avec sa gentille petite à la maison de retraite. Colin n'avait qu'une solution : attendre qu'il s'en aille.

– Quand les circonstances sont suspectes, il faut faire appel au CID. Tu le sais, non ?

– J'ai fait venir le CID.

– Le photographe de la brigade criminelle ! Laisse-moi rire !

– Les enquêteurs et les gars du labo sont venus. Ils ont vu ce que j'avais vu. Ils n'ont rien trouvé qui leur ait donné à penser que Mr. Sage n'avait pas été seul sur les lieux. Dans la neige, on a trouvé ses empreintes. Et uniquement les siennes. Aucun témoin n'a aperçu qui que ce soit sur le sentier ce soir-là. Le sol était battu, les plantes écrasées parce qu'il avait eu des convulsions. De toute évidence, il avait eu une attaque. Je n'avais pas besoin d'un inspecteur pour me faire un dessin.

Son père crispa les poings. Il leva les bras puis les laissa retomber.

– Tu es aussi têtu qu'il y a vingt ans. Et aussi stupide.

Colin haussa les épaules.

– Maintenant, t'as pas le choix. Le village est dans la merde. Et tout ça à cause de cette assoiffée de bite dont tu peux pas te passer.

Colin crispa les poings à son tour et se força à garder son calme.

– T'as raison, papa. File. T'en as une qui t'attend, je crois.

– Tu as encore l'âge de recevoir une raclée, mon gars. Attention.

– C'est vrai. Mais cette fois, c'est toi qui aurais le dessous.

– Après tout ce que j'ai fait...

– Je ne t'avais rien demandé. Je ne t'ai pas demandé de me suivre comme un chien qui flaire une piste fraîche. J'avais la situation bien en main.

Son père poussa un ricanement de mépris.

– Têtu, stupide et aveugle, en plus. (Sortant de la cuisine, il se dirigea vers la porte d'entrée, enfila rageusement sa veste, puis sa botte gauche.) T'as de la chance qu'ils soient venus.

– Je n'ai pas besoin d'eux. Elle a rien fait.

– Si ce n'est empoisonner le pasteur.

– Par accident, papa.

Son père passa sa seconde botte et se redressa.

– A ta place, je prierais pour que c'en soit vraiment un, d'accident, fiston. Parce que ta réputation en a pris un sacré coup. Au village. A Clitheroe. Et jusqu'à Hutton-Preston. Ta seule chance de te racheter aux yeux de tous, c'est que les gars du Yard ne reniflent rien de louche dans le lit de ta copine.

Il sortit ses gants de cuir de sa poche et commença à les enfiler. Il ne reprit la parole qu'après s'être vissé sa casquette sur la tête.

– Tu m'as bien tout dit au moins ? fit-il en fixant son fils. Tu m'as rien caché ?

– Papa...

– Parce que si t'as essayé de la couvrir, t'es foutu. Tu es lourdé. Condamné. C'est le tarif. Tu me suis ?

Colin perçut de l'angoisse dans le regard paternel et dans la voix rauque de colère. Mais cette inquiétude ne reflétait pas seulement la sollicitude d'un père redoutant que son fils fît l'objet d'une enquête et fût jugé : elle trahissait une totale incompréhension devant le manque d'ambition de sa progéniture. Colin n'avait en effet jamais fait montre d'impatience devant son sort : il ne souhaitait ni prendre du galon ni trôner derrière un bureau. A trente-quatre ans, il était toujours constable. Et son père n'arrivait pas à comprendre pourquoi. *Ça me plaît*, ne lui suffisait pas. *J'aime la campagne*, jamais il ne goberait ça. Un an auparavant, à la rigueur, l'inspecteur principal aurait accepté *Je ne peux pas quitter Annie*. Mais si Colin évoquait Annie alors que Juliet Spence tenait maintenant une telle place dans sa vie, son père se mettrait en pétard.

Et maintenant il allait peut-être lui falloir subir l'humiliation de voir son fils mis en cause pour avoir couvert une criminelle. Il avait poussé un ouf de soulagement lorsque le jury du coroner avait rendu son verdict. Il allait transpirer à grosses gouttes tant que Scotland Yard n'aurait pas terminé son enquête et confirmé qu'il n'y avait pas eu crime.

– Colin, reprit son père. Tu as été réglo avec moi, hein ? Tu ne m'as rien caché ?

Colin soutint son regard sans broncher. Fier d'en être capable.

– Je ne t'ai rien caché, papa.

C'est seulement après avoir refermé la porte derrière son père que Colin sentit ses jambes se dérober sous lui. Il se cramponna à la poignée et appuya son front contre le battant.

Il ne fallait pas qu'il s'inquiète. Personne n'avait besoin de savoir. Lui-même n'y avait pas pensé avant que l'inspecteur de Scotland Yard ne pose la question, lui remettant en mémoire le fusil de Juliet.

Après avoir reçu trois appels furieux des mères indignées de trois gamins qui étaient allés traîner à Cotes Hall, il était allé lui parler. Elle était installée dans le cottage des gardiens du manoir depuis un an, grande femme anguleuse qui ne voyait personne, gagnait de l'argent en faisant pousser des plantes et préparant des potions, marchait d'un pas vif sur la lande avec sa fille et ne faisait que de rares incursions au village. Elle achetait son épicerie à Clitheroe. Ses fournitures de jardinage à Burnley. Elle vendait des plantes et des herbes séchées à Laneshawbridge. Elle emmenait parfois sa fille en excursion mais toujours dans des endroits bizarres, lui faisant visiter le musée des étoffes Lewis au lieu du château de Lancaster, la collection de maisons de poupées de Hoghton Tower au lieu des baraques foraines de la jetée de Blackpool. Tout ça, il l'avait découvert plus tard. Au début, tout en cahotant sur le sentier plein de nids-de-poule dans sa vieille Land Rover, il n'avait pensé qu'au comportement idiot d'une femme qui tirait dans le noir sur trois gosses s'amusant à pousser des cris d'animaux en bordure du bois. Avec un fusil de chasse, en plus. Autant dire que n'importe quoi aurait pu arriver.

Le soleil filtrait à travers le bois de chêne cet après-midi-là. De petites taches de vert piquetaient les branches des arbres : l'hiver laissait la place au printemps. Il négociait un virage sur la mauvaise route que les Townley-Young refusaient de réparer depuis une bonne dizaine d'années lorsque par la vitre ouverte une bouffée de lavande lui avait chatouillé les narines, et avec elle des souvenirs bouleversants d'Annie. Si bouleversants, si tangibles qu'il avait appuyé sur la pédale du frein, s'attendant presque à la voir jaillir du bois en courant, là où la lavande avait été plantée en abondance au bord de la route plus de cent ans auparavant, lorsque Cotes Hall était prêt à accueillir le fiancé qui n'était jamais venu.

Annie et lui étaient allés rôder de ce côté des centaines de fois. Elle cueillait de la lavande le long du sentier, emplissant l'air du parfum des fleurs, qu'elle récoltait pour en mettre dans de petits sachets qu'elle enfouissait dans les lainages et le linge. Il se souvenait bien de ces sachets, petites poches de gaze fermées par du ruban rouge effiloché. Ils se défaisaient toujours au bout d'une semaine. Il passait son temps à retirer des brins de lavande de ses chaussettes et à les faire tomber des draps. Malgré ses protestations, « Voyons, Annie. Ça sert à quoi ? », elle s'obstinait à déposer des sachets parfumés dans tous les coins de la maison. Un jour, il en avait même déniché dans ses chaussures. Invariablement, elle répondait : « C'est à cause des mites, Col. Tu veux pas qu'on ait des mites dans la maison, si ? »

Après sa mort, il s'en était débarrassé, pensant débarrasser la maison de sa présence par la même occasion.

De même qu'il s'était empressé de jeter les médicaments qui encombraient la table de nuit, de décrocher ses vêtements de la penderie et d'enfouir ses chaussures dans la poubelle, d'emporter ses flacons de parfum au fond du jardin pour les détruire un à un avec un marteau. Comme si ce geste pouvait lui permettre d'évacuer sa rage.

Mais l'odeur de la lavande avait plus que toute autre le don de la faire resurgir devant ses yeux. Et c'était pire que lorsqu'il la voyait la nuit en rêve. Le jour, présente seulement par son parfum qui le hantait, elle était totalement hors de sa portée et ressemblait à un chuchotement apporté par le vent.

Annie, Annie, songea-t-il, les mains crispées sur le volant.

C'est pourquoi il ne vit pas Juliet Spence tout de suite, ce qui donna à cette dernière l'avantage.

– Ça va, constable ? dit-elle.

Il passa la tête par la vitre ouverte et s'aperçut qu'elle était sortie du bois, un panier au bras, les genoux de son jean plein de boue.

Rien d'étonnant à ce que Mrs. Spence sût qui il était. Le village était petit. Elle avait déjà dû l'apercevoir bien qu'ils n'eussent jamais été présentés. En outre, Townley-Young lui avait sans doute expliqué qu'il poussait jusqu'au manoir pendant ses rondes nocturnes. Peut-être même l'avait-elle entrevu, depuis la fenêtre de son cottage, tandis qu'il traversait la cour et braquait sa torche vers les fenêtres condamnées de la grande bâtisse afin de s'assurer que la lente décrépitude du manoir était le fruit d'un processus naturel et ne devait rien à la malignité humaine.

Ignorant la question, il descendit de la Land Rover.

– Mrs. Spence ?

– Oui.

– Vous vous rendez compte que vous avez tiré sur trois gamins de douze ans, la nuit dernière ? Sur des enfants, Mrs. Spence ?

Il y avait des racines et des petites branches dans son panier ainsi qu'un déplantoir et un sécateur. Elle s'empara du déplantoir, délogea de son extrémité un gros grumeau boueux, se frotta les doigts après son jean. Ses mains étaient grandes et sales. Ses ongles coupés court. Comme ceux d'un homme.

– Accompagnez-moi jusqu'au cottage, Mr. Shepherd.

Pivotant sur ses talons, elle prit à travers bois, le laissant effectuer par la route le reste du trajet. Lorsqu'il s'immobilisa sur le gravier à l'ombre du manoir, elle s'était débarrassée de son panier, avait brossé la boue de son jean et s'était lavé les mains avec tant de force qu'elles en paraissaient égratignées. Elle avait également mis une bouilloire sur la cuisinière.

La porte d'entrée était ouverte. Lorsqu'il gravit l'unique marche qui tenait lieu de porche, elle lança :

– Je suis dans la cuisine, constable. Entrez.

Le thé, songea-t-il. Rien de mieux pour gagner du temps que le rituel du thé. Astucieux de sa part.

Mais au lieu de préparer le breuvage traditionnel, elle versa lentement l'eau bouillante dans une grande casserole où se trouvaient des bocaux le cul dans l'eau. Elle posa la casserole sur la cuisinière.

– Les bocaux doivent être stériles, dit-elle. On doit toujours les stériliser quand on fait des conserves. Sinon ça peut être dangereux. Voire même mortel.

Balayant des yeux la cuisine, il s'efforça de jeter un coup d'œil dans le garde-manger.

– Qu'est-ce que vous faites comme conserves ?

Elle s'approcha d'un placard et y prit deux verres et une carafe, puis versa un liquide dont la couleur oscillait entre la terre et l'ambre. Le liquide était trouble et, lorsqu'elle déposa un verre devant lui sur la table à laquelle il s'était assis d'autorité pour tenter de reprendre quelque peu le contrôle de la situation, il s'en empara et le renifla d'un air soupçonneux. Drôle d'odeur. Ecorce ? Fromage rance ?

Eclatant de rire, elle en avala une grande rasade. Puis elle posa la carafe sur la table, prit place en face de lui et entoura son verre de ses mains.

– Ne craignez rien. C'est une boisson à base de pissenlit et de sureau. J'en prends tous les jours.

– Ça sert à quoi ?

– À se purger.

Avec un sourire, elle but de nouveau.

Il souleva son verre tandis qu'elle fixait non ses mains ni sa bouche mais ses yeux.

Lorsqu'il repensait à leur première rencontre, c'était ça qui le frappait : l'intensité de ce regard braqué sur lui. Lui-même, curieux, l'examinait, essayant de se forger une première impression. Elle n'était absolument pas maquillée. Ses cheveux grisonnaient mais sa peau n'était pas très ridée, aussi ne paraissait-elle guère plus âgée que lui. Elle sentait vaguement la sueur et la terre ; une traînée de boue au-dessus de l'œil lui faisait comme une tache de naissance. Sa chemise était une chemise d'homme, trop ample, usée au col et déchirée au poignet. Dans l'échancrure en V, il apercevait la naissance d'un sein. Ses poignets étaient solides. Ses épaules larges. Il se dit qu'ils auraient pu porter les vêtements l'un de l'autre.

– C'est comme ça que ça se passe, dit-elle tranquillement. (Elle avait des yeux sombres et leur pupille était si dilatée qu'ils en paraissaient presque noirs.) Au début, on a peur de quelque chose qui vous dépasse, une chose qu'on ne peut maîtriser, qui échappe à votre compréhension, qui est à l'intérieur de votre corps et est dotée d'un pouvoir propre. Puis on est gagné par la colère en pensant à cette saloperie de maladie qui vous a gâché la vie à tous les deux. Et puis on est pris de panique parce que personne n'a de réponses satisfaisantes et qu'il y a autant de réponses que de personnes interrogées. Après, c'est le crève-cœur de se retrouver coincé avec une femme malade alors que tout ce qu'on voulait, c'était une épouse, une famille, une vie normale. Ensuite, c'est l'horreur de se retrouver piégé et d'avoir constamment autour de soi la vue, l'odeur, le bruit du mourir de l'autre. Mais bizarrement, à la fin, tout cela forme la trame de votre vie, votre façon de vivre. On s'habitue aux crises et aux moments de rémission. On s'habitue aux sordides réalités des bassins, du vomi et de l'urine. On se rend compte de ce qu'on représente pour la malade. On s'aperçoit qu'on est son ancre, son sauveur, son salut. Et quels que soient ses besoins et ses désirs, ils passent au second plan, deviennent dérisoires, égoïstes, importuns en regard du rôle qu'on joue à ses yeux. Aussi, lorsque tout est fini et qu'elle est morte, contrairement à ce qu'on aurait pu penser, on ne se sent pas délivré. On éprouve une forme de folie. Les autres vous racontent que c'est une bénédiction que Dieu l'ait finalement emportée. Mais vous savez qu'il n'y a pas de Dieu. Il n'y a qu'une blessure béante dans votre vie : le trou qu'elle comblait de sa présence, avec ses exigences.

Elle lui versa de nouveau à boire. Il aurait voulu réagir d'une façon ou d'une autre ; mais plus encore, il aurait voulu fuir pour ne pas avoir à le faire. Il ôta ses lunettes et, ce faisant, réussit à détourner les yeux des siens.

– La mort n'est une délivrance que pour ceux qui meurent, dit-elle. Pour les vivants, c'est un enfer. On croit que ça s'arrangera. Qu'on finira par oublier son chagrin. Mais non. On n'oublie jamais complètement. Et les seules personnes qui comprennent sont celles qui sont passées par là.

Bien sûr, songea-t-il. Son mari. Elle a dû perdre son mari.

– Je l'aimais. Ensuite je l'ai haïe. Et puis je l'ai aimée de nouveau. Mais je n'ai pas réussi à lui donner tout ce dont elle avait besoin.

– Vous avez fait ce que vous pouviez.

– A la fin, non. Je n'ai pas su être fort quand il m'aurait fallu l'être. J'ai fait passer mes désirs avant le reste. Je me suis fait plaisir. Alors qu'elle était en train de mourir.

– Peut-être que vous étiez au bout du rouleau.

– Elle l'a découvert. Elle a su ce que j'avais fait. Mais elle ne m'en a jamais soufflé mot.

Il se sentait à l'étroit, prisonnier de ces murs. Il remit ses lunettes. Puis, se levant de sa chaise, il s'approcha de l'évier pour y rincer son verre tout en regardant par la fenêtre. Celle-ci donnait non sur le manoir mais sur le bois. Elle avait planté un jardin de belle taille. Réparé la vieille serre. Une brouette était rangée près de la serre, pleine de fumier. Il l'imagina fumant la terre avec des gestes puissants. Et transpirant à grosses gouttes tout en travaillant. Elle devait s'interrompre pour s'essuyer le front sur sa manche. Sans doute ne portait-elle pas de gants pour jardiner, préférant le contact réconfortant du manche en bois de la pelle. Et quand elle avait soif et qu'elle buvait, l'eau devait lui couler le long de la bouche jusque dans le cou. Un filet d'eau devait glisser entre ses seins.

S'obligeant à tourner le dos à la fenêtre, il pivota vers elle :

– Vous possédez un fusil de chasse, Mrs. Spence.

– Oui.

Elle resta où elle était, changcant seulement de position : un coude sur la table, une main posée sur son genou.

– Et vous avez tiré la nuit dernière ?

– Oui.

– Pourquoi ?

– Il y a des poteaux tout autour de la propriété, constable. Tous les cent mètres environ.

– Mais il y a un chemin public qui traverse les terres. Vous le savez. Et Townley-Young aussi.

– Les gosses n'étaient pas sur le sentier qui mène à Cotes Fell. Ils ne retournaient pas non plus à Winslough. Ils rôdaient dans le bois, derrière le cottage, et se dirigeaient vers le manoir.

– Vous en êtes sûre ?

– Evidemment que j'en suis sûre. J'ai bien entendu leurs voix.

– Vous leur avez lancé des sommations ?

– A deux reprises.

– Vous n'avez pas songé à téléphoner pour demander de l'aide ?

– Je n'avais pas besoin d'aide. Tout ce que je voulais, c'était me débarrasser d'eux. Ce que j'ai fait, d'ailleurs. Et plutôt bien.

– Avec un fusil de chasse. Expédiant une volée de plomb dans les arbres...

– Ce n'était pas du plomb. Mais du sel. (Elle se passa les doigts dans les cheveux en un geste qui trahissait plus d'agacement que de vanité.) Le fusil était chargé avec du sel, Mr. Shepherd.

– Vous arrive-t-il de le charger avec autre chose ?

– A l'occasion, oui. Mais quand c'est le cas, je ne m'amuse pas à tirer sur des enfants.

Pour la première fois, il remarqua qu'elle portait des boucles d'oreilles, de petites boules en or qui accrochèrent la lumière lorsqu'elle tourna la tête. C'étaient ses seuls bijoux en dehors d'une alliance qui, comme la sienne, était aussi fine que la mine d'un crayon. La bague accrocha aussi la lumière lorsqu'elle se mit à pianoter avec ses doigts sur son genou. Elle avait de longues jambes. Il constata qu'elle avait retiré ses bottes et n'avait aux pieds que des chaussettes grises.

Sentant qu'il lui fallait dire quelque chose sous peine de perdre contenance, il dit :

– Les fusils sont dangereux, manipulés par des mains inexpérimentées, Mrs. Spence.

– Si j'avais voulu blesser quelqu'un, je l'aurais fait, Mr. Shepherd, vous pouvez me croire.

Elle se mit debout. Il s'attendait à ce qu'elle traverse la cuisine, pose son verre dans l'évier, bref envahisse son territoire. Au lieu de quoi, elle dit :

– Venez.

Lui emboîtant le pas, il traversa le séjour à sa suite. La lumière de l'après-midi finissant tombait en rayures verticales sur le tapis, l'éclairait tandis qu'elle s'approchait d'un vieux buffet en pin. Elle ouvrit le tiroir de gauche, en sortit un paquet fait d'une serviette et de ficelle. Une fois la serviette et la ficelle ôtées, une arme de poing apparut. Un revolver, qui semblait parfaitement graissé.

– Venez, répéta-t-elle.

Il la suivit jusqu'à la porte d'entrée. Celle-ci était encore ouverte et l'air de mars était vif avec une brise qui lui ébouriffait légèrement les cheveux. De l'autre côté de la cour se dressait le manoir inhabité, fenêtres cassées et condamnées, conduits d'écoulement d'eau rouillés, murs abîmés.

– Deuxième tuyau de cheminée à partir de la droite. Le coin gauche.

Elle leva le bras, visa et fit feu. Un morceau de terre cuite se détacha du second tuyau de cheminée avec la violence d'un missile qui vient d'être lancé.

– Si j'avais voulu blesser quelqu'un, je l'aurais fait, Mr. Shepherd, reprit-elle.

Elle rentra dans le séjour et posa l'arme sur la serviette qui était sur le buffet, entre une corbeille de linge et une collection de photos de sa fille.

– Vous avez un permis pour le revolver ?

– Non.

– Pourquoi ?

– Ça n'était pas nécessaire.

– C'est la loi.

– Pas étant donné la façon dont je me le suis procuré.

Elle se tenait dos contre le buffet. Lui dans l'encadrement de la porte. Il se demanda s'il allait dire ce qu'il lui fallait dire en tant que constable. S'il allait faire ce que la loi exigeait de lui. Elle n'avait pas de permis de port d'arme, il était censé mettre la main sur le revolver et verbaliser. Mais au lieu de cela, il demanda :

– Vous vous en servez pour quoi ?

– Pour m'entraîner, essentiellement. Pour me protéger, autrement.
– De qui ?
– De ceux qu'un avertissement oral ou des coups de feu ne suffiraient pas à décourager. Ça me donne une sensation de sécurité.
– Vous n'avez pas l'air de quelqu'un qui a peur.
– Quiconque a un enfant a forcément peur. Et *a fortiori* une femme seule.
– Cette arme est toujours chargée ?
– Oui.
– C'est idiot. Franchement, c'est aller au-devant des embêtements.
Un sourire étira fugacement sa bouche.
– Peut-être. Mais avant aujourd'hui, je ne m'en suis jamais servie que devant Maggie.
– Vous avez eu tort de me la montrer.
– Oui, c'est vrai.
– Pourquoi avez-vous fait ça ?
– Mais pour me protéger, constable.
Il la regarda, sentant son cœur battre à coups précipités et se demandant quand il avait commencé à s'affoler comme ça. Quelque part dans la maison il entendit de l'eau couler. Dehors un oiseau lança un trille. Il vit sa poitrine bouger au rythme de sa respiration, par l'échancrure de sa chemise il vit luire sa peau. Il vit le tissu du jean qui se tendait à la hauteur de ses hanches. Elle était dégingandée, en sueur. Pas soignée. Pourtant, pas un instant il ne lui serait venu à l'idée de partir.
Sans même réfléchir, il fit deux enjambées. Elle le rejoignit au milieu de la pièce. Il la prit dans ses bras, les doigts plongeant dans sa chevelure, sa bouche se plaquant sur la sienne. Il ne savait pas qu'on pouvait avoir à ce point faim d'une femme. Eût-elle résisté, il l'aurait empoignée de force ; mais elle ne résistait pas, bien au contraire, lui caressant les cheveux, le cou, le torse, lui nouant les bras autour de la taille tandis qu'il l'attirait de plus belle contre lui, lui prenait les fesses à pleines mains, se frottait contre elle comme un forcené. Il entendit craquer les boutons de sa chemise tandis qu'il tirait dessus pour atteindre ses seins. Puis il fut à son tour dépouillé de sa chemise et elle posa sa bouche sur sa poitrine, l'embrassant, le mordillant jusqu'à la taille.

Arrivée là, elle s'agenouilla, défit sa ceinture et lui baissa son pantalon.

Mon Dieu, pensa-t-il, terrifié. Oh, mon Dieu, oh, Seigneur. Il était partagé entre la peur d'exploser dans sa bouche et la crainte qu'elle l'en expulse avant de lui en laisser le temps.

9

Il aurait été difficile de tomber sur une femme plus dissemblable d'Annie. Mais peut-être était-ce justement cela qui l'avait attiré. Au tempérament conciliant d'Annie avaient succédé l'indépendance de caractère et la force de Juliet. La prendre, c'était facile, d'autant qu'elle ne se faisait guère prier ; mais la connaître, c'était autre chose.

Pendant l'heure où ils avaient fait l'amour pour la première fois en cet après-midi de mars, elle n'avait prononcé que trois mots. *Seigneur. Plus fort.* Les deux derniers à trois reprises. Lorsque enfin momentanément rassasiés l'un de l'autre – longtemps après avoir quitté le séjour pour la chambre où ils avaient essayé successivement le sol puis le lit –, elle s'était tournée sur le côté, la tête sur un bras, et elle avait questionné :

– C'est quoi, ton prénom ? Tu ne veux tout de même pas que je continue à t'appeler Shepherd ?

Du doigt, il suivit la cicatrice qui formait un léger renflement sur son ventre, seul indice montrant qu'elle avait mis un enfant au monde. Il lui semblait qu'il n'aurait jamais le temps d'étudier à fond chaque parcelle de son corps. Allongé près d'elle, alors qu'il l'avait déjà prise quatre fois, il vibrait du besoin lancinant de la prendre de nouveau. Jamais il n'avait fait l'amour à Annie plus d'une fois en vingt-quatre heures. L'idée ne l'avait jamais effleuré. Et si sa femme s'était toujours montrée tendre et douce en amour, le laissant apaisé avec le sentiment toutefois d'être son débiteur, Juliet avait enflammé ses sens, faisant naître en lui un désir que rien ne semblait devoir apaiser. Après une soirée, une nuit, un après-midi passés en sa compagnie, son odeur sur ses mains, ses vêtements, ses cheveux suffisait à lui donner envie d'elle, le poussait à lui téléphoner. Au bout du fil, il se bornait à prononcer son nom. La voix rauque, elle répondait :

– Oui. Quand ?

A la première question qu'elle lui posa, cet après-midi-là, il répondit :

– Colin.

– Elle t'appelait comment, ta femme ?

– Col. Et ton mari ?

– Je m'appelle Juliet.

– Et ton mari ?

– Tu veux savoir comment il s'appelle ?

– Il t'appelait comment ?

Elle suivit du doigt la courbe de ses sourcils, celle de son oreille et de ses lèvres.

– Tu es si jeune.

– J'ai trente-trois ans. Et toi ?

Sourire triste.

– J'ai plus de trente-trois ans. J'ai l'âge de...

– De quoi ?

– D'être raisonnable. Bien plus raisonnable que je ne l'ai été cet après-midi.

Son ego en prit un coup.

– Je ne t'ai pas forcé la main, si ?

– Oh, non ! Je t'avais à peine vu dans la Rover que j'ai su que je te désirais.

– C'est pour ça que tu m'as fait avaler cette espèce de philtre ?

Elle lui prit la main, la porta à sa bouche, enfonça son index entre ses lèvres et se mit à le sucer doucement. Il tressaillit. Elle le lâcha et rit.

– Vous n'avez pas besoin de philtre d'amour, Mr. Shepherd.

– Quel âge as-tu ?

– Je suis trop vieille pour que cet après-midi ait un lendemain.

– Tu n'en penses pas un mot.

– Pourtant, je devrais.

Avec le temps, il était peu à peu venu à bout de ses réticences. Elle lui avait avoué son âge, quarante-trois ans, et maintes fois elle avait rendu les armes, laissant parler son désir. Mais lorsqu'il abordait le sujet de l'avenir, elle se pétrifiait. Sa réponse était immuable.

– Il te faut une famille. Des enfants. Tu es fait pour être père. Je ne peux rien pour toi sur ce plan.

– Bah ! Je connais des femmes plus âgées que toi qui ont des enfants.

– J'en ai déjà un, Colin.

Bien sûr. Maggie. S'il voulait gagner le cœur de la mère, il lui faudrait résoudre l'énigme que constituait Maggie. Mais il la sentait fuyante, cette fillette insaisissable qui l'avait regardé d'un air grave traverser la cour au sortir du cottage ce premier après-midi. Elle tenait dans les bras un chat pelé et ses yeux étaient empreints de sérieux. Elle sait, songea-t-il. Il lui dit bonjour, l'appelant par son nom ; mais elle tourna le coin et disparut derrière le manoir. Après ça elle avait été polie avec lui – un modèle de bonne éducation –, mais son visage sévère exprimait la plus violente réprobation. Aussi ne fut-il pas étonné lorsqu'elle se mit à sortir avec Nick Ware : il comprit que c'était sa façon à elle de se venger de sa mère.

Il aurait pu intervenir. Il connaissait Nick Ware, après tout. Il était copain avec les parents du gamin. Il aurait pu se rendre utile si Juliet l'y avait autorisé.

Au lieu de ça, elle avait laissé le pasteur se faufiler dans leur existence. Et Robin Sage n'avait pas mis longtemps à être dans les petits papiers de Maggie, ce que Colin n'avait jamais réussi à faire. Il les aperçut bavardant devant l'église, se promenant dans le village, la lourde main du pasteur posée sur l'épaule de l'adolescente. Il les observa assis sur le mur du cimetière, le dos à la route, le visage tourné vers Cotes Fell, le bras du pasteur balayant l'air comme pour épouser la courbe du paysage ou ponctuer une phrase. Il fit le compte des visites de Maggie au presbytère. Et, partant de là, il aborda le sujet avec Juliet.

– Ce n'est pas grave, décréta Juliet. Elle se cherche un père. Comme elle sait que ça ne peut pas être toi – vu que tu es trop jeune et qu'en plus tu n'as jamais mis les pieds hors du Lancashire –, elle essaie de voir si ça ne pourrait pas être Mr. Sage. Elle est persuadée que son père la cherche, lui aussi, de son côté. Pourquoi est-ce que ce ne serait pas sous l'apparence d'un pasteur ?

Shepherd saisit la balle au bond :
– Qui est son père ?
Le visage de Juliet se ferma aussitôt. Il se demandait parfois si ça n'était pas par son silence qu'elle réussissait à le maintenir sous pression et à attiser son désir, cultivant le mystère, le mettant constamment au défi de lui prouver sa supériorité au lit. « Rien ne dure éternellement, Colin », disait-elle chaque fois que, dans son besoin de savoir la vérité, il menaçait de la quitter. Ce qu'il ne ferait jamais. Car il s'en savait incapable.
– Qui est-ce, Juliet ? Il n'est pas mort, n'est-ce pas ?
Le peu qu'elle lui avait révélé, elle le lui avait appris au lit, une nuit de juin, tandis que le clair de lune éclaboussait sa peau sur laquelle les feuilles dessinaient comme des taches.
– Voilà à quoi Maggie se raccroche.
– C'est la vérité ?
Un instant, elle ferma les yeux. Il prit sa main, en embrassa la paume, la posa contre son torse.
– C'est vrai, Juliet ?
– Je crois que oui.
– Tu crois ? Tu es toujours mariée avec lui ?
– Colin. Je t'en prie.
– As-tu jamais été mariée avec lui ?
De nouveau, elle ferma les yeux. Il aperçut les larmes sous ses cils ; l'espace d'un moment, il perdit pied, incapable de comprendre la cause de son chagrin ou de sa tristesse. Puis il murmura :
– Seigneur, Juliet. Tu as été violée ? Maggie... Quelqu'un...
Elle chuchota :
– N'essaie pas de m'humilier.
– Tu n'as jamais été mariée, n'est-ce pas ?
– Colin, arrête.
Mais cela ne faisait aucune différence. Elle refusait obstinément de l'épouser. *Je suis trop vieille pour toi*, lui répétait-elle.
Mais pas trop vieille pour le pasteur, cependant.
Debout, chez lui, le front contre la porte d'entrée, son père parti, Colin Shepherd se sentait tarabusté par la question de l'inspecteur Lynley, laquelle ne faisait que refléter ses propres doutes. *Est-ce qu'elle aurait pris pour amant un homme qu'elle connaissait depuis si peu de temps ?*

Il ferma les yeux.

Quelle différence cela faisait-il que Robin Sage se fût rendu à Cotes Hall uniquement pour l'entretenir de Maggie ? Le constable n'était-il pas allé au manoir dans le seul but de mettre une femme en garde contre les risques qu'elle prenait en utilisant son fusil dans le noir ? Et ne s'était-il pas retrouvé en train de lui arracher sauvagement ses vêtements tellement le besoin de copuler le tenaillait ? Tout cela moins d'une heure après avoir fait sa connaissance. Et elle ne s'était pas débattue. Elle n'avait pas essayé de l'en empêcher. Et même, elle s'était montrée aussi décidée que lui. Quand on y réfléchissait, quel genre de femme était-ce donc ?

Une sirène, songea-t-il, essayant d'oublier les conseils paternels. *Les femmes, faut leur montrer dès le départ que t'es le patron, fiston, y a pas à tortiller. Sinon t'es foutu, tu te fais mener par le bout du nez.*

Etait-ce ce qu'elle avait fait avec lui ? Et avec Sage ? Elle lui avait dit que le pasteur était venu lui parler de Maggie. Qu'il était plein de bonnes intentions. Et qu'elle devrait l'écouter. Elle n'arrivait plus à tirer quoi que ce soit de sa fille, ni à lui faire entendre raison, alors si le pasteur avait des suggestions, pourquoi ne l'écouterait-elle pas ?

Et elle l'avait regardé fixement.

– Tu n'as pas confiance en moi, Colin, n'est-ce pas ?

Non. Pas la moindre. Encore moins dans ce cottage isolé où la solitude était une invite à la séduction. A l'idée de la savoir seule avec un autre homme, il tremblait. Néanmoins, il lui avait dit :

– Mais si.

– Tu n'as qu'à venir aussi, si tu veux, t'asseoir avec nous. Comme ça tu pourras t'assurer que je ne me déchausse pas pour lui faire du pied sous la table.

– Ce n'est pas ça que je veux.

– Alors quoi ?

– Je veux que les choses soient claires. Je veux que les gens sachent.

– Ce n'est pas possible de clarifier la situation comme tu le souhaites.

Et maintenant ça ne le serait jamais, tant que Scotland Yard ne l'aurait pas blanchie, disculpée, déclarée hors de cause. Car toutes protestations à propos de leur différence d'âge mises à part, il savait qu'il ne pourrait épouser Juliet Spence et conserver son job à Winslough, où le doute planait et où chacune de leurs apparitions en public était saluée par des chuchotements à n'en plus finir. Et il ne pouvait quitter Winslough marié à Juliet s'il voulait rester en bons termes avec sa fille. Il était pris au piège. Et seul New Scotland Yard pourrait le délivrer.

La sonnerie de la porte d'entrée résonna au-dessus de sa tête, si aiguë, si inattendue qu'il sursauta.

Le chien se mit à aboyer. Colin attendit qu'il sorte du séjour.

– Du calme. Assieds-toi.

Leo obtempéra, la tête inclinée sur le côté, attendant la suite. Colin ouvrit la porte.

Le soleil avait disparu. Le crépuscule allait bientôt céder la place à la nuit. La lumière du porche qu'il avait allumée pour accueillir Scotland Yard faisait briller la chevelure crépitante de Polly Yarkin.

Un foulard entre les doigts, elle tenait fermé le col de son vieux manteau marine. Sa jupe lui battait les chevilles, qui disparaissaient dans des bottes éraflées. Elle se dandina d'un pied sur l'autre. Sourit.

– Je finissais mon travail, au presbytère, et j'ai pas pu m'empêcher de remarquer... (Elle jeta un regard vers Clitheroe Road.) J'ai vu les deux messieurs sortir. Ben, au pub, dit qu'ils sont de Scotland Yard. Je l'aurais pas su si Ben, le marguillier, m'avait pas téléphoné pour me prévenir qu'ils voudraient sans doute visiter le presbytère. Et que je ferais bien de les attendre. Mais ils ne sont pas venus. Tout va bien ?

D'une main, elle resserra plus étroitement son col, de l'autre elle se mit à jouer avec les pans de son foulard. Il lut le nom de sa mère sur le carré, car c'était celui dont la tireuse de cartes se servait pour faire sa pub à Blackpool. Mrs. Yarkin avait en effet tâté de tous les supports publicitaires : foulards, pochettes d'allumettes, sous-verres et même baguettes chinoises le jour où avait fondu sur elle la certitude foudroyante que le tourisme en provenance d'Orient allait connaître un boom spectaculaire. Rita Yarkin – alias Rita Rularski – avait du punch et l'étoffe d'un chef d'entreprise.

– Colin ?

Il se rendit compte qu'il fixait l'étoffe, se demandant pourquoi Rita avait choisi un vert acide fluo et des cœurs écarlates. Il s'ébroua, baissa les yeux et vit que Leo agitait la queue en signe de bienvenue. Le chien connaissait bien Polly.

– Ça va ? répéta-t-elle. J'ai vu sortir ton père aussi. Je balayais le porche. Je lui ai parlé mais il n'a pas dû entendre parce qu'il n'a pas répondu. C'est pour ça que je me suis demandé si ça allait.

Il savait qu'il ne pouvait pas la laisser plantée sous le porche par ce froid. Il la connaissait depuis l'enfance, après tout, et puis elle était venue en amie sincèrement inquiète.

– Entre.

Il ferma la porte derrière elle. Elle se tenait dans l'entrée, roulant son foulard en boule, le fourrant dans sa poche.

– Mes bottes sont pleines de boue.

– Aucune importance.

– Je les retire ?

– Pas si tu viens de les mettre au presbytère.

Il regagna le séjour, le chien sur les talons. Le feu brûlait toujours. Il y ajouta une autre bûche. Il sentait la chaleur lui chauffer le visage. Sans bouger de là où il était, il laissa les flammes le réchauffer.

Dans son dos, il perçut les pas hésitants de Polly. Le grincement de ses bottes. Le froufrou de ses vêtements.

– Y a un moment que j'ai pas mis les pieds ici, dit-elle, méfiante.

Sans doute devait-elle trouver l'intérieur changé. Le salon confortable recouvert de chintz, les jolies gravures, le tapis à fleurs d'Annie avaient disparu, remplacés par un méli-mélo d'objets hétéroclites et strictement fonctionnels. Après la mort de sa femme, c'était la seule chose qu'il avait voulue dans la maison, du fonctionnel.

Il s'attendait à ce qu'elle fît un commentaire mais elle ne broncha pas. Il finit par tourner le dos au feu. Elle n'avait pas retiré son manteau. Elle n'avait fait que trois pas dans le séjour. Elle lui adressa un sourire incertain.

– Il ne fait pas chaud, ici.

– Approche-toi du feu.

– Merci. C'est une idée.

Elle tendit les mains vers les flammes puis déboutonna son manteau sans toutefois l'ôter. Elle portait un pull lavande trois fois trop large, qui jurait avec le roux de ses cheveux et le bleu de sa jupe. Une faible odeur de naphtaline semblait sourdre de la laine.

– Tu vas bien, Colin ?

Il la connaissait suffisamment pour savoir qu'elle répéterait sa question jusqu'à ce qu'elle eût obtenu une réponse. Elle n'avait jamais réussi à comprendre la différence entre le refus de répondre et celui de se dévoiler.

– Ça va. Tu bois quelque chose ?

Son visage s'éclaira.

– Volontiers. Merci.

– Du sherry ?

Elle hocha la tête en signe d'assentiment. Il s'approcha de la table et lui en versa un peu dans un verre, ne prenant rien pour lui. S'agenouillant près de la cheminée, elle se mit à caresser le chien. Lorsqu'elle lui prit le verre des mains, elle resta assise sur ses talons. Les semelles de ses bottes étaient recouvertes d'une couche de terre séchée. Des croûtes de boue maculaient le plancher.

Il n'avait pas envie de la rejoindre près du feu, bien que c'eût été la chose la plus naturelle à faire. Ils étaient restés assis devant l'âtre avec Annie, tous les trois, bien des fois. Mais les circonstances étaient différentes, alors. Aucun péché n'avait encore dénaturé leur amitié. Il choisit le fauteuil et s'assit tout au bord, les bras sur les genoux, les mains jointes et pendantes devant lui.

– Qui est-ce qui leur a téléphoné ?

– A Scotland Yard ? Le type handicapé a dû appeler l'autre, j'imagine. Il était venu voir Mr. Sage.

– Que veulent-ils ?

– Rouvrir l'enquête.

– Ils te l'ont dit ?

– Ils n'ont pas eu besoin de me le dire.

– Mais est-ce qu'ils savent quelque chose... Est-ce qu'il y a du nouveau ?

– Il n'est pas nécessaire qu'il y ait du nouveau. Il suffit qu'ils aient des doutes. Ils en font part au CID de Clitheroe. Ou à la police de Hutton-Preston. Et ils se mettent à fureter partout.

– Tu es inquiet ?

– Je devrais l'être ?

Elle baissa les yeux sur son verre. Elle n'avait pas encore touché à son sherry. Il se demanda quand elle allait se décider.

– Ton père n'est pas tendre avec toi, dit-elle. Ça date

pas d'hier. Je me suis dit qu'il avait dû profiter de l'occasion pour t'en faire baver. Il avait l'air drôlement de mauvais poil en partant.

– Je me moque des réactions de papa, si c'est à ça que tu penses.

– Bon, alors, y a pas de problème. (Elle fit tourner le petit verre de sherry dans le creux de sa paume. Près d'elle, Leo bâilla et posa sa tête sur ses cuisses.) Il m'a toujours eue à la bonne. Depuis qu'il est tout petit. C'est un brave chien, ce Leo.

Colin ne répondit pas. Il regarda la lueur des flammes danser dans ses cheveux, jeter une ombre dorée sur sa peau. Elle était séduisante, à sa façon un peu étrange. Et le fait qu'elle n'en semblait pas consciente avait jadis fait partie de son charme. Maintenant cela ne servait qu'à réveiller un souvenir qu'il aurait bien aimé oublier.

Elle leva la tête. Il détourna les yeux.

– J'ai tracé le cercle pour toi, la nuit dernière, Colin, dit-elle d'une voix basse et incertaine. J'ai invoqué Mars. Pour qu'il te donne des forces. Rita voulait que je le fasse pour moi, mais c'est pour toi que je l'ai fait. Je veux ce qu'il y a de mieux pour toi, Colin.

– Polly...

– Je me souviens. On était bons amis dans le temps. On allait se promener. Voir des films à Burnley. Une fois on est même allés à Blackpool.

– Avec Annie.

– Mais on était bons amis aussi, toi et moi.

Il fixa ses mains pour éviter de croiser son regard.

– Oui. Seulement on a tout gâché.

– Non. On a juste...

– Annie était au courant. J'avais à peine mis le pied dans la chambre qu'elle a compris. C'est comme si elle l'avait lu sur moi. *Alors ce pique-nique, ça s'est bien passé? Tu t'es bien amusé? Tu as pris l'air, Col?* Elle avait compris.

– On voulait pas lui faire de mal.

– Elle ne m'a jamais demandé de lui rester fidèle. Quand elle a su qu'elle était condamnée, elle ne m'a jamais fait promettre quoi que ce soit de ce genre. Une nuit, elle a pris ma main dans la sienne et elle m'a dit, Prends soin de toi, Col, je sais ce que tu ressens, j'aimerais qu'on puisse être comme avant, tous les deux, mais c'est impossible, mon cher amour, alors prends soin de toi, je comprendrai.

– Dans ce cas pourquoi...

– Parce que cette nuit-là, Polly, je me suis juré de ne pas la tromper. Malheureusement c'est ce que j'ai fait. Et avec toi. Son amie.

– On ne l'a pas fait exprès. On n'avait rien prémédité.

Il la regarda de nouveau, levant brusquement la tête. Surprise, elle se recroquevilla, fit tomber quelques gouttes de sherry sur sa jupe. Leo renifla le breuvage avec intérêt.

– Quelle différence ça fait ? Annie était en train de mourir. Et pendant ce temps, on baisait, toi et moi, dans une grange sur la lande. Ce sont les faits. Il n'y a pas moyen de les enjoliver.

– Mais si elle t'avait dit...

– Non. Pas avec son amie.

Les yeux de Polly s'embuèrent mais elle ne pleura pas.

– Tu fermais les yeux ce jour-là, Colin. Tu tournais la tête de côté. Et après tu ne m'as plus jamais touchée ni adressé la parole pratiquement. Tu as décidé de me faire souffrir encore longtemps comme ça ? Et maintenant voilà que tu...

– Je quoi, maintenant ?

Elle baissa le nez.

– J'ai fait brûler du cèdre pour toi, Colin. J'ai mis les cendres sur sa tombe. J'ai mis la pierre aux anneaux au milieu des cendres. J'ai fait cadeau de cette pierre à Annie. Elle est posée sur sa tombe. Va voir si tu veux.

– Et maintenant, quoi ? répéta-t-il.

Elle se pencha, frottant sa joue contre la tête soyeuse du chien.

– Réponds-moi, Polly.

Elle se redressa.

– Maintenant tu me punis encore plus.

– Comment ça ?

– Et ce n'est pas juste parce que je t'aime, Colin. Je t'aimais la première. Je t'aime depuis plus longtemps qu'elle.

– Elle ? Qui ? Comment ça, je te punis ?

– Je te connais mieux que quiconque. Tu as besoin de moi. Tu finiras bien par t'en rendre compte un de ces jours. C'est Mr. Sage qui me l'a dit.

Cette phrase donna la chair de poule à Colin.

– Dit quoi ?
– Que tu avais besoin de moi. Que tu ne le savais pas mais que tu t'en apercevrais bientôt si je te restais fidèle. Et je te suis restée fidèle, Colin. Pendant toutes ces années. Je vis pour toi.
Cet aveu était moins important que ce qu'impliquait le *Mr. Sage me l'a dit*. Il lui fallait essayer d'en savoir davantage.
– Sage t'a parlé de Juliet, c'est ça ? questionna Colin. Qu'est-ce qu'il t'a dit ?
– Rien.
– Il t'a rassurée. En te disant quoi ? Qu'elle avait l'intention de rompre avec moi ?
– Non.
– Tu sais quelque chose.
– Non.
– Dis-le-moi.
– Il n'y a rien...
Il se mit debout. Il était à un mètre d'elle et malgré tout elle eut un mouvement de recul.
Leo leva la tête, oreilles dressées, et poussa un grognement sourd comme s'il sentait de l'orage dans l'air. Polly posa son verre de sherry devant l'âtre et le fixa, de peur sans doute qu'il ne s'envolât si elle le quittait des yeux.
– Que sais-tu sur Juliet ?
– Rien. Je viens de te le dire.
– Et sur Maggie ?
– Rien.
– Sur son père, alors ? Qu'est-ce que le pasteur t'a raconté ?
– Rien !
– Tu as l'air bien sûre de toi en ce qui nous concerne, Juliet et moi. Il t'a forcément dit quelque chose. Comment as-tu réussi à lui extorquer ces renseignements, Polly ?
Ses cheveux volèrent, balayant ses épaules, tandis qu'elle relevait brusquement la tête.
– Où veux-tu en venir ?
– Tu as couché avec lui ? Tu étais seule avec lui des heures durant au presbytère tous les jours. Tu lui as jeté un sort ?
– Jamais de la vie !
– Tu as trouvé un moyen de nous brouiller définitivement, Juliet et moi ? C'est lui qui t'en a suggéré un ?

– Non !

– Est-ce que c'est toi qui l'as tué, Polly ? Est-ce que tu t'es arrangée pour faire porter le chapeau à Juliet ?

Elle bondit sur ses pieds, mit les poings sur les hanches.

– Dommage que tu ne puisses t'entendre. C'est elle qui t'a ensorcelé, oui ! Tu lui manges dans la main, tu accours ventre à terre dès qu'elle te siffle. Mais la vérité, c'est qu'elle a assassiné le pasteur et qu'elle a réussi à s'en sortir blanche comme neige. Seulement tu es tellement aveuglé par le désir que tu ne te rends même pas compte qu'elle t'a manipulé.

– C'était un accident.

– C'était un meurtre, un meurtre, un meurtre. C'est elle qui a commis ce meurtre. Tout le monde ici le sait. Comment peux-tu être assez bête pour avaler les bobards qu'elle raconte... Bien sûr, c'est parce que tu couches avec elle. Ça aussi, c'est de notoriété publique. On sait même quand ça se passe. Si elle couche avec toi, pourquoi est-ce qu'elle n'aurait pas couché également avec notre pasteur bien-aimé ?

Le pasteur... le pasteur... Os, sang, coup de chaleur. Colin sentit ses muscles se crisper, la voix de sa mère criait *Non, Ken, pas ça !* Son bras se leva et il s'apprêta à frapper. Cœur battant à tout rompre dans la poitrine, impatient de cogner, de se venger...

Polly poussa un cri, recula. Sa botte rencontra le verre de sherry, qui heurta le pare-feu et se brisa. Le liquide se répandit et se mit à grésiller. Le chien aboya.

Colin quant à lui se tenait debout, prêt à frapper. Le passé et le présent lui sifflaient aux oreilles. Bras levé, traits convulsés dans une expression qu'il avait vue des centaines de fois sur un autre visage mais jamais encore sur le sien. Une expression qu'il s'était promis de ne jamais avoir. Parce qu'il ne pouvait être l'homme qu'il s'était juré de ne pas être.

Les aboiements de Leo se muèrent en jappements sauvages et craintifs.

– Du calme ! jeta sèchement Colin.

Polly se tassa, fit un nouveau pas en arrière. Sa jupe frôla les flammes. Colin l'empoigna par le bras pour l'éloigner du feu. Elle se dégagea d'une secousse. Leo recula. Ses griffes crissèrent sur le plancher.

Colin tendait la main à hauteur de la poitrine. Il fixa

ses doigts tremblants. Jamais il n'avait frappé une femme. Jamais il ne s'en serait cru capable. Son bras retomba.

– Polly.

– J'ai tracé le cercle pour toi. Et pour Annie.

– Polly. Je suis désolé. Je perds la boule. Je suis bouleversé.

Elle commença à boutonner son manteau. Il s'aperçut que ses mains tremblaient encore plus que les siennes et il fit un mouvement pour l'aider mais il s'immobilisa en l'entendant crier *Non!* comme si elle s'attendait à ce qu'il lui tape dessus.

– Polly...

– C'est elle qui te met les idées à l'envers, dit Polly. Mais tu ne t'en rends pas compte. Tu n'as pas envie de voir les choses comme elles sont. (Elle prit son foulard, s'efforça de le plier en triangle avant de se le poser sur la tête pour maintenir ses cheveux. Elle en noua les extrémités sous son menton. Elle passa devant lui sans un regard, ses bottes grinçant sur le parquet. Arrivée devant la porte, elle fit halte et dit sans se retourner :) Peut-être que tu baisais, ce jour-là, dans la grange. Mais moi, je faisais l'amour.

– Sur le canapé ? s'enquit Josie Wragg, estomaquée. Dans le séjour ? Alors que ta mère et ton père étaient là ? Ça, je le crois pas ! (Elle se plaqua contre la glace du lavabo pour se dessiner un trait d'eye-liner sur la paupière. Une goutte lui atterrit dans les cils avant de lui dégouliner dans l'œil. Elle cilla furieusement.) Aïe ! Ça pique ! La barbe ! Regarde-moi ce gâchis. (On aurait dit qu'elle s'était fait un œil au beurre noir. Prenant un Kleenex, elle frotta pour faire partir la tache et ne réussit qu'à s'en fourrer sur toute la joue.) T'as pas fait ça. Je te crois pas.

Assise en équilibre instable sur le rebord de la baignoire, Pam Rice souffla la fumée de sa cigarette au plafond, renversant langoureusement la tête en arrière en un geste emprunté à un vieux film américain. Bette Davis. Joan Crawford. Peut-être même Lauren Bacall.

– Tu veux voir les taches ? proposa Pam.

Josie fronça les sourcils.

– Quelles taches ?

Pam fit tomber sa cendre dans la baignoire et secoua la tête.

– Bon Dieu, mais tu débarques, Josephine.

– Pas du tout.

– Ah ouais ? Très bien. Alors dis-moi de quelles taches il s'agit.

Josie se concentra, réfléchissant. Maggie comprit qu'elle essayait de trouver une réponse adéquate tout en faisant mine de réparer les dégâts causés par l'eye-liner. C'était son second coup d'éclat en matière de maquillage, après le gâchis qu'elle avait fait, la veille, avec ses ongles. Elle s'était acheté un kit de faux ongles par correspondance parce que sa mère lui avait interdit d'aller s'en faire poser à Blackpool dans un institut de beauté. Conclusion, au lieu d'avoir des ongles lisses et effilés propres à rendre les hommes fous de désir, elle se retrouvait avec des doigts horriblement déformés.

Elles étaient au premier dans la salle de bains de Pam Rice, qui habitait une maison sans charme en face du *Crofters Inn.* Tandis qu'en bas, dans la cuisine, la mère de Pam faisait avaler aux jumeaux leur thé de l'après-midi composé d'œufs brouillés et de haricots servis sur toast, elles regardaient Josie tester ses derniers achats : un flacon à moitié plein d'eye-liner acheté à une gamine qui l'avait piqué à sa grande sœur.

– Du gin, déclara finalement Josie. Tout le monde sait que tu en bois. On a vu la bouteille.

Pam éclata de rire et refit son numéro avec la fumée. Puis elle expédia sa cigarette dans les toilettes, où celle-ci s'enfonça avec un petit grésillement. Elle resta sur le bord de la baignoire puis se pencha en arrière, les seins pointant vers le plafond. Elle portait encore son uniforme scolaire – elles étaient toutes les trois en uniforme –, mais elle avait retiré son pull et déboutonné son chemisier pour exhiber son décolleté et avait remonté ses manches. L'innocent chemisier blanc semblait n'attendre qu'une chose : qu'une main masculine l'arrache à sa propriétaire.

– J'ai envie de tirer un coup, fit-elle. C'est dingue. Si Todd n'est pas d'humeur, ce soir, je me fais un autre mec. (Elle tourna la tête vers Maggie, assise en tailleur par terre devant la porte.) Comment va Nick ? s'enquit-elle, mine de rien.

Maggie fit tourner sa cigarette entre ses doigts. Elle

avait tiré les six bouffées obligatoires sans avaler la fumée et attendait que le reste se consume pour pouvoir jeter le mégot dans les toilettes.

– Bien, dit-elle.

– C'est vrai qu'il en a une grosse ? poursuivit Pam, agitant la tête et faisant voler son rideau de cheveux blonds. Grosse comme un salami. C'est vrai ?

Maggie contempla le reflet de Josie dans la glace, comme pour lui lancer un muet appel au secours.

– Alors, c'en est ou pas ? dit Josie à Pam.

– Quoi ?

– La tache. C'est du gin ?

– Du sperme, laissa tomber Pam d'un air d'ennui.

– Du quoi ?

– Du jus.

– Du jus de quoi ?

– Merde, mais t'es débile ! La tache, c'est du foutre. C'est ce qui sort de son machin quand il lâche la purée à la fin. Tu y es, t'as compris ?

Josie étudia son reflet, se lançant dans une nouvelle tentative héroïque avec l'eye-liner.

– Oh, ça, dit-elle en trempant le pinceau dans le flacon. A t'entendre je croyais qu'il s'agissait de quelque chose de bien plus bizarre.

Pam attrapa son sac qui traînait par terre. Elle sortit ses cigarettes et en alluma une autre.

– Maman était dans tous ses états quand elle a vu ça ; je te dis pas, la crise. Elle s'est même penchée dessus pour renifler. Tu te rends compte ? Elle a commencé par me traiter de sale petite pute. Après elle m'a dit que j'étais une vraie salope, que j'étais prête à le faire avec tous les mecs. Et pour finir, elle a déclaré qu'elle était déshonorée, qu'elle pouvait plus se promener la tête haute dans le village. Et mon père non plus. Je me suis pas dégonflée. Je lui ai dit que si j'avais ma chambre à moi, je serais pas obligée d'utiliser le canapé et qu'elle aurait pas vu les taches. (Elle sourit et s'étira.) Parce que Todd, quand il est lancé, il peut tenir des heures. Et quand il lâche la purée, c'est pas à la petite cuillère. (Regard en dessous à Maggie.) Et Nick ?

– J'espère que tu prends des précautions, glissa Josie pour dispenser Maggie de répondre. Parce que si vous le faites aussi souvent que tu as l'air de le dire et qu'il te... *comble* à chaque fois, tu risques des ennuis, Pam Rice.

Pam, qui allait porter sa cigarette à ses lèvres, s'interrompit :

– Qu'est-ce que tu racontes ?

– Fais pas semblant de pas comprendre.

– Je fais pas semblant. Je comprends pas, Josie. Explique-toi.

Elle tira une longue bouffée mais Maggie s'aperçut que c'était surtout pour dissimuler son sourire.

Josie mordit à l'hameçon.

– Si tu as un... tu vois ce que je...

– Orgasme ?

– C'est ça.

– Eh bien ?

– Les petits trucs qui nagent te rentrent plus vite dans le corps. C'est pour ça qu'il y a des tas de femmes qui ont pas...

– D'orgasme ?

– Oui. Parce qu'elles veulent pas que les trucs leur rentrent dedans. Et aussi parce qu'elles arrivent pas à se détendre. Je l'ai lu dans un livre.

Pam poussa un hurlement. Descendant de son perchoir, elle ouvrit la fenêtre et se mit à brailler :

– Josephine Eugenia a un petit pois à la place de la cervelle.

Puis, se laissant glisser contre le mur, elle s'accroupit, pliée en deux de rire. Elle tira une nouvelle bouffée, s'interrompant bientôt pour pouffer de plus belle.

Maggie était contente qu'elle ait ouvert la fenêtre. Elle avait de plus en plus de mal à respirer. A cause de la fumée qui s'épaississait. Et aussi à cause de Nick. Elle aurait voulu dire quelque chose pour soutenir Josie, empêcher Pam de la chambrer. Mais elle avait peur que son intervention ne se retourne contre elle.

– La dernière fois que tu as lu quelque chose sur ce sujet, c'était quand ? questionna Josie en rebouchant le flacon d'eye-liner et en examinant le fruit de son travail dans la glace.

– J'ai pas besoin de lire. J'expérimente, moi, dit Pam.

– La recherche, c'est aussi important que l'expérimentation, fit Josie.

– Sans blague ? Quel genre de recherche ?

– Je suis pas idiote, je sais des choses.

Josie se mit à se peigner. En pure perte. Elle aurait bien mieux fait de ne pas se couper les cheveux seule.

– Ce que tu sais, tu l'as appris dans les bouquins.
– Et en observant.
– En observant qui ?
– Maman et Mr. Wragg.

La nouvelle parut intéresser Pam. Elle retira ses chaussures et replia ses jambes sous elle. Puis elle expédia sa cigarette dans les toilettes et ne moufta pas lorsque Maggie en profita pour faire de même.

– Comment ça, tu les observes ? fit-elle, les yeux brillants.

– J'écoute à la porte quand ils ont des rapports. Il arrête pas de dire : « Allez, Dora, viens, viens, bébé, viens, mon amour. » Et elle, elle fait pas un bruit. C'est comme ça que j'ai su que c'était pas mon père. (Pam et Maggie la regardant avec des yeux écarquillés, elle ajouta :) Ben, oui, quoi. Ça peut pas être lui. Il a jamais réussi à la... combler. Je suis fille unique. Née six mois après leur mariage. J'ai trouvé une vieille lettre d'un type qui s'appelle Paddy Lewis...

– Où ?

– Dans le tiroir où elle range ses culottes. Et je suis sûre qu'elle l'a fait avec lui. Et qu'il l'a comblée. Et pas qu'une fois. Avant qu'elle épouse Mr. Wragg.

– Combien de temps avant ?
– Deux ans.
– C'est long, pour une grossesse ! fit Pam.

– J'ai pas dit qu'ils l'avaient fait qu'une fois, Pam Rice. Ils le faisaient régulièrement deux ans avant qu'elle épouse Mr. Wragg. Et elle a gardé la lettre. Elle doit encore l'aimer.

– Mais tu es le portrait craché de ton père, objecta Pam.

– C'est pas mon...

– T'énerve pas. Tu ressembles comme deux gouttes d'eau à Mr. Wragg.

– C'est une coïncidence, observa Josie. Paddy Lewis et Mr. Wragg devaient se ressembler. Ça tient debout, comme raisonnement, non ? Elle a dû chercher quelqu'un qui lui rappelle Paddy.

– Alors le père de Maggie doit ressembler à Mr. Shepherd, décréta Pam. Tous les amants de sa mère devaient ressembler au père de Maggie.

– Pam, fit Josie d'un ton de reproche.

Il y avait des limites. Spéculer sur ses parents, c'était

une chose ; mais sur ceux des autres, non. Ça n'était pas correct. Non que Pam se souciât de savoir ce qui était correct avant d'ouvrir la bouche.

– Maman n'a jamais eu d'amant avant Mr. Shepherd, murmura Maggie.

– Elle en a eu au moins un, corrigea Pam.

– Non.

– Si. D'où crois-tu que t'es venue ?

– De mon père. Et de maman.

– Très juste. De son amant.

– De son mari.

– Ah ouais ? Comment il s'appelait ?

Maggie tira sur un fil de son tricot.

– Alors, comment il s'appelait ?

Maggie haussa les épaules.

– Tu le sais pas parce qu'il avait pas de nom. Ou alors peut-être qu'elle l'ignorait. Tu le sais pas parce que t'es une bâtarde.

– Pam !

Josie fit un pas en avant, son flacon d'eye-liner à la main.

– Quoi ?

– Surveille tes paroles.

Pam ramena ses cheveux en arrière d'un geste languissant.

– Arrête ton cinéma, Josie. Tu vas pas me dire que tu crois à toutes ces histoires de coureurs automobiles, de mamans qui foutent le camp et de papas qui cherchent leur petite fille bien-aimée pendant treize ans.

Maggie eut l'impression que la pièce doublait soudain de volume, qu'elle-même rétrécissait. Elle sentit comme un grand vide à l'intérieur, regarda Josie mais parvint tout juste à la distinguer, comme si elle la voyait à travers une sorte de brouillard.

– A supposer qu'ils aient été mariés, poursuivit Pam sur le ton de la conversation, ça m'étonnerait pas qu'elle lui ait foutu du panais dans sa soupe.

– Pam !

Maggie se hissa péniblement debout.

– C'est pas tout, mais faut que j'y aille. Maman va se demander où...

– T'as raison. Faudrait surtout pas que maman s'inquiète, coupa Pam.

Les manteaux gisaient en tas par terre. Maggie

récupéra le sien ; mais ses doigts lui refusant tout service, elle n'arriva pas à l'enfiler. Tant pis. De toute façon, elle était loin d'avoir froid. Au contraire.

Elle ouvrit la porte et descendit en hâte l'escalier. Dans son dos, Pam dit en riant :

– Nick Ware devrait faire gaffe. La mère de Maggie, c'est pas une femme qu'on a intérêt à contrarier.

Et Josie de répondre :

– Oh, la ferme, Pam ! (Avant de dévaler les marches à son tour, en criant :) Maggie !

Dans la rue, il faisait noir. Un vent froid venu de l'ouest soufflait, formant un tourbillon au cœur du village où se dressaient *Crofters Inn* et la maison de Pam. Maggie cilla et s'essuya les yeux, puis elle se mit en route.

– Maggie ! (Josie la rattrapa à moins de dix pas de chez Pam.) Faut pas faire attention. C'est vrai que j'ai parlé de ton père à Pam. Mais c'était avant qu'on se connaisse. Et je lui ai pas dit grand-chose, je te le jure.

– T'aurais pas dû lui en parler du tout. T'as eu tort.

Josie l'immobilisa.

– C'est vrai. Mais c'était pas pour me moquer. Je lui ai dit pour lui montrer qu'on avait un point commun, toi et moi.

– On se ressemble pas : Mr. Wragg est ton père et tu le sais.

– Oh, peut-être, oui. Tu parles d'une chance ! Maman se barre avec Paddy et moi je reste coincée à Winslough avec Mr. Wragg. Mais c'est pas ça que je voulais dire. Toi et moi, on se ressemble parce qu'on rêve. On pense à des trucs. Des trucs plus vastes que ce village. Je me suis servie de toi pour essayer de lui faire comprendre ce que j'avais dans la tête. Je lui ai dit, je suis pas la seule, Pamela. Maggie aussi pense à *son* père. Alors évidemment elle a voulu savoir à quoi tu pensais et je le lui ai dit. Je reconnais que j'ai eu tort. Mais je me moquais pas de toi.

– Elle est au courant, pour Nick.

– Ça, c'est pas grâce à moi. Je ne lui en ai jamais dit un mot.

– Alors pourquoi est-ce qu'elle m'asticote ?

– Parce qu'elle croit savoir quelque chose. Et qu'elle espère réussir à te faire parler.

Maggie scruta le visage de sa copine. Il n'y avait pas

beaucoup de lumière mais Josie semblait parfaitement sincère. Elle avait l'air un peu bizarre aussi. L'eye-liner n'avait pas fini de sécher quand elle avait ouvert les yeux après l'avoir appliqué et ses paupières étaient pleines de noir.

– Je lui ai pas parlé de Nick, répéta Josie. Nick, c'est un secret entre toi et moi.

Maggie baissa le nez sur ses chaussures éraflées. Son collant marine était maculé de boue.

– Je t'assure que c'est vrai, Maggie.

– Il est passé chez moi hier soir. On... on a recommencé. Maman est au courant.

– Sans blague ! (Josie l'empoigna par le bras et, lui faisant traverser la rue, l'entraîna vers le parking. Les deux adolescentes contournèrent une Bentley gris métallisé et prirent le sentier menant à la rivière.) Tu ne me l'avais pas dit.

– Je voulais t'en parler. J'ai attendu toute la journée. Mais Pam s'est incrustée.

– Celle-là, alors, pesta Josie tandis qu'elles franchissaient le petit portail. C'est un vrai pot de colle. Elle a pas son pareil pour flairer les ragots.

Un étroit sentier partant de l'auberge descendait en pente douce vers le cours d'eau. Josie prit les devants. Quelque trente mètres plus loin se dressait une vieille glacière construite à un endroit où la rivière, plongeant abruptement dans une chute de calcaire, expédiait des gerbes d'écume qui rafraîchissaient l'air même par les jours d'été les plus torrides. Elle était bâtie dans la même pierre que le reste du village et, comme les autres constructions de Winslough, elle avait un toit d'ardoise. Mais elle ne possédait pas de fenêtres, seulement une porte, dont Josie avait depuis longtemps cassé la serrure pour transformer la glacière en forteresse imprenable.

Elle se glissa à l'intérieur.

– Une minute.

Josie tâtonna dans le noir, se cogna puis craqua une allumette, faisant jaillir la lumière. Maggie rejoignit son amie.

Une lanterne posée sur un tonneau crachotait une faible lumière dorée. La lueur jaune éclairait un rectangle de tapis fort usé par endroits, deux tabourets pour la traite, un lit de camp recouvert d'un édredon violacé et une barrique surmontée d'une glace. La barrique tenait visiblement lieu de coiffeuse et Josie y posa le flacon d'eye-liner à côté du mascara de contrebande, du blush, du rouge à lèvres, du vernis à ongles et de la mousse pour les cheveux.

Prenant un spray d'eau de toilette, elle en vaporisa abondamment les murs et le sol en une généreuse offrande aux déesses des cosmétiques. Mais le but de la manœuvre était surtout de masquer l'odeur de renfermé et de moisi qui flottait dans l'air.

– Tu veux une clope ? s'enquit-elle après s'être assurée que la porte était bien refermée.

Maggie déclina d'un signe de tête. Elle frissonnait. Si la glacière avait été construite à cet endroit, c'était qu'il y avait de bonnes raisons à cela.

Josie alluma une Gauloise, prise dans un paquet caché au milieu de ses produits de beauté. Puis elle se laissa tomber sur le lit.

– Qu'est-ce qu'elle a dit, ta mère ? Et comment est-ce qu'elle s'en est aperçue, d'abord ?

Maggie approcha un tabouret de la lanterne.

– Je sais pas. Mais elle a tout de suite compris. Comme la fois d'avant.

– Et alors ?

– Je me fiche de ce qu'elle pense. Je continuerai. Je l'aime.

– Elle peut pas te suivre partout, quand même, fit Josie, allongée sur le dos, un bras sous la tête. (Elle plia ses genoux osseux, croisa une jambe par-dessus l'autre, remuant le pied.) T'en as de la chance. (Gros soupir. Le bout de sa cigarette rougeoya.) Est-ce qu'il... est-ce qu'il te... est-ce que tu es comblée ?

– Je sais pas. Ça va vite.

– Oh. Mais est-ce qu'il a... Tu vois ce que je veux dire ? Est-ce qu'il en a...

– Oui.

– Nom de Dieu. Pas étonnant que t'aies envie de continuer à le voir. (Elle s'enfonça dans l'édredon et tendit les bras à un amant invisible.) Prends-moi, chéri. Viens. Je t'attends. Je suis prête. (Elle roula sur le côté.) Tu fais gaffe, j'espère ?

– Pas vraiment.

Josie ouvrit des yeux grands comme des soucoupes :

– Maggie ! T'es folle ! Faut que tu prennes des précautions. Ou alors que lui se charge d'en prendre. Est-ce qu'il a un imperméable ?

Maggie inclina la tête, surprise par l'incongruité de la question. Un imperméable? Pourquoi diable...

– Je crois pas. Où est-ce qu'il...? Il doit avoir un K-Way, mais...

Josie se mordit la lèvre sans parvenir à dissimuler complètement un sourire.

– C'est pas de ce genre d'imperméable que je te parle. Les capotes, les préservatifs, tu sais pas ce que c'est?

Maggie remua, mal à l'aise, sur son siège.

– Bien sûr que si.

– Bon. C'est un machin en caoutchouc qu'il se met sur le truc avant de te l'enfoncer dedans. Pour que tu tombes pas enceinte. Il en met un ou il en met pas?

– Oh, fit Maggie, tortillant une mèche de cheveux. Ce machin-là. Non. Je veux pas qu'il s'en serve.

– Tu veux pas... Mais t'es tombée sur la tête. Il faut absolument qu'il en mette un.

– Pourquoi?

– Parce que sinon tu vas te retrouver avec un bébé.

– Mais t'as dit tout à l'heure que pour être enceinte, il fallait qu'une femme soit...

– Peu importe ce que j'ai dit. Il y a toujours des exceptions. Et la preuve, c'est que je suis là! Maman haletait et gémissait dans les bras de Paddy Lewis, mais il n'empêche que je suis née alors qu'elle était froide comme un glaçon dans ceux de Mr. Wragg. Ça prouve que tout peut arriver. Qu'on soit comblée ou non.

Maggie réfléchit.

– Tant mieux.

– Tant mieux? Mais Maggie, bordel...

– Je veux un bébé. Je veux un bébé de Nick. S'il essaie de mettre une capote, je l'en empêcherai.

Josie la fixa, les yeux dilatés.

– Tu n'as même pas quatorze ans.

– Et alors?

– Tu peux pas être mère avant d'être sortie de l'école.

– Pourquoi pas?

– T'en feras quoi, du bébé? Où est-ce que tu iras?

– Nick et moi, on se mariera. Après, on aura le bébé. On formera une famille.

– C'est pas possible. C'est pas ce que tu souhaites.

Maggie sourit de plaisir.

– Mais si.

10

– Seigneur Dieu, murmura Lynley, saisi par la chute soudaine de la température lorsqu'il passa du pub à la salle à manger du *Crofters Inn*.

Autant, dans le pub, la vaste cheminée avait réussi à dispenser suffisamment de chaleur pour qu'on se sentît bien, autant le chauffage central poussif de la salle à manger permettait tout juste aux dîneurs de ne pas mourir de froid. Il rejoignit Deborah et Saint James à leur table d'angle, baissant la tête chaque fois qu'il passait sous l'une des grandes poutres de chêne. Les Wragg avaient obligeamment approché de la table un radiateur électrique d'appoint, d'où s'échappaient de maigres filets de chaleur qui leur léchaient les chevilles.

Il y avait assez de tables nappées de blanc et recouvertes de couverts et de verres bon marché pour accueillir une trentaine de convives. Mais ils étaient seuls tous les trois dans la grande pièce pour admirer les œuvres d'art qu'elle contenait. Il s'agissait d'une série de gravures encadrées d'une baguette dorée représentant des scènes qui avaient rendu le Lancashire célèbre : l'assemblée du Vendredi Saint à Malkin Tower et les accusations de sorcellerie qui avaient précédé et suivi cette réunion. L'artiste avait représenté les principaux protagonistes de façon extraordinairement subjective. Roger Nowell, le magistrat, avait le torse puissant et l'air impitoyable convenant à sa fonction; ses traits exprimaient une colère vertueuse et la puissance de la justice chrétienne. Chattox était décrépit à souhait, ratatiné, vêtu de loques. Elizabeth Davies, les yeux roulant dans les orbites, était si difforme, si disgraciée qu'on ne pouvait que trouver normal qu'elle eût vendu son âme au diable pour un baiser. Les autres formaient un groupe lubrique d'adorateurs du démon. A l'exception d'Alice Nutter, qui se tenait à l'écart, paupières baissées, muette, gardant le silence jusqu'à la tombe. Seule sorcière parmi eux à être issue d'un milieu aisé.

– Ah, fit Lynley, dépliant sa serviette après avoir jeté un coup d'œil aux gravures. Les célébrités du Lancashire. Je sens que ça va être un dîner-débat. Etaient-ce ou n'étaient-ce pas des sorcières ?

– Tu n'as pas peur que ces histoires nous coupent l'appétit au lieu de l'aiguiser ? dit Saint James en versant à son ami un verre de pouilly fumé.

– Il y a du vrai dans ce que tu dis, Simon. Pendre des gamines demeurées et des vieilles femmes sans défense, sous prétexte qu'un vieillard a fait une attaque d'apoplexie, voilà qui donne à réfléchir. On se demande comment on peut boire, manger et faire la fête à côté de ces gravures.

– Je sais qu'il s'agit de sorcières, Tommy, fit Deborah tandis que Lynley buvait une gorgée de vin et s'emparait d'un petit pain que Josie avait déposé quelques instants plus tôt sur la table. Mais je suis incapable de mettre un nom sur leur visage. Tu les reconnais, toi ?

– Oui, parce que ce sont des caricatures. Mais si le peintre les avait représentés de façon plus réaliste, je pense que je ne m'y retrouverais pas plus que toi. (Lynley tendit son couteau à beurre vers la paroi.) Tu as là le magistrat et ceux qu'il a jugés. Demdike et Chattox – tout ratatinés. Alizon et Elizabeth Davies, le couple mère-fille. Les autres, ma foi, je les ai oubliés. A l'exception d'Alice Nutter. Celle qui paraît complètement déplacée au milieu des autres.

– Est-ce qu'elle n'a pas un air de ressemblance avec ta tante Agatha ?

Lynley, qui beurrait son petit pain, immobilisa son geste pour mieux examiner Alice Nutter.

– C'est juste. Le nez est identique, décréta-t-il avec un sourire. Dorénavant, j'y regarderai à deux fois avant d'aller réveillonner chez ma tante. Dieu sait ce qu'elle est capable de nous servir en guise de bière de Noël.

– C'est à ça qu'ils s'amusaient ? Concocter des potions ? Jeter des sorts ? Faire pleuvoir des crapauds ?

– Les crapauds, c'est plutôt une coutume australienne, non ? dit Lynley.

Il passa les autres gravures en revue tout en mâchonnant son petit pain et battit le rappel de ses souvenirs.

A Oxford, il avait rédigé une dissertation sur la sorcellerie au XVIIe siècle. Il se souvenait parfaitement de l'assistante qui leur avait fait un cours là-dessus – vingt-six ans, féministe enragée, d'une beauté à couper le souffle et à peu près aussi facile à aborder qu'un requin en train de casser la croûte.

– On pourrait parler d'effet domino, poursuivit-il. L'une de ces femmes avait cambriolé Malkin Tower, où vivait une des autres, et elle n'avait rien trouvé de mieux que de parader dans les rues, vêtue d'un vêtement volé. Lors de sa comparution devant le magistrat, elle se défendit en accusant la famille qui habitait Malkin Tower de pratiquer la sorcellerie. Le magistrat aurait pu conclure qu'elle essayait de faire porter le chapeau à quelqu'un d'autre ; mais quelques jours plus tard, Alizon Davies, de Malkin Tower, maudit un homme qui fit une attaque d'apoplexie deux minutes plus tard. Il n'en fallait pas davantage pour que la chasse aux sorcières démarre.

– Et ce fut une chasse fructueuse, remarqua Deborah en examinant à son tour les gravures.

– Ça, oui. Interrogées par le magistrat, les femmes commencèrent à avouer toutes sortes de crimes extravagants. Elles déclarèrent avoir des démons familiers logés dans le corps de chats, de chiens et d'ours. Façonner des figurines en argile à l'effigie de leurs ennemis, dans lesquelles elles enfonçaient des épingles. Faire mourir les vaches. Faire tourner le lait. Gâter la bière...

– Ça, c'est un crime sérieux qui mérite d'être puni, observa Saint James.

– Est-ce qu'il y avait des preuves ? s'enquit Deborah.

– Si les chuchotements d'une vieille femme à son chat peuvent être considérés comme des preuves.

– Mais pourquoi ont-elles avoué, alors ?

– La pression sociale. La peur. C'étaient des femmes simples, sans éducation, qui se sont trouvées confrontées à un homme d'un tout autre milieu. On leur avait appris dès l'enfance à courber la tête devant leurs supérieurs – métaphoriquement parlant. C'est ce qu'elles ont fait.

– Même si cela devait entraîner leur mort ?
– Oui.
– Mais elles auraient pu nier. Se taire.
– C'est ce qu'a fait Alice Nutter. Ce qui ne l'a pas empêchée d'être pendue avec les autres.

Deborah fronça les sourcils.

– Drôle d'idée d'accrocher des gravures pareilles au mur.

– Le tourisme, dit Lynley. Les gens paient bien pour voir le masque mortuaire de Mary Stuart.

– Sans parler des coins les plus sinistres de la tour de Londres, renchérit Saint James.

– Pourquoi aller admirer les joyaux de la Couronne quand on peut voir le billot ? ajouta Lynley. Le crime ne paie pas mais la mort agit sur les gens comme un aimant.

– Tu fais de l'ironie, j'imagine. Toi qui as effectué au moins cinq pèlerinages à Bosworth [1] le 22 août, laissa tomber Deborah. Un vieux champ, situé au diable, où l'on boit de l'eau de puits en jurant au spectre de Richard qu'on se serait battu pour les York ?

– Ce n'est pas de mort qu'il s'agit, rétorqua Lynley avec dignité tout en levant son verre à sa santé. Mais d'histoire. Il faut bien que certains remettent les pendules à l'heure.

La porte de la cuisine s'ouvrit et Josie Wragg leur apporta les entrées, en marmonnant : « Saumon fumé. Terrine. Crevettes. » Tout en déposant les assiettes sur la table. Après quoi, elle dissimula le plateau et ses mains derrière son dos.

– Vous avez assez de pain ? lança-t-elle à la cantonade tout en examinant Lynley à la dérobée.

– Oui, dit Saint James.
– Encore un peu de beurre, peut-être ?
– Non, merci.
– Le vin vous convient ? Mr. Wragg en a une cave pleine, au cas où celui-ci serait passé. Ce sont des choses qui arrivent, vous savez. Faut faire attention. Si on le range pas correctement, le bouchon sèche, l'air entre et le vin prend un drôle de goût.

1. Localité du Leicestershire, près de laquelle Richard III fut tué le 22 août 1484 par Henry Tudor, ce qui mit fin à la guerre des Deux-Roses et au règne des Plantagenêts. *(N.d.T.)*

– Le vin est parfait, Josie. Nous attendons le bordeaux avec impatience.

– Mr. Wragg est un connaisseur, dit-elle en se penchant pour se gratter la cheville. Vous n'êtes pas ici en vacances, si ? demanda-t-elle à Lynley, n'y tenant plus.

– Pas vraiment.

S'étant redressée, elle remit le plateau derrière son dos.

– C'est bien ce que je pensais. Maman m'a dit que vous étiez détective, que vous veniez de Londres. Au début, j'ai pensé que vous lui apportiez des nouvelles de Paddy Lewis. Qu'elle voulait pas que ça me revienne aux oreilles. Des fois que j'irais tout rapporter à Mr. Wragg. Mais moi, jamais j'irais cafter. Même si elle décidait de filer avec lui – je veux dire avec Paddy – et de me laisser à Winslough avec Mr. Wragg. L'amour, le vrai, je sais ce que c'est. Seulement vous êtes pas ce genre de détective, hein ?

– Quel genre ?

– Le genre qu'on voit à la télé. Qu'on engage pour faire des recherches.

– Les détectives privés ? Non.

– Au début, j'ai cru que vous en étiez un. Et puis je vous ai entendu parler au téléphone. C'est pas que je vous espionnais, seulement votre porte était entrebâillée et je mettais des serviettes propres dans les chambres, alors je... j'ai entendu ce que vous disiez. C'est la mère de ma meilleure copine. Elle ne lui voulait pas de mal. C'est comme si en faisant des conserves quelqu'un avait mis un truc qu'il fallait pas et que des gens soient tombés malades en les mangeant. Imaginez des gens qui ont acheté des pots de confiture dans une kermesse. De la fraise ou du cassis. Ils les rapportent chez eux, ils en mettent sur leurs toasts au petit déjeuner. Et ils s'intoxiquent. Tout le monde sait que c'est un accident. Vous voyez ?

– Ça peut se produire, bien sûr.

– Et c'est ce qui est arrivé à Winslough. Sauf que c'était pas dans une kermesse. Et que c'étaient pas des conserves. Ni des confitures.

Aucun d'entre eux ne broncha. Saint James faisait tourner son verre entre ses doigts. Lynley avait cessé d'émietter son petit pain. Deborah attendit qu'ils se décident à parler. Comme ils restaient muets, Josie enchaîna :

– Je vous dis ça parce que Maggie est ma meilleure amie. Et que c'est la première fois que j'ai une vraie copine. Sa mère fréquente pratiquement personne au village. Les gens trouvent ça bizarre. Mais y z'ont tort.

Lynley hocha la tête.

– Oui.

– Bon, ben... (Elle inclina la tête et l'espace d'un instant parut sur le point de les gratifier d'une révérence. Au lieu de quoi, elle recula vers la porte de la cuisine.) Vous devez avoir envie de commencer à manger. La terrine, c'est une recette de maman. Et le saumon fumé est extra. Si vous avez besoin de quoi que ce soit...

La porte se referma derrière elle.

– C'est Josie, dit Saint James. Au cas où tu n'aurais pas compris. Elle défend la thèse de l'accident comme tu as pu le constater.

– En effet.

– Qu'est-ce que le sergent Hawkins t'a raconté ? Je suppose que c'est à cette conversation que la petite faisait allusion à l'instant.

– Exact. (Lynley embrocha un morceau de saumon et fut agréablement surpris de constater qu'il était effectivement de la plus grande fraîcheur.) Il m'a reprécisé qu'il avait exécuté les ordres de Hutton-Preston. C'est du fait de l'intervention du père de Shepherd que Hutton-Preston s'est trouvé mis dans le coup et, pour Hawkins, à partir de là, tout a été fait dans les règles. Il soutient donc Shepherd à fond et, bien sûr, il n'est pas très content de nous voir mettre notre nez dans cette affaire.

– Ça se comprend. Il est responsable de Shepherd, après tout. Si les compétences du constable du village sont mises en cause, ça risque de mettre Hawkins dans une situation embarrassante.

– Il a également tenu à me faire savoir que l'évêque de Sage s'était déclaré parfaitement satisfait de l'investigation, de l'enquête du coroner et du verdict.

– Il a assisté à l'enquête du coroner ? questionna Saint James, levant le nez de ses crevettes.

– Il a délégué quelqu'un de chez lui. Hawkins a eu l'air de dire que si l'investigation et l'enquête du coroner avaient eu la bénédiction de l'Eglise, il n'y avait pas de raison qu'elles n'aient pas celle du Yard.

– Il refuse de coopérer, alors ?

Lynley piqua une nouvelle bouchée de saumon avec sa fourchette.

– Ce n'est pas une question de collaboration, Saint James. Il sait que l'investigation a été menée de façon quelque peu irrégulière et que la seule façon de défendre ses méthodes, le constable et lui-même, c'est de nous permettre de prouver que leurs conclusions sont correctes. Mais évidemment, il ne se réjouit pas à l'idée que nous allons piétiner ses plates-bandes.

– Ces messieurs vont faire une encore plus sale tête quand nous examinerons de plus près l'état de Juliet Spence la nuit du drame.

– Quel état ? voulut savoir Deborah.

Lynley lui résuma ce que le constable leur avait dit à propos des malaises de Juliet Spence la nuit où le pasteur était mort. Il lui expliqua les relations qui unissaient le constable à Mrs. Spence. Et il conclut :

– Si ça se trouve, Saint James, tu m'as fait venir ici pour rien. Certes, ça fait mauvais effet que Colin Shepherd se soit occupé lui-même de l'affaire avec l'aide sporadique de son père et l'intervention rapide, sur les lieux du crime, des enquêteurs du CID de Clitheroe. Mais si Juliet Spence a, elle aussi, été malade, cela donne à la théorie de l'accident plus de poids que nous ne l'imaginions au départ.

– A moins, intervint Deborah, que le constable ne mente pour la protéger et qu'elle n'ait pas été souffrante du tout.

– C'est évidemment une possibilité à ne pas négliger. Même si elle suggère une complicité. Seulement, si Mrs. Spence n'avait pas de raison d'assassiner Sage – ce qui reste encore à démontrer –, quel mobile les aurait poussés, Shepherd et elle, à vouloir la mort du pasteur ?

– Il n'y a pas que le problème du mobile, fit Saint James en repoussant son assiette. Ses malaises, cette nuit-là, ont quelque chose de bizarre.

– Comment cela ?

– Shepherd nous a affirmé qu'elle avait vomi à plusieurs reprises. Et aussi qu'elle avait une fièvre de cheval.

– Et alors ?

– Ce ne sont pas là les symptômes d'un empoisonnement à la ciguë.

Lynley joua un instant avec son dernier morceau de saumon, l'arrosa de citron sans pour autant se résoudre à le manger.

Après leur conversation avec le constable Shepherd, il avait été tenté de considérer comme dénuées de fondement les questions que Saint James se posait à propos de la mort de Sage. En fait, il avait été à deux doigts de se dire qu'il avait fait le voyage de Londres pour rien si ce n'est pour se calmer les nerfs après sa dispute avec Helen. Mais maintenant...

– Je t'écoute.

Saint James énuméra les symptômes de l'empoisonnement par la ciguë. Sécrétions salivaires exagérées. Agitation. Convulsions. Douleurs abdominales. Dilatation de la pupille ou mydriase. Delirium. Insuffisance respiratoire. Paralysie complète.

– C'est une substance qui agit sur le système nerveux central, conclut-il. Une simple bouchée suffit à tuer un homme.

– Autrement dit, Shepherd ment ?

– Pas forcément. N'oublie pas qu'elle est herboriste. Je tiens ça de Josie.

– Je sais, tu me l'as dit ce matin au téléphone. C'est en grande partie pour ça que je me suis précipité au volant de la Bentley. Mais je ne vois pas...

– Les plantes, c'est comme les médicaments, Tommy. Elles possèdent toutes sortes de propriétés curatives. Certaines stimulent la circulation, agissent sur le cœur, d'autres ont un effet calmant, etc. A l'instar des produits fournis par un pharmacien, lesquels ont été prescrits par un médecin.

– Tu essaies de me dire qu'elle s'est administré quelque chose pour se rendre malade ?

– Une substance qui a fait grimper sa température et provoqué des vomissements.

– Mais ne peut-on imaginer qu'elle ait avalé de la ciguë en croyant manger du panais, qu'elle ait commencé à avoir des malaises après le départ du pasteur et qu'elle se soit ensuite préparé un purgatif pour soulager la douleur, sans pour autant faire le lien entre ses malaises et l'ingestion de ce qu'elle croyait être du panais ? Cela expliquerait ses vomissements répétés et la fièvre.

– C'est possible, oui. Peu probable, mais possible. Pourtant si c'est le cas, et je ne parierais pas ma chemise là-dessus, Tommy, et compte tenu de la rapidité avec laquelle la ciguë d'eau agit sur le système, est-ce qu'elle n'aurait pas dit au constable qu'elle s'était purgée après avoir mangé quelque chose qui n'était pas passé ? Et est-ce que le constable ne nous aurait pas retransmis l'information aujourd'hui ?

Lynley se replongea dans l'examen des gravures. Etudiant Alice Nutter, murée dans un silence obstiné, le teint de plus en plus cireux. Femme de secrets, elle les avait tous emportés dans la tombe. Qu'est-ce qui l'avait poussée à tenir ainsi sa langue ? L'orgueil ? La colère d'avoir été piégée par un magistrat avec lequel elle s'était disputée ? Personne ne le savait. Mais dans un village isolé, il était normal qu'il y eût une aura de mystère autour d'une femme qui avait des secrets et refusait de les partager. Et on faisait toujours payer à ce type de femmes ce qu'elles ne voulaient pas divulguer.

– De toute façon, dit Saint James, il y a quelque chose qui ne colle pas. D'après moi, Juliet Spence a cueilli la ciguë d'eau en connaissance de cause et elle l'a fait cuire dans l'intention d'en faire manger au pasteur. Cela pour une raison que j'ignore.

– Et si elle n'avait pas de raison ? suggéra Lynley.

– C'est que quelqu'un d'autre en avait une.

Après le départ de Polly, Colin Shepherd but son premier whisky. Faut que j'empêche mes mains de trembler, songea-t-il. Il l'avala d'un trait et l'alcool descendit comme une traînée de feu dans son gosier. Mais à peine avait-il reposé son verre qu'il éprouva le besoin de se resservir. La carafe heurta de nouveau le gobelet.

Le deuxième, il le but pour évoquer certains détails du passé. La Pierre de Fourstones, puis la grange de Back End. La Pierre était une curiosité du coin qui se dressait à quelques kilomètres de Winslough. C'était là-bas qu'ils étaient allés pique-niquer en ce beau jour de printemps, alors que le vent rude des landes n'était qu'une douce brise et que le ciel ponctué de rares moutons brillait d'un bleu éclatant. Une fois le déjeuner terminé et le vin bu, la grange de Back End avait été le but de leur promenade. C'était Polly qui avait eu l'idée de faire une balade. Mais c'était lui qui avait choisi la destination en connaissance de cause. Lui qui arpentait la lande depuis l'enfance. Lui qui savait le moindre cours d'eau, connaissait le nom de chaque colline, et l'emplacement de chaque tas de pierres. Il était allé droit à la grange et c'était encore lui qui avait suggéré à Polly de jeter un coup d'œil à l'intérieur.

Le troisième whisky, il l'avala pour bien se rappeler ce fameux jour. L'écharde lui entrant dans l'épaule tandis qu'il poussait la porte et l'ouvrait. L'odeur forte des moutons et les brins de laine accrochés au mortier entre les pierres du mur. Les deux rais de lumière qui tombaient des trous dans le vieux toit d'ardoise, formant un V où Polly était allée se placer en disant :

– On dirait un projecteur, Colin.

Lorsqu'il ferma la porte, le reste de la grange disparut. Il ne resta plus que ces deux traits de soleil dorés, à la jonction desquels se tenait Polly.

Elle regarda la porte, le regarda, lui. Puis elle passa ses mains sur sa jupe et dit :

– C'est une cachette idéale. Une fois que la porte est fermée et tout. Vous venez ici, Annie et toi ? Vous y veniez, je veux dire ? Avant ?

De la tête, il fit non. Sans doute crut-elle qu'il était trop préoccupé par ce qui l'attendait à Winslough pour parler, car impulsivement elle proposa :

– J'ai apporté les pierres. Je vais les lancer.

Sans lui laisser le temps de réagir, elle s'agenouilla par terre et sortit de la poche de sa jupe un petit sachet de velours noir sur lequel étaient brodées des étoiles rouge et argent. Elle dénoua les cordons et fit tomber les huit runes dans sa paume.

– Je n'y crois pas, à ce truc-là.

– C'est parce que tu ne comprends pas comment ça marche. (Elle s'accroupit sur les talons et tapota le sol à côté d'elle. C'était de la pierre inégale criblée de traces de sabots de moutons et sale. Il s'agenouilla près d'elle.) Que veux-tu savoir ?

Il ne répondit pas.

Les cheveux de Polly ressemblaient à une flamme dans la lumière. Ses joues étaient cramoisies.

– Allons, Colin. Il doit bien y avoir quelque chose que tu as envie de savoir.

– Rien.

– Ce n'est pas possible.

– Si.

– Alors je vais les lancer pour moi. (Elle secoua les pierres dans sa main comme des dés et ferma les yeux, la tête inclinée sur le côté.) Voyons, quelle question vais-je poser ? (Les pierres s'entrechoquèrent. Finalement, elle dit dans un souffle :) Est-ce que je rencontrerai l'amour de ma vie à Winslough ? (A Colin, avec un sourire malicieux :) Parce que, s'il est là, il tarde à se faire connaître. (D'un rapide mouvement de poignet, elle lança les pierres sur le sol où elles cliquetèrent. Trois runes laissèrent apparaître leur face gravée. Polly se pencha et, l'air ravi, se plaqua les mains contre la poitrine.) Bon présage. La pierre aux anneaux. Celle qui parle d'amour et de mariage. Et à côté, la pierre de la chance. Qui ressemble à un épi de blé. Symbole de richesse. Et les trois oiseaux en vol, tout à côté de moi. Ils indiquent un changement soudain.

– Conclusion, tu vas te marier très vite avec quelqu'un qui a du fric ? Townley-Young, alors.

Elle éclata de rire.

– Ça ne lui ferait pas plaisir, à Mr. St. John, s'il savait ça. (Elle ramassa les pierres.) A toi.

Ça n'avait pas de sens. Il n'y croyait pas. Pourtant il posa la seule question qui le préoccupait. Celle qu'il se posait chaque matin au réveil, et chaque soir quand il se décidait à aller se coucher.

– Est-ce que la nouvelle chimiothérapie d'Annie va lui faire du bien ?

Polly fronça les sourcils.

– C'est ça, ta question, tu en es sûr ?

– Lance les pierres.

– Non. C'est celui qui pose la question qui lance les runes.

Ce qu'il fit, les lançant loin de lui, comme elle l'avait fait. Une seule face décorée apparut sur laquelle figurait un H noir.

Elle regarda les runes éparpillées sur le sol. Il la vit rassembler le tissu de sa jupe de la main gauche. Elle se pencha comme pour ramasser les pierres.

– On ne peut pas lire les runes quand il n'y a qu'une face gravée. Il va falloir que tu recommences.

Il lui attrapa le poignet.

– C'est faux. Dis-moi ce que ça signifie.

– Rien. Avec une seule pierre, on ne peut rien lire.

– Arrête de mentir.

– Je ne mens pas.

– C'est non, n'est-ce pas ? Seulement ce n'était pas la

peine de poser la question. La réponse, on la connaissait déjà.

Il lui lâcha la main.

Elle ramassa les pierres une à une et les remit dans leur petit sac, ne laissant sur le sol que la noire.

– Ça signifie quoi ? questionna-t-il de nouveau.

– Le chagrin, fit-elle à voix basse. La séparation.

– Bien, je vois.

Levant la tête, il contempla le plafond, s'efforçant de compter les ardoises qui manquaient. Vingt ? Trente ? Est-ce qu'il serait possible de les remettre ? Est-ce que le toit ne céderait pas carrément si on montait dessus pour essayer de le réparer ?

– Excuse-moi, dit Polly. Je suis idiote d'avoir fait ça. J'aurais dû réfléchir.

– Ce n'est pas ta faute. Elle est en train de mourir. Et nous le savons tous les deux.

– Moi qui voulais que tu passes une bonne journée, que tu te changes les idées. Que tu oublies tout ça pendant quelques heures. Je ne sais pas ce qui m'a pris : il a fallu que je sorte ces pierres, que... J'aurais dû me douter que tu poserais cette question. Quelle autre question aurais-tu pu poser... Je suis débile. Complètement débile.

– Arrête.

– Je n'ai fait que remuer le couteau dans la plaie. Maintenant, c'est pire.

– Ça ne peut pas être pire.

– Si. La preuve.

– Cesse de te mortifier.

– Oh, Col...

Baissant la tête, il fut tout surpris de retrouver son chagrin sur le visage de Polly. Ses yeux étaient les siens, ses larmes les siennes, les rides et les ombres qui trahissaient sa souffrance étaient gravées sur les traits de la jeune fille.

Il se dit, non, je ne peux pas, au moment même où il tendait la main vers son visage. Il se dit, non, je ne dois pas, alors qu'il commençait à l'embrasser. Il pensa, Annie, Annie, alors qu'il la couchait sur le sol, il sentit sa bouche chercher les seins qu'elle avait dénudés pour lui – dénudés pour lui – tandis que ses mains se glissaient sous sa jupe pour lui retirer sa culotte, tandis qu'il ôtait son pantalon, l'attirait contre lui, tout contre lui, la désirant, désirant sa chaleur, si douce. Et Polly avait été étonnante, non pas timide comme il l'avait cru, mais ouverte, offerte, l'aimant, suffoquant d'abord de surprise devant la nouveauté, l'étrangeté, puis bougeant au même rythme que lui, se pressant à sa rencontre, caressant son dos nu, lui emprisonnant les fesses et le forçant à pénétrer plus profond en elle à chaque coup de reins, à s'enfoncer plus avant, et pendant tout ce temps le fixant de ses yeux humides de bonheur et d'amour, tandis qu'il puisait des forces dans sa chaleur, dans la moiteur de la prison soyeuse qui le happait, l'engloutissait alors que le désir grondait en lui, grondait, et qu'il criait : « Annie ! Annie ! » au moment où il atteignait l'orgasme dans le ventre de l'amie d'Annie.

Colin but un quatrième whisky pour essayer d'oublier. Il aurait voulu rejeter le blâme sur elle mais savait que c'était lui le responsable. Salope, songea-t-il. Elle n'avait même pas eu la décence de le repousser. Il n'avait pas eu à la forcer, elle était prête, elle n'avait pas essayé de l'arrêter, elle avait même retiré son chemisier et ôté son soutien-gorge, et lorsqu'elle avait compris qu'il voulait la pénétrer, elle l'avait laissé faire sans un murmure de protestation. Et après, elle n'avait pas manifesté de regret.

Seulement il avait vu son expression lorsqu'il avait ouvert les yeux après avoir crié le nom d'Annie. Il avait mesuré l'ampleur du coup qu'il lui avait porté. Et égoïstement, il s'était dit que c'était tout ce qu'elle méritait pour avoir séduit un homme marié. En apportant les pierres, elle avait une arrière-pensée derrière la tête, s'était-il dit. En fait, elle avait tout prévu. De quelque manière qu'elles fussent tombées, elle les aurait interprétées de façon que cela se termine par une partie de jambes en l'air. Cette Polly était une sorcière. Elle savait très bien ce qu'elle faisait. Elle avait bien goupillé son affaire.

Colin savait que le tort fait à Polly cet après-midi de printemps dans la grange ne serait pas réparé à coups d'excuses. Elle lui avait tendu la main de l'amitié – une amitié que l'amour ne simplifiait pas – et il l'avait repoussée, hanté par le besoin de la punir parce qu'il n'avait pas le courage de reconnaître ses torts.

Et maintenant elle avait abandonné la pierre aux anneaux sur la tombe d'Annie, renoncé à tous ses espoirs d'avenir. Il savait que c'était de sa part un nouvel acte de contrition, une façon de payer une faute où elle n'avait joué qu'un rôle mineur. Ça n'était pas juste.

– Leo, dit Colin. (Près du feu, le chien redressa la tête.) Viens.

Il attrapa une torche et prit sa grosse veste dans le vestibule. Il sortit dans la nuit. Leo marchait à ses côtés, sans laisse, reniflant d'un nez frémissant les odeurs qui flottaient dans l'air glacé de l'hiver. Feu de bois, terre humide, gaz d'échappement d'une voiture passée peu avant, faibles relents du poisson qui frit. Pour lui, une promenade nocturne n'était pas aussi excitante qu'une promenade diurne car le jour il y avait des oiseaux à chasser et, de temps en temps, une brebis à faire fuir d'un aboiement bien senti. Mais c'était mieux que de rester à la maison.

Ils traversèrent la route et entrèrent dans le cimetière. Ils se dirigèrent vers le marronnier, Colin braquant sa torche, Leo flairant devant lui en dehors du faisceau lumineux. Le chien savait où ils allaient. Ce n'était pas la première fois qu'ils faisaient cette sortie. Aussi atteignit-il la tombe d'Annie avant son maître. Lorsque Colin le rattrapa, il reniflait autour de la stèle.

– Leo, non.

Colin dirigea le cône de lumière vers la tombe. Puis tout autour. Il s'accroupit pour mieux voir.

Qu'avait-elle dit au juste ? *J'ai fait brûler du cèdre pour toi, Colin. J'ai mis les cendres sur sa tombe. J'ai déposé la pierre dessus. J'ai fait cadeau de la pierre aux anneaux à Annie.*

Mais il n'y avait pas de pierre. Et la seule chose qui pouvait passer pour des cendres, c'était une mince couche de pellicules grises éparpillées sur le sol gelé. Les fines particules pouvaient fort bien provenir d'un feu, dont les cendres pouvaient avoir été dispersées par le vent ou par la truffe du chien, pensa-t-il. Mais la pierre, elle, n'avait pu être emportée par la brise. Et si c'était le cas...

Lentement, il fit le tour de la tombe, ne demandant qu'à croire Polly, décidé à lui laisser le maximum de chances. Il se dit que le chien l'avait peut-être fait tomber. Aussi se mit-il à fouiller l'obscurité avec sa torche, retournant les pierres qui avaient à peu près la taille de celle qu'il cherchait, les examinant sur toutes les coutures pour y trouver les anneaux roses entrelacés. Et finalement, il renonça.

Il rit de sa crédulité. Comme la culpabilité nous donne envie de croire à la rédemption. Manifestement, elle lui avait raconté la première chose qui lui était passée par la tête, essayant de rejeter le blâme sur lui. Et – comme les autres – s'efforçant de le séparer de Juliet. Mais elle n'y parviendrait pas.

Il pointa sa torche vers le sol, où elle dessina un grand cercle blanc. Il regarda d'abord vers le nord en direction du village où les lumières s'étageaient à flanc de colline, selon un schéma si familier qu'il aurait pu mettre un nom sur chacune des grappes de points lumineux correspondant à une famille. Ensuite, il tourna les yeux vers le sud où croissait le bois de chêne et où, sur fond de ciel nocturne, s'élevait Cotes Fell, telle une silhouette enveloppée d'une cape noire. Au pied de Cotes Fell, nichés dans une clairière, se dressaient le manoir de Cotes Hall et son cottage, où vivait Juliet Spence.

Que diable était-il venu faire au cimetière ?

Foulant la tombe d'Annie, il atteignit le mur en deux enjambées. Il le franchit, appela son chien et s'éloigna en direction du sentier qui conduisait vers Cotes Fell. Il aurait pu retourner chercher la Land Rover. Ç'aurait été plus rapide. Mais marcher ne lui ferait pas de mal, il avait besoin de se sentir poussé à aller de l'avant, de sentir la terre ferme sous ses pieds, de sentir ses muscles jouer et son sang courir dans ses veines.

Il s'efforça de chasser la pensée qui l'importunait telle une mouche tout en avançant à grands pas le long du sentier. Etant donné sa situation, passer par-derrière pour aller au cottage, c'était reconnaître qu'il rendait à Juliet une visite clandestine, et aussi qu'ils étaient de mèche. Pourquoi passait-il par-derrière alors qu'il n'avait rien à cacher ? Qu'il avait une voiture ? Que le trajet était plus rapide en auto ? Que la nuit était glaciale ?

Aussi froide qu'en décembre quand Robin Sage avait effectué le même trajet pour se rendre au même endroit. Robin Sage, qui possédait lui aussi une voiture, qui aurait pu prendre son véhicule au lieu de marcher dans la neige déjà épaisse. Pourquoi Robin Sage s'était-il rendu chez Juliet à pied ?

Parce qu'il aimait l'exercice, l'air pur, la lande, se dit

Colin. Au cours des deux mois que le pasteur avait passés à Winslough avant sa mort, Colin l'avait rencontré maintes fois chaussé de bottes en caoutchouc crottées, une canne à la main. Il se rendait à pied chez ses paroissiens. Il allait à pied donner à manger aux canards sur le pré communal. Pourquoi ne serait-il pas allé à pied au cottage ?

La distance, le temps, la saison, le froid pénétrant, la nuit. Les réponses se bousculaient dans l'esprit de Colin. Et un détail aussi, qu'il s'acharnait à repousser. Jamais il n'avait vu Sage marcher la nuit. Si le pasteur devait s'absenter après la tombée du jour, il prenait sa voiture. C'était ce qu'il avait fait le jour où il était allé à Skelshaw Farm rendre visite aux parents de Nick Ware. Et lorsqu'il était allé chez les autres fermiers.

Il s'était même rendu en voiture chez les Townley-Young qui l'avaient invité à dîner peu après son arrivée à Winslough. Avant que St. John Andrew Townley-Young ne découvre son peu de goût pour la pompe et les cérémonies et ne le raye de la liste des gens qu'il estimait fréquentables.

Pourquoi donc Sage s'était-il rendu à pied chez Juliet ?

La mouche qui l'agaçait battit de nouveau des ailes pour lui fournir la réponse : Sage n'avait pas voulu qu'on le voie. Exactement comme Colin ne voulait pas qu'on le voie se rendre au cottage le soir où New Scotland Yard avait débarqué à Winslough. *Reconnais-le...*

Non, songea Colin. Ça, c'était un coup du monstre venimeux aux yeux verts qui essayait d'entamer sa confiance. S'il se laissait faire, il était cuit ; c'était la fin de ses espoirs.

Il décida d'arrêter d'y penser et éteignit sa torche. Bien que connaissant le sentier depuis plus de trente ans, il fut néanmoins forcé de se concentrer pour éviter les obstacles. Les étoiles lui prêtèrent main forte. Elles brillaient d'un éclat particulier, formant un dôme de cristaux qui scintillaient par-delà un océan de nuit.

Leo allait devant. Colin ne le distinguait pas, mais il entendait crisser les pattes du chien sur la pellicule de gel qui recouvrait le sol. Et il souriait en percevant ses aboiements joyeux chaque fois qu'il franchissait un mur. Un instant plus tard, le chien se mit à aboyer sérieusement. Une voix d'homme s'écria :

– Non ! Hé, là ! Du calme !

Colin ralluma sa torche et accéléra l'allure. Leo grondait en se jetant contre un muret sur lequel un homme était assis. Colin lui braqua sa lumière sur le visage. L'homme plissa les yeux et eut un mouvement de recul. C'était Brendan Power. L'avocat avait lui aussi une torche mais il ne s'en servait pas. Elle était posée près de lui, éteinte.

Colin ordonna au chien de se tenir tranquille.

– Désolé, dit-il à Brendan. Il a dû vous flanquer la frousse.

Il constata que Leo avait interrompu Power au moment où ce dernier s'apprêtait à fumer une pipe sur le muret, ce qui expliquait qu'il ne se fût pas servi de sa torche. Sa pipe luisait sourdement et un vague parfum de cerise flottait dans l'air.

Du tabac de tapette, Colin, aurait décrété son père avec mépris. Si tu dois fumer, mon garçon, aie au moins le bon goût de choisir un tabac viril.

– Y a pas de mal, fit Power, tendant la main pour laisser le chien lui renifler les doigts. Je faisais un tour. J'aime bien me promener le soir, prendre un peu d'exercice après une journée au bureau, le derrière sur une chaise. Ça m'aide à garder la forme.

Tétant sa pipe, il parut attendre une réaction de la part de Colin.

– Vous alliez au manoir ?

– Au manoir ? (Power sortit une blague en cuir de sa veste et y plongea sa pipe, la bourrant de tabac frais sans l'avoir préalablement vidée. Colin suivait son manège avec curiosité.) Oui, au manoir. Je surveille l'avancement des travaux. Becky commence à s'impatienter. Il y a eu des problèmes, sur le chantier, récemment. Mais vous êtes au courant.

– Il n'y a pas eu d'autres déprédations depuis le week-end ?

– Non. Mais on n'est jamais trop prudent. Elle tient à ce que je vérifie. Et la balade ne me déplaît pas. L'air frais me requinque. C'est bon pour les poumons. (Il prit une profonde inspiration comme pour appuyer ses dires. Puis il essaya d'allumer sa pipe. Le fourneau étant bouché, il n'y parvint pas. Il renonça au bout de deux tentatives et remit pipe, blague et allumettes dans sa veste. Puis il sauta à bas du mur.) Becky va se demander où je suis passé. Bonsoir, constable.

Il s'éloignait lorsque Colin le rappela :

– Mr. Power.

L'avocat fit demi-tour brusquement, restant en dehors de la lumière de la torche que Colin braquait sur lui.

– Oui ?

Colin ramassa la torche demeurée sur le muret.

– Vous avez oublié ça.

Power eut un sourire. Rit.

– L'air pur me sera monté à la tête. Merci.

Lorsqu'il tendit la main pour récupérer son bien, Colin garda la torche une seconde de plus qu'il n'était nécessaire. Tâtant le terrain, parce que New Scotland Yard ne tarderait pas à en faire autant, il dit :

– Vous savez que c'est là que Mr. Sage est mort ? Juste de l'autre côté de l'échalier ?

La pomme d'Adam de Power remua.

– Eh bien...

– Il a fait tout ce qu'il a pu pour franchir le passage mais il a été pris de convulsions. Vous étiez au courant ? Il s'est cogné la tête contre la première marche.

Power quitta Colin des yeux pour contempler le mur.

– Je l'ignorais. Tout ce que je savais, c'est que vous l'aviez trouvé sur le sentier.

– Vous l'avez vu le matin de sa mort, n'est-ce pas ? Miss Townley-Young et vous.

– Oui. Mais vous le savez. Alors...

– C'est vous qui étiez avec Polly sur le sentier, hier soir, n'est-ce pas ? Devant le pavillon ?

Power ne répondit pas immédiatement. Il jeta à Colin un regard empreint de curiosité. Et lorsqu'il se décida à répondre, ce fut avec lenteur comme s'il réfléchissait à la raison qui avait poussé Colin à lui poser la question. Après tout, il était avocat.

– Je me rendais au manoir. Polly rentrait chez elle. Nous avons fait un bout de chemin ensemble. C'est interdit ?

– Et le pub ?

– Quoi, le pub ?

– On vous y a vu plusieurs fois avec elle. Le soir. En train de boire.

– Une ou deux fois, alors que je rentrais de ma promenade du soir. Polly était au *Crofters Inn*, je me suis assis à sa table. (Il fit passer sa torche d'une main dans l'autre.) Où voulez-vous en venir ?

– Vous avez rencontré Polly avant votre mariage. Vous l'avez croisée au presbytère. Comment était-elle avec vous ?

– Qu'est-ce que ça signifie ?

– Est-ce qu'elle recherchait votre compagnie ? Ou vous demandait de lui rendre des services ?

– Pas du tout. A quoi rime cet interrogatoire ?

– Vous avez accès aux clés du manoir et à celles du cottage, n'est-ce pas ? Elle ne vous a jamais demandé de les lui prêter ? Moyennant un... dédommagement ?

– Vous ne manquez pas de culot ! Qu'est-ce que vous essayez d'insinuer ? Que Polly... (Power jeta un coup d'œil vers Cotes Fell.) Qu'est-ce qui se passe ? Je croyais que c'était fini, cette histoire.

– Non, dit Colin. Scotland Yard est dans le coup maintenant.

Power tourna la tête.

– Et vous essayez de les lancer sur une fausse piste.

– Pas du tout. Je cherche la vérité.

– Je croyais que vous la connaissiez. Que vous nous en aviez fait part lors de l'enquête du coroner. (Power sortit sa pipe de sa veste. Il tapota le fourneau contre le talon de sa chaussure, fit tomber le tabac qu'il contenait sans quitter Colin des yeux.) Vous êtes dans le pétrin, pas vrai, constable ? Alors laissez-moi vous donner un conseil. N'essayez pas d'y fourrer Polly Yarkin.

Il s'éloigna sans ajouter un mot, s'arrêtant à quelques mètres de là pour bourrer de nouveau sa pipe et l'allumer. L'allumette flamba. Cette fois, le tabac prit.

11

Colin laissa sa torche allumée pour effectuer le reste du trajet, l'obscurité ne réussissant plus à le distraire. Les derniers mots de Brendan Power l'avaient obligé à regarder de nouveau la réalité en face.

Il se rendait compte qu'il tâchait de se couvrir, de mettre le maximum de chances de son côté, s'efforçant de trouver des possibilités de rechange, un autre point de départ. Bref, cherchant une piste valable sur laquelle lancer la police londonienne.

Au cas où, se dit-il. Parce que les questions se bousculaient dans son cerveau et qu'il lui fallait absolument les faire taire, prendre des mesures s'il voulait retrouver sa tranquillité d'esprit.

Ce n'est qu'en tombant sur Brendan Power qu'il avait pensé à une piste possible et compris – ou plutôt *intuitionné* – ce qui avait pu se passer, ce qui avait *dû* se passer. Et pourquoi Juliet se tenait pour responsable d'une mort dont elle n'avait été qu'indirectement la cause.

Dès le départ, il avait été convaincu que le décès du pasteur était accidentel parce qu'il ne pouvait pas envisager une autre explication et continuer à se regarder tranquillement dans la glace tous les matins en se rasant. Mais maintenant, il se rendait compte qu'il s'était fourvoyé, qu'il avait été injuste avec Juliet pendant les moments sombres où – comme les autres villageois – il s'était demandé comment elle avait pu commettre pareille erreur. Maintenant, il se disait qu'on avait fort bien pu la manipuler, lui faire croire qu'elle s'était trompée. Maintenant, il voyait comment on s'y était pris pour parvenir à ce résultat.

Cette idée, et le désir de la venger du tort qu'on lui avait fait, l'incita à allonger le pas tandis que Leo le précédait en trottinant. Ils s'engagèrent dans le bois de chêne situé à quelque distance du pavillon où vivaient Polly Yarkin et sa mère. Se glisser du pavillon jusqu'à Cotes Hall était un jeu d'enfant. Il n'était même pas nécessaire d'emprunter le sentier plein d'ornières pour y arriver.

Le chemin le conduisit sous les arbres, lui permit de franchir deux ponts piétonniers dont le bois était verdi par la mousse et pourrissait un peu plus à chaque hiver, puis de fouler une couche spongieuse de feuilles qui se décomposaient sous une pellicule de gel. Le sentier s'arrêtait devant le jardin de derrière du cottage de Juliet.

Parvenu devant le jardin, Colin regarda Leo franchir d'un bond les tas de compost pour aller gratter à la porte du cottage tandis que lui-même braquait sa torche autour de lui afin d'examiner les environs. A sa gauche, la serre, dont la porte n'avait pas de verrou. Derrière, l'appentis – quatre murs en bois surmontés d'un toit de toile goudronnée – où Juliet rangeait ses nombreux outils de jardinage. Puis le cottage. Et la porte de la cave à la peinture verte écaillée conduisant à la resserre sombre au lourd parfum de terreau où elle stockait plantes et racines. Il pointa le faisceau de la torche vers la porte et l'y maintint tout en traversant le jardin puis examina le cadenas. Leo le rejoignit, se cogna la tête contre la cuisse de Colin. Le chien se dressa contre la porte, ses griffes crissant contre le battant. Sous son poids, un gond grinça.

Colin orienta sa torche dans cette direction. Le gond était vieux, rouillé, presque détaché du chambranle en bois lui-même vissé à l'encadrement de pierre. Il fit jouer le gond de haut en bas, d'avant en arrière puis étudia de près le gond du bas. Celui-ci était fermement fixé au bois. Il dirigea la lumière dessus, l'observa avec soin, se demandant si les éraflures qu'il voyait sur les vis pouvaient avoir été laissées par un outil ou être simplement des marques d'abrasion causées par de la paille de fer dont un peintre malhabile se serait servi pour effacer du métal les coulures de peinture.

Tous ces détails auraient dû lui sauter aux yeux avant. S'il n'avait pas été aussi obnubilé par le désir d'entendre le coroner annoncer « mort par empoisonnement accidentel », il aurait remarqué les signes susceptibles d'indiquer que le décès de Robin Sage n'était pas ce qu'il croyait. S'il avait examiné avec plus de détachement les conclusions hystériques de Juliet, s'il avait eu l'esprit clair, s'il lui avait fait confiance, il aurait pu lui épargner les soupçons des villageois, les rumeurs. Et la persuader qu'elle n'était pour rien dans la mort du pasteur.

Eteignant sa torche, il se dirigea vers la porte de derrière du cottage. Il frappa. Personne ne répondit. Il frappa de nouveau. Essaya la poignée. Qui tourna.

– Reste là, dit-il à Leo qui s'assit docilement.

Et il pénétra dans le cottage.

La cuisine sentait la nourriture – poulet rôti, pain frais, ail qu'on a fait revenir dans l'huile d'olive. Cette odeur lui rappela qu'il n'avait rien mangé depuis la veille au soir. Il avait perdu appétit et confiance en soi à l'instant précis où le sergent Hawkins lui avait téléphoné pour lui dire de se préparer à recevoir la visite de New Scotland Yard.

– Juliet ?

Il alluma la lumière. Il y avait une cocotte sur la cuisinière, une salade sur le plan de travail, deux assiettes sur la vieille table en formica qui portait une trace de brûlure en forme de croissant. Deux verres étaient posés devant les assiettes – l'un contenait du lait, l'autre de l'eau ; mais on n'avait pas touché aux aliments. Lorsqu'il toucha le verre de lait, il comprit à la température du breuvage que celui-ci devait être là depuis un certain temps. Il l'appela de nouveau et, longeant le couloir, se dirigea vers le séjour.

Elle était près de la fenêtre, dans le noir, guère plus qu'une ombre, les bras croisés sur la poitrine, fixant la nuit. Il prononça son nom. Sans se retourner, elle dit :

– Elle n'est pas rentrée. J'ai téléphoné partout. Elle était chez Pam Rice. Puis chez Josie. Maintenant... (Un rire bref, amer, lui échappa.) Je me doute de l'endroit où elle est. Et de ce qu'elle fabrique. Il est venu ici hier soir, Colin. Nick Ware.

– Veux-tu que je parte à sa recherche ?

– A quoi bon ? Sa décision est prise, elle n'en démordra pas. On peut toujours la ramener ici de force et l'enfermer à clé dans sa chambre, bien sûr. Mais ça ne fera que retarder l'inévitable.

– Comment ça, l'inévitable ?

– Elle a décidé de se faire mettre enceinte. (Juliet s'appuya les doigts contre le front, puis attrapa une mèche de cheveux et tira dessus comme pour se faire mal.) Elle ne sait rien de rien. Et, Dieu du ciel, moi non plus. Comment ai-je pu m'imaginer que je saurais m'occuper correctement d'un enfant ?

Traversant la pièce, il vint se poster derrière elle et tendit le bras pour retirer ses doigts de ses cheveux.

– Tu t'occupes très bien d'elle. C'est une mauvaise phase qu'elle traverse, voilà tout.

– Une phase que j'ai provoquée.

– Comment cela ?

– En sortant avec toi.

Il sentit son estomac se nouer.

– Juliet, dit-il.

Mais il ne savait comment la rassurer.

Avec son jean, elle portait une vieille chemise de travail d'où se dégageait une vague odeur de romarin, lui sembla-t-il. Il ne voulait pas penser à autre chose. Il appuya sa joue contre son épaule et sentit la douceur du tissu contre sa peau.

– Sa mère prend un amant, pourquoi n'en ferait-elle pas autant ? dit Juliet. Je t'ai laissé entrer dans ma vie et maintenant je le paie.

– Ça lui passera, avec le temps.

– Tu veux que je la laisse avoir des relations sexuelles régulièrement avec un gamin de quinze ans ? (Elle se dégagea. Il sentit le froid l'envahir.) Pas question. Et puis ce qui complique encore les choses, c'est qu'elle réclame son père. Et que, si je ne le lui amène pas rapidement, elle va s'arranger pour faire de Nick un père.

– Laisse-moi lui servir de père.

– C'est hors de question. Ce qu'elle veut, c'est le vrai. Pas un substitut de dix ans trop jeune, amoureux comme un collégien, qui se figure que le mariage et les bébés sont la panacée ... (Elle s'arrêta net.) Mon Dieu, excuse-moi.

Il s'efforça de ne pas broncher.

– Pas mal vu, Juliet.

– Mais non. Je suis méchante de dire ça. Ecoute, j'ai

téléphoné partout. J'ai l'impression d'être prise dans un engrenage... (Elle crispa les poings, les appuya contre son menton. A la faible lumière de la cuisine, elle ressemblait elle aussi à une enfant.) Tu ne peux pas la comprendre. Pas plus que tu ne peux me comprendre, Colin. Le fait que tu m'aimes n'y changera rien.

– Et toi ?

– Quoi, moi ?

– Est-ce que tu m'aimes ?

Elle ferma les yeux.

– Si je t'aime ? Évidemment que je t'aime. Et regarde le résultat.

– Maggie ne peut pas faire la pluie et le beau temps dans ta vie.

– Maggie *est* ma vie. Tu ne t'en rends pas compte ? Il ne s'agit pas de nous, Colin. Il ne s'agit pas de notre avenir : nous n'avons pas d'avenir. Mais Maggie en a un, elle. Je ne veux pas qu'elle le gâche.

Il n'entendit qu'une partie de ses mots et reprit pour être bien sûr d'avoir compris :

– Nous n'avons pas d'avenir.

– Tu le sais depuis le début. Seulement tu n'as pas voulu l'admettre.

– Pourquoi ?

– Parce que l'amour aveugle, qu'il empêche de voir la réalité. Il nous donne un tel sentiment de plénitude que nous refusons de penser à ses possibilités destructrices.

– Ce n'était pas ça, ma question. Je voulais savoir pourquoi nous n'avons pas d'avenir.

– Parce que même si je n'étais pas trop vieille pour toi, même si je voulais te donner des enfants, même si Maggie pouvait accepter l'idée de notre mariage...

– Qui te dit qu'elle ne l'accepte pas ?

– Laisse-moi terminer, s'il te plaît. Ecoute-moi jusqu'au bout. (Elle attendit un moment, pour se ressaisir peut-être. Tendit les mains vers lui.) J'ai tué un homme, Colin. Je ne peux pas rester à Winslough. Et je ne te laisserai pas quitter cet endroit : tu t'y plais trop.

– La police est là, dit-il pour toute réponse. New Scotland Yard.

Aussitôt, elle laissa retomber ses mains. Son visage changea, on aurait dit qu'elle se plaquait un masque sur la figure, mettant ainsi de la distance entre eux. Sous son armure, elle lui sembla invulnérable, inatteignable. Lorsqu'elle reprit la parole, ce fut d'une voix étonnamment calme.

– Qu'est-ce qu'ils veulent ?

– Savoir qui a tué Robin Sage.

– Mais qui ?... Comment ?

– Peu importe qui les a appelés. Ou pourquoi. Ce qui compte, c'est qu'ils sont là. Et qu'ils sont décidés à découvrir la vérité.

Elle releva imperceptiblement le menton.

– Je la leur dirai, cette fois.

– N'essaie pas de te faire passer pour coupable. C'est inutile.

– J'ai dit ce que tu voulais que je dise la première fois. Je n'ai pas l'intention de recommencer.

– Tu ne m'écoutes pas. Il est inutile de te sacrifier. Tu n'es pas plus coupable que moi.

– J'ai... tué... cet homme.

– Tu lui as servi du panais.

– Ce que j'ai *pris* pour du panais. Que j'avais cueilli de mes mains.

– Comment peux-tu en être sûre ?

– J'en suis sûre. Je l'avais cueilli le matin même.

– En totalité ?

– Comment... ? Que veux-tu dire ?

– Est-ce que tu es allée prendre du panais dans tes réserves de légumes, à la cave, ce soir-là, Juliet ? Du panais que tu as fait cuire avec celui que tu avais ramassé dans la matinée ?

Elle recula d'un pas.

– Oui.

– Alors tu ne vois pas ce que ça signifie ?

– Ça ne veut rien dire. Il n'en restait que deux, quand j'ai jeté un coup d'œil dans ma réserve, le matin. C'est pourquoi je suis sortie en chercher. Je...

Il l'entendit déglutir, sentit que la lumière se faisait dans son esprit. Il s'approcha d'elle.

– Tu comprends maintenant ?

– Colin...

– Tu t'es mis ça sur le dos sans raison.

– Non. Il ne faut pas que tu croies une chose pareille.

Il lui passa tout doucement le pouce sur la pommette, lui caressa la mâchoire. Juliet. Seigneur, cette femme était la vie même.

– Tu ne comprends pas ? C'est ça qui est formidable. Tu ne piges pas.
– Quoi ?
– Ce n'était pas Robin Sage qui était visé. Ça n'a jamais été lui. Juliet, comment peux-tu être responsable de la mort du pasteur alors que c'est toi qui étais censée mourir ?
Ses yeux s'écarquillèrent. Elle voulut parler mais il la fit taire d'un baiser.

A peine avaient-ils quitté la salle à manger et traversé le pub pour gagner le salon réservé aux clients de l'auberge que l'homme les aborda. Il darda sur Deborah un œil scrutateur, passant en revue les moindres détails de sa personne. De sa chevelure, toujours plus ou moins en désordre, aux taches qui maculaient ses chaussures de daim gris. Puis il se tourna vers Saint James et Lynley, qu'il examina avec le soin que l'on met à étudier un inconnu et évaluer sa capacité à nuire.
– Scotland Yard ? s'enquit-il, péremptoire, comme s'il s'adressait à son garde-chasse.
Cette voix cassante et caricaturale de hobereau villageois eut pour effet de hérisser le poil de Lynley, qui avait lui-même mis des années à s'en défaire.
– Je prendrai un cognac, énonça Saint James d'un ton placide. Deborah ? Tommy ?
– Moi aussi, fit Lynley, suivant des yeux Saint James et Deborah qui se dirigeaient vers le bar.
Le pub était plein d'habitués, lesquels ne semblaient guère prêter attention à l'inconnu qui, planté devant Lynley, attendait sa réponse. Pourtant tous les consommateurs paraissaient conscients de sa présence car les efforts déployés par les fermiers et les villageois pour l'ignorer étaient trop appuyés, les coups d'œil trop fréquents même s'ils étaient subreptices.
Lynley détailla son interlocuteur.
Grand, mince, il avait des cheveux gris qui se clairsemaient, un teint de blond et les pommettes rouges d'un homme habitué à être au grand air. Mais uniquement pour chasser et pêcher, rien dans sa personne ne donnant à penser qu'il pût s'exposer aux intempéries ou affronter les éléments pour des raisons autres que son bon plaisir. Il portait un costume de tweed de bonne

facture; ses mains étaient manucurées; son attitude pleine d'assurance. A l'air écœuré qu'il jeta à Ben Wragg, lequel assenait force claques sur le comptoir tout en riant grassement d'une de ses propres plaisanteries dont il venait de régaler Saint James, il donnait l'impression de déchoir en se risquant à *Crofters Inn*.

– Dites donc, reprit-il. Je vous ai posé une question. Je veux une réponse. Maintenant. Est-ce clair? Lequel d'entre vous est du Yard?

Lynley prit le cognac que Saint James lui tendait.

– C'est moi. Inspecteur Thomas Lynley. Et quelque chose me dit que vous devez être Townley-Young.

A peine eut-il fini sa phrase qu'il s'en voulut. Il n'avait pas donné à son interlocuteur l'occasion de le situer socialement car il n'avait guère fait de frais de toilette pour le dîner. Il portait un simple pull bordeaux sur une chemise à fines rayures, un pantalon de laine gris et des chaussures pleines de boue. Aussi avant qu'il n'ouvre la bouche et n'utilise la Voix dont les moindres inflexions trahissaient le fils d'aristocrates élevé dans une prestigieuse *public school* et détenteur de titres aussi ronflants qu'encombrants, Townley-Young ne pouvait absolument pas savoir qu'il s'adressait à un comte. Il ne le savait toujours pas d'ailleurs. Car il n'y avait personne pour lui souffler dans le creux de l'oreille qu'il était en présence du huitième comte d'Asherton. Personne pour énumérer les accessoires que la fortune, le rang social et la naissance avaient procurés à Lynley : son hôtel particulier de Londres, sa propriété de Cornouailles, un siège à la Chambre des Lords s'il jugeait bon de l'occuper, ce qui n'était pas dans ses intentions.

Profitant du silence stupéfait de Townley-Young, Lynley lui présenta les Saint James.

Puis il sirota son cognac en observant Townley-Young par-dessus le bord de son verre.

Ce dernier révisait manifestement ses positions. Ses narines se décrispaient, il se détendait. A l'évidence, il paraissait mourir d'envie de poser des questions toutes plus taboues les unes que les autres et s'efforçait de faire celui qui avait compris dès le départ que Lynley appartenait au gratin.

– Puis-je m'entretenir avec vous seul à seul? fit-il avant d'ajouter avec un coup d'œil aux Saint James : Hors du pub, je veux dire. J'espère que vos amis se joindront à nous.

Il réussit à formuler sa requête avec beaucoup de dignité.

De la tête, Lynley désigna la porte donnant dans le salon à l'autre bout du pub. Townley-Young ouvrit la marche. Le salon était encore plus glacial que la salle à manger et il n'y avait pas de radiateurs pour atténuer le froid.

Deborah alluma une lampe, redressa l'abat-jour et fit de même avec une autre lampe. Saint James retira un journal d'un des fauteuils et le jeta sur le buffet sur lequel étaient rangés les magazines que *Crofters Inn* proposait à ses hôtes – essentiellement de vieux numéros de *Country Life* qui semblaient devoir tomber en miettes pour peu qu'on les manipulât d'une main par trop impatiente. Il s'assit dans un fauteuil. Deborah prit place sur un canapé.

Lynley constata que Townley-Young avait remarqué au passage le handicap de Saint James avant de se chercher un siège. Il jeta son dévolu sur un canapé au-dessus duquel était accrochée une reproduction hideuse des *Mangeurs de pommes de terre.*

– Je suis venu vous demander votre aide, attaqua Townley-Young. J'ai eu vent, au dîner, de votre présence parmi nous – la nouvelle s'est répandue comme une traînée de poudre à Winslough –, et j'ai pris la décision de venir vous trouver. Vous n'êtes pas ici en vacances, je présume ?

– Pas exactement.

– C'est pour l'affaire Sage, alors ?

Ce n'était pas parce qu'ils appartenaient à la même classe sociale que Lynley allait faire des révélations d'ordre professionnel à Townley-Young. Au lieu de répondre, il lui posa à son tour une question :

– Vous avez quelque chose à me dire au sujet de la mort du pasteur ?

Townley-Young pinça le nœud de sa cravate verte.

– Pas directement.

– Alors ?

– C'était un brave garçon, je crois. Nous n'étions pas d'accord sur le rituel.

– Il était *low church* [1] ? Contre les chichis ?

– Exact.

– Ce n'est sûrement pas un mobile.

1. Membre de l'Église d'Angleterre qui attache plus d'importance à l'interprétation de la Bible qu'au rituel. *(N.d.T.)*

– Un mobile... ? (Townley-Young lâcha brusquement son nœud de cravate. D'un ton toujours glacial, il poursuivit :) Je ne suis pas venu faire des aveux, inspecteur, si c'est ce que vous voulez dire. Je n'avais pas une sympathie débordante pour Sage et je n'appréciais guère l'austérité de ses offices religieux. Pas de fleurs. Pas de cierges. Le strict minimum. Je n'étais pas habitué à un semblable dépouillement. Mais pour un pasteur, ce n'était pas un mauvais bougre, et il faisait du sacré bon travail.

Lynley prit son cognac, laissant le verre à dégustation se réchauffer au creux de sa main.

– Vous n'étiez pas membre du conseil paroissial qui l'a interviewé ?

– Si. Mais j'étais contre sa candidature.

Les joues rouges de Townley-Young virèrent carrément au brique. Que le seigneur de Winslough n'ait pas réussi à faire valoir son point de vue au sein d'un conseil dont il était certainement le membre le plus éminent en disait long sur la place qu'il occupait dans le cœur des villageois.

– Sa disparition ne doit donc pas vous affecter tant que ça, alors.

– Ce n'était pas un de mes amis, si c'est ce que vous sous-entendez. Et même si nous avions eu des atomes crochus, il n'était au village que depuis deux mois quand il est décédé. Dans certains milieux, deux mois, c'est une éternité. Mais les gens de ma génération n'appellent pas leurs semblables par leur prénom de but en blanc, inspecteur.

Lynley sourit. Son père étant mort depuis quatorze ans et sa mère étant du genre à se moquer des traditions, il lui arrivait d'oublier que les gens de la génération de ses parents avaient tendance à utiliser tantôt le nom et tantôt le prénom de ceux dont ils parlaient pour indiquer leur degré d'intimité avec eux. Ça l'amusait toujours de tomber sur ce type de réaction dans son travail.

– Vous m'avez dit avoir quelque chose à me raconter qui se rapportait indirectement à la mort du pasteur, rappela Lynley à Townley-Young, qui semblait parti pour lui faire un cours de bonnes manières sur l'emploi des prénoms.

– A plusieurs reprises, avant sa mort, il s'est rendu à Cotes Hall.

– Je ne vous suis pas très bien.
– C'est à propos du manoir que je suis venu vous trouver, inspecteur.
– Le manoir ? (Lynley jeta un coup d'œil à Saint James, qui leva imperceptiblement la main en un geste signifiant je-ne-suis-pas-au-courant.)
– J'aimerais que vous enquêtiez sur ce qui se passe là-bas. Car il se passe des choses étranges. Depuis maintenant quatre mois, j'ai entrepris de faire faire des travaux au manoir et une bande de voyous s'amuse à me mettre des bâtons dans les roues. Tantôt ils renversent des pots de peinture. Tantôt ils détruisent un rouleau de papier peint. Ou alors ils laissent des robinets ouverts et l'eau coule partout. Quand ils ne dessinent pas des graffiti sur les murs.
– Et Mr. Sage aurait été mêlé à ces dégradations ? Etonnant, non ?
– Tout ce que je crois, c'est que c'est quelqu'un qui cherche à me nuire qui est dans le coup. Vous êtes policier, c'est à vous de tirer ça au clair et de faire en sorte que ça cesse.
– Ah.
Fortement agacé par cette tirade proprement comminatoire, Lynley se demanda combien de villageois pouvaient avoir une dent contre Townley-Young.
– C'est à votre constable de s'occuper de ça.
Townley-Young eut un grognement sarcastique.
– Justement, il s'en occupe depuis le début. Il a mené une enquête après chaque incident. Et à chaque fois, il a fait chou blanc.
– Vous n'avez pas songé à engager un vigile pendant la durée des travaux ?
– Je paie mes impôts, inspecteur. Mais à quoi bon, si je ne peux pas compter sur l'aide de la police quand j'en ai besoin ?
– Et votre gardienne ?
– Mrs. Spence ? Elle a fait déguerpir une bande de petits voyous une fois – et de façon très efficace, si vous voulez mon avis, malgré le grabuge que ça a fait au village. Mais celui qui est derrière ces incidents est très fort, très malin. Il n'y a jamais aucune trace d'effraction. Jamais d'indices.
– C'est quelqu'un qui a une clé, alors. Qui les a, ces clés ?

– Moi. Mrs. Spence. Le constable. Ma fille et son mari.

– Y a-t-il quelqu'un parmi vous qui souhaiterait que les travaux ne s'achèvent pas ? Qui doit y habiter normalement ?

– Becky... Ma fille et son mari. Avec leur bébé qui doit naître en juin.

– Est-ce que Mrs. Spence les connaît ? questionna Saint James qui écoutait, le menton dans sa paume.

– Becky et Brendan ? Pourquoi ?

– Peut-être qu'elle préférerait qu'ils ne viennent pas loger au manoir. Peut-être que le constable préférerait lui aussi qu'ils ne s'y installent pas. Imaginez qu'ils se servent de la maison. D'après ce que nous avons cru comprendre, le constable et Mrs. Spence sortent ensemble.

Lynley trouva qu'il y avait là une amorce de piste intéressante. Même si elle différait légèrement de celle que venait de suggérer Saint James.

– Des inconnus auraient-ils passé la nuit là-bas ? questionna-t-il.

– Le manoir était fermé, les fenêtres condamnées par des planches.

– Une planche, ça s'enlève facilement, si on est vraiment décidé à entrer.

Poursuivant son propre raisonnement de son côté, Saint James ajouta :

– Si le manoir servait de lieu de rendez-vous à un couple d'amoureux, ils n'ont pas dû apprécier qu'on leur en interdise l'accès.

– Je me fiche de savoir qui utilise le manoir et pourquoi. Tout ce que je veux, c'est que ça cesse. Et si Scotland Yard ne peut pas...

– Quel grabuge ? coupa Lynley.

Townley-Young le fixa, les yeux ronds.

– A quoi diable... ?

– Vous avez dit que l'intervention de Mrs. Spence avait fait un grabuge terrible au village. C'était quoi, au juste, comme intervention ?

– Elle possède un fusil, elle a tiré pour flanquer la trouille de leur vie aux gamins. Les parents de ces sales morveux se sont évidemment empressés d'en faire tout un plat. (Nouveau grognement de mépris.) Ces gens-là ne sont même pas capables d'élever leurs gosses correctement, ils les laissent faire les quatre cents coups. Et quand quelqu'un s'avise de remettre ces petits salopiauds à leur place, ils poussent les hauts cris.

– Tout de même, fit Saint James. Elle n'y est pas allée avec le dos de la cuiller. Prendre son fusil...

– Tirer sur des enfants, renchérit Deborah.

– Ce ne sont plus des enfants. Et même si...

– Est-ce vous qui avez autorisé Mrs. Spence à se servir d'une arme à feu dans l'exercice de ses fonctions ? s'enquit Lynley.

Les yeux de Townley-Young s'étrécirent.

– Je n'apprécie pas particulièrement les efforts que vous faites pour retourner la situation. Je suis là pour vous demander votre aide, inspecteur, non pour entendre un sermon ; si vous me la refusez, il est inutile que je m'attarde davantage.

Il fit mine de se mettre debout.

Lynley leva la main pour l'en empêcher.

– Depuis combien de temps Mrs. Spence est-elle à votre service ?

– Plus de deux ans. Presque trois.

– Et ses antécédents ?

– Quoi, ses antécédents ?

– Où travaillait-elle auparavant ? Qu'est-ce qui vous a incité à l'engager ?

– Elle voulait la paix. Ça tombait bien, parce que moi, justement, je cherchais quelqu'un qui aspirait au calme. L'endroit est isolé. Et je n'avais que faire d'une gardienne qui se serait précipitée au pub, le soir, pour prendre un verre et discutailler avec les gens du coin. Ça n'aurait pas servi mes intérêts, au contraire.

– D'où venait-elle ?

– De Cumbria.

– Mais encore ?

– Du côté de Wigton.

– Où exactement ?

Townley-Young se pencha en avant.

– Dites donc, inspecteur, si on mettait les choses au point ? Je suis venu ici pour vous engager, pas le contraire. Je refuse que vous me traitiez comme un suspect, qui que vous soyez et d'où que vous veniez. Est-ce clair ?

Lynley posa son verre ballon sur la table de bouleau près de son siège. Il fixa Townley-Young, dont les lèvres dessinaient un pli rectiligne et dont le menton pointait agressivement. Si le sergent Barbara Havers s'était trouvée dans le salon, elle aurait bâillé à se décrocher la mâchoire, dardé le pouce vers Townley-Young et dit : « Ecoutez, mon petit vieux. Si j'ai un conseil à vous donner, c'est de vous grouiller de répondre avant qu'on vous colle au trou pour refus de coopérer avec la police. » Car Havers n'hésitait pas à en rajouter lorsqu'elle sentait qu'elle était sur le point d'apprendre quelque chose d'intéressant. Lynley se demanda si cette tactique aurait marché avec un homme comme Townley-Young. Eût-elle échoué, il aurait néanmoins eu le plaisir de voir la tête de Townley-Young en s'entendant interpeller de la sorte par quelqu'un ayant l'accent d'Havers. Sa voix n'avait en effet rien à voir avec celle des membres de la haute société et quand elle était en présence de l'un d'eux, elle prenait un malin plaisir à en remettre.

Deborah s'agita sur son canapé. Du coin de l'œil, Lynley vit la main de Saint James se poser sur son épaule.

– Je sais parfaitement ce qui vous a poussé à venir jusqu'ici, dit Lynley.

– Parfait. Alors...

– Malheureusement pour vous, vous tombez au beau milieu d'une enquête. Vous pouvez toujours téléphoner à votre avocat, bien sûr, si vous préférez qu'il soit à portée de main pendant que vous répondez à ma question. D'où Mrs. Spence venait-elle exactement ?

Townley-Young finit par mettre les pouces.

– Aspatria.

– En Cumbria ?

– Oui.

– Comment avez-vous fait sa connaissance ?

– J'avais fait passer une annonce. Elle y a répondu. Elle est venue passer un entretien. Elle m'a plu. Elle a les pieds sur terre, elle est indépendante, elle a de l'initiative. Bref toutes les qualités qu'on est en droit d'attendre d'une gardienne efficace chargée de surveiller une grande propriété.

– Et Mr. Sage ?

– Quoi, Mr. Sage ?

– D'où venait-il, lui ?

– De Cornouailles. (Sans laisser à Lynley le temps de

lui demander des précisions, Townley-Young ajouta :) Via Bradford. Je n'en sais pas davantage.

– Merci.

Lynley se leva. Imité par Townley-Young.

– Pour le manoir...

– J'en toucherai un mot à Mrs. Spence, promit Lynley. Mais à votre place, je commencerais par me demander qui a intérêt à ce que votre fille et votre gendre n'emménagent pas à Cotes Hall.

Townley-Young hésita devant la porte du salon, la main sur la poignée, qu'il semblait examiner, sourcils froncés, tête baissée.

– Le mariage, dit-il finalement.

– Pardon ?

– Sage est mort la veille du mariage de ma fille. C'est lui qui devait le célébrer. Nous avons eu un mal de chien à lui trouver un remplaçant. (Il releva la tête.) Quelqu'un qui ne veut pas que Becky s'installe au manoir, ça pourrait également être quelqu'un qui ne voulait pas qu'elle se marie.

– Pourquoi ?

– Désir frustré. Vengeance. Jalousie.

– Jalousie ? de quoi ?

Townley-Young se tourna de nouveau vers la porte.

– De ce qu'a Becky.

Brendan découvrit Polly Yarkin dans le pub. Il alla au bar prendre son gin-tonic, adressa un signe de tête en guise de bonsoir à trois fermiers et deux ouvriers de Fork Reservoir et la rejoignit à la table qu'elle occupait près de la cheminée. Sans attendre d'y être invité, il s'assit. Ce soir, au moins, il avait une bonne excuse.

Elle leva les yeux du morceau d'écorce qu'elle s'amusait à pousser du bout du pied tandis qu'il posait d'un air décidé son verre sur la table et s'installait sur le tabouret. Elle laissa son regard errer jusqu'à la porte donnant dans le salon des clients de l'auberge.

– Faut pas t'asseoir là, Bren. Tu ferais mieux de rentrer chez toi.

Elle n'avait pas l'air dans son assiette. Bien qu'assise près du feu, elle n'avait retiré ni son manteau ni son foulard et lorsqu'il déboutonna sa veste et fit glisser son tabouret près d'elle, elle parut se ramasser sur elle-même comme pour se protéger.

– Bren, fit-elle d'une voix sourde et insistante. Ecoute-moi. Fais ce que je te dis.

Brendan jeta un coup d'œil négligent autour de lui. Sa conversation avec Colin Shepherd – et notamment la remarque qu'il avait lancée au constable en s'en allant – lui avait redonné confiance en soi. Il se sentait hors d'atteinte des regards comme des ragots.

– Qu'est-ce qu'il y a, dans cette pièce, Polly ? Des ouvriers agricoles, des fermiers, une poignée de femmes au foyer, les ados du coin. Je me fiche pas mal de ce qu'ils pensent.

– Y a pas qu'eux. T'as pas vu sa voiture ?

– Quelle voiture ?

– La sienne. Celle de Mr. Townley-Young. Il est là. (Du menton, elle désigna le salon.) Avec eux.

– Qui ça, eux ?

– Les policiers de Londres. Alors tire-toi avant qu'il sorte et...

– Et quoi ?

Elle eut un haussement d'épaules en guise de réponse. Et à ce mouvement, il comprit ce qu'elle pensait de lui. Exactement ce que pensait Rebecca. Ce que tout le monde pensait. Ils se disaient tous autant qu'ils étaient qu'il était à la botte de Townley-Young. Tel un cheval d'attelage condamné à porter des œillères sa vie durant.

Enervé, il but une gorgée, avala de travers et se mit à tousser. Il plongea la main dans sa poche pour y prendre un mouchoir et fit tomber sa pipe, son tabac et ses allumettes.

– Et merde ! fit-il en les ramassant.

Il continua de tousser. Polly balayait le pub du regard, lissant son foulard, essayant de prendre ses distances. Ayant finalement repêché son mouchoir, il se le plaqua sur la bouche. Il but une seconde gorgée de gin, plus lentement cette fois. L'alcool lui dégoulina dans la gorge comme une traînée de feu. Mais cela le réchauffa.

– Mon beau-père ne me fait pas peur, déclara-t-il sèchement. Contrairement à ce que tout le monde s'imagine. Je suis assez grand pour lui tenir tête. D'ailleurs, je suis capable de faire des choses dont les gens d'ici sont loin de se douter. (Il faillit ajouter une petite phrase énigmatique du genre *s'ils-savaient* pour donner à ses propos un air de crédibilité. Mais Polly Yarkin n'était pas née de la dernière pluie. Elle le questionnerait, le sonderait et il finirait par craquer et lui révéler ce qu'il tenait à garder précieusement pour lui. Aussi se contenta-t-il de déclarer :) J'ai le droit d'aller au pub. Le droit de m'asseoir où ça me plaît. Le droit de parler à qui je veux.

– Tu te conduis comme un imbécile.

– En outre, faut que je te parle affaires.

Il s'octroya une autre rasade de gin, qui passa sans problème. Il songea à aller en chercher un deuxième au bar. Il l'écluserait et après ça, il en prendrait peut-être encore un autre. Et le premier qui essaierait de l'en empêcher passerait un sale quart d'heure.

Polly jouait avec une pile de sous-bocks, se concentrant comme pour éviter de croiser son regard. Il voulait qu'elle le regarde. Il voulait tendre la main et lui toucher le bras. Il jouait un rôle important dans sa vie maintenant et elle ne le savait même pas. Mais elle allait bientôt l'apprendre. Il allait la mettre au parfum.

– Je suis allé à Cotes Hall.

Elle ne broncha pas.

– Je suis rentré par le sentier.

Elle remua comme s'apprêtant à partir, porta une main à sa nuque, y enfonça les doigts.

– J'ai croisé le constable.

Ses yeux papillotèrent comme si elle voulait le regarder mais ne pouvait s'y décider.

– Alors ? fit-elle.

– A ta place, je ferais gaffe.

Cette fois, elle croisa son regard. Seulement ce ne fut pas de la curiosité qu'il y lut. Ni le besoin d'obtenir des explications. Son cou avait pris une vilaine teinte rouge.

Cela le déconcerta. Elle était censée lui demander ce que sa phrase signifiait, solliciter son avis, un avis qu'il se ferait un plaisir de lui donner, bien sûr, et dont elle le remercierait avec une gratitude compréhensible. La gratitude la conduirait tout naturellement à lui accorder une place dans sa vie. De là à ce qu'elle tombe amoureuse de lui, il n'y avait qu'un pas. Et si elle ne parvenait pas à l'aimer, il se contenterait d'être désiré.

Seulement sa phrase ne semblait pas allumer en elle la curiosité propre à renverser les défenses qu'elle avait élevées contre lui dès l'instant où elle l'avait vu. Loin d'avoir l'air intriguée, elle semblait indignée.

– Je n'ai rien fait. Ni à *elle* ni à personne.

Il eut un mouvement de recul. Elle se pencha en avant.

– A elle ? fit-il, interdit.

– Rien, répéta-t-elle. Et si une conversation avec le constable suffit à te convaincre que Mr. Sage m'a confié quelque chose dont j'aurais pu me servir...

– Pour le tuer, dit Brendan.

– Quoi ?

– Il te croit responsable. De la mort du pasteur. Il cherche des preuves.

Elle ouvrit et referma la bouche.

– Des preuves.

– Oui. Alors fais gaffe où tu mets les pieds. Et s'il te pose des questions, téléphone-moi immédiatement. Tu as mon numéro au cabinet, n'est-ce pas ? Ne reste pas seule avec lui. Compris ?

– Des preuves, fit-elle comme pour se convaincre.

– Polly, tu m'écoutes ? Le constable cherche des preuves pour démontrer que tu es responsable de la mort du pasteur. Il se dirigeait vers Cotes Hall quand je l'ai rencontré.

Elle le fixa sans le voir.

– Mais Col était en rogne, c'est tout, dit-elle. Il ne parlait pas sérieusement. Je l'avais poussé à bout. Des fois, ça m'arrive. Et les mots ont dépassé sa pensée.

Pour Brendan, tout ça, c'était du chinois. Il se dit qu'elle déménageait, qu'il lui fallait la ramener sur terre, et surtout près de lui. Il lui prit la main. Les yeux toujours dans le vague, elle ne chercha pas à protester.

– Polly, faut que tu m'écoutes.

– Non. Il ne parlait pas sérieusement.

– Il m'a posé des questions au sujet des clés, poursuivit Brendan. Pour savoir si je t'en avais remis un jeu, si tu me les avais réclamées.

Fronçant les sourcils, elle garda le silence.

– Je ne lui ai pas répondu, Polly. Je lui ai dit qu'il n'avait pas à me parler de ça. Et je lui ai également dit d'aller se faire foutre. Alors si jamais il vient te voir et qu'il remet ça...

– C'est pas possible, qu'il pense une chose pareille. (Elle chuchotait, aussi Brendan dut-il se pencher.) Il me connaît. Il me connaît.

La main de Polly se crispa sur celle de Brendan, qu'elle approcha de son sein. Abasourdi, ravi, il se sentit prêt à tout pour l'aider.

– Comment est-ce qu'il peut penser que je... Quel que soit le... Brendan ! (Elle repoussa la main de Brendan, recula avec son tabouret.) Cette fois, c'est la catastrophe.

Au moment où Brendan s'apprêtait à lui demander de quelle catastrophe il pouvait bien s'agir, une main puissante s'abattit sur son épaule.

Levant les yeux, Brendan se trouva nez à nez avec son beau-père.

– Sacré nom de Dieu, laissa échapper St. John Andrew Townley-Young. Sortez d'ici avant que je ne vous réduise en bouillie, espèce de minable.

Lynley ferma la porte de sa chambre et s'y adossa, les yeux braqués vers le téléphone posé sur la table de chevet. Au-dessus du lit, les Wragg avaient accroché d'autres reproductions témoignant de leur passion pour les impressionnistes et les post-impressionnistes. Un délicat *Madame Monet et son enfant* faisait bizarrement pendant à un *Moulin-Rouge* de Toulouse-Lautrec, qui était de travers. Lynley redressa le Toulouse-Lautrec. Il retira une toile d'araignée accrochée à la chevelure de Madame Monet. Mais pas plus la contemplation de ces œuvres qu'un instant de réflexion sur l'incongruité de leur cohabitation ne suffirent à l'empêcher d'attraper l'appareil et de composer son numéro.

Il prit sa montre de gousset dans sa poche. Neuf heures passées. Elle ne serait pas couchée. Il n'avait donc aucune raison de ne pas l'appeler.

Si ce n'est la lâcheté. Et ce n'était pas ce qui lui manquait dès lors qu'il s'agissait d'Helen. L'amour, songeat-il, est-ce que c'est bien ça que je voulais ? Est-ce qu'une liaison – des douzaines de liaisons – ne serait pas plus facile ? Il poussa un soupir. Quel sentiment monstrueux que l'amour. C'était autre chose que de faire la bête à deux dos.

Le sexe ne leur avait pas posé le moindre problème. Il l'avait raccompagnée de Cambridge un vendredi de novembre. Ils étaient restés terrés chez elle jusqu'au dimanche matin. Ils n'avaient songé à manger que le samedi soir. Il lui suffisait de fermer les yeux – en cet instant même – pour revoir son visage, la façon dont ses cheveux l'encadraient, la couleur de sa chevelure proche de celle du cognac qu'il venait de boire ; pour la sentir bouger contre lui, sentir sa chaleur sous ses mains qu'il promenait de ses seins à sa taille, à ses cuisses ; pour l'entendre haleter puis hoqueter dans l'orgasme et crier son nom. Il avait posé ses doigts sous son sein et senti battre son cœur. Un peu gênée, elle avait ri tant tout cela s'était fait facilement.

C'était elle qu'il voulait. Physiquement, ils étaient faits pour s'entendre. Mais les heures qu'ils passaient au lit ne suffisaient pas à les lier l'un à l'autre de manière définitive.

Parce qu'on pouvait aimer une femme, lui faire l'amour et réussir cependant – en le cachant soigneusement, certes – à ne pas être touché au cœur. Car, lorsque cette barrière cédait, il était difficile d'en sortir indemne. Et tous deux le savaient, qui avaient franchi d'autres barrières en compagnie d'autres partenaires avant de se rencontrer.

Comment apprendre à faire confiance à l'autre, songea-t-il. Comment trouver le courage de se livrer corps et âme une deuxième ou une troisième fois ? Comment trouver la force de s'exposer à avoir de nouveau le cœur brisé ? Helen n'en avait pas envie et il ne pouvait lui en tenir rigueur, n'étant pas certain lui-même de vouloir risquer le coup.

Il repensa à sa conduite avec un sentiment de honte. Ce matin, il avait littéralement fui Londres. Il se connaissait suffisamment bien pour savoir qu'il avait sauté sur l'occasion de s'éloigner d'Helen et de la punir. Ses doutes, ses craintes l'exaspéraient, et cela d'autant plus qu'ils reflétaient les siens.

Epuisé, il se laissa tomber sur le lit et écouta le *floc... floc...* de l'eau qui gouttait du robinet de la salle de bains. Comme tous les bruits nocturnes, celui-ci était obsédant. S'il ne faisait pas un geste pour y mettre fin, il ferait des sauts de carpe dans son lit toute la nuit et se battrait avec son oreiller dès qu'il aurait éteint la lumière. Le robinet devait avoir besoin d'un joint neuf. Ben Wragg pouvait certainement lui en procurer un. Il n'avait qu'à décrocher le téléphone et lui poser la question. Combien de temps lui faudrait-il pour effectuer la réparation ? Cinq minutes ? Quatre ? Pendant qu'il changerait le joint, il pourrait réfléchir, profitant de ce que ses mains étaient occupées pour prendre une décision au sujet d'Helen. Il ne pouvait quand même pas l'appeler sans savoir ce qu'il allait lui dire. Cinq minutes de travaux de plomberie l'empêcheraient de se précipiter à l'aveuglette et de prendre le risque de s'exposer à... Il s'arrêta un instant de soliloquer. A quoi ? L'amour ? L'honnêteté ? La confiance ?

Avec un rire amer, il tendit le bras vers le téléphone qui sonnait au même instant.

– Denton m'a dit où je te trouverais.

– Helen, répondit-il. Bonsoir, chérie. J'allais t'appeler, ajouta-t-il, se rendant compte qu'elle ne le croirait probablement pas.

– Tu m'en vois ravie, fit-elle contrairement à son attente.

Puis le silence. Il se la représenta dans sa chambre d'Onslow Square, assise sur le lit, jambes repliées sous elle, le couvre-lit ivoire et jaune formant un contraste étonnant avec ses cheveux et ses yeux. Il la voyait tenant le téléphone au creux de ses mains comme pour le protéger ou se protéger, elle. Il imagina ses bijoux – les boucles d'oreilles qu'elle avait retirées et posées sur la petite table en noyer près du lit, le fin bracelet en or qui encerclait encore son poignet, la chaîne assortie accrochée à son cou, qu'elle touchait comme un talisman. Et au creux de sa gorge, son parfum, mélange de fleurs et de citron.

Ensemble, ils rompirent le silence :

– Je n'aurais pas dû...

– Je me sens...

... et là-dessus ils éclatèrent de ce rire gêné des amants qui ont peur de perdre ce qu'ils viennent de trouver. Lynley renonça aux discours qu'il avait préparés.

– Je t'aime, chérie. Je suis désolé.

– Tu as pris la fuite, c'est ça ?

– Oui. D'une certaine façon.

– Je ne peux pas t'en vouloir. Je me suis enfuie moi-même tellement souvent.

Nouveau silence. Elle devait porter un chemisier en soie, un pantalon en laine, ou bien une jupe. Sa veste devait être par terre, au pied du lit. Ses chaussures sur le plancher. La lumière devait être allumée, jetant une lueur triangulaire sur les fleurs et les rayures du papier.

– Mais tu ne t'es jamais enfuie pour me faire de la peine, dit-il.

– C'est pour cela que tu as pris la fuite ? Pour me faire mal ?

– D'une certaine manière, oui. Je ne suis pas fier de moi, tu peux me croire.

Il attrapa le fil du téléphone, l'entortillant autour de ses doigts, désireux de toucher un objet puisqu'il ne pouvait la toucher, elle.

– Helen, en ce qui concerne cette maudite cravate, ce matin...

– Ça n'était pas le problème. Tu le savais. Je ne voulais pas me l'avouer. C'était une excuse.

– Pourquoi une excuse ?

– Parce que j'ai peur.

– De quoi ?

– De m'engager, je suppose. De t'aimer davantage. De te laisser prendre une place trop importante dans ma vie.

– Helen...

– Je pourrais me perdre dans ton amour. Le problème, c'est que je ne sais pas si j'en ai envie.

– Qu'y a-t-il de mal à ça ?

– Rien. Mais le chagrin va de pair avec l'amour. C'est fatal. Et c'est ça, mon problème : je me demande si j'ai envie de me mettre en situation de souffrir. Parfois... (Elle hésita. Il se représenta ses doigts fins touchant sa clavicule en un geste qui lui était familier.) L'amour est plus proche de la souffrance que tout ce que j'ai connu auparavant. C'est fou, non ? Et ça me fait peur. Je crois que j'ai peur de toi, en fait.

– Il faut que tu me fasses confiance, Helen. Si tu veux qu'on ait une chance de continuer, nous deux.

– Je sais.

– Je ne te ferai pas de mal.

– Pas volontairement. Non. Je le sais.

– Alors ?

– Imagine que je te perde, Tommy.

– Pourquoi ? Comment pourrais-tu me perdre ?

– De mille façons.

– A cause de mon travail ?

– A cause de ce que tu es.

– On en revient à la cravate, alors? dit-il.

– Les autres femmes? Oui. En un sens. Mais ce qui me flanque encore plus la frousse, c'est la vie de tous les jours, la petite vie domestique qui finit par vous user à la longue. Je ne veux pas que ça nous arrive. Je ne veux pas me réveiller un beau matin et m'apercevoir que j'ai cessé de t'aimer. Je ne veux pas, un soir, à table, surprendre ton regard braqué sur moi et y lire la même chose.

– C'est un risque à courir, Helen. En fin de compte, ça revient à faire un acte de foi. Quoique, en ce qui nous concerne, Dieu sait ce qui nous attend si nous ne sommes même pas capables d'aller une semaine en vacances à Corfou.

– Désolée. Mais ce matin j'ai eu l'impression d'être acculée, coincée.

– Eh bien, c'est fini maintenant. Tu as retrouvé ta liberté de mouvement.

– Mais je ne veux pas être délivrée de toi, Tommy. (Elle poussa un soupir, suivi d'une sorte de hoquet, prélude à ce qu'il aurait bien aimé prendre pour un sanglot étouffé. Seulement, à sa connaissance, Helen n'avait sangloté qu'une seule fois dans sa vie – à l'âge de vingt et un ans, lorsque son univers avait été anéanti par une voiture qu'il conduisait – et il y avait peu de chances qu'elle se remît à pleurer maintenant.) J'aimerais tellement que tu sois près de moi.

– Moi aussi.

– Quand est-ce que tu rentres? Demain?

– Impossible. Denton ne t'a pas mise au courant? Je suis sur une affaire.

– Dans ce cas, tu n'as pas besoin de moi. Je serais dans tes pattes.

– Tu ne me dérangerais pas. Simplement ça ne marcherait pas.

– Est-ce que ça marchera un jour?

Là était la question. Il baissa la tête vers le sol, examinant la boue qui maculait ses chaussures, les dessins de la moquette à fleurs.

– Je n'en sais rien. Et c'est bien ça, l'emmerdant. Je peux toujours te demander de tenter le coup et de sauter dans le vide. Malheureusement, je ne peux pas te dire ce que tu trouveras de l'autre côté.

– Personne ne le peut.

– Personne d'honnête. C'est le fond du problème. Prédire l'avenir, c'est impossible. On ne peut que se laisser guider par le présent et espérer.
– Tu le crois sincèrement, Tommy ?
– De tout mon cœur.
– Je t'aime.
– Je sais. C'est pour ça que je le crois.

12

Maggie eut de la chance : il était effectivement seul lorsqu'il quitta le pub. En apercevant sa bicyclette appuyée contre la grille blanche du parking du *Crofters Inn*, elle avait espéré qu'il en serait ainsi. Cette drôle de bécane, il aurait fallu être aveugle pour ne pas la remarquer. C'était un vélo de fille avec des pneus confort, qui avait appartenu à la sœur aînée de Nick avant son mariage. Nick se l'était approprié sans complexe, se moquant de l'allure qu'il avait, perché sur cette machine, quand il traversait le village pour regagner Skelshaw Farm, son vieux blouson d'aviateur en cuir claquant au vent, son radio-cassette accroché au guidon et braillant du rock and roll. Depeche Mode, le plus souvent. Nick était un fan de ce groupe.

Il tripotait les boutons de sa radio au sortir du débit de boissons, s'efforçant de capter une fréquence faisant un maximum de bruit avec un minimum de friture. Des bribes de Simple Minds, UB40 et Fairground Attraction rugirent tour à tour avant qu'il ne déniche quelque chose à son goût. Des grincements suraigus produits par une guitare électrique.

– Ouais ! Clapton, c'est super ! dit Nick en accrochant la radio au guidon.

Il se baissa pour renouer son lacet gauche et Maggie en profita pour sortir de l'ombre du porche du *Pentagram*, un salon de thé situé en face de l'auberge.

Elle était restée dans le repaire de Josie, au bord de la rivière, longtemps après que son amie fut partie mettre le couvert et faire le service. Elle avait décidé de ne rentrer au cottage que deux heures après le dîner. Sa mère aurait ainsi largement le temps de se ronger les sangs, de se demander si elle n'avait pas été assassinée ou enlevée. Après tout, elle ne l'avait pas volé.

Malgré la scène de la veille au soir, elle avait déposé une tasse de son abominable tisane devant Maggie sur la table du petit déjeuner.

– Bois ça, Margaret. Tout de suite.

Elle lui avait parlé d'un ton sec mais n'avait pas essayé de lui faire croire que c'était un breuvage bon pour son corps, plein de vitamines et de sels minéraux propres à favoriser la croissance. Ce mensonge-là, elle ne s'en était quand même pas resservi. Mais sa détermination, elle, était demeurée intacte.

Maggie avait réagi avec une vigueur identique.

– Non. Tu m'as eue une fois. Tu ne m'auras pas une deuxième. Pas question que tu me reforces à avaler cette mixture.

Elle s'était exprimée d'une voix perçante, aiguë. D'une voix de souris qu'on tire par la queue. Et quand maman avait approché la tasse de ses lèvres, son autre main plaquée sur la nuque de Margaret, en insistant : « Tu vas me faire le plaisir de boire ça, Margaret. Tu ne bougeras pas de là tant que tu n'auras pas vidé la tasse. » Maggie avait subitement levé les bras, renversant la tasse et son contenu bouillant sur la poitrine de sa mère.

Son pull en jersey avait absorbé le liquide comme le désert la pluie et s'était plaqué contre elle comme une seconde peau.

Maman poussa un cri et se précipita vers l'évier. Maggie la regarda avec des yeux horrifiés.

– Maman, risqua-t-elle. Je ne voulais pas...

– Va-t'en. File, fit maman, suffoquant. (Et voyant que Maggie restait comme pétrifiée, elle se rua vers la table et en écarta sa chaise.) Tu m'entends ? File.

Cette voix n'était pas celle de maman. C'était une voix inconnue. Ce n'était pas maman qui était plantée devant l'évier, faisant couler furieusement l'eau glacée, aspergeant son pull à pleines mains, se mordant la lèvre inférieure de douleur. Elle émettait de drôles de bruits comme quelqu'un qui a le souffle coupé. Quand son pull fut entièrement trempé, elle se pencha pour le retirer. Elle tremblait de tout son corps.

– Maman, avait couiné Maggie, toujours avec sa petite voix de souris.

– Va-t'en. File. Je ne te connais pas.

Elle était sortie en titubant dans le matin gris, elle s'était assise seule, à l'écart, dans le car qui l'emmenait à l'école. La journée passant, elle avait dressé un bilan, évalué ce qu'elle avait perdu. Et elle était retombée sur ses pattes, se construisant une bulle fragile où se réfugier. Maman ne voulait plus d'elle ? Très bien, elle partirait. Et elle se débrouillerait.

Nick l'aimait. Ne le lui avait-il pas dit et répété ? Ne le lui disait-il pas tous les jours, chaque fois que l'occasion se présentait ? Après tout, elle n'avait pas besoin de maman. Quelle idiote elle avait été, de se figurer avoir besoin d'elle. Quant à maman, elle pouvait parfaitement se passer d'elle. Une fois qu'elle aurait tourné les talons, sa mère pourrait vivre sa vie tranquille avec Mr. Shepherd ; ce qui était sûrement son souhait le plus cher, au fond. En fait, c'était peut-être pour *ça* qu'elle s'efforçait de faire avaler cette potion à Maggie. Peut-être...

Maggie frissonna. Non. Maman était bonne. Jamais elle n'aurait...

Il était sept heures et demie lorsque Maggie sortit du repaire de Josie au bord de la rivière. Le temps qu'elle arrive au cottage, il serait huit heures passées. Elle entrerait sans un mot, d'un air majestueux. Monterait dans sa chambre et fermerait la porte. Jamais plus elle n'adresserait la parole à maman. A quoi bon ?

Puis, en apercevant la bicyclette de Nick, elle avait changé d'avis. Traversant la rue, elle était allée se poster dans l'ombre du porche du salon de thé pour s'abriter du vent en l'attendant.

Elle n'avait pas pensé devoir patienter si longtemps. Elle s'était dit qu'alerté par une sorte de mystérieux sixième sens Nick sentirait sa présence dans les parages et plaquerait ses copains pour la rejoindre. Elle-même ne pouvait pas prendre le risque d'entrer, des fois que sa mère aurait appelé Mr. Wragg pour essayer de savoir si elle n'était pas au pub. Mais l'attente ne lui faisait pas peur. Il ne tarderait pas à se montrer.

Il n'était sorti que deux heures plus tard. Et quand elle se faufila près de lui et lui passa un bras autour de la taille, il sursauta de saisissement en poussant un cri perçant. Il pivota sur ses talons. Le vent lui rabattit les cheveux dans les yeux. Il les renvoya en arrière, la vit.

– Mag ! (Sourire ravi. A la radio, la guitare grinça de plus belle.)

– Je t'attendais. Je m'étais mise là-bas.

Il tourna la tête. Le vent lui ébouriffa de nouveau les cheveux.

– Où ?

– Près du salon de thé.

– Dehors ? Mais t'es dingue, Mag ! Par ce temps ! Tu dois être transformée en glaçon. Pourquoi t'es pas entrée te mettre au chaud ? (Il jeta un coup d'œil vers l'auberge.) C'est à cause de la police ?

Elle fronça les sourcils.

– La police ?

– New Scotland Yard. Ils sont arrivés vers cinq heures, d'après ce que Ben Wragg avait l'air de dire. T'étais pas au courant ? Je croyais que tu le savais.

– Pourquoi ?

– Ta mère.

– Quoi, ma mère ?

– Ils sont là pour enquêter sur la mort de Mr. Sage. Ecoute, faut qu'on parle.

Il jeta un regard en direction du pré communal et du parking, flanqué d'un petit bâtiment de pierre abritant des toilettes publiques. Ils pourraient toujours s'y abriter du vent, sinon du froid. Maggie eut une meilleure idée.

– Suis-moi, lui dit-elle.

Après avoir marqué une pause pour lui permettre de récupérer sa radio – dont il baissa d'instinct le volume –, elle lui fit franchir la grille du parking du *Crofters Inn*. Ils louvoyèrent au milieu des voitures. Nick siffla d'admiration en passant devant la Bentley gris métallisé qui était déjà garée là plusieurs heures auparavant lorsque Josie et Maggie s'étaient dirigées vers le cours d'eau.

– Où est-ce qu'on va ?

– Chez Josie, dit Maggie. Dans sa cachette. Je suis sûre qu'elle dira rien. T'as une allumette ? On va en avoir besoin pour la lanterne.

Ils descendirent prudemment le sentier. Le sol était glissant car une fine couche de glace commençait à se former à la surface. Nick dit :

– Je passe le premier.

Ce qu'il fit, lui tendant la main pour l'aider à négocier les passages difficiles et l'empêcher de tomber. Chaque fois qu'il trébuchait, il lui disait : « Tiens bon, Mag » et il serrait plus fort sa main dans la sienne. Comme il prenait soin d'elle... Cette pensée lui réchauffa le cœur.

– On y est, annonça-t-elle lorsqu'ils atteignirent la vieille glacière. (Elle donna un coup d'épaule dans la porte. Celle-ci tourna sur ses gonds en grinçant et racla le sol, soulevant en partie le vieux tapis.) C'est le refuge de Josie. Promets-moi de tenir ta langue.

Il se baissa pour entrer tandis que Maggie cherchait le tonneau et la lanterne.

– Passe-moi les allumettes.

Il lui mit une pochette d'allumettes dans la main. Elle alluma la lanterne, régla la flamme et se tourna vers lui. Il examinait les lieux.

– Génial.

Passant devant lui, elle alla refermer la porte puis, imitant Josie, se mit à asperger le sol et les murs d'eau de toilette.

– On caille. Y fait plus froid dedans que dehors, remarqua Nick.

Ayant remonté la fermeture Eclair de son blouson, il s'administra des claques sur les bras.

– Viens là.

S'étant assise sur le lit de camp, elle tapotait la place près d'elle. Lorsqu'il se fut laissé tomber sur le lit, elle prit l'édredon qui servait de couvre-lit et ils s'en firent une cape.

Il se dégagea le temps de sortir ses Marlboro. Maggie lui restitua ses allumettes et il alluma deux cigarettes, une pour lui et une pour elle. Il prit une profonde inspiration, avalant la fumée. Maggie fit semblant de l'imiter.

Plus que tout, ce qu'elle aimait, c'était le sentir près d'elle. Le crissement du blouson de cuir, la pression de sa jambe contre la sienne, sa chaleur, la longueur de ses cils qu'elle admirait à la dérobée, ses yeux aux paupières lourdes, langoureux et comme ensommeillés. « C'est fou, ce qu'ils sont sexy, les yeux de Nick, avait décrété une prof dans la cour de l'école. Dans quelques années, il aura du pain sur la planche, avec toutes ces nénettes qui sont folles de lui. » Une de ses collègues avait ajouté : « S'il décidait de s'occuper de moi tout de suite, je crois bien que je me laisserais faire. » Là-dessus elles avaient éclaté de rire, s'interrompant brutalement lorsqu'elles avaient aperçu Maggie non loin de là. Non qu'elles fussent au courant pour Maggie et Nick. A part Josie et maman, personne n'était au courant. Josie, maman. Et Mr. Sage.

– Il y a eu une enquête [1], dit Maggie d'un ton raisonnable. Le jury, le coroner ont conclu que c'était un accident. Et lorsque le coroner a parlé, y a pas à revenir sur ce qu'il a dit. Pas vrai ? La police sait ça, quand même ?

Nick secoua la tête. La cigarette brasilla. Il fit tomber de la cendre sur le tapis et l'écrasa d'un coup de talon.

– Tu parles du procès, là, Mag. On peut pas être jugé deux fois pour le même délit. A moins qu'y ait des faits nouveaux. Enfin, je crois. Mais c'est pas le problème, parce qu'il y a pas eu de procès pour commencer. Une enquête, c'est pas un procès.

– Il va y en avoir un ? Maintenant ?

– Ça dépend de ce qu'ils vont trouver.

– Trouver ? Où ? Qu'est-ce qu'ils cherchent ? Ils vont aller au cottage ?

– Tu peux être sûre qu'ils vont vouloir parler à ta mère. Ils ont déjà passé la soirée avec Mr. Townley-Young. D'ailleurs, ça serait Townley-Young qui les aurait appelés, que ça m'étonnerait pas. (Nick pouffa.) T'as raté quelque chose, Mag. T'aurais dû voir sa tronche quand il est sorti du salon. Le pauvre Brendan prenait un pot avec Polly Yarkin : Townley-Young est devenu blanc comme un linge en les voyant. Ils buvaient un coup, sans plus, mais le père Townley-Young a fait sortir Brendan du pub en moins de deux. Ses yeux lançaient des éclairs. Comme au cinéma.

– Mais maman n'est pas coupable, objecta Maggie. (La peur lui brûlait la poitrine.) Elle l'a pas fait exprès. C'est ce qu'elle leur a dit. Et le jury l'a crue.

– Oui. Ils ont cru ce qu'on leur avait raconté. Mais imagine qu'on leur ait menti.

– Pas maman !

– T'inquiète pas, Mag, fit Nick, rassurant. Mais attends-toi à ce qu'ils veuillent te parler, à toi aussi.

– Les types de la police ?

1. Rappelons qu'il s'agit ici de l'enquête *(inquest)* menée en cas de mort violente. *(N.d.T.)*

– Oui. Tu connaissais Mr. Sage. Vous étiez amis. Quand les flics enquêtent, ils parlent toujours aux copains du mort.

– Mais Mr. Shepherd ne m'a jamais parlé. A l'enquête du coroner, on ne m'a rien demandé non plus. Je n'étais pas au cottage la nuit où ça s'est passé. J'ignore ce qui est arrivé. Qu'est-ce que je pourrais bien leur raconter...

– Hé. (Il tira une dernière bouffée de sa cigarette avant de l'écraser contre la paroi de pierre et éteignit également celle de Maggie. Il lui passa un bras autour de la taille. A l'autre bout de la glacière, la radio de Nick sifflait.) Te bile pas, Mag. Faut pas te faire du mauvais sang. Ça n'a rien à voir avec toi. T'as pas tué le pasteur, si ? fit-il en éclatant de rire.

Maggie ne fit pas chorus.

Elle se souvenait de la colère que sa mère avait piquée en apprenant qu'elle rendait visite à Mr. Sage. A ses cris perçants « Qui te l'a dit ? Qui est-ce qui m'espionne ? », maman avait répondu : « Ecoute-moi, Maggie. Fais preuve d'un peu de bon sens. Ce monsieur, tu ne le connais pas. Et c'est un adulte, pas un gamin. Il a quarante-cinq ans bien sonnés. Est-ce que tu réalises, seulement ? A quoi ça rime d'aller seule chez un type de quarante-cinq ans ? Même si c'est un pasteur. Surtout si c'est un pasteur. Tu ne vois pas dans quelle situation tu le mets ? » Et, comme Maggie rétorquait : « Mais il m'a dit que je pouvais venir prendre le thé chez lui quand je voudrais. Et il m'a donné un livre. Et... », sa mère avait poursuivi : « Tout ça ne m'intéresse pas. Je ne veux pas que tu le voies. Ni chez lui. Ni ailleurs. » Quand Maggie avait senti ses yeux s'embuer et qu'elle avait laissé les larmes rouler le long de ses joues en murmurant : « C'est mon ami. Tu veux pas que j'aie d'amis ? », maman lui avait empoigné le bras avec violence, sifflant : « Ne t'approche pas de lui. » « Pourquoi ? » Maman l'avait relâchée. « Parce qu'on ne sait jamais ce qui peut arriver. C'est comme ça, dans la vie. Et si tu ne comprends pas, tu n'as qu'à lire les journaux. » La discussion s'était, ce soir-là, terminée sur ces mots. Mais d'autres avaient suivi.

– Tu l'as vu aujourd'hui. Ne mens pas, Maggie, je le sais. Désormais, je t'interdis de sortir.

– C'est pas juste !

– Qu'est-ce qu'il te voulait ?
– Rien.
– Ne fais pas ta tête de mule ou tu t'en mordras les doigts. Qu'est-ce qu'il voulait ?
– Rien.
– Qu'est-ce qu'il t'a raconté ? Qu'est-ce que vous avez fait ?
– On a bavardé. On a mangé des gâteaux secs. Et Polly nous a préparé du thé.
– Elle était là ?
– Oui. Elle est toujours...
– Dans la même pièce que vous ?
– Non. Mais...
– De quoi avez-vous parlé ?
– De choses et d'autres.
– Par exemple ?
– De l'école. De Dieu. Et puis il m'a demandé si j'étais jamais allée à Londres. Si ça me dirait d'y aller. Il m'a dit que Londres me plairait. Il y est allé souvent. La semaine dernière, il est même allé y passer deux jours. Il dit que les gens qui se lassent de Londres ne méritent pas de vivre. Un truc dans ce goût-là.

Maman ne répondit pas, les yeux fixés sur ses mains occupées à râper du fromage. Elle tenait le cheddar avec tant de force que ses phalanges étaient toutes blanches. Mais pas aussi blanches que son visage.

Ce détail n'échappa pas à Maggie qui décida de pousser son avantage.

– Il a dit aussi qu'on irait peut-être faire une excursion à Londres, un de ces jours, avec les jeunes de la paroisse. Il connaît des familles là-bas qui seraient prêtes à nous loger. On aurait même pas besoin d'aller à l'hôtel. Il a dit que Londres, c'était formidable, qu'on pourrait visiter les musées, la Tour, aller à Hyde Park et déjeuner chez Harrod's. Il a dit aussi que...
– Va dans ta chambre.
– Maman !
– Tu entends ?
– Mais je voulais juste...

La gifle lui coupa net la parole. Le choc, la surprise plus que la douleur lui firent venir les larmes aux yeux. Et avec elles, la colère et le désir de se venger.

– C'est mon ami, cria-t-elle. Il m'aime bien et ça te plaît pas. Tu veux jamais que j'aie des amis. C'est pour ça qu'on passe notre temps à déménager, hein ? Pour que personne ne s'intéresse à moi. Que je sois toujours seule. Et si papa...

– Assez ! Tais-toi !

– Je me tairai pas. Si papa me retrouve, je partirai avec lui. Tu réussiras pas à m'en empêcher.

– A ta place je n'en serais pas si sûre, Margaret.

Et puis Mr. Sage était mort quatre jours plus tard. Qui était vraiment responsable de sa mort ?

– C'est quelqu'un de bien, maman, fit-elle à voix basse. Elle a pas pu vouloir de mal au pasteur.

– Je te crois, Mag, répondit Nick. Mais il y en a ici qui sont pas de cet avis.

– Imagine qu'il y ait un procès ? Qu'elle aille en prison ?

– Je m'occuperai de toi.

– C'est vrai ?

– Oui.

Il semblait sûr de lui. Il était sûr de lui. C'était bon d'être près de lui. Elle lui passa un bras autour de la taille et posa sa tête contre sa poitrine.

– J'aimerais qu'on soit toujours comme ça, dit-elle.

– Alors on restera comme ça.

– Vraiment ?

– Vraiment. Tu es la seule qui compte pour moi. Te fais pas de mouron pour ta mère.

Elle fit glisser sa main de son genou vers sa cuisse.

– Tu as froid, Nick ?

– Un peu, ouais.

– Je peux te réchauffer.

Elle sentit qu'il souriait.

– Ça, je te fais confiance.

– Tu veux que j'essaie ?

– Je dis pas non.

– Tu vas voir. (Elle procéda comme il le lui avait appris, le caressant lentement avec de douces torsions de la main. Elle sentit son sexe durcir.) C'est bon, Nick ?

– Hmmmm.

De la paume, en partant de la base, elle frotta le membre roide sur toute sa longueur. Puis elle repartit dans l'autre sens, ses doigts courant le long du pénis rigide. Nick poussa un soupir, remua.

– Quoi ?

Il plongea la main dans son blouson. Une sorte de crissement se fit entendre.

– Un de mes copains m'a refilé ça. On peut pas continuer à le faire sans capote, Mag. C'est trop risqué.

Elle lui embrassa la joue puis le cou. Elle plongea les doigts entre ses jambes à l'endroit le plus sensible. Il en eut le souffle coupé.

Il s'allongea sur le lit de camp.

– Faut qu'on utilise un préservatif, cette fois, Mag.

Elle défit sa braguette, lui baissa son jean. Puis elle retira son collant, s'allongea près de lui et releva sa jupe.

– Mag, faut qu'on...

– Pas tout de suite, Nick. Attends une minute.

Elle passa une jambe par-dessus sa jambe. Commença à l'embrasser. Entreprit de lui caresser le sexe sans les mains.

– C'est bon ? chuchota-t-elle.

La tête renversée en arrière, les yeux fermés, il émit un gémissement en guise de réponse.

Elle constata qu'une minute, c'était largement suffisant.

Saint James était assis dans l'unique fauteuil de la chambre, un énorme siège à oreillettes. En dehors du lit, c'était le meuble le plus confortable qu'il ait trouvé au *Crofters Inn*. Il ramena avec soin les pans de sa robe de chambre autour de lui pour se protéger du froid insinuant qui filtrait des deux verrières.

Derrière la porte fermée de la salle de bains, il entendait Deborah s'ébrouer dans la baignoire. D'habitude, elle fredonnait ou chantait dans son bain, du Cole Porter ou du Gershwin, avec la fougue d'une Edith Piaf et le talent d'une chanteuse des rues. Même avec l'aide du chœur de King's College, elle n'aurait pas réussi à chanter juste. Ce soir, cependant, elle se baignait en silence.

En temps normal, il aurait accueilli les pauses entre « Anything goes » et « Summertime » avec soulagement, surtout s'il essayait de lire au lit tandis qu'elle procédait à ses ablutions dans la salle de bains jouxtant la chambre. Mais ce soir, il aurait préféré qu'elle massacre ses vieux airs de prédilection plutôt que de l'entendre se doucher sans bruit, ce qui l'amenait à se demander s'il lui fallait ou non rompre le silence, et si oui comment.

A l'exception d'un bref incident survenu à l'heure du thé, ils avaient respecté une trêve tacite depuis qu'elle était rentrée de sa longue promenade matinale sur la lande. Cela ne leur avait pas demandé d'effort particulier, la mort de Mr. Sage et l'arrivée de Lynley les ayant largement occupés. Mais maintenant que Lynley était à pied d'œuvre, que l'enquête avec son mécanisme bien huilé allait pouvoir démarrer, Saint James ne cessait de penser au malaise qui planait sur son couple et à sa responsabilité en la matière.

Si Deborah était toute passion, lui-même était toute raison. Longtemps il s'était plu à croire que cette différence fondamentale de caractère constituait l'assise solide sur laquelle reposait leur mariage, véritable union du feu et de la glace. Mais cette fois ils se trouvaient sur un terrain tel que sa faculté à raisonner ne servait qu'à inciter Deborah à aborder le problème avec un entêtement inébranlable. Les simples mots *au fait, en ce qui concerne l'adoption, Deborah* suffisaient à la hérisser. Elle passait de la colère aux accusations puis aux larmes avec une telle soudaineté qu'il ne savait comment réagir. Et de ce fait, lorsque les discussions se terminaient – dans un fracas de portes claquées – par la fuite de Deborah, sortant telle une furie de la chambre, de la maison ou comme ce matin de l'hôtel, il lui arrivait plus souvent de pousser un soupir de soulagement que de se demander comment aborder le problème sous un autre angle. J'ai essayé, se disait-il, alors qu'il s'était borné à faire semblant.

Il se frictionna la nuque : ses muscles étaient raides. Cette contracture était toujours signe de stress. Il remua et les pans de sa robe de chambre s'écartèrent légèrement. L'air glacial lui grimpa le long de la jambe droite – sa jambe valide –, le forçant à considérer la gauche qui, elle, ne sentait rien. Il l'examina d'un œil clinique. Ce passe-temps auquel il ne s'adonnait que rarement depuis son mariage l'avait littéralement obsédé dans les années qui avaient précédé celui-ci.

Le but de cet examen était toujours le même : il s'agissait pour lui d'étudier les muscles pour mesurer leur degré d'atrophie et combattre de son mieux la fonte musculaire occasionnée par la paralysie. Il avait retrouvé l'usage de son bras gauche avec le temps, et grâce à des mois de kinésithérapie acharnée. Mais la jambe avait résisté à tous ses efforts de rééducation.

– Les mécanismes du cerveau restent mystérieux, lui avaient dit les médecins, tentant d'expliquer pourquoi il avait retrouvé l'usage de son bras et pas celui de sa jambe. En cas de traumatisme crânien grave, et celui que vous avez subi est grave, le pronostic ne peut qu'être réservé. Et un rétablissement complet ne saurait être garanti.

Façon comme une autre de dévider la longue liste des *peut-être*. Peut-être qu'à la longue il retrouverait l'usage de sa jambe. Peut-être qu'un jour il réussirait à marcher sans l'aide de béquilles. Peut-être qu'un matin, au réveil, il retrouverait miraculeusement ses sensations, qu'il pourrait remuer les orteils, sentir jouer ses muscles, plier le genou. Mais douze ans après l'accident, c'était peu probable. Aussi après avoir perdu ses illusions des quatre premières années se cramponnait-il à ce qui lui restait : l'apparence de la normalité. Tant qu'il pourrait empêcher l'atrophie d'imposer définitivement le silence à ses muscles, il s'estimerait satisfait et ferait une croix sur ses rêves.

Pour enrayer la fonte musculaire, il avait eu recours à l'électrothérapie. Que ce combat eût sa source dans la vanité, il n'avait jamais cherché à se le dissimuler, se disant qu'après tout ce n'était pas un bien gros péché que de souhaiter avoir l'apparence de la perfection physique même si celle-ci était hors de portée.

Pourtant, il détestait sa façon de marcher avec ce qu'elle avait de différent. Après toutes ces années, il lui arrivait encore d'avoir les mains moites lorsqu'il lisait de la curiosité dans les yeux d'un étranger. *Différent*, disaient-ils. *Pas tout à fait comme nous.* Certes, son handicap faisait de lui un être différent mais en présence d'un inconnu ce handicap grossissait au centuple.

Les êtres humains doivent être capables de marcher, parler, voir, entendre. S'ils n'y arrivent pas – ou s'ils le font d'une manière qui n'est pas conforme à la norme –, on leur colle une étiquette sur le dos, on esquisse un mouvement de recul.

La baignoire commençait à se vider dans la salle de bains. Il jeta un coup d'œil à la porte, se demandant si c'était là le fond du problème entre sa femme et lui :

elle voulait son dû, la norme. Alors que lui avait depuis longtemps cessé de croire à la valeur intrinsèque de la normalité.

Il se mit debout et tendit l'oreille. Des remous lui indiquèrent qu'elle venait de se lever. Elle devait sortir de la baignoire, prendre un drap de bain, s'entortiller dedans. Il frappa de nouveau à la porte et ouvrit.

Elle ôtait la buée du miroir, ses cheveux s'échappant tels des pampres de vigne d'un turban improvisé à l'aide d'une serviette. Elle lui tournait le dos et de là où il se tenait il distinguait des perles d'humidité le long de son dos. Et sur ses jambes, douces et satinées par l'huile de bain qui emplissait la pièce d'un parfum de lis.

Elle le regarda dans la glace et sourit avec tendresse.

– Tout est fini entre nous, Simon ?

– Pourquoi ?

– Tu n'es pas venu me rejoindre dans le bain.

– Tu ne m'y avais pas invité.

– Comment ! Je n'ai fait que ça pendant tout le dîner. Tu n'as pas capté le message ?

– C'était donc toi qui me faisais du pied sous la table ? Bien sûr, maintenant que j'y pense, ça ne pouvait pas être Tommy.

Riant, elle déboucha un flacon. Il la regarda se passer de la lotion sur le visage. Les muscles bougeaient sous ses doigts qui décrivaient de petits mouvements circulaires. Il entreprit de les identifier. Trapèze, péristaphylin, splénius. Cette récapitulation anatomique l'aidait à se concentrer sur l'objectif qu'il s'était fixé. Car la seule vue de Deborah au sortir du bain ne faisait qu'accroître son désir de remettre les discussions à plus tard.

– Désolé, pour les papiers de l'adoption. Nous avions conclu un marché et je ne l'ai pas respecté. J'espérais t'amener à aborder le sujet en te faisant du charme. Voilà où nous mène notre ego, nous autres, pauvres hommes. Tu me pardonnes ?

– Oui. Il n'y a pas de problème.

Elle reboucha le flacon et commença à se sécher avec une vigueur un peu excessive. Voyant cela, il se dit qu'il lui fallait se montrer prudent. Il ne souffla mot, attendant qu'elle ait enfilé sa robe de chambre et retiré son turban. Elle était penchée en avant, démêlant ses cheveux avec ses doigts, lorsqu'il se décida à reprendre la parole, choisissant soigneusement ses mots.

– C'est une question de sémantique. Quel nom peut-on donner à ce que nous vivons en ce moment ? Désaccord ? Dispute ? Voilà des mots qui ne recouvrent pas bien la réalité.

– Et Dieu sait que nous ne pouvons pas nous permettre de nous tromper d'étiquette scientifique.

– Ça, c'est méchant.

– Ah, oui ?

Se levant, elle se mit à fouiller dans son vanity-case pour en sortir la plaquette de pilules. Elle en fit jaillir une de son logement en plastique, la lui fourra sous le nez et la mit dans sa bouche. Elle ouvrit le robinet avec tant de force que l'eau rebondit contre le fond du lavabo, formant une petite gerbe d'écume.

– Deborah.

L'ignorant, elle avala la pilule.

– Voilà. Tu n'as plus de raison de t'inquiéter. Le problème est réglé.

– C'est à toi de décider en ce qui concerne la prise de la pilule. Je pourrais t'y forcer, je préfère m abstenir. Ce que je veux, c'est que tu comprennes pourquoi je suis inquiet.

– Pourquoi es-tu inquiet ?

– A cause de ta santé.

– Ça fait deux mois que tu me martèles ça. J'ai fait ce que tu voulais : j'ai pris mes pilules. Je ne risque pas de tomber enceinte. Tu es content ?

Sa peau commençait à se marbrer, signe qu'elle se sentait prise au piège. Ses mouvements se faisaient maladroits. Il ne voulait pas susciter sa panique, mais dans le même temps il voulait clarifier un peu l'atmosphère. Conscient de se montrer aussi têtu qu'elle, il poursuivit :

– A t'entendre, on dirait que nous voulons chacun une chose différente.

– C'est exact. Tu ne vas pas me demander de faire celle qui ne s'en rend pas compte ?

Elle passa devant lui pour regagner la chambre où elle s'approcha du radiateur électrique pour effectuer un réglage, prenant tout son temps. Il la suivit, reprit place dans le fauteuil, à distance respectable.

– Une famille, dit-il. Des enfants. Deux, peut-être trois. N'est-ce pas notre objectif ? N'était-ce pas ce que nous voulions ?

– *Nos* enfants, Simon. Pas ceux que les services sociaux daigneront nous donner. C'est ça que je veux.

– Pourquoi ?

Elle leva la tête, se raidit, et il se rendit compte qu'il avait touché au cœur du problème. Dans toutes leurs discussions jusque-là, il avait été trop occupé à faire valoir son point de vue pour s'étonner de son obstination à vouloir mettre un enfant au monde quel qu'en soit le coût.

– Pourquoi ? reprit-il, se penchant vers elle, les coudes sur les genoux. Et si on en parlait, pour commencer ?

Elle se concentra à nouveau sur le radiateur, toucha un bouton, le tourna rageusement.

– Ne prends pas ce ton condescendant avec moi. Je ne le supporte pas.

– Je ne suis pas condescendant.

– Si. Tu passes ton temps à faire de la psychologie. A analyser, à disséquer. Pourquoi ne puis-je ressentir ce que je ressens, vouloir ce que je veux sans que tu passes tout au microscope ?

– Deborah...

– Je veux avoir un bébé. C'est un crime ?

– Je n'ai jamais rien dit de tel.

– Je suis folle ?

– Bien sûr que non.

– Tu me trouves grotesque parce que je tiens à ce que cet enfant soit le nôtre ? Parce que je veux un enfant créé par nous ? Auquel je donnerais la vie ? Pourquoi est-ce que ça serait un crime ?

– Ce n'en est pas un.

– Je *veux* être mère. Une vraie mère. Concevoir un enfant. Je *veux* faire l'expérience de la maternité. Je *veux* ce bébé.

– L'ego ne devrait rien avoir à faire là-dedans. Si c'est pour satisfaire ton ego, pour te faire plaisir, que tu veux être mère, c'est que tu n'as rien compris au rôle de parent.

Elle tourna la tête vers lui, cramoisie.

– Ça, c'est mesquin, comme remarque. Tu es content de toi, j'espère.

– Oh, Seigneur... Deborah. (Il tendit la main vers elle mais ne réussit pas à l'atteindre.) Mon objectif n'est pas de te faire du mal.

– Tu caches bien ton jeu.
– Je suis désolé.
– Bon. Nous nous sommes tout dit.
– Non. (Il chercha ses mots avec un soin qui confinait au désespoir, partagé entre la peur de la blesser et le désir de la comprendre.) Si être parent dépasse la procréation, alors on peut être le père – ou la mère – de n'importe quel enfant. Qu'on le mette au monde, qu'on le prenne sous son aile ou qu'on l'adopte. A condition, bien sûr, de vouloir être *parent*, et pas seulement géniteur.

Elle ne répondit pas. Mais comme elle ne détournait pas les yeux, il se crut autorisé à poursuivre.

– Bon nombre de gens deviennent parents sans réfléchir un instant à ce à quoi ils s'engagent. Mais aider un nouveau-né à arriver à l'âge adulte, c'est une lourde tâche à laquelle il faut être préparé. Il faut être prêt à vivre le processus dans son entier, et pas seulement l'accouchement, sous prétexte que si on n'a pas mis un enfant au monde on a un sentiment d'incomplétude.

Il n'eut pas besoin d'ajouter que lui-même était bien placé pour savoir de quoi il parlait car il lui avait tenu lieu de parent. Agé de onze ans de plus qu'elle – il avait dix-huit ans à l'époque –, il l'avait placée en tête de ses priorités. Ce qu'elle était aujourd'hui, c'était en grande partie à lui qu'elle le devait. Le fait qu'il fût pour elle une manière de second père avait des répercussions positives mais aussi négatives sur leur couple.

Il décida de faire ressortir l'aspect positif, espérant que cela l'aiderait à surmonter sa peur, sa colère ou tout autre sentiment qui les empêchait de se rejoindre, s'appuyant sur leur passé commun pour traverser cette épreuve.

– Deborah, tu n'as rien à prouver à qui que ce soit. Et certainement pas à moi. Alors, si c'est ça ton problème, laisse tomber avant qu'il ne soit trop tard.
– Il ne s'agit pas de me prouver quelque chose.
– De quoi s'agit-il, alors ?
– C'est seulement que... j'imaginais comment ce serait. (Sa lèvre inférieure trembla. Elle appuya ses doigts dessus.) Je le sentirais grandir en moi au long de ces mois. Je le sentirais me donner des coups de pied, je mettrais ma main sur mon ventre. Toi aussi. On choisirait des prénoms, on préparerait la chambre. Et le jour

de l'accouchement, tu serais là. Plus rien, jamais, ne pourrait nous séparer parce que nous aurions conçu ce... ce petit être ensemble. C'est ça que je voulais.

– Mais ça n'est pas sérieux, Deborah. Ce qui compte, dans la vie, c'est les liens. Et les liens, c'est ce qui nous unit, maintenant et pour toujours. (De nouveau, il lui tendit la main. Cette fois, elle la prit, sans toutefois bouger d'un centimètre.) Reviens-moi, dit-il. Je veux t'entendre dévaler l'escalier avec tes appareils et ton fourre-tout. Je veux de nouveau voir tes photos traîner dans la maison. Entendre la radio marcher à plein régime. Buter sur tes vêtements répandus aux quatre coins de la chambre. Je veux que tu parles, que tu discutes pied à pied, que tu redeviennes curieuse de tout, que tu retrouves ta vivacité, ton entrain. Redeviens la Deborah que j'ai connue.

Ses larmes coulèrent.

– C'est impossible.

– Allons donc, cette vitalité est toujours en toi. Seulement, pour une raison que j'ignore, tu fais une fixation sur cette histoire de bébé. Pourquoi ?

Elle baissa la tête, la secouant. Elle lui retira sa main. Et il comprit que tout n'avait pas été dit. Loin de là.

L'ENQUÊTE

13

Echantillon représentatif de l'architecture victorienne, Cotes Hall était truffé de girouettes, cheminées et pignons. Dans ses innombrables oriels se reflétait le ciel plombé du matin. La bâtisse était en calcaire ; sous les effets conjugués du manque d'entretien et des intempéries la façade était verdie par la mousse, des traînées verdâtres dégringolaient du toit, formant un dessin qui n'était pas sans évoquer un cône de déjection vertical. Les abords de Cotes Hall disparaissaient sous les mauvaises herbes. Enfin, si la bâtisse jouissait à l'ouest et à l'est d'une vue imprenable sur la forêt et les collines, le lugubre paysage hivernal et l'état lamentable du bâtiment ne donnaient guère envie de s'y installer.

Au volant de la Bentley, Lynley franchit le dernier nid-de-poule et s'engagea dans la cour que dominait, semblable à la maison Usher, le manoir ancestral. Il réfléchit un instant à l'apparition de St. John Townley-Young au *Crofters Inn*, la veille au soir. En sortant, ce dernier était tombé sur son gendre, lequel prenait un verre avec une femme qui n'était visiblement pas la sienne. Et à en juger par la réaction de Townley-Young, ce n'était pas la première fois qu'il pinçait le jeune homme en flagrant délit. Sur le moment, Lynley s'était dit qu'ils avaient découvert du même coup – et sans le vouloir – le pourquoi des déprédations commises au manoir et l'identité du mauvais plaisant. Une femme formant le troisième sommet d'un triangle amoureux était capable des pires extrémités pour troubler la tranquillité et le mariage d'un homme qu'elle voulait s'approprier.

Toutefois, alors qu'il laissait errer ses regards sur les girouettes rouillées de Cotes Hall, les gouttières crevées, le fouillis d'herbes entourant la base de l'édifice, Lynley se vit contraint d'admettre qu'il avait tiré des conclusions hâtives. Et surtout machistes. Car, bien que nullement concerné, il avait des frissons dans le dos à l'idée de devoir habiter ce caravansérail décrépit. Quelle que fût l'ampleur des travaux de rénovation entrepris à l'intérieur, des années d'un labeur acharné seraient certainement nécessaires pour rendre leur aspect initial à la façade, au jardin et au parc de Cotes Hall. Et il ne se sentait pas le cœur de critiquer celui qui, bien ou mal marié, faisait des pieds et des mains pour éviter d'emménager dans cette demeure.

Il gara la Bentley entre une camionnette à l'arrière de laquelle s'entassait du bois et un minivan sur le flanc duquel on pouvait lire en lettres orange *Crackwell and Sons, Plomberie*. De l'intérieur de la maison s'échappaient des bruits de marteau, de scie, des jurons et « La Marche des toréadors ». Par une sorte de synchronisme inconscient, un homme entre deux âges en salopette couverte de taches de rouille sortit par une porte de derrière, tenant un rouleau de moquette en équilibre sur son épaule. Celle-ci paraissait franchement trempée. Il la laissa tomber près de la camionnette avec un signe de tête à Lynley.

– On peut vous aider ? lui demanda-t-il, allumant une cigarette.

– Je cherche le cottage des gardiens. Mrs. Spence.

L'inconnu désigna d'un menton hérissé de barbe une remise située de l'autre côté de la cour. Contre la remise se trouvait une petite construction, réplique miniature du manoir. Contrairement à celle de la demeure principale, cependant, sa façade de calcaire avait été nettoyée et il y avait des rideaux aux fenêtres. Autour de la porte d'entrée on avait planté des iris d'hiver. Leurs fleurs formaient un vibrant écran jaune et violet devant les murs gris.

La porte était fermée.

Lynley frappa. Personne ne répondit. L'ouvrier crut bon de mettre son grain de sel :

– Allez jeter un coup d'œil dans le jardin. Ou dans la serre.

Puis il s'en retourna dans le manoir.

Le jardin, derrière le cottage, était séparé de la cour par un mur percé d'une porte verte. Celle-ci s'ouvrit sans difficulté malgré ses gonds rouillés sur ce qui était manifestement le domaine réservé de Juliet Spence. La terre retournée était vierge de mauvaises herbes. L'air sentait le compost. Dans un massif bordant l'un des côtés du cottage, des brindilles et de la paille protégeaient les vivaces du gel. Visiblement, Mrs. Spence s'apprêtait à faire des plantations au fond du jardin, car un potager avait été délimité à l'aide de planches enfoncées dans le sol.

La serre était juste derrière cet enclos. La porte était fermée. Les vitres opaques. A travers celles-ci, toutefois, Lynley distingua une silhouette de femme qui s'affairait, les bras tendus, pour s'occuper d'une plante suspendue à hauteur de sa tête. Il traversa le jardin. Ses bottes en caoutchouc s'enfoncèrent dans le sol humide.

La porte n'était pas verrouillée. A peine eut-il frappé qu'elle s'entrebâilla sans bruit. Mrs. Spence n'avait pas entendu car elle continua à travailler, lui laissant le loisir de l'observer.

Les plantes qu'elle soignait étaient des fuchsias. Ils poussaient dans des paniers métalliques dont le fond et les parois étaient garnis de mousse. Taillés pour l'hiver, ils n'avaient pas encore été débarrassés de toutes leurs feuilles et c'étaient d'elles que Mrs. Spence s'occupait. Elle pulvérisait dessus un liquide nauséabond, faisant pivoter chaque panier pour que le produit soit équitablement réparti avant de passer au suivant. « Voilà pour vous, sales bêtes », murmurait-elle en travaillant.

Elle avait l'air bien inoffensif, ainsi occupée à soigner ses plantes dans sa serre. Certes, elle avait un truc bizarre sur la tête mais pouvait-on condamner une femme sous prétexte qu'elle s'était ceint le front d'un vieux bandana rouge qui lui donnait l'air d'une indienne navajo ? Le mouchoir remplissait d'ailleurs admirablement son rôle de serre-tête, empêchant ses cheveux de lui tomber dans la figure. Son visage était maculé de terre, qu'elle étalait en se frottant la joue du revers de sa main gantée. Elle devait avoir une bonne quarantaine mais elle s'activait avec la concentration de la jeunesse. En l'observant, Lynley se dit qu'il était difficile de lui appliquer le qualificatif de *meurtrière*.

Sa circonspection le mit mal à l'aise. Car elle le forçait à considérer, outre les faits dont il disposait déjà, ceux qu'il allait découvrir tandis qu'il se tenait sur le seuil. La serre abritait un méli-mélo de plantes fichées dans des pots d'argile et de plastique posés sur une table centrale. Elles s'alignaient sur les comptoirs qui couraient sur toute la longueur des parois de la serre. Il y en avait de toutes formes et de toutes tailles, dans tous les récipients possibles, et tandis qu'il les parcourait des yeux, il se demanda jusqu'où Colin Shepherd avait bien pu pousser son enquête dans cette pièce.

Après avoir pulvérisé de l'insecticide sur le dernier panier de fuchsias, Juliet Spence se retourna et sursauta en l'apercevant. Sa main droite se porta instinctivement vers le col de son pull noir en un geste de défense typiquement féminin. De la main gauche, elle tenait le pulvérisateur qu'elle avait eu la présence d'esprit de ne pas lâcher, pour le cas où elle aurait eu à s'en servir contre lui.

– Qu'est-ce que vous voulez ?

– Désolé. J'ai frappé mais vous n'avez pas entendu. Inspecteur Lynley. New Scotland Yard.

– Je vois.

Il fit mine de sortir sa carte mais elle l'en empêcha d'un geste vif du bras qui permit à Lynley de voir que son pull était troué à l'aisselle.

– Inutile, dit-elle. Colin m'a annoncé que vous viendriez sans doute ce matin. (Elle posa le pulvérisateur sur le plan de travail au milieu des plantes et examina les dernières feuilles d'un fuchsia. Celles-ci étaient déchiquetées.) Capsides, fit-elle en guise d'explication. C'est sournois, ces trucs-là. Un peu comme les thrips. On ne s'aperçoit de leur présence qu'une fois les dégâts faits.

– N'est-ce pas toujours le cas ?

Elle fit non de la tête, lâchant une nouvelle salve d'insecticide sur l'une des plantes.

– Parfois les insectes nuisibles laissent une carte de visite. Et parfois on n'est averti de leur présence que lorsqu'il est trop tard et qu'il ne reste plus qu'à les exterminer en espérant ne pas tuer la plante du même coup. Mais sans doute ne devrais-je pas vous parler si légèrement de la joie que j'éprouve à tuer.

– Lorsqu'une créature en détruit une autre, il faut la supprimer.

– C'est exactement ce que je pense, inspecteur. Je n'ai jamais été du genre à encourager les pucerons à s'installer dans mon jardin.

Comme il s'apprêtait à pénétrer dans la serre, elle lui dit :

– Passez par là avant d'entrer, en lui désignant une sorte de plat en plastique rempli d'une poudre verte qui était posé devant la porte. C'est un désinfectant. Ça tue les micro-organismes. Inutile d'apporter sur ses semelles des visiteurs indésirables, il y en a déjà assez comme ça.

Il obtempéra, refermant la porte et foulant la poudre verte où l'on pouvait voir les empreintes qu'elle y avait laissées.

– Vous passez beaucoup de temps dans la serre ?

– J'aime jardiner.

– C'est un passe-temps qui vous plaît ?

– Je trouve ça reposant. Quand on gratte la terre, on ne pense plus au reste du monde. C'est une façon de s'évader.

– Et vous avez besoin d'évasion ?

– Pas vous ?

– Si. J'en conviens.

Le sol était couvert de graviers. Au centre de l'allée courait un chemin de brique légèrement surélevé. Il l'emprunta pour la rejoindre. La porte étant fermée, l'air de la serre était plus chaud de quelques degrés que celui de l'extérieur. Il y flottait une lourde odeur de terreau, d'engrais et d'insecticide.

– Qu'est-ce que vous faites pousser ici, en dehors des fuchsias ?

Elle s'appuya contre le plan de travail, lui désignant les diverses espèces d'une main aux ongles ras et noirs de terre.

– Des cyclamens, que j'essaie de faire venir depuis un sacré bout de temps, là-bas, dans les pots jaunes, avec les tiges presque translucides. Des philodendrons, des amaryllis. J'ai aussi des saintpaulias, des fougères, des palmiers, mais ça, vous connaissez. Et là... (Elle s'approcha d'une étagère au-dessus de laquelle était installée une rampe lumineuse qui éclairait quatre grands bacs noirs où perçaient des plantes minuscules.) ... ce sont mes plants.

– Des plants ?

– Je démarre mon potager dans la serre, en hiver.

Haricots verts, concombres, petits pois, laitues, tomates. Ça, c'est des carottes et des oignons.

– Que faites-vous de toutes ces plantes?

– Les plantes, je les vends à Preston. Les légumes, nous les consommons, ma fille et moi.

– Et les panais? Vous faites pousser des panais, aussi?

– Non, dit-elle en croisant les bras. Nous y voilà, n'est-ce pas, inspecteur?

– Oui. Désolé.

– Inutile de vous excuser. Il faut bien que vous fassiez votre boulot. Mais j'espère que ça ne vous ennuie pas si je travaille pendant que nous parlons.

Sans lui laisser le choix, elle prit un outil et se mit à aérer la terre des plantes en pot.

– Avez-vous déjà mangé du panais cueilli dans la région?

– Plusieurs fois.

– Autrement dit, vous n'avez aucun mal à reconnaître ce légume quand vous le voyez.

– Aucun, non.

– Pourtant le mois dernier vous vous êtes trompée.

– J'ai *cru* l'avoir reconnu.

– Parlez-moi un peu de ça.

– De quoi? De la plante? Du dîner?

– Des deux. D'où venait la ciguë d'eau?

Elle détacha une tige filandreuse de philodendron et la jeta dans un sac-poubelle en plastique.

– J'ai cru que c'était du panais.

– Admettons. Où l'avez-vous trouvé?

– Pas loin du manoir. A côté de l'étang. Au milieu des mauvaises herbes, j'ai réussi à dénicher du panais. Du moins ce que j'ai pris pour tel.

– Vous en aviez déjà cueilli à cet endroit-là avant?

– Près de l'étang, non. Dans le parc.

– A quoi ressemblait la racine?

– Cette question! A une racine de panais.

– Uniradiculaire? Ou fasciculée?

Se penchant au-dessus d'une fougère d'un vert intense, elle en écarta les feuilles afin d'en examiner la base. Elle continua à travailler.

– Uniradiculaire, je crois. Mais je ne me rappelle pas bien.

– Vous connaissez les plantes, vous savez quel aspect elle aurait dû avoir.

– Ç'aurait dû être une racine unique, évidemment. Je sais, inspecteur. D'ailleurs, ça nous faciliterait les choses si je mentais, affirmant que la plante que j'ai cueillie était uniradiculaire. Mais j'étais pressée, ce jour-là. Je venais de constater qu'il ne me restait plus que deux malheureux panais dans mes réserves de légumes à la cave. Alors je me suis dépêchée d'aller jusqu'à l'étang, où je croyais en avoir vu. J'en ai cueilli un, et je suis rentrée au cottage en vitesse. Je suppose que le légume que j'ai déterré possédait une racine unique, mais je n'en jurerais pas. Et pour une bonne raison, c'est que je n'arrive pas à la visualiser.

– Bizarre, non ? C'est pourtant une des caractéristiques essentielles de cette plante.

– Je n'y peux rien. Mais j'aimerais que vous me fassiez l'honneur de me croire. Un mensonge me faciliterait tellement la vie.

– Et vos malaises ?

Elle posa son outil et appuya le dos de son poignet contre le foulard à carreaux fané, délogeant une petite croûte de terre.

– Quels malaises ?

– Le constable nous a dit que vous aviez été vous-même souffrante cette nuit-là. Il a précisé que vous aviez, vous aussi, consommé de la ciguë. Il prétend être passé vous voir ce soir-là et vous avoir trouvée...

– Colin essaie de me protéger. Il a peur. Il est inquiet.

– Maintenant ?

– Ce fameux soir également. (Elle remit l'outil à sa place et se mit en devoir de régler le cadran du système d'irrigation. L'eau commença à goutter lentement quelques instants plus tard. Les yeux sur le cadran, elle poursuivit :) Ça faisait partie du plan, inspecteur, Colin disant qu'il était passé me voir.

– Il n'est pas passé, c'est ça ? fit Lynley.

– Oh, si. Mais il ne s'agissait pas d'une coïncidence. Il n'était pas dans les parages pour effectuer sa ronde. Contrairement à ce qu'il a affirmé à l'enquête. A ce qu'il a raconté à son père, au sergent Hawkins. Et à tout le monde.

– C'est vous qui lui avez demandé de faire un saut au cottage ?

– Je lui ai téléphoné.

– Je vois. L'alibi.

Elle leva la tête à ce mot. Son expression était résignée plus que craintive ou coupable. Elle prit son temps pour retirer ses gants et les fourra dans les manches de son sweater.

– Colin m'a fait remarquer que c'était exactement ce que penseraient les gens : que je lui téléphonais pour établir mon innocence. « Elle en a mangé aussi, dirait-il à l'enquête du coroner. J'étais au cottage. Je l'ai vu de mes yeux. »

– Et c'est bel et bien ce qu'il a déclaré.

– S'il n'avait tenu qu'à moi, il aurait également raconté la suite. Mais je n'ai pas réussi à le convaincre de dire que je lui avais téléphoné parce que j'avais été malade à trois reprises, que je ne me sentais pas bien et que je voulais qu'il soit près de moi. Il a donc pris le risque de déformer la vérité. Ce qui me met très mal à l'aise, croyez-le.

– Des risques, il en a pris d'autres, Mrs. Spence. L'investigation est truffée d'irrégularités. Pour commencer, il aurait fallu qu'il passe le relais à la Criminelle de Clitheroe. Ensuite, faute d'avoir mis ses collègues dans le coup, il aurait dû interroger les gens en présence d'un témoin officiel. Enfin, vu ses relations avec vous, il n'aurait absolument pas dû se charger de cette affaire et retirer immédiatement ses billes.

– Il veut me protéger.

– C'est possible. Mais l'affaire a encore plus sale tournure.

– Comment cela ?

– On dirait que Shepherd cherche à *se* couvrir. Quel que son crime ait pu être.

Elle se décolla abruptement de la table contre laquelle elle était appuyée. Elle s'éloigna de deux pas, revint et retira son serre-tête.

– Ecoutez, les faits, les voilà. Je suis allée à l'étang. J'ai cueilli de la ciguë croyant que c'était du panais. Je l'ai fait cuire. Je l'ai servie à table, à Mr. Sage, qui en est mort. Colin n'a rien à voir là-dedans.

– Savait-il que le pasteur venait dîner chez vous ?

– Je vous répète qu'il n'a rien à voir là-dedans.

– Vous a-t-il jamais interrogée sur vos relations avec Mr. Sage ?

– Colin n'a rien fait !

– Existe-t-il un Mr. Spence ?
Elle fit une boule du bandana.
– Je... Non.
– Et le père de votre fille ?
– Ça ne vous regarde pas. Ça n'a rien à voir avec Maggie. Elle n'était même pas là.
– Ce jour-là ?
– Au dîner. Elle était au village. Elle passait la nuit chez les Wragg.
– Mais elle était là quand vous êtes sortie chercher du panais, non ? Ou quand vous prépariez le dîner ?
Le visage de Juliet Spence se figea.
– Ecoutez-moi, inspecteur, Maggie n'a rien à voir dans cette affaire.
– Vous éludez la question, Mrs. Spence. J'en déduis que vous avez quelque chose à cacher. Quelque chose qui concerne votre fille ?
Elle passa devant lui pour gagner la porte de la serre. Au passage, son bras l'effleura. Lynley n'aurait eu aucun mal à l'intercepter, mais il s'abstint. Il la suivit dehors. Avant qu'il ait eu le temps de poursuivre l'interrogatoire, elle précisa :
– Dans la cave où je range les provisions, il ne restait que deux panais. Il m'en fallait d'autres. C'est tout.
– Montrez-moi la cave.
Elle lui fit traverser le jardin pour rejoindre le cottage. Elle ouvrit la porte de la cuisine et prit une clé suspendue à un crochet. Quelques mètres plus loin, elle défit le cadenas de la porte de la cave et la souleva.
– Un instant, dit Lynley.
Il se baissa pour soulever à son tour la porte de guingois. Comme la grille, elle était facile à manœuvrer. Comme la grille, elle bougeait sans faire le moindre bruit. Hochant la tête, il descendit les marches.
Il n'y avait pas l'électricité dans la cave. L'éclairage venait de la porte restée entrebâillée et d'une petite fenêtre au ras du sol. A peu près de la taille d'une boîte à chaussures, la lucarne était partiellement aveuglée par la paille qui, dehors, protégeait les plantes. La cave ressemblait en conséquence à une chambre obscure et humide de quelque trois mètres carrés. Les murs étaient faits de pierre et de terre mêlées. Ainsi que le sol, que l'on avait essayé d'égaliser par endroits.
Mrs. Spence désigna l'une des quatre étagères gros-

sières fixées au mur dans le coin le plus sombre de la cave. A l'exception d'une pile de paniers soigneusement entassés, les étagères constituaient l'unique mobilier de la pièce. Sur les trois rangées du haut s'alignaient des bocaux dont la pénombre empêchait de lire les étiquettes. Sur celle du bas reposaient cinq petits bacs à légumes métalliques. Trois d'entre eux étaient pleins de pommes de terre, carottes et oignons. Les deux autres étaient vides.

– Vous n'avez pas refait provision de panais, remarqua Lynley.

– Je ne suis pas près d'en remanger.

Il passa le doigt sur le bord d'un des bacs vides et sur l'étagère sur laquelle il était posé. Aucune trace de poussière.

– Pourquoi laissez-vous la porte de la cave fermée à clé ? C'est toujours ce que vous faites ? Ou c'est une habitude récente ?

Constatant qu'elle ne répondait pas tout de suite, il se détourna des étagères pour l'observer. Comme elle avait la lumière sourde du matin dans le dos, il ne put déchiffrer l'expression de son visage.

– Mrs. Spence ?

– C'est une habitude que j'ai prise en octobre dernier.

– Pourquoi ?

– Ça n'a aucun rapport avec cette affaire.

– J'aimerais que vous me répondiez néanmoins.

– Je viens de vous répondre.

– Mrs. Spence, voulez-vous que nous reprenions tout à zéro ? Un homme est mort par votre faute. Et vous avez une liaison avec le policier qui a mené l'enquête sur son décès. Si vous vous figurez...

– Très bien, inspecteur. C'est à cause de Maggie. Pour l'empêcher de venir se faire sauter ici par son petit ami. Elle avait déjà utilisé le manoir et j'avais pris des mesures pour que ça ne se renouvelle pas. J'essayais d'éliminer les autres possibilités. La cave en faisant partie, je l'ai fermée à clé. Notez que ça n'a pas servi à grand-chose, comme je l'ai découvert plus tard.

– Mais vous laissiez la clé suspendue à un crochet dans la cuisine ?

– Oui.

– A la vue de tous ?

– Oui.
– Elle aurait pu la prendre.
– Je pouvais y accéder rapidement moi aussi. (Elle se passa la main dans les cheveux d'un geste impatient.) Écoutez, inspecteur, vous ne connaissez pas ma fille. Elle essaie de s'amender. Elle m'avait promis de ne plus coucher avec Nick Ware et je lui avais dit que je l'aiderais à tenir sa promesse. Le verrou suffisait à la dissuader de pénétrer dans la cave.
– Je ne pensais ni à Maggie ni à sa vie sexuelle, fit Lynley. (Il la vit jeter un coup d'œil aux étagères.) Lorsque vous vous absentez du cottage, vous fermez à clé ?
– Oui.
– Quand vous êtes dans la serre ? Quand vous faites vos rondes à Cotes Hall ? Quand vous partez ramasser du panais ?
– Non. Mais je ne reste jamais longtemps dehors. Et si quelqu'un venait rôder chez moi, je le saurais.
– Vous emportez votre sac, quand vous quittez la maison ? Vos clés de voiture ? Celles du cottage et de la cave ?
– Non.
– Donc vous n'aviez pas fermé lorsque vous êtes partie chercher du panais le jour où Mr. Sage est mort ?
– Non. Mais je vous vois venir et je pense que vous allez être déçu. Personne ne peut passer par ici sans que je m'en rende compte. Appelez ça un sixième sens, si vous voulez. Chaque fois que Maggie voyait Nick, par exemple, je le savais.
– Oui, dit Lynley. Je vois. Montrez-moi où vous avez trouvé la ciguë d'eau, Mrs. Spence.
– Je vous ai dit que j'ai cru que c'était du...
– Du panais.
Elle hésita, une main levée, comme pour souligner un point important. Mais, se ravisant, elle dit :
– Par ici.
Ils sortirent par la petite grille. De l'autre côté de la cour, trois ouvriers faisaient la pause café du matin, assis sur la plage arrière de la camionnette. Ils avaient posé leur thermos sur un tas de bois. Un autre leur servait de siège. Ils observèrent Lynley et Mrs. Spence sans chercher à dissimuler leur curiosité. De toute évidence, cette visite ne tarderait pas à alimenter les conversations.

Lynley profita de la lumière du dehors pour examiner Mrs. Spence tandis qu'ils traversaient la cour et contournaient l'aile est du manoir. Elle clignait des paupières comme pour chasser de la suie qui lui serait tombée dans l'œil, mais par l'échancrure de son pull on voyait les muscles de son cou, raidis et crispés. Il comprit qu'elle s'efforçait de ne pas pleurer.

Le plus difficile dans le métier de policier, c'était de ne pas manifester ses sentiments. L'investigation policière obligeait l'enquêteur à se concentrer sur la victime et le crime perpétré sur sa personne. Si le sergent Barbara Havers avait parfaitement maîtrisé l'art de porter des œillères et de rester neutre pendant une enquête, Lynley, lui, souffrait mille morts tout en recueillant les indices et se familiarisant avec les faits et les différents protagonistes, lesquels n'étaient jamais ni tout noirs ni tout blancs. Car on n'évoluait pas dans un monde en noir et blanc mais dans un univers en demi-teintes.

Il fit halte sur la terrasse de l'aile est. Les dalles étaient fissurées et couvertes d'herbes jaunies par l'hiver. De là on avait vue sur une colline gelée. Celle-ci descendait vers un étang, derrière lequel s'élevait une autre colline dont le sommet disparaissait dans la brume.

– Il y a eu des problèmes sur le chantier, si j'ai bien compris, remarqua Lynley. Des travaux interrompus. On dirait que quelqu'un voit d'un mauvais œil l'arrivée des jeunes mariés au manoir.

Elle parut se méprendre sur le sens de sa phrase, y voyant une nouvelle accusation. Car elle s'éclaircit la gorge pour préciser :

– Maggie n'est allée y rôder que cinq ou six fois. Pas davantage.

– Comment s'y prenait-elle pour entrer ?

– Son petit ami avait décloué une planche obstruant une fenêtre de l'aile ouest. Je me suis empressée de la remettre en place. Malheureusement, ce n'est pas ça qui a mis un terme aux déprédations.

– Vous ne vous êtes pas aperçue tout de suite que Maggie et Nick se donnaient rendez-vous au manoir ? Ne m'avez-vous pas dit que vous possédiez une sorte de sixième sens qui vous permettait de renifler la présence des rôdeurs ?

– Aux abords immédiats du cottage, oui. J'imagine

que, de votre côté, vous le remarqueriez, si un intrus s'était introduit chez vous.

– S'il avait fait main basse sur un objet, oui. Sinon, je n'en suis pas certain.

– Moi, si.

Du bout de sa botte, elle décapita des pissenlits qui pointaient d'une crevasse entre deux dalles. Elle en ramassa un, l'examina et le jeta au loin.

– Mais vous n'avez jamais réussi à pincer le mauvais plaisant ? Il ou elle n'a jamais fait de bruit, pénétré dans votre jardin par erreur ?

– Non.

– Jamais vous n'avez entendu de voiture ou de moto ?

– Jamais.

– Et vous avez effectué vos rondes à des heures irrégulières de façon à piéger les intrus ?

D'un geste rageur, elle repoussa une mèche de cheveux derrière son oreille.

– C'est exact, inspecteur. Puis-je vous demander le rapport avec ce qui est arrivé à Mr. Sage ?

Il eut un sourire affable.

– Je ne sais pas trop.

Elle fixa l'étang au pied de la colline. La mimique était claire. Mais Lynley ne se sentait pas encore prêt à bouger. Il examina l'aile est de la grande demeure. Les bow-windows étaient condamnés par des planches.

– On dirait qu'il y a des années que cette maison n'a pas été habitée.

– Elle n'a été habitée que pendant les trois mois qui ont suivi son achèvement.

– Pourquoi cela ?

– Elle est hantée.

– Par qui ?

– La belle-sœur de l'arrière-grand-père de Mr. Townley-Young. Autrement dit son arrière-grand-tante. Elle s'y est suicidée. Sa famille, son entourage la croyaient partie en promenade. Ne la voyant pas reparaître, ils organisèrent une battue le soir. Ce n'est que cinq jours plus tard qu'ils songèrent à fouiller la maison.

– Et alors ?

– Elle s'était pendue dans un cagibi. Près du grenier. C'était l'été. La chaleur était accablante. L'odeur a permis aux domestiques de la retrouver.

– Son mari n'a sans doute pas pu supporter de continuer à vivre dans cette maison après ce drame ?

– Suggestion romantique. Non, il l'avait précédée dans la mort. Il s'était tué pendant leur voyage de noces. Un accident de chasse, sur les circonstances duquel tout le monde est resté évasif. Sa femme est revenue ici seule. Enfin, pas tout à fait. Elle rapportait dans ses bagages la syphilis dont il lui avait généreusement fait cadeau pour leur mariage. (Elle eut un sourire amer.) D'après la légende, elle arpente le couloir du haut en pleurant. Les Townley-Young prétendent que c'est de remords, qu'elle ne supporte pas d'avoir assassiné son mari. Pour ma part, je me dis que c'est plutôt le regret de l'avoir épousé qui la met dans cet état. Tout ça se passait en 1853. Il n'y avait pas de remède, alors.

– A la syphilis.

– Ni au mariage.

Quittant la terrasse, elle s'éloigna à grandes enjambées vers l'étang. Il l'observa un moment. Ses lourdes bottes ne l'empêchaient pas de marcher vite. Ses cheveux flottaient autour de son visage.

La pelouse en pente qu'il descendit à sa suite était glacée, couverte de pourpier et d'ajoncs. En bas, l'étang présentait la forme d'un haricot sec. Etouffé par les herbes, il ressemblait à un marais dont l'eau pour l'instant boueuse devait attirer en été des nuées d'insectes porteurs de maladies variées. Des roseaux mal entretenus et des herbes folles qui arrivaient à la taille l'enserraient. Mrs. Spence s'enfonça au cœur de cette masse verdâtre, repoussant les vrilles des herbes qui s'accrochaient à ses vêtements.

A moins d'un mètre du bord de l'eau, elle s'immobilisa :

– C'est ici.

Pour autant que Lynley pût en juger, la végétation qu'elle lui désignait ne se distinguait en rien de celle qui l'entourait. Au printemps ou en été peut-être, les fleurs ou les fruits auraient pu donner une idée des espèces qui poussaient ici et n'étaient maintenant que des buissons squelettiques et des ronces. Il reconnut toutefois l'ortie à ses feuilles dentées qui pendaient encore à la tige de la plante. Quant aux roseaux, leur forme et leur taille ne variaient guère de saison en saison. Mais pour le reste, mystère : il donnait sa langue au chat.

Se rendant compte de sa perplexité, Mrs. Spence expliqua :

– Pour pouvoir s'y retrouver, il faut d'abord savoir où poussent les plantes quand c'est la saison, inspecteur. Si vous cherchez des racines, elles sont encore dans la terre, même si les tiges, les feuilles et les fleurs ont disparu. (Elle désigna un rectangle de terrain sur sa gauche, qui ressemblait à un banal tapis de feuilles mortes d'où jaillissait un buisson grêle.) La spirée et l'euphorbe croissent ici en été. Un peu plus loin, il y a un carré de camomille. (Se penchant, elle fouilla dans les herbes à ses pieds.) Si vous avez un doute, dites-vous que les feuilles de la plante ne vont pas tellement plus loin que le sol qui est dessous. Elles finissent par pourrir, bien sûr, mais le processus de décomposition prend un temps fou. Le temps qu'elles aient disparu, ça vous permet d'identifier la plante. (Elle tendit la main. Sur sa paume on pouvait voir les restes d'une feuille dentelée qui n'était pas sans rappeler le persil.) C'est ça qui vous permet de savoir où il faut creuser.

– Montrez.

Elle obtempéra. Nul besoin d'un déplantoir ou d'une binette. La terre était humide. Elle arracha une plante en tirant simplement sur la partie de la tige qui était visible. Elle cogna la racine contre son genou pour en faire tomber les grumeaux de terre qui y étaient restés collés. Tous deux regardèrent sans un mot le résultat. De la plante partaient des tubercules. Elle la laissa immédiatement tomber par terre comme si le végétal avait le pouvoir de tuer sans avoir été ingéré.

– Parlez-moi de Mr. Sage, dit Lynley.

14

Ses yeux ne pouvaient se détacher de la ciguë qu'elle avait laissé tomber.

– J'aurais sûrement vu qu'il y avait plusieurs tubercules, dit-elle. Je les aurais reconnus. Même maintenant, je devrais m'en *souvenir*.

– Vous avez été distraite au cours de votre travail ? Par quelqu'un qui vous avait aperçue ? Qui vous a appelée pendant que vous déterriez la plante ?

Elle ne se décidait toujours pas à lever la tête.

– J'étais très pressée. J'ai dévalé la pente jusqu'ici, déblayé la neige pour dénicher le panais.

– Ou plutôt la ciguë, Mrs. Spence. Comme vous venez de le faire à l'instant.

– Le végétal que j'ai déterré avait certainement une racine unique. Je l'aurais vu, autrement. Je l'aurais reconnu.

– Parlez-moi de Mr. Sage, répéta-t-il.

Cette fois, elle releva le nez, l'air sombre.

– Il est venu au cottage à plusieurs reprises me parler de l'église et de Maggie.

– Pourquoi de Maggie ?

– Elle l'aimait bien et il s'intéressait à elle.

– Mais encore ?

– Il savait que nous avions des problèmes. Les problèmes, entre une mère et sa fille, c'est courant. Il voulait nous réconcilier.

– Vous n'avez pas apprécié son intervention ?

– Mettez-vous à ma place : ça ne m'a pas tellement plu de ne pas me sentir à la hauteur en tant que mère.

Mais je l'ai laissé venir au cottage. Et me parler. Maggie voulait que je le rencontre. Je voulais faire plaisir à Maggie.

– Et la nuit où il est mort ? Que s'est-il passé ?

– La même chose que lors de ses précédentes visites. Il voulait me donner des conseils.

– A propos de la religion ? De Maggie ?

– Des deux, en fait. Il voulait que j'aille à l'église et que je laisse Maggie en faire autant.

– Et c'est tout ?

– Pas exactement.

Elle s'essuya les mains à l'aide du vieux bandana qu'elle sortit de la poche de son jean. Elle en fit une boule, la fourra dans la manche de son sweater avec ses gants et frissonna. Son pull avait beau être épais, il ne constituait pas une protection suffisante contre le froid. Ce que voyant, Lynley décida de poursuivre l'interrogatoire sur place. Le fait qu'elle ait déterré la ciguë d'eau lui avait momentanément donné l'avantage. Il était bien décidé à en profiter et par tous les moyens. Et le froid, après tout, était un moyen comme un autre.

– Alors ?

– Il voulait me parler de l'éducation de Maggie, inspecteur. Il avait l'impression que je lui serrais trop la vis. A l'en croire, plus j'insistais pour que Maggie soit chaste, plus je l'éloignais de moi. Il pensait que si elle avait des relations sexuelles, elle devait prendre des précautions pour éviter une grossesse éventuelle. De mon côté, j'estimais qu'elle était trop jeune pour avoir une vie sexuelle, avec ou sans précautions. Elle a treize ans. Ce n'est encore qu'une enfant.

– Vous vous êtes disputés à ce sujet ?

– Vous voulez savoir si je l'ai empoisonné parce qu'il n'était pas d'accord avec ma façon d'élever ma fille ? (Elle tremblait, mais pas d'inquiétude, apparemment. Certes, elle avait failli pleurer quelques instants plus tôt, mais elle s'était rapidement ressaisie. Ce n'était pas le genre de femme à donner libre cours à son angoisse devant un policier.) Il n'avait pas d'enfants. Il n'était même pas marié. Donner des conseils aux autres quand on a de l'expérience, c'est une chose. Mais quand on n'en a aucune, qu'on se borne à citer des manuels de psychologie et qu'on se base sur des conceptions irréalistes de la vie de famille, c'en est une autre. Comment pouvais-je tenir compte de son opinion dans ces conditions ?

– Malgré cela, vous n'avez pas essayé de discuter avec lui.

– Non. Comme je vous l'ai dit, j'avais décidé de le recevoir uniquement pour faire plaisir à Maggie. Et c'est tout. J'avais mes idées. Lui, les siennes. Il tenait à ce que Maggie utilise des contraceptifs. Et moi à ce qu'elle cesse de se compliquer l'existence en s'envoyant en l'air avec Nick Ware. Je ne la croyais pas encore assez mûre pour avoir une vie sexuelle. Lui pensait qu'il était trop tard pour faire faire machine arrière à la petite. Bref, nous étions en complet désaccord.

– Et Maggie ?

– Quoi ?

– Qu'est-ce qu'elle en pensait, elle, de tout ça ?

– Nous n'avons pas abordé le sujet.

– Croyez-vous qu'elle en ait parlé à Sage ?

– Je ne sais pas.

– Mais ils sympathisaient.

– Elle l'aimait bien.

– Est-ce qu'elle le voyait souvent ?

– De temps à autre.

– Vous approuviez ces visites ?

Elle baissa la tête. Du pied droit, elle se mit à déterrer des herbes.

– Nous avons toujours été proches, Maggie et moi, jusqu'à cette histoire avec Nick. Je savais quand elle voyait le pasteur.

Il y avait de tout dans cette réponse. De la peur, de l'amour, de l'inquiétude. Il se demanda si ces émotions allaient forcément de pair avec la maternité.

– Que lui avez-vous servi, au dîner, ce soir-là ?

– De l'agneau avec de la sauce à la menthe. Des petits pois. Des panais.

– Que s'est-il passé ?

– Nous avons bavardé. Il a pris congé peu après neuf heures.

– Il ne se sentait pas bien ?

– Il ne m'a rien dit de tel. Simplement qu'il avait un bon bout de trajet à pied et que, comme il avait neigé, il ferait mieux de partir.

– Vous ne lui avez pas proposé de le raccompagner en voiture ?

– Je me sentais patraque. J'ai cru que je couvais une grippe. Franchement, je n'ai pas été mécontente de le voir s'en aller.

– Est-ce qu'il aurait pu faire halte quelque part en rentrant chez lui ?

Les yeux de Juliet Spence se braquèrent sur le manoir et de là, sur le bois de chêne derrière. Elle réfléchit un instant et, d'un ton ferme :

– Non. Il y a le pavillon – c'est là qu'habite Polly Yarkin, sa femme de ménage –, mais ce n'était pas sur son chemin. Et je ne vois pas ce qui l'aurait poussé à s'arrêter chez Polly : il la voit à longueur de journée au presbytère. En outre, il est plus facile de rejoindre le village par le sentier pour piétons. Et c'est sur le sentier que Colin l'a découvert le lendemain matin.

– Vous ne lui avez pas téléphoné au presbytère, ce soir-là, alors que vous-même étiez malade ?

– Je n'ai pas fait le rapprochement entre mon état et ce que nous avions mangé. Je croyais avoir un début de grippe. S'il avait déclaré ne pas se sentir dans son assiette avant de me quitter, je lui aurais peut-être passé un coup de fil. Mais il ne s'était plaint de rien. Alors je n'ai pas fait le lien.

– Pourtant il est mort sur le sentier. C'est à quelle distance d'ici ? Un kilomètre cinq cents ? Moins ? Ç'a été drôlement brutal, non ?

– Oui.

– Je me demande comment il se fait qu'il soit mort et pas vous.

Elle le regarda sans ciller.

– Je n'en ai pas la moindre idée.

Il attendit dix longues secondes en silence qu'elle détourne les yeux. Comme elle n'en faisait rien, il hocha la tête et examina l'étang. Les bords étaient recouverts d'une fine pellicule de glace pareille à de la cire qui emprisonnait les roseaux. Le froid continuant, cette pellicule s'étendrait jusqu'au centre de la nappe liquide. Une fois entièrement recouvert, l'étang ressemblerait à s'y méprendre au sol verglacé qui l'entourait. Les imprudents, les inconscients qui tenteraient de le traverser crèveraient la trompeuse et fragile croûte et tomberaient dans l'eau croupie qu'elle recelait.

– Comment ça va, avec votre fille, maintenant ? Est-ce qu'elle vous écoute depuis que le pasteur n'est plus ?

Mrs. Spence sortit ses gants des manches de son pull. Elle les enfila d'un geste décidé. Visiblement, elle avait hâte de retourner travailler.

– Maggie n'écoute personne, dit-elle.

Lynley glissa la cassette dans le lecteur de la Bentley et monta le son. Helen aurait apprécié son choix : concerto de Haydn, avec Wynton Marsalis à la trompette. Tonique et joyeux, les violons répondant aux notes pures de la trompette. Tout le contraire de ce qu'il écoutait habituellement. « Encore un de ces Russes morbides, Tommy. Ils n'ont donc jamais rien composé de léger ? Pourquoi ces mélodies lugubres ? Tu crois que c'étaient les conditions atmosphériques ? » Il sourit. « Mets-moi du Johann Strauss, réclamait-elle. Oh bon, d'accord, ça n'est pas assez intellectuel pour toi. Alors un peu de Mozart. » Et *La Petite Musique de nuit* résonnait, seul morceau du compositeur qu'Helen fût capable de reconnaître, déclarant que sa capacité à identifier cette pièce lui évitait d'être traitée d'ignare.

Il prit la direction du sud, s'éloigna du village. Chassa Helen de ses pensées.

Passant sous les branches dénudées des arbres, il fila vers la lande, ressassant l'un des principes de base de la criminologie : il y a toujours un lien entre le tueur et la victime dans un meurtre avec préméditation. Ce n'est pas le cas dans les meurtres en série, où le tueur poussé par des accès de rage obéit à des pulsions que la société dans laquelle il vit est incapable de comprendre. Ce n'est pas toujours le cas dans un crime passionnel car alors le meurtre a sa source dans une bouffée brève mais incontrôlable de colère, de jalousie ou de haine. Ce n'est pas non plus le cas dans une mort accidentelle, où ce sont les coïncidences qui mettent le tueur et la victime en présence. Le meurtre avec préméditation implique un lien entre les deux parties. Il suffit souvent de fouiller dans le passé de la victime pour dénicher le meurtrier.

Ces données faisaient partie des principes de base inculqués aux policiers. Elles allaient de pair avec le fait que la plupart des victimes connaissent leur assassin et que la grande majorité des assassinats sont commis par un proche parent de la victime.

Juliet Spence avait peut-être bien empoisonné Robin

Sage à la suite d'un abominable accident qui pèserait sur sa conscience jusqu'à la fin de ses jours. Ce ne serait pas la première fois qu'un herboriste s'empoisonnerait ou tuerait quelqu'un avec des racines, des champignons, des fruits ou des fleurs incorrectement identifiés. Mais si Saint James avait raison – si Juliet Spence ne pouvait raisonnablement avoir survécu à l'absorption ne fût-ce que d'une bouchée de ciguë d'eau, si fièvre et vomissements n'étaient pas des symptômes d'empoisonnement par cette plante – alors il devait y avoir un lien entre Juliet Spence et l'homme qui était mort par sa faute. Si tel était le cas, ce lien ne pouvait être que Maggie, fille de Juliet.

Le lycée, construction de brique dénuée d'intérêt située dans un triangle à la jonction de deux rues convergentes, n'était pas loin du centre de Clitheroe. Il était onze heures quarante lorsqu'il s'engagea dans le parking et se gara prudemment entre une vieille Austin-Healey et une Golf récente dont le siège du passager était occupé par une chaise de bébé. Un autocollant de fabrication artisanale proclamant *Bébé à bord* était fixé sur la lunette arrière.

Les élèves étaient en cours car les longs couloirs recouverts de linoléum étaient déserts et les portes des classes fermées. Les bureaux de l'administration se faisaient face de part et d'autre de l'entrée. Des inscriptions avaient jadis été peintes en noir sur le verre opaque de la partie supérieure de la porte ; mais les lettres s'étaient progressivement effacées avec les années et il ne restait plus que des traits tremblés et des points couleur de suie formant, à peine lisibles, les mots *directrice, économe, salle des professeurs.*

Lynley opta pour *directrice.*

Après quelques minutes d'un entretien éprouvant et terriblement répétitif avec une secrétaire octogénaire surprise en train de tricoter, tout en dodelinant de la tête, la manche d'un pull qui, vu sa taille, ne pouvait qu'être destiné à un gorille mâle, il fut invité à pénétrer dans le sanctuaire. Une plaque posée sur le bureau indiquait que la directrice s'appelait Mrs. Crone [1]. Patronyme incongru, songea Lynley, qui passa en revue tout en l'attendant les sobriquets grossiers dont les élèves devaient se faire un malin plaisir de l'affubler.

1. *Crone :* vieille ratatinée, vieille bique. (*N.d.T.)*

Elle s'avéra être tout le contraire de ce que suggérait son nom avec sa jupe étroite qui dévoilait généreusement le genou et son cardigan long pourvu d'épaulettes et d'énormes boutons. Elle portait des boucles d'oreilles discoïdales en or, un collier assorti et des chaussures à talons vertigineux qui mettaient hardiment en valeur des chevilles époustouflantes. Bref, c'était le genre de femme qui ne détestait pas attirer les regards. Tout en s'efforçant de garder les yeux braqués sur son visage, Lynley se demanda ce qui avait bien pu pousser les instances scolaires et administratives à confier un poste de directrice à cette bombe sexuelle, laquelle ne devait guère avoir plus de vingt-huit ans.

Il réussit à formuler sa requête tout en s'abstenant de son mieux de spéculer sur l'allure qu'elle pouvait avoir toute nue, se disant pour se justifier que ce genre de fantasmes était une vraie plaie chez les mâles. Devant une femme séduisante, il avait toujours eu l'impression de n'être – fût-ce momentanément – qu'une paire de testicules secrétant de la testostérone à haute dose. Il se plaisait à penser que cette réaction n'avait rien à voir avec sa personnalité profonde. Toutefois, imaginant les réactions que ce type de comportement ne manquerait pas de susciter chez Helen, il entreprit d'y fournir différentes explications, *simple curiosité*, *examen scientifique*, *bon Dieu, Helen, cesse de dramatiser* comme si elle était présente, debout dans un coin de la pièce, l'observant en silence, devinant ses pensées.

Maggie Spence était en cours de latin, lui déclara Mrs. Crone. Est-ce que ça ne pouvait pas attendre l'heure du déjeuner ? Un quart d'heure ?

En fait, non. Et même si ça pouvait attendre, il préférait rencontrer la jeune fille discrètement. Pendant la pause déjeuner, les autres élèves bourdonnant dans les parages, ils n'avaient guère de chance de passer inaperçus. Or, dans la mesure du possible, il voulait lui éviter les ennuis. Les choses ne devaient pas être faciles pour elle, à l'école, du fait que sa mère avait déjà fait l'objet d'une enquête de police et s'apprêtait à subir l'épreuve une seconde fois. Est-ce que Mrs. Crone connaissait Mrs. Spence, à propos ?

La directrice l'avait rencontrée à Pâques, l'an dernier. Une femme bien. Plutôt stricte, à cheval sur la discipline, mais très attachée à Maggie. Dommage qu'il n'y ait pas davantage de parents de sa trempe dans notre société pour tenir les jeunes, inspecteur.

Certes. Ce n'était pas lui qui contrarierait Mrs. Crone sur ce point. Et maintenant s'il pouvait voir Maggie... ?

Est-ce que sa mère savait qu'il était là ?

Si Mrs. Crone voulait bien se donner la peine de lui téléphoner...

La directrice le fixa d'un air méfiant et examina sa carte avec un soin tel qu'il crut un instant qu'elle allait y planter les dents comme un prêteur sur gages qui mord dans une pièce d'or pour en vérifier l'authenticité. Enfin, elle la lui rendit, lui disant qu'elle allait envoyer chercher la petite s'il voulait être assez aimable pour attendre ici. Ils pourraient rester dans son bureau, ajouta-t-elle, car elle-même était attendue au réfectoire où elle était de surveillance pendant que les élèves déjeunaient. En partant, elle déclara espérer que l'inspecteur laisserait à Maggie le temps de manger. Et que si la petite n'était pas au réfectoire à midi et quart, elle l'enverrait chercher. C'était bien clair ?

Lynley répondit que oui.

Moins de cinq minutes plus tard, la porte du bureau s'ouvrit et Lynley se leva tandis que Maggie Spence faisait son entrée dans la pièce. Elle referma la porte derrière elle avec soin, tournant la poignée en silence. Mains derrière le dos, tête baissée, elle resta plantée à l'autre bout de la pièce.

Comparé aux mœurs des adolescents d'aujourd'hui, son premier contact avec la sexualité – orchestré par la mère d'un de ses amis pendant les vacances de Pâques, lors de sa dernière année à Eton [1]– avait été relativement tardif. Il venait en effet de fêter son dix-huitième anniversaire. Pourtant, malgré le changement de mœurs et la tendance au dévergondage qui sévissait chez les jeunes, il eut du mal à croire que l'adolescente pût avoir une vie sexuelle de quelque nature que ce soit.

Elle ressemblait trop à une enfant. Par la taille, d'abord. Un mètre cinquante-cinq à tout casser. Par son maintien, ensuite. Elle se tenait les pieds en dedans, ses chaussettes marine lui tombant sur les chevilles, se dandinant comme si elle s'attendait à recevoir une correction. Par son allure, enfin. Le règlement lui interdisait

1. Célèbre *public-school* (école privée) anglaise fondée en 1440. *(N.d.T.)*

sans doute de se maquiller, mais rien ne s'opposait à ce qu'elle se coiffe de façon plus adulte. Sa chevelure épaisse formait une somptueuse masse souple, c'était son seul point commun avec sa mère. Mais ses cheveux, qui lui arrivaient à la taille, étaient bêtement tirés en arrière et maintenus par une large barrette en forme d'arc. Pas de coupe courte à la mode ou de natte sophistiquée. Elle ne cherchait en aucun cas à imiter une actrice ou une chanteuse de rock.

– Bonjour, dit-il d'une voix douce comme s'il s'adressait à un chaton apeuré. Est-ce que Mrs. Crone t'a expliqué qui j'étais, Maggie ?

– Oui. Mais c'était pas la peine. Je le savais déjà. (Elle remua, donnant l'impression de se tordre les mains derrière le dos.) Nick m'a dit que vous viendriez. Il vous a vu au pub. Il m'a expliqué que vous voudriez parler à tous les amis de Mr. Sage.

– Et tu en fais partie ?

Elle fit oui de la tête.

– C'est dur de perdre un ami.

Elle ne répondit pas, continuant de se dandiner d'un pied sur l'autre. Lynley songea à Mrs. Spence délogeant du bout de sa botte des herbes de la terrasse.

– Approche-toi, poursuivit-il. J'aimerais m'asseoir si ça ne t'ennuie pas.

Il attira une seconde chaise près de la fenêtre. En s'y installant, elle se décida enfin à le regarder. Ses yeux bleu ciel étaient braqués sur lui avec curiosité, mais sans la moindre trace de ruse. Elle se mordait l'intérieur de la lèvre inférieure, ce qui accentuait une fossette sur sa joue.

A cette distance, il put distinguer la femme émergeant de la coquille de l'enfant. La bouche généreuse. Des seins ronds. Des hanches juste assez larges pour être accueillantes. Elle avait le genre de corps qui prend de l'embonpoint à la quarantaine. Mais pour l'instant, sous le strict uniforme jupe, chemisier et cardigan, ce corps était mûr à point, prêt à être consommé. Si c'était sur les instances de sa mère que Maggie ne portait pas de maquillage et se coiffait comme une gamine de dix ans, Lynley se dit que Juliet Spence n'avait pas tort, que c'était bien vu.

– Tu n'étais pas au cottage la nuit où Mr. Sage est mort, n'est-ce pas ?

Elle fit non de la tête.
– Et pendant la journée ?
– Je n'ai pas passé toute la journée à la maison. C'était les vacances de Noël.
– Tu n'avais pas envie de dîner avec Mr. Sage ? C'était ton ami, non ? Tu aurais dû sauter sur l'occasion.
Les mains sur ses genoux, la gauche recouvrant la droite, elle dit :
– Ce soir-là, on devait passer la nuit ensemble, Josie, Pam et moi. On dort les unes chez les autres à tour de rôle.
– Une fois par mois ?
– Oui. Une fois chez Josie, une fois chez moi et une fois chez Pam. Dans l'ordre alphabétique. Ce soir-là, c'était chez Josie. C'est toujours chez elle qu'on s'amuse le mieux, parce que si les chambres ne sont pas occupées, la mère de Josie nous laisse choisir celle qu'on veut. On a pris la chambre avec les verrières. Sous les combles. Il neigeait. On a regardé la neige tomber sur la vitre. (Elle était assise le dos bien droit, chevilles croisées. De petites mèches de cheveux feuille-morte qui avaient échappé à la barrette bouclaient sur ses joues et son front.) C'est chez Pam que c'est le moins drôle, parce qu'il faut s'installer dans le séjour. A cause de ses frères. Ils occupent la chambre du haut. Ce sont des jumeaux. Pam ne les aime pas beaucoup. Elle trouve dégoûtant que sa mère et son père aient encore trouvé le moyen de faire des enfants à leur âge. Ils ont quarante-deux ans. Pam dit que ça lui donne la chair de poule rien que de penser que ses parents se... Moi, je les trouve mignons. Les jumeaux.
– Comment est-ce que ça se passe, vos petites soirées pyjama ? s'enquit Lynley. Vous organisez ça comment ?
– On n'organise rien de spécial.
– Ah, bon ?
– C'est le troisième vendredi du mois et on fait ça à tour de rôle, comme je l'ai dit, par ordre alphabétique. Josie-Maggie-Pam. La prochaine soirée, c'est chez Pam. On en a déjà fait une chez moi, ce mois-ci. Je pensais que les mères de Josie et Pam se feraient tirer l'oreille pour qu'elles viennent. Et puis finalement, elles ont accepté.
– Tu avais peur qu'elles n'aient pas l'autorisation de se rendre chez toi, à cause de l'enquête ?

– L'enquête était finie, mais les gens du village... (Elle regarda dehors. Deux corneilles posées sur le rebord de la fenêtre picoraient furieusement trois croûtes de pain, chacune essayant de déloger l'autre pour rafler le butin.) Mrs. Crone adore donner à manger aux oiseaux. Dans son jardin, elle a une grande cage où elle élève des pinsons. A l'école, elle dépose toujours des graines ou des miettes sur le rebord de la fenêtre de son bureau. Je trouve ça sympa. Sauf que les oiseaux se disputent pour les attraper. Vous avez remarqué ? On dirait qu'ils ont peur de manquer.

– Et les gens du village ?

– C'est l'horreur. Ils m'observent. Ils s'arrêtent de parler quand je passe. Les mères de Josie et Pam, non, elles font pas ça. (Détournant la tête, elle le gratifia d'un sourire. La fossette lui donnait un charme fou.) Au printemps dernier, on est allées coucher au manoir. On avait le feu vert de maman à condition de ne pas mettre la pagaille. On a emporté des sacs de couchage. On s'est installées dans la salle à manger. Pam voulait se mettre en haut ; mais Josie et moi, on avait la trouille de tomber sur le fantôme. Alors Pam est montée avec une torche et elle a dormi seule dans l'aile ouest. Seulement après coup, on s'est aperçues qu'elle était pas seule du tout. Josie l'a mal pris. Elle lui a dit : « Pamela, les soirées pyjama, c'est uniquement entre filles. » Pam a ricané : « T'es jalouse parce que t'as jamais eu de mec. » Josie lui a rétorqué qu'elle en avait eu un paquet – ce qui est faux. Pour finir, elles se sont tellement engueulées que Pam nous a lâchées pendant deux mois. Après, elle a remis ça.

– Vos mères savent quand la soirée pyjama a lieu ?

– Le troisième vendredi du mois. Oui. Tout le monde est au courant.

– Tu savais que tu raterais l'occasion de dîner avec le pasteur en te rendant chez Josie en décembre ?

Elle fit oui de la tête.

– Mais je pensais qu'il voulait être seul avec maman.

– Pourquoi ?

Elle fit glisser son pouce d'avant en arrière sur la manche de son cardigan.

– Je pensais qu'il voudrait peut-être rester en tête à tête avec elle. Comme fait Mr. Shepherd quand il vient.

– Tu le pensais ou tu l'espérais ?

Elle le regarda bien en face et, d'un ton empreint de sérieux :

– Mr. Sage était déjà venu nous rendre visite. Comme maman m'avait expédiée chez Josie pendant ce temps-là, j'en ai conclu qu'elle s'intéressait à lui. Ils ont longuement bavardé, ce jour-là. Après, il est revenu au cottage. Je me suis dit que s'il avait un faible pour elle, il valait mieux que je les laisse en tête à tête, alors je me suis éclipsée. Mais par la suite, j'ai découvert que je m'étais complètement gourrée, qu'il n'en pinçait pas du tout pour elle. Pas pour maman. Et qu'elle ne l'aimait pas.

Lynley fronça les sourcils : un signal d'alarme s'était déclenché dans sa tête, signal qui ne lui plaisait absolument pas.

– Que veux-tu dire ?

– Eh ben, ils avaient rien fait ensemble. Rien de ce qu'elle faisait avec Mr. Shepherd.

– Ils ne s'étaient vus qu'à deux ou trois reprises si j'ai bien compris ?

Elle hocha la tête en signe d'assentiment.

– Mais il ne me parlait jamais de maman quand je le voyais. Et jamais il ne m'a demandé de ses nouvelles. Il l'aurait fait s'il avait eu un faible pour elle.

– De quoi te parlait-il ?

– Il aimait le cinéma, la lecture. C'est de ça qu'il me parlait. De ça et de la Bible. Parfois il m'en lisait des passages. Notamment celui où des vieux cachés dans les buissons matent une fille qui prend son bain. Ils voulaient coucher avec elle car elle était jeune et belle ; ils avaient beau ne plus être de la première jeunesse, ils éprouvaient encore des désirs sexuels. Mr. Sage, il était très fort pour expliquer la Bible.

– Que t'expliquait-il d'autre ?

– Des choses me concernant. Pourquoi je ressentais ce que je ressentais pour... (Elle tira sur le poignet de son cardigan.) Oh, toutes sortes de trucs.

– Ton petit ami ? Il te parlait de tes relations sexuelles avec lui ?

Baissant la tête, elle se plongea dans la contemplation de son gilet. Son estomac gargouilla.

– J'ai faim, marmonna-t-elle sans relever le nez.

– Vous deviez être proches, le pasteur et toi, remarqua Lynley.

– Il m'assurait que c'était pas mal, ce que je ressentais pour Nick. Que le désir était une chose naturelle. Que tout le monde avait des désirs. Lui aussi.

De nouveau le signal d'alarme retentit, insidieux, lancinant. Lynley observa avec soin la jeune fille, s'efforçant de décrypter ses paroles, se demandant ce qu'elle taisait.

– Où ces conversations avaient-elles lieu, Maggie ?

– Au presbytère. Polly préparait du thé et nous l'apportait dans le bureau. On mangeait des biscuits et on bavardait.

– Seuls ?

Elle hocha la tête.

– Polly n'aimait pas tellement parler de la Bible. Elle va pas à l'église. Nous non plus, faut dire.

– Mais à toi, il te parlait de la Bible ?

– Parce qu'on était amis. Quand on est amis, on peut parler de tout. Et puis, entre amis, on se confie.

– Tu l'écoutais. Il t'écoutait. Bref, vous étiez en bons termes.

– On était copains. (Elle sourit.) Josie prétendait que j'avais une sacrée cote avec le pasteur bien que n'allant pas à l'église. Ça l'agaçait, d'ailleurs. « Pourquoi est-ce que c'est toi qu'il invite à prendre le thé et à faire des balades sur la lande, Maggie ? » Je lui ai répondu que c'était parce que ma compagnie lui plaisait, qu'il était seul.

– Il t'a dit qu'il se sentait seul ?

– C'était pas la peine. Ça se voyait. Il était toujours content quand je débarquais chez lui. Et il me serrait bien fort contre sa poitrine quand je repartais.

– Ça te faisait plaisir, ces embrassades ?

– Oui.

Lynley marqua une pause, se demandant comment mettre le sujet sur le tapis sans l'effaroucher. Mr. Sage avait été son ami, son confident. Ce qu'ils avaient partagé devait être sacré.

– C'est agréable, les embrassades, dit-il rêveusement. Y a rien de plus agréable. (Il se rendit compte qu'elle l'observait et se demanda si elle le sentait hésiter. Ce genre d'interrogatoire n'était pas vraiment son fort. Il fallait posséder l'adresse quasi chirurgicale d'un psychologue pour aborder ce genre de tabous. Il avançait donc sur la pointe des pieds, pas particulièrement à l'aise sur ce terrain.) Les amis partagent parfois des secrets, Maggie. Des choses qu'ils se racontent ou qu'ils font ensemble. Parfois, ce sont justement ces secrets qui les rapprochent. C'était comme ça que ça se passait, entre Mr. Sage et toi ?

Elle demeura silencieuse. Il vit qu'elle se mordait de nouveau l'intérieur de la lèvre inférieure. Une croûte de boue s'était détachée de la semelle d'une de ses chaussures et maculait le tapis d'Axminster. Mrs. Crone n'apprécierait sans doute pas.

– Est-ce que ça inquiétait ta maman, ces secrets ?

– C'était moi qu'il préférait.

– Ta maman le savait ?

– Il voulait que je fasse partie du club de jeunes. Il avait promis qu'il parlerait à ma mère, qu'il la persuaderait. Les jeunes du club devaient partir faire une excursion à Londres. Il m'a demandé si je voulais les accompagner. Ils devaient également organiser une fête pour Noël. Il a dit que maman me laisserait y assister. Ils en ont parlé au téléphone.

– Le jour de sa mort ?

La question était venue trop abruptement. Elle cligna des yeux et murmura :

– Maman n'a rien fait. Maman ne ferait du mal à personne.

– Est-ce qu'elle l'a invité à dîner ce soir-là, Maggie ?

La jeune fille fit non de la tête.

– Elle n'a rien dit.

– Elle ne l'a pas invité ?

– Elle ne m'a pas dit qu'elle l'avait invité.

– Mais elle t'a dit qu'il venait ?

Maggie réfléchit, préparant une réponse. Ce que voyant, Lynley enchaîna :

– Comment savais-tu qu'il venait dîner si elle ne te l'avait pas dit ?

– Il a téléphoné. J'ai entendu.

– Quoi ?

– C'était au sujet du club de loisirs, de la fête. Maman semblait en colère. « Je n'ai pas l'intention de la laisser partir. Inutile de poursuivre cette discussion. » Il a continué à parler. Alors elle lui a demandé s'il pouvait venir dîner pour en reparler. Mais je n'ai pas eu l'impression qu'elle était décidée à changer d'avis.

– Le soir même ?

– Mr. Sage disait toujours qu'il fallait battre le fer quand il était chaud. (Elle fronça pensivement les sourcils.) Pour lui, un non, ça n'était jamais définitif. Il savait que j'avais envie d'appartenir au club. Il pensait que c'était important.

– Qui dirige le club ?

– Depuis la mort de Mr. Sage, personne.

– Qui en faisait partie ?

– Pam et Josie. Des filles du village. Des filles de la campagne, aussi.

– Il y avait des garçons ?

– Deux seulement. (Elle plissa le nez.) Les garçons ne voulaient pas en entendre parler. « On finira bien par les convaincre, disait Mr. Sage. A nous deux, on trouvera un moyen. » C'est en partie pour ça qu'il voulait que je devienne membre.

– Pour réfléchir, avec lui, au moyen de persuader les garçons de venir grossir vos rangs ? fit Lynley, mine de rien.

Elle ne broncha pas.

– Au moyen de décider Nick à nous rejoindre. Parce que si Nick cédait, les autres lui emboîteraient le pas. Mr. Sage le savait bien. Il savait tout.

Règle numéro un : se fier à son intuition.
Règle numéro deux : l'étayer sur des faits.
Règle numéro trois : procéder à une arrestation.

La règle numéro quatre se rapportait à l'endroit où il convenait qu'un inspecteur de police se soulageât après avoir, au terme de son enquête, descendu coup sur coup quatre pintes de Guinness. Quant à la règle numéro cinq, elle concernait l'activité considérée comme la meilleure pour célébrer la comparution devant le tribunal du coupable arrêté par ses soins. C'était l'inspecteur Angus MacPherson qui leur avait un jour, lors d'une réunion de département, remis ces règles imprimées sur des cartes d'un rose agressif agrémentées de dessins appropriés. Les règles quatre et cinq avaient déclenché l'hilarité générale et une salve de commentaires salaces. Mais les trois premières, Lynley les avait découpées pour passer le temps en attendant qu'on lui passe son interlocuteur au téléphone. Il s'en était même fait un marque-page. Et à ses yeux, elles avaient autant de valeur que les sacro-saintes « règles des juges » qui régissent le comportement des policiers face aux inculpés.

L'intuition qui lui avait soufflé que Maggie jouait un rôle essentiel dans la mort du pasteur l'avait conduit au lycée de Clitheroe. Rien de ce qu'elle lui avait confié au cours de leur entretien n'avait infirmé sa conviction.

Un homme solitaire entre deux âges, une gamine de treize ans à deux doigts de devenir une femme : cela constituait un mélange explosif. Quelles que fussent la droiture de l'un et la naïveté de l'autre. Si, en passant au crible la mort de Robin Sage, Lynley tombait sur une affaire louche d'enfant séduite, il se dit qu'il n'en serait pas autrement étonné. Ce ne serait pas la première fois qu'un attentat à la pudeur se dissimulerait sous le masque de l'amitié et le costume ecclésiastique. Et ce ne serait pas non plus la dernière. Le fait que ce crime fût perpétré contre une enfant lui donnait un piment insidieux. Et comme, dans le cas présent, la petite victime était déjà active sexuellement, le sentiment de culpabilité susceptible de freiner le pervers dans son entreprise de séduction était d'autant plus facile à étouffer.

Maggie avait soif d'amitié et d'approbation. Soif de contacts et de chaleur. Pouvait-on rêver nourriture plus propice à rassasier le désir physique d'un homme ? Car pour Robin Sage, il ne s'agissait pas forcément d'une histoire de puissance sexuelle. Et cette relation avec une mineure ne prouvait pas nécessairement son inaptitude à avoir une liaison durable avec une adulte. Il aurait pu céder à la tentation humaine, purement et simplement. Il aimait la serrer dans ses bras, comme Maggie le lui avait dit. Et elle aimait ces embrassades. Le pasteur avait peut-être découvert à sa grande surprise qu'elle était beaucoup plus qu'une enfant.

Que s'était-il passé, alors ? se demanda Lynley. Le désir s'était-il éveillé chez Sage, qui y avait succombé ? L'envie l'avait-elle pris de dénuder ce jeune corps ? Le démon du bas-ventre l'avait-il poussé à passer à l'action ? Et cette pensée – chuchotement démoniaque et obsédant – avait-elle fini de lui enlever ses scrupules ? Qu'est-ce que ça peut faire ? Elle le fait déjà, ce n'est pas une gamine innocente, ce n'est pas comme si tu séduisais une fille qui n'a jamais couché, si ça ne lui plaît pas, elle n'a qu'à te dire d'arrêter, tu n'as qu'à la serrer contre toi pour qu'elle se rende compte de l'état dans lequel elle t'a mis, lui effleurer les seins, lui glisser une main entre les cuisses, lui dire que les câlins, y a rien de plus agréable, toi et moi, ce sera notre secret, ma petite Maggie...

La séduire aurait été l'affaire de quelques semaines. Maggie était en froid avec sa mère. Elle avait besoin d'un confident.

Lynley s'engagea dans la rue, poussa jusqu'au coin et fit son demi-tour pour reprendre la direction du centre ville. C'était possible. Mais à ce stade, des possibilités, il y en avait plusieurs. La règle numéro un était cruciale. Aucun doute là-dessus. Mais elle ne devait pas lui faire perdre de vue la règle numéro deux.

Il se mit en quête d'un téléphone.

15

Près du sommet de Cotes Fell, du haut de la pierre levée baptisée Great North, Colin Shepherd remarqua un détail qui lui avait échappé au cours de l'enquête sur la mort de Robin Sage : lorsque la brume se dissipait ou que le vent la chassait, on distinguait très nettement à cette hauteur le parc de Cotes Hall. Surtout en hiver lorsque les arbres étaient dépouillés de leurs feuilles. Quand on se positionnait quelques mètres plus bas, qu'on s'appuyait contre la pierre pour fumer ou se reposer, on n'apercevait que le toit de la vieille demeure avec sa kyrielle de pots de cheminées, de fenêtres en mansarde et de girouettes. Mais dès qu'on montait un peu et qu'on s'asseyait à l'abri de la pierre en calcaire, incurvée en forme de point d'interrogation, on distinguait absolument tout, du manoir sinistre et décrépit à la grande cour, du parc livré à lui-même jusqu'aux dépendances. Parmi celles-ci se trouvait le cottage. Dans lequel Colin Shepherd avait vu entrer Lynley.

Tandis que Leo bondissait d'un coin à l'autre au sommet de la colline, explorant d'une truffe avide les pistes les plus variées, Colin suivit les allées et venues de Lynley du jardin à la serre, s'étonnant de la netteté de la vue dont il jouissait. D'en bas, la brume lui avait semblé avoir la densité d'un mur, entravant la marche, obstruant la vue. Mais ici, ce qui lui avait paru à la fois infranchissable et opaque se révélait avoir la consistance d'une toile d'araignée. Une toile humide et froide mais dénuée de substance.

Il observa leurs moindres faits et gestes, comptant les

minutes passées dans la serre, prenant bonne note du fait qu'ils exploraient la cave. Il enregistra dans un coin de sa mémoire le fait que la porte de la cuisine était restée ouverte tandis qu'ils traversaient la cour pour aller dans le parc. Il les vit faire halte sur la terrasse pour bavarder. Et lorsque Juliet tendit le bras vers l'étang, il comprit ce qui allait se passer.

Pendant ce temps, non content de voir, il entendait. Pas leur conversation, mais de la musique. Même lorsqu'une soudaine rafale de vent modifiait la densité de la brume, il percevait les accents entraînants d'une marche.

Toute personne qui se serait donné la peine de gravir la colline de Cotes Fell aurait pu voir les allées et venues qui se faisaient au manoir et au cottage. Il n'était même pas nécessaire de s'aventurer sur les terres des Townley-Young. Le sentier conduisant au sommet était après tout un sentier public. Si le trajet était difficile par endroits le dernier tronçon au-dessus de la pierre de Great North, notamment, il n'était pas suffisamment ardu pour rebuter un natif du Lancashire. Et encore moins une femme qui y venait régulièrement.

Lorsque Lynley fut sorti en marche arrière de la cour du manoir avec sa monstrueuse voiture pour prendre le chemin du retour, au milieu des nids-de-poule et de la boue qui dissuadaient les visiteurs d'approcher, Colin se détourna du paysage et se dirigea vers la pierre en forme de point d'interrogation. Il s'accroupit à l'ombre de la roche, ramassa pensivement une poignée de cailloux et, entrouvrant le poing, les laissa dégringoler en pluie sur le sol. Leo le rejoignit, reniflant la roche avec conviction, provoquant un glissement de terrain miniature. De la poche de sa veste, Colin exhuma une balle de tennis mâchouillée. Il la fourra sous le nez de Leo, la lança et regarda le chien s'élancer joyeusement dans la brume. L'animal se déplaçait avec l'assurance et la grâce d'un retriever qui connaît son boulot et l'effectue sans aucun effort.

Non loin de la roche, Colin distinguait une mince cicatrice de terre entourant la variété d'herbe particulièrement vivace qui poussait sur la lande et les collines. Cette cicatrice dessinait un cercle d'environ trois mètres de diamètre, dont la circonférence était matérialisée par des pierres disposées à intervalles réguliers, tous les trois centimètres environ. Au centre du cercle se trouvait un rectangle de granit. Il n'eut pas à s'en approcher pour l'examiner ; il savait qu'il devait encore s'y trouver de la cire fondue et la marque bien reconnaissable d'une étoile à cinq branches.

Au village, nul n'ignorait que le sommet de la colline de Cotes Fell était un lieu sacré. Pour l'atteindre, il fallait passer devant la pierre levée de Great North. Celle-ci avait le pouvoir, disait-on, de répondre aux questions de ceux qui l'interrogeaient avec un cœur pur et l'écoutaient d'un esprit réceptif. Certains voyaient dans la forme étrange de la roche calcaire le symbole de la fertilité, le ventre fécond d'une mère. Quant à sa faîtière de granit tellement semblable à un autel qu'on ne pouvait s'empêcher de faire le rapprochement, elle avait la réputation d'être une curiosité géologique depuis les premières décennies du siècle dernier. C'était un endroit où les anciennes coutumes perduraient.

D'aussi loin que Colin se souvienne, les Yarkin avaient pratiqué la magie et adoré la Déesse. Jamais elles n'en avaient fait mystère. Mélopées, rituels, sorts, incantations, elles accomplissaient leur travail avec un sérieux qui leur avait valu sinon le respect du moins un degré de tolérance nettement supérieur à celui qu'on aurait pu attendre de villageois qui, compte tenu de leur vie étriquée et de leur expérience limitée, avaient tendance à nourrir des préjugés conservateurs à propos de Dieu, de la monarchie et du pays. Mais dans les moments de désespoir, ils étaient prêts à solliciter les services de quiconque avait de l'influence sur un Tout-Puissant quel qu'il fût. Aussi lorsqu'un enfant bien-aimé tombait malade, que les moutons d'un fermier étaient frappés de quelque maladie, qu'un soldat était envoyé en Irlande du Nord, personne ne repoussait l'offre de Rita ou de Polly Yarkin de former le cercle et de solliciter l'aide de la Déesse. Qui pouvait dire quel dieu vous écoutait vraiment ? Qu'y avait-il de mal à mettre le maximum de chances de son côté ?

Lui-même avait fait appel aux Yarkin. Il avait autorisé Polly à escalader cette colline pour le bien d'Annie.

Revêtue d'une longue tunique dorée, Polly portait des branches de laurier dans un panier. Elle les faisait brûler avec des clous de girofle en guise d'encens. Recourant à un alphabet inconnu de lui et auquel il avait du mal à croire, elle gravait sa requête dans une grosse bougie orange qu'elle laissait se consumer, demandant un miracle, lui affirmant que tout était possible si le cœur de la sorcière était pur. Après tout, la mère de Nick Ware n'avait-elle pas réussi à mettre un fils au monde à l'âge de quarante-neuf ans ? Mr. Townley-Young n'avait-il pas consenti à accorder une pension aux métayers qui travaillaient sur ses terres ? Est-ce que Fork Reservoir ne s'était pas développé, permettant la création de nouveaux emplois dans la région ? Tout cela, lui avait dit Polly, c'était à la Déesse qu'ils le devaient.

Elle ne lui avait jamais permis d'assister au déroulement d'un rituel. Car il n'était pas un initié. Et il y avait des choses qui ne pouvaient être tolérées. Aussi était-il incapable de dire ce qu'elle faisait une fois arrivée au sommet de la colline. Pas une seule fois il ne l'avait entendue formuler une requête.

Quoi qu'il en soit, du haut de la colline où les coulures de bougie indiquaient qu'elle s'adonnait toujours à la magie, Polly pouvait parfaitement discerner Cotes Hall. Elle pouvait surveiller les allées et venues dans la cour, le parc, le jardin du cottage. Arrivées, départs, rien ne lui aurait échappé. Et si quelqu'un était sorti du cottage pour s'enfoncer dans le bois, elle l'aurait également vu de son perchoir.

Colin se redressa et siffla Leo. Le chien arriva en bondissant. Il tenait la balle de tennis dans sa gueule et la déposa pour jouer aux pieds de son maître, sa truffe à deux ou trois centimètres, prêt à la reprendre si Colin faisait mine de la récupérer. Colin joua un instant avec le retriever. Leo finit par lâcher la balle, recula de quelques pas et attendit que son maître la lance. Colin l'expédia vers le bas de la colline en direction du manoir et regarda le chien s'élancer à sa poursuite.

Colin le suivit lentement, longeant le sentier. Il s'arrêta près de Great North, posa sa paume contre le calcaire, éprouvant un choc au contact de la pierre froide.

– Est-ce que c'est elle ? questionna-t-il, les yeux fermés, attendant la réponse.

Il la sentit sous ses doigts. *Oui... Oui...*

La descente était raide, par endroits seulement. Certes, il ne faisait pas chaud, mais le trajet n'était pas d'une difficulté insurmontable. D'innombrables pas avaient creusé un sillon dans l'herbe qui, si elle était glissante ailleurs, était ici pelée et découvrait le sol, lequel offrait une prise solide aux pieds des marcheurs, éliminant les risques de chute. Grimper jusqu'à Cotes Fell était à la portée de n'importe qui. On pouvait s'y rendre sous la brume. On pouvait s'y rendre la nuit.

Le sentier s'enroulait trois fois autour de la colline si bien que le paysage qu'on embrassait du regard changeait continuellement. D'abord on distinguait le manoir ; puis, au loin, le vallon où se nichait Skelshaw Farm. Un instant plus tard, on avait une vue plongeante sur l'église et les cottages de Winslough. Arrivé au pied de la colline, là où commençaient les pâturages, le sentier longeait le parc de Cotes Hall.

Colin fit halte à cet endroit. Il n'y avait pas d'échalier dans le mur de pierres sèches qui eût permis à un randonneur de pénétrer facilement dans la propriété des Townley-Young. Mais comme dans beaucoup de coins de campagne qui ont été plus ou moins laissés à l'abandon, le mur était en mauvais état. Des ronces le recouvraient par places. La paroi présentait des trous sous lesquels se dressaient de petites pyramides de moellons. Se glisser par une ouverture était un jeu d'enfant comme il put le constater après avoir franchi l'obstacle et sifflé son chien, qui l'imita.

Le sol en pente douce aboutissait à l'étang environ vingt mètres plus bas. En atteignant la pièce d'eau, Colin se retourna pour regarder le paysage. Il distingua Great North, mais rien d'autre derrière. La brume et le ciel étaient monochromes. Ils constituaient un écran idéal pour l'observateur posté au sommet de la colline.

Le retriever sur ses talons, Colin fit le tour de l'étang, s'arrêtant pour examiner la racine que Juliet avait déterrée pour Lynley. Il en frotta la surface, mettant à nu la chair couleur d'ivoire jauni, et enfonça l'ongle dans la tige. Un mince filet d'huile de la grosseur d'une tête d'épingle se mit à couler.

Oui... Oui...

L'ayant lancée dans l'étang, il la regarda s'enfoncer dans l'eau, laquelle se mit à onduler, décrivant des cercles qui venaient clapoter contre la glace boueuse.

– Non, Leo, pas de ça ! s'écria-t-il en voyant le chien s'approcher dangereusement du bord, prêt à obéir à son instinct de chasseur.

Il lui retira la balle de tennis de la gueule, la lança vers la terrasse et la suivit tandis que le chien courait après.

Elle avait dû réintégrer la serre. Il l'avait vue se diriger de ce côté après le départ de Lynley et il savait qu'elle devait avoir envie de se détendre en rempotant, taillant, jardinant. Il envisagea un instant de passer lui dire bonjour. Il éprouvait le besoin de partager ses découvertes avec elle. Mais elle refuserait de l'écouter. Elle trouverait son idée monstrueuse. Alors, au lieu de traverser la cour et d'entrer dans le jardin, il continua à longer le sentier. Parvenu à la hauteur de la première trouée qu'offrait la bordure de lavande, il s'y glissa avec le chien et s'enfonça dans le bois.

Au bout d'un quart d'heure de marche, il atteignit la façade arrière du pavillon. Il n'y avait pas de jardin digne de ce nom, seulement un lopin de terre boueux couvert de feuilles où poussait un cyprès anémique qui paraissait avoir besoin d'être transplanté. L'arbre était adossé contre un abri décrépit au toit percé.

La porte n'avait pas de serrure. Et pas davantage de poignée. Un vulgaire anneau rouillé en tenait lieu. Lorsque Colin tira dessus, l'un des gonds sauta, les vis se détachèrent du chambranle pourri ; le battant en s'affaissant vint se loger dans un étroit sillon creusé dans le sol meuble où il trouva tout naturellement sa place. Shepherd se glissa à l'intérieur par l'entrebâillement.

Il attendit que ses yeux s'habituent au changement de lumière. Il n'y avait pas de fenêtre, seulement la lumière grise du jour qui filtrait à travers les pierres mal jointes et sous la porte. Dehors, il entendit le chien qui reniflait le tronc du cyprès. A l'intérieur, il n'entendit rien, hormis le bruit de sa respiration que lui renvoyait le mur en face de lui.

Des formes commencèrent à émerger. Ce qu'il avait pris pour une planche encombrée d'un curieux assortiment d'objets indistincts s'avéra être un établi supportant des pots de peinture. Au milieu des pots se trouvaient des pinceaux raides de peinture séchée, des rouleaux et une pile de plateaux en aluminium. Deux boîtes de clous étaient posées derrière les pots de peinture ainsi qu'un bocal couché sur le flanc d'où se déversait une pluie de vis, de boulons et d'écrous. Une couche de crasse vieille de dix ans recouvrait le tout.

Une toile d'araignée reliait deux pots de peinture. Elle trembla lorsqu'il bougea mais il n'y avait pas d'araignée au centre. Colin passa la main au travers, les fils touchèrent sa peau et il eut l'impression de toucher un fantôme. Sur les fils il n'y avait aucune trace de la substance visqueuse sécrétée par les araignées pour piéger les insectes. L'architecte de la toile avait depuis longtemps disparu.

Des yeux, il balaya les murs où différents outils de jardinage et autres étaient accrochés à des clous : scie rouillée, binette, rateau, pelle, balai qui perdait ses poils. En dessous était enroulé un tuyau vert. Au centre duquel se dressait un saut cabossé. Il jeta un coup d'œil à l'intérieur du récipient. Le seau ne contenait qu'une paire de gants de jardinage. Le pouce et l'index de la main droite étaient usés. Il les examina. C'étaient des gants de belle taille, des gants d'homme. Il les enfila sans problème : ils semblaient faits pour lui. Au fond du seau, à l'endroit où il avait pris les gants, le métal brillait. Il les remit en place et continua d'inspecter les lieux.

Un sac de graines, un autre d'engrais, un troisième de tourbe jouxtaient une brouette noire, laquelle était posée contre le mur à l'autre bout de la pièce. Il poussa les sacs et écarta la brouette du mur pour voir ce qu'il y avait derrière. D'un petit cageot rempli de chiffons s'exhalait une odeur d'urine de rongeurs. Il souleva le cageot, vit deux minuscules bestioles filer sous l'établi et, du bout de sa botte, retourna les chiffons. Sans rien trouver. Mais comme la brouette et les sacs de toile paraissaient ne pas avoir été manipulés depuis une éternité, cela ne le surprit pas. Il se mit à réfléchir.

Il y avait deux possibilités, qu'il envisagea tout en remettant soigneusement chaque chose à sa place. L'une lui était suggérée par l'absence de petits outils. Il n'avait vu ni marteau pour les clous, ni tournevis pour les vis, ni clef à molette pour les boulons et les écrous. Mais, détail encore plus intéressant, il n'avait aperçu ni truelle ni déplantoir à côté des râteau, binette et pelle. Se débarrasser de la truelle ou du déplantoir aurait été imprudent. Se débarrasser de la totalité de ces outils était bougrement astucieux.

La seconde possibilité était qu'il n'y avait jamais eu de petits outils au pavillon, que Mr. Yarkin les avait embarqués en quittant précipitamment Winslough vingt-cinq ans plus tôt. Curieuse idée d'emporter ce genre de choses dans ses bagages, mais peut-être en avait-il besoin pour son travail ? Quel métier avait-il exercé, déjà ? Colin battit le rappel de ses souvenirs. Celui de charpentier ? Dans ce cas, pourquoi avait-il laissé la scie ?

Il continua d'échafauder son scénario. Il n'y avait pas d'outils au pavillon ? Aucune importance, elle avait dû savoir où s'en procurer et à quel moment les emprunter. Elle aurait même pu attendre l'instant propice au pavillon. Celui-ci jouxtait la propriété des Townley-Young, après tout. Elle aurait très bien pu entendre une voiture passer, se précipiter à la fenêtre pour voir qui était au volant.

Ça se tenait. Même si elle possédait des outils, pourquoi aurait-elle pris le risque de s'en servir alors qu'elle pouvait utiliser ceux de Juliet et les remettre dans la serre sans que personne s'en aperçoive ? Il lui fallait pénétrer dans le jardin de toute façon pour atteindre la cave. Oui. Ça devait être comme ça que les choses s'étaient passées. Mobile, moyen, occasion : tout y était. Bien que sentant la course de son sang s'accélérer dans ses veines, Colin savait pertinemment qu'il ne pouvait se permettre de suivre cette piste sans avoir au préalable établi la véracité de certains faits.

Après avoir refermé la porte, il pataugea dans la boue jusqu'au pavillon.

Leo émergea du bois tout frétillant, vivante image du bonheur canin, le poil orné de touffes d'humus, les oreilles décorées de feuilles mortes noirâtres. C'était jour de fête pour le retriever : promenade jusqu'à Cotes Fell, jeu de balle avec son maître, occasion de se crotter dans le bois. La chasse, il s'en moquait du moment qu'il pouvait gratter au pied des chênes comme un cochon truffier.

– Reste là, dit Colin, lui désignant un carré de mauvaises herbes tout aplaties près de la porte.

Tout en frappant, il espéra que ce serait également un jour faste pour lui.

Il l'entendit avant qu'elle n'ouvre. Pas lourd raclant le sol. Respiration sifflante tandis qu'elle déverrouillait la porte. Et soudain elle parut devant lui tel un phoque sur la glace, une main plaquée sur sa poitrine massive comme si cela pouvait l'aider à respirer. Il constata qu'il l'avait interrompue en pleine séance de manucure. Deux de ses ongles étaient bleu marine, les trois autres pas encore peints. Tous étaient d'une longueur impressionnante.

– Que je sois pendue si ce n'est pas notre constable en personne, fit-elle, l'examinant de la tête aux pieds, s'attardant sur son entrejambe. (Sous ce regard insistant, il éprouva soudain une curieuse sensation de chaleur dans les testicules. Comme si elle en était consciente, Rita Yarkin sourit et poussa un soupir de plaisir.) Alors, Mr. Shepherd, quel bon vent vous amène ? Est-ce que vous seriez venu exaucer les prières d'une jeune vierge ? La jeune vierge n'étant autre que moi, évidemment.

J'aimerais entrer si vous voulez bien.

– Vraiment ? (Elle s'appuya contre le chambranle dont le bois gémit sous son poids. Tendant un bras au poignet orné d'une douzaine de bracelets qui cliquetaient avec un bruit de menottes, elle passa ses doigts dans les cheveux de Colin. Il s'efforça de ne pas broncher.) Des toiles d'araignée, murmura-t-elle. Mmmmmm. Et en voilà une autre. Où est-ce que vous êtes allé rôder, comme ça, mon mignon ?

– Puis-je entrer, Mrs. Yarkin ?

– Rita. (Elle le dévisagea.) Tout dépend de ce que vous voulez dire par « entrer ». Y a sûrement des tas de femmes qui ne demanderaient qu'à vous laisser pénétrer chez elles à toute heure du jour et de la nuit. Mais moi, je suis difficile en matière d'hommes. Je l'ai toujours été.

– Est-ce que Polly est là ?

– C'est Polly qui vous intéresse, Mr. Shepherd ? Je me demande pourquoi. Vous la trouvez assez bien pour vous, tout d'un coup ? Est-ce que vous vous seriez fait virer du cottage ?

– Ecoutez, Rita, je n'ai pas envie de me disputer avec vous. Vous me laissez entrer ou je repasse plus tard ?

Elle se mit à tripoter l'un de ses trois colliers. Des perles et des plumes et, en guise de pendentif, la tête d'une chèvre en bois.

– Y a rien d'intéressant, ici, pour vous.

– Qui sait ? Quand est-ce que vous avez débarqué à Winslough, cette année ?

– Le 24 décembre. Comme d'habitude.
– Après la mort du pasteur ?
– Ouais. J'ai pas eu l'occasion de faire sa connaissance. Dommage. Parce que, d'après ce que Polly me racontait et vu ce qui s'est passé, j'aurais bien aimé lui faire les lignes de la main. (Elle attrapa la main de Colin.) Vous voulez que je vous les fasse, mon grand ? (Comme il se dégageait :) Vous avez la trouille de connaître votre avenir, hein ? Comme la plupart des gens. Laissez-moi regarder. Si les nouvelles sont bonnes, vous casquez. Sinon, je la boucle. Marché conclu ?
– Si vous me laissez entrer.
Sourire aux lèvres, elle s'écarta de la porte.
– Pourquoi tu me sautes pas, mon bichon ? T'as jamais baisé une fillette de ma corpulence ? C'est plein de coins et de recoins où enfoncer ton engin, une femme de cent vingt kilos. T'es pas près d'en faire le tour.
– Sûrement, dit Colin en passant devant elle.
Elle s'était inondée de parfum. Ça sentait dans tout le pavillon. Il retint son souffle.
Ils se tenaient dans un vestibule exigu qui tenait lieu de porche. Il retira ses bottes boueuses et les déposa au milieu des bottes en caoutchouc, parapluies et imperméables. Il prit tout son temps pour se débarrasser de ses chaussures, inventoriant ce qui se trouvait autour de lui. Près de la poubelle qui renfermait des choux de Bruxelles en train de moisir, des manches de côtelettes, quatre paquets vides de crème anglaise prête à cuire, les restes d'un petit déjeuner composé de pain et de bacon frit, une lampe cassée veuve de son abat-jour, il avisa un panier contenant des pommes de terre, des carottes, une laitue et des courges.
– Polly a fait les courses ?
– Tout ça, c'est d'avant-hier. Elle l'a rapporté à midi.
– Est-ce qu'il lui arrive de rapporter des panais pour le dîner ?
– Bien sûr. Pourquoi ?
– Parce que ce n'est pas la peine de les acheter. Ils poussent à l'état sauvage dans le coin. Vous le saviez ?
De son ongle aux allures de serre, Rita souleva la tête de chèvre. Elle joua avec une corne puis avec l'autre. Caressa lascivement la barbiche de l'animal. Puis elle regarda Colin d'un air songeur.

– A supposer que je sois au courant ?

– Vous en avez parlé à Polly ? Parce que c'est bête de dépenser de l'argent inutilement chez le marchand de légumes quand on peut en cueillir.

– Très juste. Seulement Polly, gratter la terre, c'est pas son truc, constable. Elle aime la nature, c'est vrai, mais pas au point de se traîner sur les genoux dans le bois comme d'autres que je ne citerai pas. Pour ne rien vous cacher, elle a mieux à faire.

– Mais elle a une connaissance approfondie des plantes. La botanique, ça fait partie de la magie : quelqu'un qui pratique la magie doit être capable de reconnaître les différentes essences de bois. Et les simples, également. Car le rituel veut qu'on les utilise, n'est-ce pas ?

Le visage de Rita se figea.

– Le rituel fait appel à des choses dont vous n'avez même pas idée, Mr. Shepherd. Ne comptez pas sur moi pour vous affranchir.

– Mais les simples ont un pouvoir magique, non ?

– La magie, il y en a partout. Mais elle vient de la volonté de la Déesse, béni soit son nom, qu'on ait recours à la lune, aux étoiles, à la terre ou au soleil.

– Qu'on utilise les plantes...

– L'eau, le feu ou n'importe quoi d'autre. C'est l'esprit de celui qui invoque et la volonté de la Déesse qui rendent la magie opérante. Ce n'est pas en préparant des potions et en les avalant.

D'un pas lourd, elle pénétra dans la cuisine où elle fit couler un filet d'eau au robinet pour remplir une bouilloire.

Colin en profita pour terminer l'inspection du porche servant de débarras. Il s'y trouvait un nombre de choses étonnantes. Des roues de bicyclette sans pneus jusqu'à une ancre rouillée à laquelle il manquait une branche. Un panier destiné à abriter un chat depuis longtemps disparu occupait un coin du débarras. Dans ce panier s'entassaient des livres de poche esquintés dont les jaquettes s'ornaient de femmes à la poitrine houleuse qu'étreignaient des hommes aux bras musclés qui paraissaient sur le point de les violer. *L'Élan sauvage de l'amour* annonçait une couverture. *L'Enfant perdu de la passion* clamait une autre. Si des outils étaient dissimulés sous le porche au milieu des cartons bourrés de vieux vêtements, d'un aspirateur Hoover antédiluvien et de la planche à repasser, les déterrer ne manquerait pas de constituer un travail d'Hercule. Le treizième.

Colin rejoignit Rita dans la cuisine. Elle s'était approchée de la table où, parmi les reliefs de son en-cas de onze heures composé de café et de *muffins*, elle s'était remise à se faire les ongles. Le vernis semblait faire de son mieux pour masquer l'odeur de son parfum et celle du bacon qui grésillait dans une poêle à frire, sur la cuisinière. Colin poussa la poêle pour mettre la bouilloire à sa place. Rita agita vers lui le pinceau de son flacon de vernis pour le remercier de son initiative. Il se demanda ce qui l'avait poussée à choisir cette couleur et où elle avait réussi à se la procurer.

Pour en venir à l'objet de sa visite, il dit :

– Je suis arrivé par-derrière.

– J'avais remarqué, trésor.

– Par le jardin, je veux dire. J'ai jeté un coup d'œil à l'appentis. Il est en mauvais état. La porte ne tient pas. Vous voulez que je vous la répare ?

– Ça alors, c'est une idée géniale, constable.

– Vous avez des outils ?

– Sans doute. Quelque part.

Elle examina sa main droite, tendant languissamment le bras pour juger du résultat de son travail.

– Où ?

– Aucune idée, mon chou.

– Polly le sait peut-être, elle ?

Elle agita la main.

– Est-ce qu'elle s'en sert ?

– Peut-être. C'est possible. Je ne sais pas. Le bricolage, ça nous passionne pas vraiment.

– C'est classique. Quand il n'y a pas d'homme à la maison, les femmes...

– Je ne parlais pas de Polly et moi. Mais de vous et moi. Ou alors est-ce que ça fait partie de votre boulot, maintenant, de pénétrer dans les jardins, d'examiner les appentis et de proposer aux pauvres femmes sans défense de les réparer ?

– Nous sommes de vieux amis. Je suis content de pouvoir vous rendre service.

Elle éclata de rire.

– Ben, tiens ! Je parie que si j'interroge Polly, elle va me dire que vous êtes passé ici une ou deux fois par semaine pendant des années pour lui donner un coup de main.

Elle posa sa main gauche bien à plat sur la table et prit son flacon de vernis.

La bouilloire se mit à siffler. Il la retira de la cuisinière. Rita avait sorti deux grosses tasses. Un petit tas de cristaux de café instantané se trouvait au fond de chacune. L'une des tasses s'ornait d'une trace de rouge à lèvres. L'autre, sur laquelle était inscrit le mot *Poissons* sous un poisson vert argenté nageant dans une eau bleu azur, lui était destinée. Il hésita une fraction de seconde avant de verser l'eau, inclinant doucement la tasse vers lui pour en examiner l'intérieur aussi discrètement que possible.

Rita l'observa et lui adressa un clin d'œil.

– Allez, beau gosse. Lance-toi. Faut savoir prendre des risques dans la vie.

Gloussant, elle baissa le nez sur ses ongles et se remit au travail.

Il versa l'eau dans les tasses. Il n'y avait qu'une cuillère sur la table, qui avait déjà servi. Il eut comme une nausée à l'idée de la mettre dans sa tasse mais, se disant que l'eau bouillante la stériliserait, il la plongea dans le breuvage qu'il touilla rapidement. Il but une gorgée. C'était bien du café.

– Je vais essayer de mettre la main sur ces outils, dit-il en emportant sa tasse dans la salle à manger avec l'intention bien arrêtée de l'oublier sur la table.

– Allez-y, vous gênez pas, cria Rita dans son dos. Mais en dehors de ce qui est sous nos jupes, on n'a pas grand-chose à cacher. Si vous avez envie d'y jeter un œil, faites-moi signe.

Son rire hystérique le poursuivit à travers la salle à manger, où un examen rapide du buffet lui permit de découvrir en tout et pour tout des piles de vaisselle et plusieurs nappes empestant la naphtaline. Au pied de l'escalier, un petit meuble déglingué contenait des numéros jaunissants d'un canard à sensation de Londres. Un bref regard aux quotidiens lui donna l'occasion de se rendre compte que les Yarkin n'avaient conservé que les numéros les plus croustillants. Ceux dans lesquels il n'était question que de bébés à deux têtes, de cadavres accouchant dans leur cercueil, d'enfants-loups se produisant dans les cirques, du récit expurgé du débarquement d'un contingent d'extra-terrestres dans un couvent de Southend-on-Sea. Ayant ouvert l'unique tiroir, il tomba sur des petits morceaux de bois. Il reconnut l'odeur du cèdre et du pin. Une feuille était encore accrochée au laurier. Les autres, il aurait été bien en peine de mettre un nom dessus. Mais Polly et sa mère n'auraient eu aucun mal à les identifier grâce à leur couleur, leur grain, leur parfum.

Il grimpa l'escalier en hâte, sachant que Rita interromprait ses recherches dès qu'elle aurait cessé de s'en amuser. Il regarda à droite puis à gauche, se demandant quelles surprises pouvaient receler salle de bains et chambres. Juste devant lui se dressait un coffre gainé de cuir sur lequel était posé un bronze hideux représentant un homoncule au priape démesuré et au front garni de cornes. De l'autre côté du couloir, face au bronze, un placard béait, vomissant en vrac draps, linge de maison, bric-à-brac. Encore un travail d'Hercule, songea-t-il. Le quatorzième. Il se dirigeait vers la première chambre lorsque Rita l'appela.

Faisant celui qui n'avait rien entendu, il s'approcha du seuil et jura. Cette femme était décidément une souillon. Il y avait plus d'un mois qu'elle avait débarqué chez sa fille et elle n'avait toujours pas défait sa monstrueuse valise d'où dégoulinaient des effets qui n'avaient même pas encore été dépliés. Le reste de ses vêtements gisait par terre, sur le dos des chaises, au pied du lit en débandade. Près de la fenêtre, une coiffeuse semblait attendre la visite de techniciens de la police chargés de passer au peigne fin les lieux d'un crime. Produits de beauté et flacons de vernis à ongles aux couleurs de l'arc-en-ciel s'entassaient sur la table, recouverts d'une épaisse couche de poudre de riz qui n'était pas sans évoquer la substance utilisée pour mettre les empreintes en évidence. Des colliers étaient accrochés à la poignée de la porte et à l'un des montants du lit. Des écharpes ondulaient sur la moquette au milieu de chaussures laissées pour compte. De chaque pouce de la pièce s'exhalait l'odeur particulière de Rita : relents de fruit sur le point de pourrir et de femme vieillissante mal lavée.

Il examina en vitesse la commode. Après quoi, il passa à la penderie et s'agenouilla pour jeter un coup d'œil sous le lit. Ce qui lui permit de découvrir que cet espace abritait, outre un troupeau serré de moutons, un chat noir en peluche au dos arqué, au poil hérissé, dont la queue était prolongée par une mini-banderole ornée du slogan *Rita sait tout, Rita voit tout.*

Il se dirigea vers la salle de bains. Rita l'appela une seconde fois. Il ne broncha pas. Il enfonça les mains dans une pile de serviettes posées sur une étagère supportant également poudre à récurer, chiffons, désinfectants, gravure déchirée d'une femme genre Lady Godiva qui jaillissait d'un coquillage, une main pudiquement plaquée sur le sexe.

Il devait y avoir quelque chose quelque part dans la maison. Il le sentait aussi sûrement qu'il sentait le linoléum gondolé sous ses pieds. Si ce n'étaient pas des outils, ce seraient d'autres objets. Mais il saurait en les voyant que c'était ça qu'il cherchait.

Il ouvrit l'armoire à pharmacie et se mit à fouiller au milieu de l'aspirine, des lotions, du dentifrice et des laxatifs. Il retourna les poches d'une robe de chambre en éponge qui pendait mollement derrière la porte. Il souleva une pile de livres de poche entassés au-dessus du réservoir de la chasse d'eau, les passa rapidement en revue et les posa sur le bord de la baignoire. Et c'est alors qu'il mit la main dessus.

Ce fut la couleur qui attira son attention pour commencer : un filet de lavande contre le mur jaune de la salle de bains, coincé derrière le réservoir de porcelaine pour qu'on ne le découvre pas. C'était un livre mince d'environ douze sur vingt-deux centimètres dont le titre sur la tranche était abîmé. S'aidant d'une brosse à dents, il l'extirpa de sa cachette. Il atterrit sur le linoléum près d'un gant tout desséché et, l'espace d'un instant, il se contenta de lire le titre sur la couverture, tout à la joie de voir ses soupçons confirmés.

Magie et alchimie : simples, épices et plantes.

Pourquoi s'était-il mis dans la tête que la preuve qu'il cherchait était une truelle, un déplantoir ou une boîte à outils ? Si elle s'en était servi, si elle en avait possédé, ç'aurait été un jeu d'enfant pour elle que de s'en débarrasser. Il lui aurait suffi de creuser un trou dans la propriété, de les enterrer dans le bois. Mais ce petit ouvrage en disait long sur ce qui avait dû se passer.

Il ouvrit le livre au hasard, lisant les titres des chapitres, sentant croître sa certitude. « Potentiel magique de la moisson. » « Planètes et plantes. » Ses yeux tombèrent sur la façon d'utiliser les plantes. Il lut les mises en garde qui figuraient à la suite.

– Ciguë, ciguë, murmura-t-il, feuilletant les pages d'un doigt fébrile, tout au désir de s'instruire.

Et soudain les faits furent devant lui. Il lut, tourna les pages, lut de nouveau. Les mots luisaient comme écrits au néon sur fond de ciel nocturne. Tout d'un coup il s'arrêta en tombant sur cette phrase : *Lorsque la lune est pleine.*

Il écarquilla les yeux, les souvenirs le frappant de plein fouet, songeant *non, non, non*. La colère et le chagrin lui nouaient l'estomac.

Elle était allongée dans le lit, elle lui avait demandé d'ouvrir les rideaux en grand, elle avait regardé la lune. Une lune orangée d'automne, un disque si grand qu'il semblait être à portée de main. La lune de la moisson, la plus bénéfique, Col, avait chuchoté Annie. Et lorsqu'il s'était détourné de la fenêtre, elle s'était enfoncée dans le coma qui l'avait conduite à la mort.

– Non, chuchota-t-il. Pas Annie. Non.

– Mr. Shepherd ? cria Rita d'en bas. (Sa voix était plus forte. Elle était juste au pied de l'escalier.) Vous vous amusez bien avec mes petites culottes ?

Il défit les boutons de sa chemise de laine, glissa le livre bien à plat contre sa poitrine puis rentra les pans de sa chemise dans son pantalon. Il avait la tête qui tournait. Un coup d'œil au miroir lui permit de se rendre compte qu'il avait les pommettes en feu. Il ôta ses lunettes, s'aspergea le visage d'eau glacée.

Il se sécha et examina son reflet. Il se passa les mains dans les cheveux. Il regarda sa peau, ses yeux et lorsqu'il fut calmé, prêt à l'affronter, il se dirigea vers l'escalier.

Elle se tenait au pied des marches, assenant des claques à la rampe. Ses bracelets cliquetaient. Son triple menton tremblotait.

– Qu'est-ce que vous voulez, constable ? Vous n'êtes pas venu ici pour réparer la porte de l'appentis ni pour tailler une bavette avec moi.

– Connaissez-vous les signes du zodiaque ? lui demanda-t-il en descendant.

Le calme de sa voix l'étonna.

– Pourquoi ? Vous voulez savoir si on est faits pour

s'entendre ? Bien sûr que je les connais. Bélier, Cancer, Vierge, Sagi...

– Capricorne, dit-il.

– C'est votre signe ?

– Non. Je suis Balance.

– Balance. Elle est bonne, celle-là. Exactement ce qui convient à un homme qui exerce votre métier.

– La Balance, c'est en octobre. Mais le Capricorne, c'est quand, Rita ? Vous le savez ?

– Evidemment, que je le sais. A qui vous croyez parler ? A une gourde ? Le Capricorne, ça tombe en décembre.

– Quand ?

– Du vingt-deux décembre au vingt-deux du mois suivant. Pourquoi cette question ?

– Une idée, comme ça.

– Des idées, j'en aurais bien quelques-unes, moi aussi. (Déplaçant son énorme masse, elle repartit en direction de la cuisine et alla se planter devant le porche-débarras, agitant les doigts pour lui faire signe d'approcher tout en prenant soin de ne pas érafler son vernis tout frais.) Je vous ai laissé visiter la maison, j'ai tenu ma promesse, à votre tour de tenir la vôtre.

A la pensée de ce que pouvaient signifier ces paroles, il sentit ses jambes se dérober sous lui.

– Ma promesse ?

– Amène-toi, mon jésus. Et pas de panique. Je ne mords que les Taureau. Donne-moi ta main.

– Rita, fit-il, se souvenant soudain de ce qu'il lui avait promis. Je ne crois pas...

– Ta main, mon joli.

De nouveau, elle lui fit signe d'avancer.

Il obtempéra, il n'avait guère le choix. Elle bloquait la sortie, l'empêchant de récupérer ses bottes.

– Oh, la belle main que voilà. (Elle fit courir ses doigts le long des siens, lui caressa la paume puis le poignet.) Superbe, dit-elle en fermant les yeux. Ça, c'est une main d'homme, une vraie. Faite pour embraser un corps de femme.

– Dites donc, mais c'est pas mon avenir que vous êtes en train de lire, fit-il en essayant de se dégager.

Elle resserra sa prise, une main sur son poignet, se servant de l'autre pour lui mettre les doigts bien à plat.

Puis elle prit sa main, la plaqua sur une montagne de

chair qui avait des chances d'être un sein et le força à serrer.

– N'est-ce pas que ça vous plaît, constable ? Vous en avez jamais tâté de cette consistance, pas vrai ?

Il y avait du vrai là-dedans. Au toucher, on n'aurait jamais cru une poitrine de femme. Ça évoquait plutôt la pâte à pain grumeleuse. Côté sensation, c'était à peu près aussi agréable que de caresser une poignée de glaise en train de sécher.

– Ça te met l'eau à la bouche, trésor ? Mmmmm ? (Ses cils poissés de mascara ressemblaient à des pattes d'araignée. Sa poitrine se souleva et retomba. Elle poussa un soupir à fendre l'âme, lui expédiant une franche bouffée d'oignons en pleine figure.) Dieu cornu, murmura Rita, donne à cet homme la force de labourer mon champ. Aaaahhhi-oooo-uuuuu.

Sous ses doigts, le téton de Rita grossit, durcit. Malgré lui, il sentit son bas-ventre réagir. Pourtant à l'idée que... il était révolté... lui et Rita Yarkin... cette baleine en turban rouge et rose... ce gros tas de graisse qui promenait ses doigts le long de son bras, faisait mine de lui caresser la poitrine...

Il se dégagea brutalement. Elle ouvrit en sursaut des yeux qui semblaient perdus dans le vide, secoua la tête, revint sur terre. Elle examina son visage et parut y lire ce qu'il ne parvenait pas à dissimuler. Car elle sourit, partit d'un rire rauque, puis s'appuyant contre le plan de travail de la cuisine, rugit de plus belle.

– T'as cru... T'as cru... Toi et moi... (Les hurlements de rire l'empêchaient de parler. Des larmes apparurent dans les plis de graisse qui cernaient ses yeux. Lorsqu'elle réussit enfin à se calmer, elle dit :) Je vous avais pourtant prévenu, constable. Les seuls hommes qui m'intéressent, c'est les Taureau. (Elle se moucha dans un torchon grisâtre et lui tendit la main.) Allez, votre main. Inutile de vous mettre dans des états pareils.

– Il faut que j'y aille.

– Ben voyons. (Claquant des doigts, elle lui fit comprendre qu'il ne s'en tirerait pas comme ça. Comme elle bloquait toujours la sortie, il capitula, l'air mauvais. (Elle l'entraîna près de l'évier où la lumière était meilleure.) Elles sont bien, tes lignes, trésor. Naissance, mariage, c'est net. L'amour... (Elle hésita, fronçant les sourcils.) Mets-toi derrière moi.

– Quoi ?
– Fais ce que je te dis. Glisse ta main sous mon aisselle, je verrai mieux. (Comme il hésitait, elle ajouta d'un ton sec :) Allez, constable, pas de panique. Exécution.
Il obtempéra. Compte tenu de sa corpulence, il ne pouvait voir ce qu'elle faisait, mais il sentit ses ongles courir sur sa paume. Finalement, elle lui replia les doigts et lui lâcha la main.
– Mouais, fit-elle vivement, c'était pas la peine d'en faire tout un plat. Y a pas grand-chose à voir. Rien que les banalités habituelles. Rien d'inquiétant.
Ouvrant le robinet, elle entreprit de rincer trois verres dans lesquels un fond de lait avait laissé un dépôt blanchâtre.
– Vous tenez votre promesse, hein ? questionna Colin.
– Comment ça, mon mignon ?
– Je vous trouve pas très loquace.
– De toute façon, vous n'y croyez pas.
– Mais vous si, Rita.
– Oh, moi, je crois à un tas de choses. C'est pas pour autant qu'elles existent réellement.
– Je vous l'accorde. Alors dites-moi ce que vous avez lu.
– Je croyais que vous aviez des choses importantes à faire, constable. Que vous aviez hâte de mettre les bouts.
– Vous ne voulez pas répondre ?
Ellc haussa les épaules.
– Je veux savoir ce que vous avez vu.
– On peut pas toujours tout avoir dans la vie, trésor.
Elle approcha le verre de la fenêtre. Il était presque aussi sale qu'avant d'avoir été nettoyé. Elle attrapa un flacon de détergent et versa quelques gouttes dedans. Elle prit une éponge et se mit à frotter l'intérieur.
– Qu'est-ce que ça signifie ?
– Posez pas de questions idiotes. Vous êtes pas bête. Vous n'avez qu'à deviner.
– C'est tout ce que vous avez à me dire ? C'est ça, le genre de conneries que vous débitez aux tarés qui viennent vous voir à Blackpool pour connaître leur avenir ?
– Du calme.

– Les runes, les lignes de la main, les tarots, c'est du pareil au même pour Polly et vous. Ça n'est qu'un jeu pour soutirer du fric aux gogos une fois que vous avez trouvé leur point faible.

– Votre ignorance mérite même pas une réponse.

– Ça aussi, ça fait partie de la tactique, hein ? Tendre l'autre joue, s'en tirer par une pirouette. C'est ça, votre magie ? Des vieilles femmes desséchées qui n'ont d'autre but dans la vie que de nuire à leurs semblables ? Un sort ici, une malédiction là, tant pis pour ceux qui trinquent. Personne n'en saura rien. Si ce n'est les autres membres de la confrérie. Et elles tiennent leur langue, hein, Rita ?

Elle continua de récurer le verre. Elle s'était esquinté un ongle. Et le vernis d'un autre de ses ongles s'était écaillé.

– Amour et mort, dit-elle. J'ai vu l'amour et la mort. Trois fois.

– Quoi ?

– Dans votre main, constable. Un seul mariage. Mais trois fois l'amour et la mort. La mort. Partout. Vous appartenez à la confrérie de la mort, constable.

– Bien sûr.

Elle détourna la tête de l'évier sans pour autant cesser de faire la vaisselle.

– La chiromancie, c'est pas une plaisanterie, mon garçon. Les lignes de la main ne mentent pas.

16

La veille au soir, Saint James s'était trouvé bien embarrassé.

Allongé dans son lit, il avait médité sur la futilité du mariage tout en contemplant les étoiles par la verrière. Il savait que les films à l'eau de rose se terminant le plus souvent par la course au ralenti sur la plage de deux amoureux avides de s'étreindre juste avant l'apparition du mot « fin » incitaient le romantique sommeillant en chacun de nous à espérer vivre une vie de bonheur sans mélange. Il savait également que la réalité nous apprenait petit à petit et sans nous faire de cadeaux que, si le bonheur existait, il ne durait jamais longtemps. Se colleter avec la réalité et ce qu'elle avait de brouillon était une chose décourageante.

Il était à deux doigts de conclure que la seule façon d'avoir des relations avec les femmes était justement de n'en pas avoir, lorsque Deborah restée jusque-là à l'autre bout du lit se rapprocha soudain.

– Je suis désolée, avait-elle murmuré, lui posant un bras en travers de la poitrine. C'est toi que je préfère.

Il se tourna vers elle. Elle enfouit son front au creux de son épaule. Il lui posa une main sur la nuque, sentant sous sa paume la masse élastique de sa chevelure et le satiné enfantin de sa peau.

– J'en suis ravi, chuchota-t-il à son tour. Parce que pour moi, tu es la seule qui compte. Qui ait toujours compté. Et qui comptera toujours.

Il la sentit bâiller.

– C'est difficile, murmura-t-elle. Je vois le chemin, mais je n'arrive pas à faire le premier pas.

– C'est toujours comme ça. C'est de cette façon qu'on apprend.

Il la câlina, sentit le sommeil qui la gagnait. Il aurait voulu l'empêcher de s'endormir, mais il lui embrassa la tête et la laissa sombrer.

Au petit déjeuner, il s'était montré circonspect, se disant que si Deborah était sienne, elle n'en était pas moins femme, et dotée d'une humeur particulièrement changeante. Ce qui lui plaisait d'ailleurs, chez elle, c'était son enthousiasme, sa tendance à démarrer au quart de tour. Un éditorial laissant entendre qu'une magouille policière se préparait pour coffrer un Irlandais soupçonné d'appartenir à l'IRA la mettait dans une rogne telle qu'elle parlait aussitôt d'organiser un voyage à Belfast ou Derry pour « faire toute la lumière sur l'affaire ». Un papier sur les mauvais traitements infligés aux animaux la poussait à manifester avec les autres amis des bêtes. Les mesures discriminatoires dont les sidéens faisaient l'objet l'incitaient à se rendre illico dans le service de soins palliatifs de l'hôpital le plus proche pour faire la lecture aux malades, leur parler, leur tenir compagnie. Bref, il ne savait jamais dans quel état d'esprit il allait la trouver lorsqu'il descendait la rejoindre pour déjeuner ou dîner. Sa seule certitude, c'était qu'avec Deborah, justement, rien n'était jamais certain.

Son enthousiasme, sa fougue le ravissaient.

De tous les gens qu'il connaissait, elle était la plus vivante, la plus tonique. Seulement pour pouvoir vivre pleinement, il fallait qu'elle soit en forme. Or si elle connaissait des moments d'intense exaltation, elle traversait aussi des périodes de creux et de désespoir terribles. Et ces coups de blues inquiétaient son mari, qui aurait voulu lui dire de contrôler ses états d'âme. *Essaie de ne pas te laisser entamer.* Tel était le conseil qu'il avait toujours sur les lèvres mais avait depuis longtemps renoncé à formuler. Demander à Deborah de ne pas s'emballer, de ne pas vivre intensément, c'était lui demander de cesser de respirer. Et il aimait le tourbillon d'émotions au milieu duquel elle se mouvait, et qui l'empêchait de s'ennuyer.

En terminant son pamplemousse ce matin-là, elle déclara :

– J'ai besoin d'une direction. Je ne peux pas continuer à m'éparpiller. Il est temps que je me concentre sur quelque chose de précis, que je m'engage dans une voie et que je m'y tienne.

Tout en se demandant de quoi elle parlait, il émit une réponse vaguement encourageante :

– Tu as raison, c'est important.

Puis il se beurra un toast. Hochant vigoureusement la tête, elle décapita son œuf à la coque. Comme elle ne paraissait pas décidée à poursuivre, il la sonda :

– Quand on se disperse, qu'on s'éparpille, on a un sentiment de malaise. On a besoin d'un point d'ancrage.

– C'est exactement ça, Simon. Tu comprends toujours ce que je veux dire.

Intérieurement, il se congratula :

– Et se fixer un objectif vous donne un point d'ancrage.

– Absolument.

Elle mâchonna gaiement son toast tout en examinant le jour gris, la chaussée mouillée, les petits immeubles sinistres et noirs de suie. Ses yeux brillaient comme s'ils distinguaient des promesses dans les alentours lugubres.

– Alors, reprit-il, s'efforçant de ne pas trop avoir l'air d'aller à la pêche aux informations. Sur quoi vas-tu te focaliser ?

– Je ne sais pas encore.

Elle attrapa la confiture de fraise et en déposa une cuillerée sur son assiette.

– Jusqu'à maintenant, si je récapitule, j'ai fait quoi ? Des paysages, des natures mortes, des portraits. Des immeubles, des ponts, des intérieurs d'hôtels. Bref, j'ai touché à tout. Ce n'est pas en continuant comme ça que je vais me faire une réputation. (Elle étala la confiture sur son toast et le brandit dans sa direction.) Il faut absolument que je découvre le sujet que j'ai le plus de plaisir à photographier. Je dois écouter mon instinct, suivre mes goûts. Il est temps que j'arrête de me disperser au gré des commandes qu'on me passe ici et là. Je ne peux pas exceller en tout. C'est impossible. Mais il y a sûrement un domaine dans lequel je peux me distinguer. Au début, à l'école, j'ai cru que c'était le portrait. Et puis j'ai bifurqué vers le paysage et les natures mortes. En ce moment, je fais un peu tout ce qu'on me propose, surtout du commercial. Ça n'est pas comme ça que j'arriverai à un résultat. Il faut que je fasse un choix. Et que je m'y tienne.

Pendant leur promenade matinale jusqu'au pré communal où Deborah distribua aux canards des morceaux de toasts, tandis qu'ils examinaient le monument aux morts de la Première Guerre mondiale avec son trouffion solitaire, tête baissée, fusil pointé, elle parla photographie. Les natures mortes connaissaient un succès étonnant : elles se prêtaient à toutes sortes de traitements. Savait-il ce que les Américains faisaient avec des fleurs et de la gouache ? Avait-il déjà vu des études de métaux traités à l'acide, passés au chalumeau ? Connaissait-il les fruits de Yoshida ? Mais d'un autre côté, les natures mortes, ça ne vous poussait pas à prendre des risques. Quel danger courait-on à photographier une tulipe ou une poire ? Les paysages étaient charmants, ce devait être merveilleux de partir en reportage, de sillonner l'Afrique ou l'Orient ; mais tout ce qu'ils exigeaient du photographe, c'était le sens de la composition et de la lumière, une excellente connaissance des filtres et de la pellicule. Bref, de la technique essentiellement. Tandis que les portraits... Pour réaliser un portrait, il fallait établir un climat de confiance avec son modèle. Et qui disait confiance disait risque. Les portraits forçaient les deux parties en présence à sortir de leur coquille. On pouvait en photographiant un corps saisir la personnalité du modèle. Là, au moins, c'était intéressant, on devait gagner la confiance de l'autre pour pouvoir l'appréhender dans toute sa réalité et son unicité.

Cynique à ses heures, Saint James se dit qu'il y avait peu de chances que cette réalité existât. Mais il se tut, content d'écouter Deborah bavarder. Il essayait de déceler si elle parlait pour faire diversion ou sous l'effet de la passion. Et pour cela il suivait attentivement son intonation, observait ses jeux de physionomie. La nuit dernière, il l'avait déstabilisée en empiétant sur son territoire. Elle ne devait pas vouloir que cela se reproduise. Mais plus elle continuait à parler métier, soupesant et rejetant une possibilité puis une autre, plus il se sentait rassuré. Elle faisait montre d'une énergie qu'il ne lui avait pas connue ces dix derniers mois. Quelles que fussent les raisons qui l'avaient poussée à se lancer dans une discussion sur son avenir professionnel, elles avaient un excellent impact sur son humeur. Aussi, lorsqu'elle installa son trépied et son Hasselblad en disant : « La lumière est bonne » et qu'elle insista pour le faire poser dans le jardin de la guinguette du *Crofters Inn*, il la laissa faire une heure durant malgré le froid, jusqu'à ce que leur parvienne l'appel de Lynley.

– Vois-tu, Simon, disait-elle tout en le mitraillant, je ne crois pas avoir envie de faire des portraits classiques. Les photos d'anniversaire en studio, très peu pour moi. Ce que j'aimerais, c'est travailler dans la rue, dans des endroits publics. Sur des visages réellement intéressants, sortant de la norme.

C'est alors que Ben Wragg, planté sur le seuil de la porte de derrière de l'auberge, leur avait annoncé que l'inspecteur Lynley désirait parler à Mr. Saint James.

Au terme de cette conversation – Lynley avait dû crier pour couvrir le bruit de travaux de réfection nécessitant l'utilisation d'explosifs mineurs –, ils se mirent en route pour la cathédrale de Bradford.

– Nous cherchons un lien entre eux, lui avait expliqué Lynley. L'évêque nous le fournira peut-être.

– Et toi, qu'est-ce que tu fais ?

– J'ai rendez-vous avec les gars de la Criminelle de Clitheroe. Et ensuite je dois voir le médecin légiste. C'est une formalité, mais je ne peux pas y couper.

– As-tu vu Mrs. Spence ?

– Oui. Et sa fille aussi.

– Alors ?

– Je ne sais que te dire. J'ai un sentiment de malaise. Pour moi, ça ne fait pas un pli : c'est Juliet Spence qui a fait le coup et elle savait ce qu'elle faisait. Par contre, je doute qu'il s'agisse d'un meurtre au sens classique du terme. Il faut absolument qu'on en sache davantage sur Sage. Qu'on découvre pourquoi il a quitté la Cornouailles.

– Tu es sur une piste ?

Saint James entendit Lynley pousser un gros soupir.

– J'espère que non.

C'est à la suite de cette conversation téléphonique que Deborah avait pris le volant de leur voiture de location et qu'après un coup de fil pour s'annoncer, ils avaient entrepris le long trajet jusqu'à Bradford, contournant Pendle Hill et Keighley Moor.

Le secrétaire de l'évêque de Bradford les fit entrer dans la résidence de ce dernier, située non loin de la cathédrale du XVe siècle. C'était un jeune homme nanti de dents proéminentes qui se promenait avec un agenda de cuir aubergine sous le bras et ne cessait d'en feuilleter les pages à tranche dorée comme pour leur rappeler que le temps du prélat était précieux et qu'ils pouvaient s'estimer heureux d'avoir décroché un rendez-vous d'une demi-heure. Au lieu de les conduire dans un bureau, une bibliothèque ou une salle de conférences, il leur fit traverser le bâtiment de part en part jusqu'à un escalier permettant d'accéder à un petit gymnase en sous-sol. Outre une glace couvrant la totalité d'un mur, la salle de sport contenait un vélo d'appartement, une machine à ramer et une autre machine plus complexe, permettant de soulever des poids. La pièce abritait également Robert Glennaven, évêque de Bradford, qui transpirait et soufflait sur un tapis roulant.

– Monseigneur Glennaven, annonça le secrétaire.

Les présentations faites, il effectua un demi-tour martial et alla s'asseoir sur une chaise au pied de l'escalier. Il croisa les mains sur l'agenda ouvert à la page du jour, ôta sa montre de son poignet et la posa sur son genou, ses pieds plats et maigres bien à plat sur le sol.

Glennaven leur adressa un brusque signe de tête et à l'aide d'une serviette essuya le sommet de sa tête chauve luisante de sueur. Il portait un pantalon de survêtement gris et un T-shirt noir délavé sur lequel on pouvait lire 10e MARATHON UNICEF au-dessus de la date du 4 mai. Pantalon et T-shirt étaient bons à tordre.

– Son Excellence fait sa gymnastique, fit le secrétaire bien inutilement. Elle a un autre rendez-vous dans une heure et il lui faudra prendre sa douche avant de s'y rendre. Soyez assez aimables pour vous en souvenir.

Il n'y avait pas d'autres sièges dans la salle. Saint James se demanda combien de visiteurs intempestifs, voire carrément importuns, se voyaient ainsi invités à ne pas s'éterniser.

– Le cœur, fit Glennaven, désignant du pouce sa poitrine avant de régler un cadran. (Il soufflait et grimaçait, en homme qui n'est pas friand d'exercice mais n'a guère le choix.) Il faut que je tienne encore un quart d'heure. Désolé, je ne peux pas m'arrêter, ça annule les bienfaits du traitement. Du moins, c'est ce que prétend le cardiologue. Je me demande parfois s'il n'a pas des actions dans les sociétés qui mettent au point ces appareils démoniaques. (Il souffla de plus belle, suant toujours à grosses gouttes.) Si j'en crois le diacre (mouvement de tête vers son secrétaire), Scotland Yard a besoin de renseignements. Et c'est urgent.

– C'est exact, confirma Saint James.

– Je ne sais pas si je vais pouvoir vous être utile à grand-chose. Dominic (nouveau signe de tête en direction du secrétaire) vous en dira sans doute plus que moi. Il a assisté à l'enquête du coroner.

– Parce que vous le lui aviez demandé, j'imagine?

L'évêque opina du bonnet. L'effort lui arracha un grognement. Les veines de son front saillirent.

– Envoyer quelqu'un à l'enquête, c'est la procédure normale?

Il secoua la tête.

– C'était la première fois qu'un de mes prêtres se faisait empoisonner. Il n'y avait pas de procédure établie. J'ai innové.

– Vous recommenceriez si un autre ecclésiastique mourait dans des circonstances exceptionnelles?

– Tout dépendrait du prêtre. S'il était comme Sage, oui.

Cette remarque facilita le travail de Saint James qui, pour fêter ça, s'installa sur le banc de la machine à soulever les poids. Deborah se percha sur le vélo d'appartement. Les voyant prendre leurs aises, Dominic jeta un coup d'œil désapprobateur à l'évêque. Les plans les plus soigneusement mis au point peuvent tourner court, disait son expression. Il tapota le verre de sa montre comme pour s'assurer qu'elle marchait toujours.

– S'il s'agissait d'un homme susceptible d'être délibérément empoisonné? poursuivit Saint James.

– Ce qu'il faut à l'Eglise, ce sont des prêtres motivés, dit l'évêque entre deux grognements. Surtout dans les paroisses déshéritées. Mais le zèle peut avoir des effets négatifs. Les gens réagissent mal car ils n'aiment pas contempler leur reflet dans le miroir que leur tendent les zélateurs.

– Sage était un fanatique?

– Aux yeux de certains.

– Aux vôtres?

– Oui. Mais pas exagérément. L'activisme religieux ne me gêne pas. Sage était quelqu'un de bien. Il avait des capacités et voulait les utiliser. Pourtant, c'est vrai, le zèle peut poser des problèmes. C'est pourquoi j'ai envoyé Dominic à l'enquête.

– J'ai cru comprendre que l'enquête vous avait donné satisfaction, dit Saint James au diacre.

– Rien n'a permis de conclure que le ministère de Mr. Sage avait laissé à désirer.

Le débit monotone du diacre, la prudence de ses propos devaient le servir dans le milieu où il travaillait. Mais question renseignements, Saint James resta sur sa faim.

– Et Mr. Sage ? questionna Saint James.

Le diacre passa la langue sur ses dents proéminentes et ôta un bout de fil du revers de sa veste noire.

– Oui ?

– Il était à la hauteur ?

– Compte tenu des renseignements que j'ai pu obtenir à l'enquête...

– Est-ce qu'il était à la hauteur, à votre avis ? Vous deviez le connaître.

– Aucun d'entre nous n'est capable d'atteindre la perfection, énonça le jeune homme d'un ton guindé.

– Ce n'est pas avec des remarques de ce genre que vous m'aiderez à voir plus clair dans cette affaire, fit Saint James.

Le cou du diacre sembla s'allonger tandis qu'il redressait le menton.

– Si vous voulez en savoir davantage, ne comptez pas sur moi. Je n'ai pas l'habitude de juger mes collègues ecclésiastiques.

L'évêque intervint.

– Trêve de balivernes, Dominic, ne me faites pas rire. Il y a des jours où je me demande si vous ne vous prenez pas pour saint Pierre en personne. Dites donc à ce monsieur ce que vous savez.

– Excellence...

– Dominic, je vous connais. Pour ce qui est des ragots, vous êtes pire qu'une écolière de dix ans. Alors cessez de tourner autour du pot ou je descends de cette saleté de machine pour vous frotter les oreilles.

Avec la mine résignée d'un homme qui fait contre mauvaise fortune bon cœur, le diacre s'efforça de faire celui qui respire le parfum d'une rose alors que ses narines viennent d'être chatouillées par une odeur particulièrement pestilentielle.

– Eh bien, je dirais que Mr. Sage avait une façon assez étroite de voir les choses. Il ne jurait pratiquement que par la Bible.

– Et c'est un défaut pour un prêtre ?

– Le plus grave peut-être, quand on doit exercer le saint ministère. Une interprétation trop stricte de la Bible peut vous aveugler et vous aliéner les paroissiens que vous cherchez à attirer chez vous. Nous ne sommes pas des puritains, Mr. Saint James. Les harangues tonitruantes du haut de la chaire, c'est terminé. Et ce n'est pas en leur faisant peur qu'on ramène les gens à Dieu.

– Rien de ce que nous avons appris sur Sage n'indique qu'il...

– A Winslough, pas encore. Mais le dernier entretien que nous avons eu avec lui ici même, à Bradford, nous a apporté la preuve formelle de la direction dans laquelle il était décidé à s'engager. Et on sentait qu'il n'allait pas tarder à s'attirer des ennuis.

– Des ennuis ? Avec la paroisse ? Ou avec un de ses membres ?

– Il avait beau exercer son ministère depuis des années, il n'avait aucune idée des problèmes concrets auxquels ses paroissiens étaient confrontés. Tenez, un exemple. Il avait participé à un séminaire sur le mariage et la famille un mois avant sa mort. Tandis que le spécialiste, un psychologue qui dirigeait ce séminaire, ici, à Bradford, essayait de donner à nos frères des conseils sur la façon d'aider ceux de nos paroissiens qui ont des problèmes conjugaux, Mr. Sage a tenté de lancer une discussion sur la femme adultère.

– La femme...

– Evangile selon saint Jean, chapitre 8, intervint l'évêque. « Les scribes et les Pharisiens lui amenèrent alors une femme surprise en adultère, etc. » Vous connaissez la suite. « Que celui d'entre vous qui n'a jamais péché lui jette la première pierre. »

Le diacre poursuivit comme si l'évêque ne l'avait pas interrompu.

– Nous étions en train de nous demander quelle attitude adopter en face d'un couple ayant des difficultés à communiquer et Sage, lui, voulait qu'on parle de ce qui était moral et de ce qui était bien. Lapider la femme adultère, pour lui, c'était moral ; car les lois des Hébreux en avaient décidé ainsi. Mais était-ce pour autant bien ? Et n'était-ce pas, mes chers frères, la question que nous devions étudier à l'occasion de ce séminaire : le dilemme qui existe entre ce que la société considère comme moral et ce qui est bien aux yeux de Dieu ? Tout ça, c'était un tissu d'âneries. Il refusait d'aborder les problèmes concrets car il en était incapable. Il se disait qu'en nous entraînant sur un terrain glissant, il réussirait à nous empêcher de déceler ses faiblesses et ses insuffisances en tant que prêtre et en tant qu'homme. (En guise de conclusion, le diacre agita la main devant son visage comme pour chasser un insecte importun et émit une sorte de *tttt* plein de dérision.) La femme surprise en flagrant délit d'adultère. Faut-il ou non lapider les pécheurs en place publique. Seigneur. Quelles sottises. Quand on pense qu'on est au XXe siècle. A l'aube du XXIe siècle.

– Dominic n'a pas son pareil pour souligner l'évidence, laissa tomber l'évêque.

Le diacre eut l'air vexé.

– Vous n'êtes pas d'accord avec votre diacre concernant Mr. Sage ?

– Ce que Dominic vous a dit est exact. C'est triste, mais c'est vrai. Son fanatisme était celui d'un intégriste qui ne jure que par la Bible. Et franchement, c'est gênant, même chez un ecclésiastique.

Le diacre baissa brièvement la tête, acceptant avec humilité l'approbation laconique de l'évêque.

Glennaven continua à se démener sur sa machine, trempant de plus belle sa tenue de sport. La machine cliquetait, bourdonnait. L'évêque haletait. Saint James songea à la religion, qui était décidément une chose bien curieuse.

Toutes les formes de christianisme étaient issues d'une même source, la vie et les paroles du Nazaréen. Pourtant il semblait qu'il y eût autant de façons de commémorer cette vie que de célébrants. Des inimitiés pouvaient certes découler des différences d'interprétation des textes et de célébration du culte, mais on pouvait penser qu'un prêtre dont le zèle excessif irritait ses paroissiens aurait été remplacé au lieu d'être éliminé physiquement. St. John Townley-Young avait peut-être trouvé Mr. Sage trop *low church* pour son goût. Le diacre le trouvait peut-être trop intégriste. Les paroissiens avaient peut-être été agacés par son rigorisme.

Mais aucune de ces raisons ne suffisait à expliquer son assassinat. La vérité devait se trouver ailleurs. Le zèle biblique ne paraissait pas être le lien cherché par Lynley entre le meurtrier et sa victime.

– Lorsqu'il est arrivé à Bradford, il venait de Cornouailles, je crois, observa Saint James.

– En effet. (L'évêque s'épongea le visage et le cou.) Il y avait passé vingt ans. Il est resté trois mois ici. A Bradford même, avec moi, pendant le temps qu'ont duré les entretiens. Et le reste du temps dans sa paroisse de Winslough.

– Pendant les entretiens, les prêtres séjournent chez vous normalement ?

– C'était un cas spécial, souligna Glennaven.

– Pourquoi ?

– Un service que je rendais à Ludlow.

Saint James fronça les sourcils :

– La ville de Ludlow ?

– Non, Michael Ludlow, précisa Dominic. L'évêque de Truro. Il avait demandé à Son Excellence de veiller à ce que Mr. Sage soit... (Le diacre fit mine de se creuser la cervelle pour trouver un euphémisme.) Il avait le sentiment que Robin Sage avait besoin de changer de cadre. Il pensait qu'une nouvelle affectation augmenterait ses chances de réussite.

– Je ne savais pas que les évêques suivaient d'aussi près le travail des prêtres. Est-ce ainsi qu'ils pratiquent normalement ?

– Non. (Une sonnerie retentit. Glennaven lâcha :) Merci, Seigneur. (Et remit le compteur de la machine à zéro. Il ralentit l'allure et sa respiration reprit petit à petit son rythme normal.) Robin Sage était l'archidiacre de Michael Ludlow, au départ. Il a passé les sept premières années de son ministère à chercher à obtenir ce poste. Il n'avait que trente-deux ans lorsqu'il a été nommé. C'était un archidiacre exceptionnel.

– Rien à voir avec l'homme qui était à Winslough, murmura Deborah.

Glennaven ponctua la remarque d'un hochement de tête.

– Il s'est vite rendu indispensable à Michael. Il était membre de différentes commissions, s'occupait de politique...

– Il menait des actions qui étaient approuvées par l'Eglise, précisa Dominic.

– Il donnait des conférences dans divers instituts de théologie. Il a réussi à collecter des milliers de livres pour l'entretien de la cathédrale et des églises environnantes. Et il était à son aise dans tous les milieux sociaux.

– Une recrue en or, ajouta Dominic sans avoir l'air particulièrement ravi de reconnaître les mérites de Sage.

– Curieux qu'un homme de cette trempe se soit soudain contenté de vivre une vie de curé de campagne, lâcha Saint James.

– C'est exactement ce que Michael s'est dit. Il a été navré de le perdre, mais il l'a laissé partir. Sage le lui avait demandé. Sa première paroisse a été Boscastle.

– Pourquoi ?

L'évêque s'essuya les mains avec sa serviette et la plia.

– Peut-être parce qu'il y était allé en vacances.

– Pourquoi ce changement brutal ? Pourquoi ce désir de quitter un poste de pouvoir et d'influence pour une paroisse obscure ? Ce n'est pas une attitude courante. Même chez un prêtre.

– Peu de temps auparavant, il avait connu son chemin de Damas. Il avait perdu sa femme.

– Sa femme ?

– Dans un accident, en mer. D'après Michael, il n'a plus jamais été le même après ça. Il a vu dans cette mort une punition de Dieu. Le Seigneur en lui prenant sa femme le châtiait de s'intéresser tant aux choses de ce monde. Alors il a décidé d'y renoncer.

Saint James regarda Deborah de l'autre côté de la pièce. Il se rendit compte qu'elle pensait à la même chose que lui. Disposant de renseignements insuffisants, ils avaient tous fait des suppositions erronées : ils avaient conclu que le pasteur n'avait jamais été marié parce que personne à Winslough n'avait fait mention de son épouse. Il vit à l'air songeur de Deborah qu'elle repensait au jour de novembre où elle avait bavardé avec lui à la National Gallery.

– Sa soif effrénée de réussite a cédé le pas au désir de racheter ses erreurs passées, j'imagine, dit Saint James à l'évêque.

– Le problème, c'est que cette seconde période de son ministère a été beaucoup plus difficile que la première. Il a fait neuf paroisses.

– En combien de temps ?

L'évêque consulta son secrétaire du regard :

– En l'espace de dix ou quinze ans, non, Dominic ? C'est ça ?

Dominic opina du bonnet.

– Et il n'a réussi nulle part ? Un homme de cette envergure ?

– Sa fougue était mal perçue. Il gênait. Il était devenu le fanatique dont je vous ai parlé au début de notre entretien, intransigeant, dénonçant aussi bien la baisse de fréquentation des églises que ce qu'il appelait la sécularisation du clergé. Il « vivait » le Sermon sur la montagne et n'admettait pas que les autres prêtres ou paroissiens ne l'imitent pas. Comme si cela ne suffisait pas à lui attirer des ennuis, il croyait fermement que la volonté de Dieu s'exprime par les épreuves qu'Il inflige aux hommes. Ça, franchement, c'est dur à avaler, quand on est victime d'une tragédie.

– Ce qui était son cas.

– Oui. Mais il était persuadé qu'il ne l'avait pas volé.

– « J'étais égocentrique », répétait-il à qui voulait l'entendre, fit le diacre en prenant un ton pénétré. « Je ne m'intéressais qu'à une seule chose : la renommée. La main du Seigneur s'est abattue sur moi et m'a transformé. Vous pouvez changer, vous aussi. »

– Malheureusement ces paroles, même si elles étaient vraies, ne l'ont jamais conduit au succès, commenta l'évêque.

– Et lorsque vous avez appris son décès, vous avez pensé qu'il y avait un lien ?

– Difficile de faire autrement, répondit l'évêque. C'est pour cela que Dominic est allé à l'enquête du coroner.

– Sage etait habité par des démons intérieurs, dit Dominic. Et il avait choisi de les combattre en public. Sa seule façon d'expier son propre attachement aux choses de ce monde était de dénoncer et condamner cette tendance chez tous ceux qu'il rencontrait. Est-ce là un mobile de meurtre ? (Il referma avec un bruit sec l'agenda de cuir aubergine de l'évêque pour bien leur faire comprendre que l'entretien était terminé.) Je suppose que ça dépend de la réaction qu'on a face à un homme qui semble persuadé que sa façon de vivre est la seule qui soit correcte.

– Tu me connais, ce genre de choses n'est pas mon fort, Simon.

Ils avaient fini par faire halte à Downham, de l'autre côté de Pendle, histoire de souffler un peu.

Ils se garèrent près de la poste et empruntèrent le sentier en pente. Ils contournèrent un chêne foudroyé réduit à l'état de moignon et, faisant demi-tour, repartirent vers l'étroit pont de pierre qu'ils venaient de franchir en voiture. Les flancs gris-vert de Pendle Hill s'apercevaient au loin, hérissés de doigts de gel. Mais ils n'étaient pas d'humeur à gravir la colline. Ils avaient repéré un petit pré près du pont, où un cours d'eau dessinant une faux coulait derrière une rangée de cottages. Un banc usé était appuyé contre un mur de pierres sèches et deux douzaines de canards cancanaient tout en explorant le bord de la route ou pataugeant dans le ruisseau.

– Détends-toi, tu ne participes pas à un concours. Essaie de te rappeler ce que tu peux. Le reste viendra au moment où tu t'y attendras le moins.

– Pourquoi es-tu si peu exigeant ?

Il sourit.

– Ça fait partie de mon charme.

Les canards s'approchèrent, pensant qu'on leur donnerait à manger. Nasillant à pleins poumons, ils se mirent en devoir d'examiner les bottes de Deborah puis les lacets de Saint James. Ces derniers les occupèrent un bon moment, ainsi que la pièce métallique de sa jambe appareillée. Toutefois, comme on ne leur jetait pas la moindre miette, les volatiles s'ébrouèrent puis remirent leurs plumes en ordre d'un air réprobateur. Déçus, ils décidèrent d'ignorer les promeneurs.

Deborah prit place sur le banc. Elle salua d'un signe de tête une femme en parka chaussée de bottes en caoutchouc rouges qui remorquait au bout d'une laisse un fringant terrier noir. Puis elle appuya le menton sur son poing. Saint James la rejoignit. Il effleura du doigt la ride qui lui barrait le front.

– Je me concentre, expliqua Deborah. J'essaie de me souvenir.

– C'est ce que je vois. (Il remonta le col de son manteau.) Mais est-il vraiment indispensable que tu réfléchisses dehors ? Alors que le thermomètre est au-dessous de zéro ?

– Quel enfant tu fais ! Il ne fait pas froid à ce point-là.

– Ah bon ? Dans ce cas pourquoi tes lèvres sont-elles bleues ?

– Bah ! Je ne frissonne pas.

– Ça ne m'étonne pas. Tu as passé le stade des frissons. Tu en es au dernier stade de l'hypothermie et tu ne t'en rends même pas compte. Allons au pub. Je vois de la fumée sortir de la cheminée.

– Trop de distractions, au pub.

– Deborah, on se gèle. Un petit cognac, ça ne te tente pas ?

– Je réfléchis.

Saint James fourra ses mains dans les poches de son pardessus et tourna les yeux vers les canards. Le froid semblait les laisser indifférents. Mais ils avaient eu tout l'été et tout l'automne pour faire du lard en prévision de la température hivernale. Et puis leur duvet constituait un merveilleux isolant naturel. Décidément, ces bestioles en avaient, de la chance.

– Saint Joseph, annonça soudain Deborah. Ça me revient maintenant, Simon. Il avait un grand attachement pour saint Joseph.

Saint James haussa un sourcil dubitatif et se recroquevilla de plus belle sous son manteau.

– C'est un début, fit-il, s'efforçant de prendre un ton encourageant.

– Non, je t'assure que c'est important. (Et Deborah de raconter sa rencontre avec le pasteur dans la salle 7 de la National Gallery.) J'étais en train d'admirer le Léonard... Comment se fait-il que tu ne m'aies jamais emmenée le voir, Simon ?

– Tu détestes les musées. J'ai essayé quand tu avais neuf ans. Tu ne t'en souviens pas ? Tu voulais faire une promenade en barque sur la Serpentine et tu as piqué une crise quand je t'ai emmenée au British Museum.

– Tout ça parce que tu tenais absolument à me montrer les momies. Résultat, j'ai fait des cauchemars pendant des semaines.

– Moi aussi.

– Tout de même, tu aurais dû insister, pour les musées. Ne pas te laisser décourager par un petit accès de mauvaise humeur de ma part.

– Tu fais bien de me dire ça. Je m'en souviendrai, la prochaine fois. Mais revenons-en à Sage.

De ses manches, elle se fit un manchon et y glissa les mains.

– Il a attiré mon attention sur le fait que saint Joseph était absent du dessin de Léonard de Vinci. Que saint Joseph ne figurait pour ainsi dire jamais aux côtés de la Vierge. Et que c'était bien triste. Quelque chose dans ce goût-là.

– Joseph n'était que le brave type qui gagnait le pain du ménage, après tout.

– Oui, mais il avait l'air de trouver ça infiniment triste. D'en faire presque une affaire personnelle.

Saint James hocha la tête.

– Ah, c'est le syndrome du pourvoyeur. Les hommes aiment croire qu'ils tiennent une place plus importante dans la vie des femmes. De quoi te souviens-tu encore ?

– Il n'avait pas choisi d'être là.

– A Londres ?

– Au musée. Il se dirigeait vers Hyde Park, je crois, lorsqu'il s'est mis à pleuvoir. Il m'a dit qu'il aimait la nature. La campagne. Que ça l'aidait à réfléchir.

– A quoi ?

– A saint Joseph ?

– Voilà un beau sujet de réflexion.

– Je t'avais bien *dit* que je n'étais pas douée pour ce genre de choses. Je ne me rappelle pas les conversations. Demande-moi ce qu'il portait, à quoi il ressemblait, la couleur de ses cheveux, la forme de sa bouche. Mais ne me demande pas de te répéter ses propos. Même si je me souvenais de ses paroles, je serais incapable d'essayer d'en trouver le sens caché. Le décryptage n'est pas mon fort. Je rencontre quelqu'un. Je discute avec lui. Je le trouve sympathique ou pas. Je me dis : voilà une personne avec qui je m'entendrais. Et ça ne va pas plus loin. Tu penses bien que je ne m'attendais pas à le trouver mort en débarquant à Winslough, je ne pouvais pas savoir qu'il me faudrait me remémorer les détails de notre rencontre. Tu te souviens toujours de tout ce qu'on te dit, toi ?

– Seulement si c'est une séduisante jeune femme qui me parle. Et même dans ce cas, je me laisse distraire par des détails qui n'ont rien à voir avec sa conversation.

Elle le fixa.

– Quel genre de détails ?
Il inclina la tête pensivement, étudiant son visage.
– La bouche ?
– C'est très intéressant, tu sais, les bouches de femmes. D'ailleurs, j'ai échafaudé toute une théorie là-dessus.
Il se laissa aller contre le dossier du banc, observant les canards. La sentant bouillir à ses côtés, il réprima un sourire.
– Je ne te demanderai pas laquelle. Tu serais trop content que je te tire les vers du nez.
– Tu as raison.
– Parfait. (Elle s'approcha de lui et, allongeant les jambes devant elle, examina ses bottes avec soin. Elle entrechoqua ses talons.) Oh, et puis la barbe ! C'est quoi, ta théorie ?
– Eh bien, d'après moi, il existe un rapport entre la taille de la bouche et la qualité du discours.
– Tu plaisantes ?
– Pas le moins du monde. N'as-tu pas remarqué que les femmes dotées de petites bouches ne disaient que des choses insignifiantes ?
– Quelle idiotie ! C'est du racisme !
– Prends Virginia Woolf. Voilà une femme qui avait une bouche généreuse.
– Simon !
– Regarde Antonia Fraser, Margaret Drabble, Jane Goodall...
– Et Margaret Thatcher ?
– Il y a toujours des exceptions. Mais en règle générale, il existe une corrélation. J'ai d'ailleurs la ferme intention de faire des recherches pour démontrer le bien-fondé de ma théorie.
– Quel genre de recherches ?
– Des recherches personnelles. En fait, je pensais commencer par toi. Taille, forme, dimensions, souplesse, sensualité... (Il l'embrassa.) Pourquoi ai-je le sentiment que c'est toi la meilleure ?
Deborah sourit.
– Ta mère ne t'a pas assez tapé dessus quand tu étais petit.
– Nous sommes à égalité sur ce plan, alors. Car je suis bien placé pour savoir que ton père n'a jamais levé la main sur toi. (Se redressant, il l'aida à se mettre debout.) Et maintenant, si on allait le boire, ce cognac ?

S'étant déclarée d'accord pour prendre un verre, elle le suivit le long du sentier. Dénuées de clôtures, les terres ondulaient de colline en colline. Les fermes cédaient la place à la lande. Les moutons paissaient. Parmi eux, on apercevait ici et là un chien de berger. Ailleurs des fermiers travaillaient.

Deborah fit halte sur le seuil du pub. Saint James, qui lui tenait la porte, se retourna et la trouva en contemplation devant la lande et se tapotant le menton du doigt.

– Qu'y a-t-il ?

– La marche. Il m'a dit qu'il adorait marcher sur la lande. Qu'il aimait être dehors quand il avait une décision à prendre. C'est pour cela qu'il avait projeté de faire un tour du côté de St. James's Park. Il voulait donner à manger aux moineaux. Du haut du pont, a-t-il précisé. C'est donc qu'il le connaissait. Qu'il y était déjà allé. Mais alors, Simon, tu crois...

Saint James sourit et l'attira vers l'entrée du débit de boissons.

– Tu crois que c'est important ?

– Je ne sais pas.

– Peut-être qu'il avait une bonne raison, si ça se trouve, de parler des Hébreux qui voulaient lapider la femme adultère ? Parce que nous savons maintenant, grâce à l'évêque, qu'il était marié. Et que sa femme est morte en mer dans un accident... Simon !

– Eh bien, Deborah, c'est parti : tu te mets à faire du décryptage !

17

– Maggie Spence. T'es pas au courant ?
– La directrice l'a envoyé chercher et...
– T'as vu sa voiture, au mec ?
– Au sujet de sa mère.

Debout sur les marches, Maggie hésita sous les regards curieux qui convergeaient dans sa direction. Les instants qui précédaient le départ du car de ramassage, juste après le dernier cours de la journée, lui avaient toujours bien plu. C'était l'occasion rêvée de papoter avec les élèves qui habitaient en ville ou dans les villages environnants. Cela dit, elle n'avait jamais envisagé d'être un jour la cible des ricanements et chuchotements ponctuant les discussions de l'après-midi.

Tout avait semblé normal au début. Les élèves étaient rassemblés sur l'asphalte devant l'école, comme d'habitude. Certains traînaient près du car scolaire. D'autres étaient appuyés contre les voitures. Les filles se peignaient, comparaient leurs tubes de rouge à lèvres. Les garçons se chamaillaient ou bien s'efforçaient d'avoir l'air cool. Tout en franchissant la porte et descendant les marches sans cesser de chercher des yeux Josie ou Nick, Maggie repensait aux questions que lui avait posées l'inspecteur de Londres. Sans s'expliquer pourquoi, elle se sentait salie, souillée, depuis sa conversation avec le policier dans le bureau de Mrs. Crone. Aussi s'efforçait-elle de tourner et retourner les raisons susceptibles d'être à l'origine de son malaise, comme on retourne des pierres et qu'on expose à la lumière toutes sortes d'insectes déplaisants.

La culpabilité, elle connaissait. Elle qui n'arrêtait pas de faire des bêtises, elle essayait de se persuader qu'elle ne faisait rien de mal, que tout était la faute de maman. Nick m'aime, maman, même si toi tu ne peux pas me sacquer. Regarde comme il m'aime. Regarde.

Sa mère n'avait jamais essayé de lui donner mauvaise conscience en brandissant le fameux *après tout ce que j'ai fait pour toi* que la mère de Pam Rice servait régulièrement à sa fille, sans succès d'ailleurs. Jamais elle ne lui disait combien elle était déçue par son comportement comme la mère de Josie le serinait à cette dernière. Malgré tout, jusqu'à aujourd'hui, c'était essentiellement à cause de sa mère qu'elle culpabilisait : elle la décevait, elle la mettait en rogne, elle lui créait des problèmes supplémentaires. Maggie en avait conscience sans qu'on eût à le lui dire. Elle avait toujours su lire sur le visage maternel.

C'est d'ailleurs pourquoi elle avait compris, la nuit dernière, qu'elle détenait des armes de poids dans ce combat contre sa mère. Elle détenait le pouvoir de la punir, de lui faire du mal, de se venger... La liste s'allongeait à l'infini. A l'idée qu'elle tenait désormais les rênes de son existence, elle aurait voulu jubiler. Mais, en fait, elle éprouvait un sentiment de gêne.

C'est pourquoi, la veille, lorsqu'elle était rentrée tard à la maison, fière en apparence des suçons et autres bleus que Nick lui avait laissés dans le cou, le plaisir qu'elle avait compté tirer du spectacle de l'affolement de sa mère s'était évaporé à la vue de son visage. Juliet Spence ne lui avait pas adressé le moindre reproche. Elle s'était approchée de la porte du séjour et l'avait regardée comme si elle était à des kilomètres de là. Elle paraissait avoir cent ans.

– Maman ? avait dit Maggie.

Maman avait pris le menton de Maggie entre deux doigts, l'avait soulevé doucement pour mettre les ecchymoses en évidence, puis elle l'avait lâché et s'était dirigée vers l'escalier qu'elle avait grimpé.

Maggie entendit la porte de sa chambre se refermer avec un cliquetis. Le *clic* lui fit plus mal que la gifle qu'elle avait incontestablement méritée.

Vilaine, elle était une vilaine et le savait. Même quand elle était blottie dans la chaleur de Nick, qu'il l'aimait avec ses mains, avec sa bouche, qu'il pressait son sexe contre elle, l'étreignant, lui faisant écarter les jambes, murmurant, Maggie, Mag, Mag, elle était une vilaine. Les jours passant, elle s'habituait peu à peu à la honte. Mais jamais elle n'avait pensé que son amitié avec Mr. Sage pût avoir quelque chose de honteux.

Elle avait l'impression d'avoir été fouettée avec des orties. Qui lui piquaient l'esprit et non la peau. Elle ne cessait d'entendre le policier lui poser des questions, lui parler de secrets. Et tout son être se révoltait. Tu es une gentille fille, Maggie, lui avait dit Mr. Sage. N'oublie jamais ça. Sois-en persuadée. On ne sait plus où on en est, on s'égare, mais en priant, on peut retrouver le chemin qui mène à Dieu. Dieu nous écoute, Dieu nous pardonne. Quoi que nous fassions, Maggie, Dieu nous pardonne.

Mr. Sage savait la réconforter. Il était la compréhension, la bonté et l'amour mêmes.

Maggie n'avait jamais soufflé mot à quiconque des moments qu'ils passaient ensemble. Elle les avait gardés précieusement dans un coin de sa mémoire. Et voilà que cet inspecteur essayait de lui faire croire que son amitié avec le pasteur, avec tout ce qu'elle avait d'unique, avait causé sa mort.

Elle était responsable. Et si tel était le cas, maman avait su exactement ce qu'elle faisait quand elle avait offert au pasteur de dîner avec elle ce soir-là.

Non. Maggie réfléchit. Maman n'avait pas pu donner sciemment de la ciguë au pasteur. Elle s'occupait des gens, elle les soignait. Elle ne leur faisait pas de mal. Elle confectionnait des pommades et des potions. Elle préparait des tisanes. Elle concoctait des infusions. Tout ça pour guérir, soulager les gens, pas pour leur nuire.

Les chuchotements de ses condisciples qui bourdonnaient à ses oreilles avaient brutalement coupé court à ses réflexions.

– Elle l'a empoisonné.

– ... mais elle va pas s'en tirer comme ça.

– La police est venue de Londres.

– ... y paraît qu'elles adorent le diable...

Maggie sursauta, retombant sur terre.

Des douzaines d'yeux étaient braqués dans sa direction. Les visages brillaient de curiosité. Elle plaqua son sac à dos plein de livres contre sa poitrine, cherchant du regard une physionomie amie. Elle avait l'impression que sa tête ne tenait plus à son corps que par un fil. Le plus important, c'était de faire comme si elle ne comprenait pas de quoi ils parlaient tous.

– Vous avez pas vu Nick ? (Ses lèvres étaient sèches.) Vous avez pas vu Josie ?

Une fille à tête de renard qui avait un gros bouton sur le nez se fit le porte-parole du groupe.

– Ils ont pas envie qu'on les voie avec toi, Maggie. Ils sont pas fous, ils savent ce qu'ils risquent.

Un murmure d'approbation salua cette remarque et reflua telle une vaguelette. Les visages se rapprochèrent de Maggie.

Elle se cramponna à son sac. Le coin d'un livre lui entra dans la main. Elle savait qu'ils l'asticotaient – les copains ne perdaient jamais une occasion de vous chambrer –, et elle se redressa pour leur faire face.

– Evidemment, fit-elle avec un sourire comme si elle se prêtait à leur jeu. Allez, soyez sympas, dites-moi où est Josie. Et Nick.

– Ils sont partis, répliqua Face-de-renard.

– Mais le car...

Le car n'avait pas bougé : il attendait, à quelques mètres de la grille, l'heure de se mettre en branle. Des figures se pressaient derrière les vitres. Du haut des marches, Maggie ne parvint pas à distinguer ses amis.

– Ils ont pris leurs dispositions. Pendant le déjeuner. Quand ils ont su.

– Su quoi ?

– Avec qui t'étais.

– J'étais avec personne.

– Très bien. Comme tu voudras. Tu es aussi forte que ta mère pour ce qui est de mentir.

Maggie essaya de déglutir mais sa langue resta collée à son palais. Elle esquissa un pas vers le bus. Le groupe la laissa passer mais ses rangs se refermaient derrière elle. Elle entendait les élèves se parler, mais en fait c'était à elle que leurs propos s'adressaient.

– Ils sont partis en voiture.

– Nick et Josie ?

– Et la nénette qui passe son temps à lui courir après. Tu vois qui je veux dire.

Tout ça pour l'embêter, bien sûr. Maggie accéléra l'allure. Mais le car scolaire lui semblait de plus en plus loin. Il y avait un filet de lumière qui dansait juste devant elle. Le filet se scinda en taches éclatantes.

– Tu parles qu'il va l'éviter, maintenant.
– S'il est pas complètement débile, oui. A sa place, j'en ferais autant.
– Et comment. Quand sa mère ne trouve pas ses petits copains à son goût, elle les invite à dîner.
– Comme dans le conte. Prenez donc une pomme, ma jolie. Ça vous aidera à dormir.
Eclats de rire.
– Pendant combien de temps, c'est le problème !
Rires. Rires. Le car était si loin.
– Tenez, goûtez-moi ça. Je l'ai préparé exprès pour vous.
– N'hésitez pas à vous resservir. Je vois que vous en *mourez* d'envie.
Maggie eut l'impression d'avoir des braises chaudes dans la gorge. Le car se mit à luire, rapetissa, devint de la taille de sa chaussure. L'air se referma dessus et l'engloutit. Seules demeurèrent les grilles de fer de l'école.
– C'est une recette à moi. La tarte au panais. Ç'a un succès fou.
Au-delà des grilles s'étirait la rue...
.... et le salut.
Maggie se mit à courir.

Elle cavalait vers le centre ville lorsqu'elle l'entendit crier son nom. Elle continua sa route, s'élançant vers la grand-rue, traversant, filant vers le parking au pied de la colline. Ce qu'elle comptait faire là-bas, clle n'en avait pas la moindre idée. Tout ce qui importait, c'était de fuir les abords de l'école.
Son cœur cognait dans sa poitrine. Elle avait une douleur atroce au côté. Elle glissa sur un pavé mouillé et trébucha mais se retint à un réverbère et se remit à galoper.
– Attention, mon petit, fit un fermier qui descendait de son Escort garée le long du trottoir.
– Maggie !
Elle s'entendit sangloter. La rue se brouilla. Elle continua de foncer droit devant elle.
Elle dépassa la banque, la poste, différentes boutiques, un salon de thé. Elle évita de justesse la collision avec une jeune femme qui poussait une poussette. Elle

entendit des pas dans son dos. De nouveau, son nom. Ravalant ses larmes, elle poursuivit sa route.

La peur lui donnait des ailes.

Ils me poursuivent, songea-t-elle. Ils rient, me montrent du doigt. Ils vont refaire cercle autour de moi, se remettre à chuchoter. Tu sais ce qu'elle a fait, sa mère... tu le sais... Maggie et le pasteur... un pasteur... ce mec ? Tu parles, il avait l'âge d'être...

Non ! Oublie cette pensée, piétine-la, enterre-la, chasse-la de ta tête. Maggie continua sa course le long du trottoir. Elle ne s'arrêta qu'à la vue d'un panneau bleu accroché à la façade d'un bâtiment de brique trapu. Le mot était flou mais lisible quand même. *Police.* Elle se cogna contre une poubelle, s'immobilisa. Le panneau parut grossir. Le mot luisait, palpitait.

Elle eut un mouvement de recul, à moitié accroupie sur le trottoir, s'efforçant de retrouver son souffle et de ravaler ses larmes. Ses mains étaient gourdes. Ses doigts étaient prisonniers des courroies de son sac à dos. Ses oreilles étaient si glacées qu'elle avait l'impression qu'on lui enfonçait des aiguilles en acier dans le cou. En cette fin de journée, la température dégringolait, et jamais elle ne s'était sentie si seule.

Elle n'a pas fait ça, c'est impossible, songea Maggie.

Et le chœur de hurler : Si !

– Maggie !

Elle poussa un cri, essayant de se faire aussi petite qu'une souris. Elle enfouit son visage dans ses bras et se laissa glisser contre la poubelle, se recroquevillant sur elle-même.

– Maggie, qu'est-ce qui se passe ? Pourquoi tu t'es sauvée ? Tu m'as pas entendu t'appeler ?

On lui passa un bras autour des épaules.

Elle reconnut l'odeur de vieux cuir de son blouson avant de comprendre que c'était Nick qui lui parlait. Ce blouson, il l'adorait. Il avait l'habitude de l'enfouir dans son sac, à l'école, où il était tenu de porter l'uniforme. Mais à l'heure du déjeuner, il l'en extirpait « pour lui faire prendre l'air ». Et à peine sorti du lycée, il l'enfilait. Elle lui serra le genou.

– T'étais parti. Avec Josie.

– Comment ça, parti ?

– Ils m'ont dit que tu étais parti. Que t'étais avec Josie.

– On était dans le car comme d'habitude. On t'a vue filer, courir. T'avais l'air dans tous tes états. Alors j'ai essayé de te rattraper.

Elle leva la tête, elle avait perdu sa barrette aussi ses cheveux lui tombaient-ils dans la figure, formant écran.

Il sourit.

– T'as l'air crevée, Mag. (Plongeant la main dans son blouson, il sortit ses cigarettes.) On aurait dit que t'avais un fantôme aux trousses.

– J'y retournerai pas.

Il baissa la tête pour allumer sa cigarette et jeta l'allumette dans le caniveau.

– C'est inutile. (Il inhala avec le plaisir manifeste du fumeur à qui le hasard fournit l'occasion d'en griller une plus tôt que prévu.) Le car est parti.

– A l'école, je veux dire. Je remettrai plus jamais les pieds en cours.

Il l'examina tout en renvoyant en arrière ses cheveux qui lui tombaient sur les joues.

– Tout ça, c'est à cause de ce type. Pas vrai, Mag ? Le type de Londres. Celui dont la voiture a fait saliver tous les mecs, au bahut.

– Je sais, tu vas me dire de les ignorer. De les traiter par le mépris. Mais je les connais, ils me lâcheront pas. Alors pas question que je refoute les pieds là-bas.

– Mais pourquoi ? Qu'est-ce que t'en as à faire, de ce qu'ils pensent, ces tarés ?

Elle enroula la courroie de son sac autour de ses doigts jusqu'à ce que ses ongles deviennent bleus.

– On s'en fiche, de leurs salades. Ce qui compte, c'est ce que tu sais, toi.

Elle ferma les yeux, pinça les lèvres pour s'empêcher de dire la vérité. Ses larmes coulèrent de nouveau et elle eut honte du sanglot qu'elle s'efforça de camoufler sous une brève quinte de toux.

– Mag ? dit-il. La vérité, tu la connais, n'est-ce pas ? Alors ce que ces minables racontent dans la cour de l'école, c'est sans intérêt. Ce qu'ils disent n'a aucune importance. L'important, c'est ce que tu sais.

– Justement, je ne sais pas. (L'aveu jaillit telle une maladie impossible à dissimuler.) La vérité. Ce qu'elle... J'en sais rien. Rien.

Et ses larmes de couler de plus belle. Elle posa son front sur ses genoux pour qu'il ne voie pas son visage.

Nick siffla entre ses dents.

– C'est la première fois que tu me parles de ça.

– On passe notre temps à déménager, maman et moi. Tous les deux ans. Mais cette fois, j'avais envie de rester. Je lui ai dit que je serais gentille, qu'elle serait fière de moi et de mes résultats à l'école. Et elle a dit d'accord. Et puis j'ai rencontré le pasteur après que toi et moi... après ce qu'on a fait et les engueulades auxquelles j'ai eu droit. Le pasteur m'a réconfortée... Mais maman, ça l'a fichue en rogne. (Elle sanglota. Nick jeta sa cigarette dans le caniveau et lui passa un bras autour des épaules.) Il a fini par me retrouver. Voilà ce qui s'est passé, Nick. Et elle, ça ne lui a pas plu. Elle ne voulait pas qu'il retrouve ma trace. C'est pour ça qu'on déménageait sans arrêt. Mais cette fois, on est restées à Winslough, et il a eu le temps de retrouver ma piste. Il est venu me rejoindre. Comme je l'espérais.

Nick garda un instant le silence. Elle l'entendit prendre une profonde inspiration.

– Maggie, le pasteur était ton père ?

– Elle voulait pas que je le voie, mais je le voyais quand même. (Elle releva la tête et s'accrocha à son blouson.) Et maintenant, c'est toi qu'elle veut m'empêcher de voir. Je refuse de rentrer à la maison. Pas question que je rentre. Tu peux pas m'y obliger. Si tu essaies...

– Un problème, les enfants ?

Ils eurent un mouvement de recul, se retournèrent pour voir qui avait parlé. Une femme agent maigre comme un clou se tenait près d'eux, couverte jusqu'aux yeux, son couvre-chef dangereusement incliné sur le côté. D'une main, elle tenait un calepin et, de l'autre, un gobelet en plastique plein d'un liquide fumant. Elle but une gorgée, attendant qu'ils répondent.

– C'est rien. Une dispute à l'école, dit Nick.

– Je peux vous aider ?

– Non. C'est des histoires de fille. Ça va passer.

La femme examina Maggie avec davantage de curiosité que de sympathie avant de tourner les yeux vers Nick. Elle les observa par-dessus le bord de son gobelet en prenant son temps, avala une nouvelle gorgée de sa boisson brûlante puis elle hocha la tête.

– Feriez mieux de rentrer chez vous, dans ce cas.

– D'accord, fit Nick, aidant Maggie à se mettre debout. Allez, on y va.

– Vous habitez dans le coin ? poursuivit l'agent.
– Pas loin de la grand-rue.
– Je ne vous ai jamais vus dans le secteur.
– Ah non ? Eh ben, moi, je vous ai aperçue plusieurs fois. Vous avez un chien, pas vrai ?
– Un corgi, oui.
– Vous voyez. Je vous ai aperçue quand vous sortiez votre chien. Au revoir, fit Nick.

Un bras autour de la taille de Maggie, il la remorqua vers la grand-rue. Aucun d'eux ne se retourna pour voir si la femme flic les suivait des yeux.

Au premier coin, ils prirent à droite. Un peu plus loin, ils tournèrent de nouveau à droite et longèrent une allée qui filait entre des bâtiments publics et les jardinets d'une rangée de cottages ternes. Puis ils descendirent la pente et émergèrent cinq minutes plus tard dans le parking de Clitheroe. A cette heure de la journée, ce dernier était pratiquement vide.

– Comment t'as fait, pour le chien ? Tu savais qu'elle en avait un ? s'enquit Maggie.
– J'ai fait ça au bluff. Coup de pot, ça a marché.
– Tu es drôlement malin. Et gentil. Je t'aime, Nick. Prends bien soin de moi.

Ils s'arrêtèrent devant les toilettes publiques pour s'abriter du froid. Nick souffla sur ses mains et les fourra sous ses aisselles.

– Va faire bougrement froid cette nuit, dit-il. (Il jeta un coup d'œil vers la ville : la fumée s'échappait en fines volutes des cheminées.) T'aurais pas un petit creux, des fois, Mag ?

Maggie comprit qu'il avait faim.
– Rentre chez toi, Nick.
– Non. Pas si tu...
– Je n'ai pas envie de rentrer.
– Moi non plus.

Ils étaient dans une impasse.

Le vent du soir commençait à souffler et ils constituaient une cible facile. Les rafales s'engouffrèrent dans le parking et firent voleter des papiers à leurs pieds. Un sac en plastique vert se plaqua contre la jambe de Maggie. Du bout de sa chaussure, elle le repoussa. Le plastique laissa une traînée brune contre son collant marine.

Nick plongea la main dans sa poche et en ramena une poignée de pièces qu'il se mit à compter.

– Deux livres soixante-sept pence. Et toi ?

Elle baissa les yeux.

– J'ai pas un sou sur moi.

Elle releva vivement la tête, s'efforçant de prendre une voix assurée.

– Ne reste pas là. File. Je me débrouillerai.

– Je t'ai déjà dit...

– Si elle nous trouve ensemble, ça va faire du vilain. Rentre chez toi.

– Pas question. Je reste.

– Non. J'ai pas envie d'avoir ça sur la conscience... J'ai déjà Mr. Sage...

Elle s'essuya la figure sur la manche de son manteau. Elle était à bout de forces et n'avait qu'une envie : dormir. Pourquoi n'essaierait-elle pas de s'abriter dans les toilettes ? Elle tourna la poignée. La porte était fermée. Elle poussa un soupir.

– Rentre. Tu sais ce qui risque d'arriver si tu ne rentres pas.

Nick la rejoignit devant la porte des toilettes des dames. Celle-ci étant dans un petit renfoncement, ils étaient un peu mieux protégés du froid.

– Tu crois ça, Mag ? Tu le crois vraiment ?

Elle baissa la tête, accablée.

– Tu crois qu'elle l'a tué parce qu'il était venu te chercher ? Parce que c'était ton père ?

– Jamais elle ne m'a parlé de mon père.

Nick lui effleura le haut de la tête.

– C'était pas ton père, Mag.

– Si, parce que...

– Ecoute-moi. (Il fit un pas en avant, l'étreignit, lui parla la bouche dans ses cheveux.) Il avait les yeux marron, Mag. Et ta mère, aussi, elle a les yeux marron.

– Et alors ?

– Alors, ça peut pas être ton père. (Elle remua mais il poursuivit.) C'est comme chez les moutons. Mon père m'a expliqué le topo. Les moutons, y sont tous blancs, hein ? Enfin, presque blancs. Mais de temps en temps, il en sort un noir. Tu sais pourquoi ? C'est à cause d'un gène récessif. Un truc dont il a hérité. Le père et la mère de l'agneau avaient un gène noir et lorsqu'ils se sont accouplés, bien que blancs eux-mêmes, ils ont fabriqué un agneau noir. C'est un phénomène rarissime. Et c'est pourquoi la plupart des moutons sont blancs.

– Je ne...

– Eh ben toi, t'es comme le mouton noir. Parce que tu as les yeux bleus. Combien crois-tu qu'il y ait de chances pour que deux personnes aux yeux marron aient un bébé aux yeux bleus ?

– Hein ?

– Une sur un million. Peut-être même une sur un milliard.

– Tu crois ?

– Je crois pas, j'en suis sûr. Le pasteur n'était pas ton père. Si c'était pas ton père, je vois pas pourquoi ta mère l'aurait empoisonné. Et si elle l'a pas tué, lui, y a pas de raison qu'elle tue quelqu'un d'autre.

Il avait débité son raisonnement d'un ton tellement assuré qu'elle eut envie de le croire. Ce serait tellement plus facile, si sa théorie était fondée. Elle pourrait rentrer chez elle. Affronter sa mère. Elle ne penserait plus à la forme de son nez et de ses mains. Ressemblaient-ils à ceux du pasteur ou non ?. Elle cesserait de se demander pourquoi, lorsqu'il la tenait à bout de bras, il l'étudiait avec cette curiosité passionnée. Quel soulagement d'être enfin sûre de quelque chose, même si ça ne correspondait pas à ce qu'elle souhaitait. Elle avait envie de croire Nick. Et elle l'aurait cru si son estomac ne s'était soudain mis à gargouiller atrocement, s'il ne s'était pas mis à frissonner de tous ses membres, si elle n'avait pas vu, en imagination, l'énorme troupeau de moutons de son père passer tels des nuages légèrement souillés sur fond de verte colline du Lancashire. Elle le repoussa.

– Dans un troupeau, il y a plus d'un mouton noir, Nick Ware.

– Et alors ?

– Alors tu ne peux pas parler d'une chance sur un milliard.

– Mais les gens, c'est pas comme les moutons.

– T'as envie de rentrer chez toi. Vas-y. Tire-toi. Tu me racontes des bobards, j'ai plus envie de te voir.

– Je t'assure que non, Mag. J'essaie seulement de t'expliquer.

– Tu ne m'aimes pas.

– Si.

– Tout ce qui t'intéresse, c'est de casser la croûte. De prendre ton thé.

– Je te disais...

– Tes scones et ta confiture. Eh ben, vas-y. Va t'empiffrer. Je me débrouillerai seule.

– Sans argent ?

– J'ai pas besoin d'argent. Je trouverai un boulot.

– Ce soir ?

– Je m'arrangerai. Tu verras si j'y arrive pas. Mais pas question que je rentre chez moi ni que je retourne à l'école. Et quant à tes histoires de mouton, t'as tort de me prendre pour une andouille. Parce que si deux moutons blancs peuvent fabriquer un mouton noir, y a pas de raison que deux personnes ayant les yeux marron puissent pas mettre au monde un bébé aux yeux bleus. C'est pas vrai, ce que je dis ?

Il se passa les doigts dans les cheveux.

– J'ai pas dit que c'était impossible. J'ai dit que les chances...

– Je m'en fiche, des chances. Il s'agit pas d'une course de chevaux. Il s'agit de moi. De mon père et de ma mère. Et je te dis qu'elle l'a tué. Tu le sais. Tu essaies juste de m'en coller plein la vue avec tes histoires de gènes et de me persuader de rentrer chez moi.

– Pas du tout.

– Si.

– J'ai dit que je resterais avec toi, Mag. OK ?

Il jeta un coup d'œil autour de lui, plissant les yeux à cause du froid. Tapant du pied pour se réchauffer.

– Ecoute, faut qu'on trouve quelque chose à se mettre sous la dent. Tu vas m'attendre ici.

– Où vas-tu ? On n'a même pas trois livres. Qu'est-ce que tu vas bien pouvoir...

– Des chips. Des biscuits. Pour l'instant, t'as pas faim mais plus tard t'auras un creux. Et on sera loin des magasins, à ce moment-là.

– On ? (Elle l'obligea à la regarder.) Tu n'es pas forcé de venir.

– Tu veux ?

– Que tu viennes ?

– Et le reste.

– Oui.

– Tu m'aimes ? T'as confiance en moi ?

Elle s'efforça de lire sur son visage. Il avait hâte de partir. Mais peut-être avait-il tout simplement faim. Une fois qu'ils commenceraient à marcher, il se réchaufferait. Ils pourraient même courir.

– Mag ?
– Oui.
Il sourit, effleura sa bouche en un drôle de baiser râpeux. Ses lèvres étaient sèches.
– Alors attends-moi ici. Je reviens tout de suite. Si on doit se tirer, vaut mieux que les gens ne nous voient pas ensemble en ville. Imagine que ta mère prévienne la police... Ils risqueraient de parler.
– Pas de danger qu'elle appelle les flics. Elle osera pas.
– Je parierais pas ma chemise là-dessus. (Il releva le col de son blouson. La regarda intensément.) Bon, je peux te laisser, ça ira ?
Elle sentit son cœur se gonfler de bien-être.
– T'inquiète pas, ça ira.
– Ça t'embête pas de coucher à la dure, ce soir ?
– Pourvu que je dorme avec toi, non.

18

Debout devant l'évier, Colin prit son thé. Des sardines étalées sur un toast et dont l'huile dégoulinait sur ses doigts et gouttait sur la porcelaine ébréchée. Il n'avait pas faim mais comme la tête lui tournait et qu'il se sentait faible sur ses jambes, il s'était dit que manger le retaperait et le remettrait d'aplomb.

Marchant d'un pas vif, il était rentré à pied au village par Clitheroe Road, plus proche du pavillon que le sentier de Cotes Fell. Sans doute était-ce le besoin de se venger qui le faisait avancer à cette allure. Il se répétait son prénom tout en cheminant : Annie, Annie, Annie, ma petite fille. Pour ne plus entendre les mots *amour et mort trois fois* lui carillonner dans la tête. Arrivé chez lui, il avait la poitrine en feu mais les mains et les pieds gelés. Les battements désordonnés de son cœur résonnaient dans ses tympans ; ses poumons n'arrivaient pas à emmagasiner assez d'air. Trois heures durant, il avait essayé de faire abstraction de ces symptômes, de les ignorer. Voyant qu'il n'y avait aucune amélioration, il avait finalement décidé de se restaurer. C'est l'heure du thé, se dit-il, je vais manger un morceau, ça ira mieux.

Pour aider les sardines à descendre, il s'enfila trois bouteilles de Watney's, sifflant la première tandis que le pain grillait. Ayant expédié la canette de bière vide dans la poubelle, il en décapsula une deuxième tout en farfouillant dans son placard à provisions. Ouvrir la boîte de sardines lui donna du fil à retordre. Introduire la languette métallique dans l'ouvre-boîte nécessitait une sûreté de geste qu'il ne possédait pas pour l'instant. Il l'avait à moitié ouverte lorsqu'à la suite d'une fausse manœuvre, il s'entailla la main avec le couvercle. Le sang jaillit, formant des perles qui flottèrent dans l'huile tels des leurres écarlates. Il n'avait absolument pas mal. Il s'emmaillota la main dans un torchon, essuya avec un coin de tissu le sang resté à la surface de l'huile et de sa main valide porta la bouteille de bière à sa bouche.

Le toast prêt, il attrapa les poissons avec les doigts et les étala sur son pain. Il ajouta du sel, du poivre, une rondelle d'oignon et commença à manger.

La nourriture n'avait pas de goût particulier, ce qu'il trouva bizarre, car sa femme, dans le temps, se plaignait régulièrement de l'odeur des sardines. Ça me fait pleurer, lui disait-elle, ces effluves de poisson, Col, ça me lève le cœur.

L'horloge en forme de chat tiquetaquait au mur au-dessus de la cuisinière, agitant la queue, remuant les yeux. Elle semblait répéter son nom à chaque tictac. An-nie, An-nie, An-nie. Colin se concentra sur ce bruit.

Avec la troisième bière, il se rinça la bouche. Puis il se versa un petit whisky et l'avala en deux lampées pour essayer de faire circuler le sang dans ses membres gourds. Mais il n'arriva pas à venir à bout du froid. Cela l'étonna d'autant plus que la cuisinière chauffait, qu'il portait encore sa grosse veste et que, normalement, il aurait dû être en sueur.

Et d'une certaine façon, il transpirait. Son visage était si irrité que la peau le tirait. Mais autrement il tremblait comme un bouleau secoué par le vent. Il s'octroya un autre whisky. Quittant l'évier, il se mit à la fenêtre pour observer la maison du pasteur.

Et, de nouveau, il perçut distinctement les mots, à croire que Rita était encore derrière lui. *Amour et mort trois fois.* C'était si net qu'il pivota en poussant un cri, qu'il ravala aussi sec en se rendant compte qu'il était seul. Il jura tout haut. Les paroles de Rita, c'était du vent. Un truc minable de chiromancienne. Une façon d'appâter le client à qui on livrait parcimonieusement des bribes d'information pour lui donner envie d'en savoir plus et donc de mettre la main au porte-monnaie.

Amour et mort trois fois. Pour Colin ça signifiait *tant de livres, tant de pence par semaine* : des pièces durement gagnées fourrées dans la paume de la chiromancienne par des vieilles filles desséchées, des femmes au foyer naïves et des veuves esseulées, aspirant toutes à s'entendre dire que leurs vies n'étaient pas aussi vides qu'elles se le figuraient.

Il se tourna de nouveau vers la fenêtre. De l'autre côté de l'allée, le presbytère lui rendit pour ainsi dire son regard. Polly était à l'intérieur, à nettoyer, comme elle le faisait depuis la mort du pasteur. Sans doute devait-elle épousseter, astiquer, briquer, cirer les meubles avec ardeur. Mais pas seulement, se dit-il enfin. Elle devait aussi attendre son heure, attendre patiemment que Juliet Spence finisse par se retrouver au trou. Certes, une Juliet emprisonnée ne valait pas une Juliet morte, mais c'était quand même mieux que rien. Et Polly était trop maligne pour tenter de tuer Juliet une nouvelle fois.

Colin ne s'intéressait pas particulièrement à la religion. Il avait cessé de penser à Dieu pendant la longue agonie d'Annie. Pourtant, il lui fallait bien admettre que des forces supérieures avaient œuvré au cottage, la nuit de décembre où le pasteur avait trouvé la mort. Normalement, Juliet aurait dû dîner seule. Et si les choses s'étaient passées ainsi, le coroner aurait conclu que sa mort était le résultat d'un auto-empoisonnement accidentel. Et personne n'aurait su comment était arrivé cet accident providentiel.

Polly se serait précipitée pour le consoler, c'est sûrement ce qu'elle aurait fait, cette brave Polly. Car c'était une âme compatissante, toujours prête à réconforter son prochain.

D'un geste rude, il se frotta les mains pour se débarrasser de l'huile qui lui collait aux doigts et pansa la coupure à l'aide de deux albuplasts. Il fit une pause pour avaler d'un trait une dernière gorgée de whisky et se dirigea vers la porte.

Garce, songea-t-il. Amour et mort trois fois.

Elle ne vint pas ouvrir tout de suite, aussi appuya-t-il à fond sur la sonnette, laissant le pouce dessus. La sonnerie aiguë lui procura une curieuse satisfaction. Le bruit était nerveusement insupportable.

La contre-porte s'entrebâilla et il distingua la silhouette de Polly à travers le verre opaque. Enfouie sous des couches de vêtements, elle ressemblait à une version miniature de sa mère. Il l'entendit marmonner :

– Bon sang, arrêtez de sonner comme ça.

Puis elle ouvrit la porte d'entrée en grand, s'apprêtant à parler.

En l'apercevant, toutefois, elle s'abstint. Au lieu de lui adresser la parole, elle regarda par-dessus son épaule vers sa maison et il se demanda si elle l'avait espionné comme d'habitude, si elle ne s'était pas écartée une seconde de la vitre, ratant ainsi son arrivée. Ces dernières années, elle n'avait pratiquement pas perdu une miette de ses allées et venues.

Il n'attendit pas qu'elle l'invite à entrer. Il la poussa et entra. Elle referma porte et contre-porte.

Il longea l'étroit couloir vers la droite et se dirigea vers le séjour. Manifestement, elle s'y était dépensée. Les meubles brillaient comme des miroirs. Une boîte de cire d'abeille, un flacon d'essence de citron et un carton bourré de chiffons étaient posés devant une étagère vide. Il n'y avait pas le moindre grain de poussière nulle part. Le tapis avait été passé à l'aspirateur. Les rideaux de dentelle immaculés étaient empesés de frais.

Tout en déboutonnant sa veste, il se tourna vers elle. Plantée sur le seuil dans une attitude gauche, un pied en chaussette posé sur une cheville, les orteils remuant machinalement, elle suivait tous ses mouvements du coin de l'œil. Il jeta sa veste sur le canapé. Celle-ci rata son but et glissa par terre. Elle s'avança, pressée de la remettre à sa place. Elle faisait son boulot, Polly. Toujours à ranger ce qui traînait.

– Laisse ça.

Elle s'immobilisa. Ses doigts se crispèrent sur la laine du pull marron informe qui lui pendait sur les hanches. Elle entrouvrit les lèvres lorsqu'il commença à déboutonner sa chemise. Il vit sa langue pointer entre ses dents. Il savait très bien à quoi elle pensait, ce qu'elle voulait et il éprouva une joie mauvaise à l'idée qu'elle allait être salement déçue. Il sortit le livre qu'il avait caché contre son estomac et le jeta par terre entre eux. Elle ne le regarda pas immédiatement. Au lieu de ça, ses doigts lâchèrent son pull et attrapèrent les plis de sa longue jupe de bohémienne. Les couleurs de sa jupe bariolée rouge vif, or, vert étincelèrent à la lumière d'un lampadaire placé près du canapé.

– C'est à toi, ce bouquin ?

Magie et alchimie : simples, épices et plantes.

Il vit les trois premiers mots se former sur ses lèvres.

– Ça alors, où as-tu déniché cette antiquité ? fit-elle, curieuse.
– Là où tu l'avais planquée.
– Là où je... (Son regard passa du livre à Colin.) Col, qu'est-ce que tu mijotes ?
Col.
Il sentit sa main le démanger. Ce n'était pas tellement son air innocent que cette façon de l'appeler par son petit nom qui le mettait hors de lui.
– C'est à toi ?
– C'était. Ça doit toujours m'appartenir. Mais il y a un bout de temps que je ne l'avais pas vu.
– Ça ne m'étonne pas. Il était bien caché.
– Où ?
– Derrière le réservoir de la chasse d'eau.
La lumière du lampadaire vacilla soudain : l'ampoule allait tourner de l'œil. Avec un sifflement ténu, elle s'éteignit, laissant l'obscurité du dehors filtrer à travers les frais rideaux de dentelle. Polly ne réagit pas, ne semblant s'apercevoir de rien.
– Ç'aurait été plus malin de ta part de t'en débarrasser. Comme tu t'es débarrassée des outils.
– Les outils ?
– Ou est-ce que tu t'es servie des siens ?
– Quels outils ? Qu'est-ce que tu viens fabriquer ici, Colin ?
La voix était teintée de méfiance. Elle recula mais si discrètement qu'il aurait pu ne pas le remarquer s'il n'avait été à l'affût du moindre signe trahissant sa culpabilité. Sur le point de crisper les poings, elle s'arrêta. Il trouva le geste révélateur.
– Ou alors peut-être que tu n'as pas utilisé d'outils du tout. Peut-être que tu as dégagé la plante tout doucement et retiré du sol racine et motte. C'est comme ça, que tu as fait ? Parce que la plante, tu la connaissais, tu étais aussi capable qu'elle de la reconnaître.
– Il s'agit de Mrs. Spence.
Elle parlait lentement comme pour elle-même et ne semblait pas le voir bien qu'elle regardât dans sa direction.
– Tu le prends souvent, le sentier ?
– Quel sentier ?
– Ne fais pas l'idiote. Tu sais pourquoi je suis là. Simplement, tu ne t'y attendais pas. Juliet ayant trinqué à ta

place, tu pensais que personne ne viendrait te chercher des poux dans la tête. Mais j'ai deviné ton petit secret, figure-toi, et je veux savoir la vérité. Tu le prends souvent, le sentier?

– Tu es fou.

Elle parvint à reculer d'encore quelques centimètres. Elle avait le dos tourné vers la porte et se rendait compte qu'en jetant un coup d'œil par-dessus son épaule, elle trahirait ses intentions, ce qui lui donnerait l'avantage.

– Une fois par mois, au moins, non? Le rituel a d'autant plus d'impact qu'il est exécuté par une nuit de pleine lune, pas vrai? Et l'impact est encore plus puissant si le rituel se déroule directement sous la lumière de la lune, n'est-ce pas? Et la communication avec la Déesse est plus étroite quand le rituel a lieu sur un site sacré, hein? Au sommet de Cotes Fell, par exemple.

– Il est vrai que je me rends à Cotes Fell pour adorer la Déesse. Je n'en fais pas mystère.

– Mais tu as d'autres secrets. Dans ton livre.

– Non. (Sa voix était à peine audible. Paraissant se rendre compte de ce que cette faiblesse impliquait, elle réussit à dire d'un ton plus assuré :) Tu me fais peur, Colin Shepherd.

– Je suis allé là-haut aujourd'hui.

– Où?

– Au sommet de Cotes Fell. Je n'y avais pas mis les pieds depuis des années. J'avais oublié comme la vue était nette de là-haut, Polly.

– Je m'y rends pour adorer la Déesse. Un point c'est tout. (Elle mit encore quelques centimètres entre eux.) J'ai fait brûler du laurier pour Annie. J'ai laissé la bougie se cor mer en entier. J'ai utilisé des clous de giroflc. J'ai prié, prié...

– Et elle est morte. Cette nuit-là. Comme par hasard.

– Non!

– Pendant la lune de la moisson, tandis que tu priais sur Cotes Fell. Et avant d'aller prier, tu lui as apporté de la soupe. Tu t'en souviens? Une soupe préparée par tes soins. Tu m'as dit qu'il fallait qu'elle avale tout.

– Ce n'étaient que des légumes que j'avais fait cuire pour vous deux. Qu'est-ce que tu t'imagines? J'en ai mangé, moi aussi. Elle n'était pas...

– Sais-tu que c'est pendant la pleine lune que les propriétés des plantes sont les plus puissantes ? C'est écrit dans ton livre. C'est à ce moment-là qu'il faut les ramasser, qu'on se serve des feuilles, de la tige ou de la racine.

– Je n'utilise pas les plantes de cette façon. Je ne fais pas de magie noire. Tu le sais. Il m'arrive d'utiliser des herbes en guise d'encens, certes, mais ça ne va pas plus loin. C'est de l'encens. Ça fait partie du rituel.

– C'est dans ton livre. Ce qu'il faut utiliser pour se venger, ce qui peut agir sur l'esprit, ce qui est du poison. Je l'ai lu.

– Non !

– Et le livre était derrière le réservoir de la chasse d'eau, où tu l'avais planqué depuis... Depuis combien de temps, au juste ?

– Il n'était pas caché. Il est tombé, il a glissé, c'est tout. Il y avait des tas de choses sur le réservoir. Une pile de livres et de magazines. Je n'ai pas caché ce...

Elle le toucha du bout du pied et recula, mettant encore plusieurs centimètres entre eux.

– Et le Capricorne, Polly, ça te dit quelque chose ?

Elle se figea, répétant le mot à voix basse. Il vit la panique s'emparer d'elle tandis qu'il la poussait vers la vérité, l'acculant petit à petit tel un chien. Il sentit sa colonne vertébrale se raidir.

– C'est à ce moment-là que la ciguë agit avec le plus de force, dit-il.

Elle se passa vivement la langue sur la lèvre inférieure. L'odeur âcre et puissante de la peur s'exhalait de toute sa personne.

– Le 22 décembre, dit-il.

– Eh bien ?

– Tu sais de quoi je veux parler.

– Non, Colin, non.

– Le premier jour du Capricorne. La nuit où le pasteur est mort.

– Mais c'est...

– Encore un détail. La lune était pleine cette nuit-là. Et la nuit d'avant. Tout colle. Tu savais comment t'y prendre pour supprimer quelqu'un, tu avais la marche à suivre dans ton bouquin. Il te fallait récupérer la racine quand la plante était en sommeil ; procéder à l'arrachage sous le signe du Capricorne, période pendant laquelle le principe actif était le plus puissant ; être bien sûre qu'il s'agissait d'un poison mortel ; opérer de préférence pendant la pleine lune. Tu veux que je te fasse la lecture ? Ou préfères-tu le lire toi-même ? Regarde à la lettre C dans l'index. C comme ciguë.

– Non ! C'est elle qui t'a fourré ces idées dans la tête, je parie. Mrs. Spence. Ça se voit gros comme une maison sur ta figure. Elle t'a dit, Va donc voir Polly, va la cuisiner. Et ça a fait son chemin dans ton esprit. C'est ça, n'est-ce pas, Colin ?

– Je t'interdis de prononcer son nom.

– Oh, je vais me gêner, tiens ! (Se baissant, elle récupéra le livre.) Oui, ce bouquin est à moi. Oui, je l'ai acheté. Et je m'en suis servi. Elle le sait, la garce, parce que j'ai été assez bête, il y a deux ans de ça, elle venait d'arriver à Winslough, pour lui demander comment faire de la teinture avec de la bryone. Et comme une gourde, je lui ai même dit pourquoi. (Elle lui agita le livre sous le nez.) L'amour, Colin Shepherd. La bryone, c'est pour obtenir l'amour. Comme la pomme dans une amulette. Tiens, tu veux vérifier ? (Elle sortit une chaîne en argent de sous son pull. Une petite sphère en filigrane y était accrochée. Elle se l'arracha du cou et la jeta par terre, où elle heurta son pied. Il aperçut les morceaux de fruit séchés à l'intérieur.) Et l'aloès pour les sachets, et le benjoin pour les parfums. Et la potentille rampante pour préparer une potion qu'il ne te viendrait jamais à l'idée de boire. Tout ça, c'est dans le livre. Sans parler du reste. Mais tu ne vois que ce que tu as envie de voir, n'est-ce pas ? Ç'a toujours été comme ça. Même avec Annie.

– Je refuse de parler d'Annie avec toi.

– Ah, oui ? *Annie Annie Annie*. Tu lui as collé une auréole sur la tête. Je t'en parlerai autant qu'il me plaira parce que je sais de quoi il retourne. J'étais là, moi aussi, figure-toi. Et ce n'était ni une sainte ni une pauvre malade souffrant dignement en silence tandis que tu lui appliquais des linges humides sur le front.

Il esquissa un pas vers elle. Elle ne bougea pas.

– Annie t'a dit, Vas-y, Col, fais ce que tu dois faire, mon cœur. Mais ensuite elle s'est arrangée pour te rafraîchir la mémoire à la moindre occasion.

– Jamais elle ne m'a adressé de reproches...

– C'était inutile. Pourquoi refuses-tu de voir clair ? Elle était allongée dans son lit, toutes lumières éteintes. Elle te disait, J'étais tellement pas bien que je n'ai pas réussi à allumer la lampe. J'ai cru mourir aujourd'hui, Col ; mais maintenant que tu es là, ça va mieux. Il ne faut pas que tu t'inquiètes. Je comprends que tu aies besoin d'une femme, mon amour, fais ce que tu as à faire, ne pense pas à moi qui suis toute seule ici, dans cette maison, dans cette chambre, dans ce lit.

– Ça n'est pas comme ça que ça s'est passé.

– Et quand la douleur était insupportable, qu'elle souffrait trop, elle ne se contentait pas de rester immobile dans son lit telle une martyre. Elle hurlait. Elle t'injuriait. Elle engueulait les médecins. Elle jetait des objets contre les murs. Et quand ç'a été encore plus mal, elle t'a dit, C'est ta faute, c'est à cause de toi que je suis en train de pourrir, je crève et je te déteste, je te hais. Je voudrais que ce soit toi qui meures à ma place.

Il ne répondit pas. Il avait l'impression qu'une sirène lui hurlait dans la tête. Polly était là, à deux pas de lui, mais elle lui semblait loin, très loin. Séparée de lui par un voile rouge.

– Alors je suis allée à Cotes Fell et j'ai prié. D'abord pour qu'elle retrouve la santé. Et puis pour... Et après sa mort, j'ai prié pour que tu ouvres enfin les yeux... que tu comprennes que je... Oui, j'ai acheté ce livre. (Elle l'agita à bout de bras.) Mais c'est parce que je t'aimais, que je voulais que tu m'aimes en retour, et que j'étais prête à tout pour que tu te remettes d'aplomb. Parce que Annie, pendant son agonie interminable, t'avait vidé de ta substance. Oui, elle t'avait vidé ; mais ça, tu refuses de le reconnaître. Ça t'obligerait à t'interroger sur vos relations. Qui étaient loin d'être parfaites, contrairement à ce que tu te figures. Parce que, dans la vie, rien n'est parfait.

– Tu parles de l'agonie d'Annie, mais tu parles sans savoir.

– Tu crois que je ne sais pas ce que tu ressentais en vidant le bassin ? Tu crois que je ne sais pas que tu étais à deux doigts de vomir chaque fois que tu la torchais ? Tu crois que je ne sais pas qu'au moment où tu t'apprêtais à sortir prendre un bol d'air, elle se mettait à pleurer ? Pour te faire culpabiliser. Sous prétexte que ce n'était pas toi qui étais malade, pas toi qui avais un cancer, pas toi qui allais mourir.

– Elle était toute ma vie. Je l'aimais.

– A la fin ? Laisse-moi rire. A la fin, il n'y avait plus

en toi qu'amertume, rage et colère. C'est normal. On ne peut pas vivre privé de joie aussi longtemps sans que ça vous aigrisse le caractère.

– Espèce de garce.

– C'est ça, traite-moi de garce. En tout cas moi, au moins, je regarde la vérité en face, Colin. Je ne cherche pas à l'enjoliver avec des couplets sentimentaux.

– C'est la vérité qui t'intéresse ? Alors poursuivons. (Il se rapprocha encore un peu d'elle et décocha un violent coup de pied à l'amulette. La sphère en argent percuta le mur et s'ouvrit, dégorgeant son contenu sur le tapis. Les morceaux de pomme séchés ressemblaient à de la peau ratatinée. C'était peut-être bien de la peau humaine. Qui pouvait savoir de quoi Polly était capable ?) Tu as prié non pour qu'elle vive mais pour qu'elle meure. Et comme la mort ne venait pas assez vite à ton goût, tu lui as donné un petit coup de pouce. Constatant ensuite que la mort d'Annie n'avait pas le résultat que tu escomptais – tu voulais sans doute que je te baise le jour même de l'enterrement, c'est ça ? –, tu as décidé de recourir aux potions et autres grigris. Là-dessus Juliet a débarqué à Winslough, et tu t'es dit que tes projets allaient tomber à l'eau. Alors tu t'es servie d'elle. Ou plutôt tu as essayé. C'était rudement astucieux de ta part, de lui laisser entendre que je n'étais pas disponible, des fois qu'elle aurait été intéressée et se serait mise en travers de ton chemin. Mais Juliet et moi, on s'est rencontrés, et t'as pas pu l'avaler. Annie était morte. Le dernier obstacle faisant barrage à ton bonheur était au cimetière. Et voilà qu'il en surgissait un autre. Parce que tu as eu vite fait de piger ce qui se passait entre nous, pas vrai ? T'avais plus qu'une solution, c'était de l'éliminer, elle aussi.

– Non.

– Tu savais où trouver de la ciguë : tu longes l'étang chaque fois que tu vas à Cotes Fell. Tu en as cueilli, tu l'as mise dans la resserre à provisions de Juliet au milieu des autres légumes, et tu as attendu qu'elle s'empoisonne avec. Si Maggie était morte par la même occasion, ç'aurait été dommage, bien sûr, mais il n'y avait pas de quoi en faire un drame. La seule chose à laquelle tu n'avais pas pensé, c'est que le pasteur se rendrait au cottage. C'est là que ça s'est gâté pour toi, parce que c'est lui qui est mort. Tu as dû être dans tes petits souliers en attendant que le coroner colle ça sur le dos de Juliet.

– Qu'est-ce que j'y aurais gagné, si ça s'était passé comme tu le dis ? Le coroner a conclu qu'il s'agissait d'un accident, Colin. Elle est libre. Toi aussi. Et depuis, t'arrêtes pas de la tringler comme un malade. Alors qu'est-ce que ça m'a rapporté ?

– Ce que tu espérais depuis la mort du pasteur. L'arrivée de la police londonienne. La réouverture de l'enquête. Les présomptions pesant sur Juliet, la désignant comme coupable. (Il lui arracha le livre des doigts.) Tu as bien goupillé ton affaire, Polly, mais tu as oublié ce bouquin. (Elle s'élança pour le lui reprendre. Il expédia l'opuscule à l'autre bout de la pièce et l'empoigna par le bras.) Et une fois Juliet éliminée pour de bon, tu aurais pu enfin avoir ce que tu voulais, ce que tu essayais déjà d'obtenir du vivant d'Annie. Ce pour quoi tu priais, ce pour quoi tu préparais des breuvages et portais des amulettes, ce qui te travaillait depuis des années.

Il fit encore un pas en avant, elle essaya de se dégager. Penser à sa peur lui procura un délicieux sentiment de plaisir qui lui titilla le bas-ventre.

– Tu me fais mal au bras.

– Il ne s'agit pas d'amour. Il n'a jamais été question d'amour.

– Colin !

– L'amour n'a rien à voir avec ce que tu cherches depuis le jour où...

– Non !

– Alors tu t'en souviens ?

– Lâche-moi.

Elle se débattit. Elle avait la respiration haletante d'un bébé. Elle se tordait, luttait pour lui échapper, les larmes aux yeux, sachant ce qui allait arriver. Il prit un malin plaisir à préciser :

– Sur le sol de la grange. Comme des bêtes. Tu te rappelles ?

Elle réussit à lui faire lâcher prise et pivota pour s'enfuir. Mais il l'attrapa par sa jupe, la tira rudement vers lui. Le tissu se déchira. Il l'enroula autour de sa main et tira plus fort. Elle trébucha mais ne tomba pas.

– Ma queue dans ton sexe et toi qui poussais des grognements de truie. Tu te rappelles ?

– S'il te plaît, non.

Les larmes se mirent à couler le long de ses joues et il s'aperçut que ses pleurs l'excitaient encore plus que sa peur. C'était une pécheresse. Lui, le dieu vengeur. La justice divine allait frapper.

Il tira sauvagement sur la jupe et l'entendit céder. Il tira de nouveau. Le tissu craqua. Plus Polly se démenait pour lui échapper, plus sa jupe se déchirait.

– Comme le jour où on était dans la grange. Tu es contente ? C'est ce que tu veux ?

– Non. Pas comme ça. Je t'en prie, Col.

Ce nom, ce nom.

Cette fois, il empoigna le tissu à pleines mains et lui arracha sa jupe. Cependant, au moment où le vêtement tombait, elle réussit à courir jusqu'au couloir. Elle s'approcha de la porte. Trois pas encore et elle serait dehors.

Il bondit, la plaqua tandis qu'elle tournait la poignée. Ils dégringolèrent par terre. Elle commença à faire des moulinets frénétiques avec les bras pour le tenir à distance. Sans un mot. Elle agitait bras et jambes, le corps convulsé.

Il s'efforça de lui clouer les bras au sol, grognant :

– Je vais te baiser, salope.

Elle hurla :

– Non ! Colin !

Plaquant ses lèvres sur les siennes, il la réduisit au silence. Il lui enfonça la langue dans la bouche ; puis, lui maintenant le cou d'une main, de l'autre il lui arracha ses sous-vêtements. A coups de genou, il la força à écarter les jambes. Elle le griffa. Lui arracha ses lunettes, cherchant à atteindre ses yeux. Mais il était couché sur elle, son visage pressé contre le sien, sa langue dans sa bouche et il crachait, il crachait, de plus en plus excité par le besoin de la dompter, de la punir. Elle aurait beau se traîner à ses pieds, le supplier, appeler la Déesse à son secours, le dieu, c'était lui.

– Conne, gronda-t-il. Garce... salope.

Il défit son pantalon tandis qu'elle se roulait par terre et se débattait, lui décochant des coups de pied. Elle lui donna un coup de genou, manquant de peu ses testicules. Il la gifla. Le contact de sa paume contre la joue de Polly lui fit un bien fou. Il la frappa de nouveau, plus fort, cette fois. Il lui flanqua carrément des coups de poing, admirant les ecchymoses rouges que ses phalanges laissaient sur son visage.

Elle sanglotait, pas vraiment belle à regarder. La bouche pendante. Les yeux clos. Les filets de morve qui lui coulaient du nez. C'était comme ça qu'il l'aimait. Il voulait qu'elle pleure. Sa terreur agissait sur lui comme une drogue. Il lui écarta rudement les jambes et la pénétra. Il était un dieu, il la châtiait comme elle le méritait.

C'est ça, mourir, songea-t-elle. Elle était allongée dans la position où il l'avait laissée, une jambe repliée, l'autre tendue, son pull remonté jusque sous les aisselles, son soutien-gorge dénudant un sein qu'il avait mordu comme pour la marquer. Un malheureux petit morceau de Nylon bordé de dentelle – T'en as des dessous affriolants, avait gloussé Rita – était resté autour de sa cheville gauche. Un bout du tissu de sa jupe lui entourait le cou.

Elle leva les yeux et suivit une fissure qui commençait au-dessus de la porte et se déployait pareille à un lacis de veines sur le plafond. Quelque part dans la maison un claquement métallique retentit, suivi d'une sorte de ronflement bas et régulier. Le chauffe-eau. Elle se demanda pourquoi il fonctionnait, elle ne se souvenait pas de l'avoir mis en route aujourd'hui. Elle passa en revue ce qu'elle avait fait au presbytère, cherchant à comprendre pourquoi le chauffe-eau marchait. Ce n'était certes pas parce qu'il se rendait compte de l'état de saleté dans lequel elle se trouvait. Le chauffe-eau n'était qu'une machine. Incapable de prévoir qu'elle aurait besoin d'un bon bain.

Elle dressa une liste de ses tâches ménagères. Les journaux, pour commencer. Elle les avait ficelés et fourrés dans la poubelle. Puis elle avait passé des coups de fil pour résilier les abonnements. Les plantes vertes, ensuite. Il n'y en avait que quatre mais elles avaient l'air tristounet et l'une d'entre elles avait déjà perdu presque toutes ses feuilles. Elle les avait arrosées religieusement tous les jours, aussi ne comprenait-elle pas pourquoi elles jaunissaient. Elle les avait mises sous le porche dehors, en se disant que les pauvres petites seraient contentes d'avoir un peu de soleil si celui-ci se décidait à pointer le bout de son nez. Après ça, les draps. Elle avait changé les draps des trois lits – deux grands lits et un lit simple – comme elle le faisait une fois par semaine depuis qu'elle travaillait au presbytère. Et le fait que personne n'ait couché dedans ne l'avait pas empêchée de continuer. Le linge devait être changé. Mais elle n'avait pas fait de lessive. Alors pourquoi le chauffe-eau marchait-il ?

Elle essaya de récapituler ses moindres gestes de la journée. Elle tenta de les faire apparaître dans les fissures du plafond. Journaux. Téléphone. Plantes. Et après ça... Impossible d'aller plus loin. Après les plantes, c'était le trou. Pourquoi ? L'eau, est-ce qu'elle avait peur de l'eau ? Est-ce qu'elle avait eu des ennuis avec l'eau ? Non, quelle bêtise. Essaie de penser aux pièces où il y a de l'eau.

La mémoire lui revint. Elle sourit mais ressentit aussitôt une douleur : sa peau était raide, comme enduite de colle. La cuisine. Elle avait lavé la vaisselle, les verres, les faitouts et les poêles. Elle avait également récuré les placards. C'était pour ça que le chauffe-eau ronflait maintenant. Et de toute façon, ne laissait-on pas fonctionner en permanence ce genre d'appareil ? Est-ce qu'il ne se remettait pas en marche de lui-même lorsque la température de l'eau commençait à baisser ? Personne ne l'allumait. Il fonctionnait tout seul. Comme par magie.

Magie. Le livre. Non. Ne pas penser à ça. Ça lui donnait des cauchemars.

La cuisine, songea-t-elle, la cuisine. Vaisselle, récurage des placards. Après ça, elle s'était attaquée au séjour déjà luisant de propreté. Mais elle avait astiqué les meubles malgré tout, incapable de quitter cet endroit, de renoncer, de vivre autrement, et puis il était venu la trouver. Mais son visage était bizarre. Son dos raide.

Polly roula sur le côté, ramena les jambes contre la poitrine. J'ai mal partout, songea-t-elle. Ses jambes étaient comme détachées de son corps. Là où il l'avait pilonnée et pilonnée, elle avait l'impression d'avoir reçu des coups de marteau. Elle se sentait comme écorchée, à vif. Réduite à l'état d'objet.

Peu à peu, elle sentit le froid, un mince filet d'air qui glissait avec insistance sur sa peau nue. Elle fut prise de frissons. Elle comprit qu'il avait laissé la contre-porte ouverte lorsqu'il était parti et que la porte du presbytère n'était pas complètement fermée. Elle tira sur son pull mais ne réussit pas à le faire descendre plus bas que ses seins. Il y avait quelque chose qui n'allait pas. Le contact de la laine contre sa peau était douloureux.

De là où elle était, elle distinguait l'escalier et elle commença à ramper centimètre par centimètre de ce côté, ne songeant qu'à s'éloigner du courant d'air, à se réfugier dans un coin sombre. Mais une fois la tête sur la première marche, elle leva les yeux et vit que la lumière était plus vive en haut. Lumière vive, synonyme de chaleur; c'est mieux que l'obscurité, se dit-elle. Il se faisait tard mais le soleil devait avoir réussi à percer une dernière fois. Un soleil hivernal – laiteux et lointain – mais qui frappait la moquette d'une des chambres. Elle pourrait se recroqueviller sous ses rayons dorés et s'y laisser mourir.

Elle commença à monter l'escalier. Incapable de se servir de ses jambes, elle se hissa à la force du bras, s'accrochant à la rampe. Ses genoux cognaient les marches. Elle heurta le mur de la hanche et vit le sang. Elle fit halte pour le regarder, approcher un doigt de la tache écarlate, s'émerveillant de la vitesse à laquelle il séchait, de la couleur acajou qu'il prenait au contact de l'air.

Ça coulait d'entre ses jambes et ça coulait depuis un certain temps, car il y avait des dessins sur la face interne de ses cuisses, et de petits ruisseaux le long d'une de ses jambes.

Je suis sale. Il faut que je prenne un bain.

La perspective de se laver lui donna un coup de fouet, fit se dissiper les images de cauchemar. Se cramponnant à l'idée de l'eau et de la chaleur, elle parvint au sommet de l'escalier et se traîna jusqu'à la salle de bains. Ayant fermé la porte, elle s'assit sur le carrelage blanc et froid, la tête contre le mur, les genoux repliés, le sang suintant le long de son poing pressé entre ses jambes.

Au bout d'un moment, épaules plaquées contre le mur, elle progressa lentement jusqu'à la baignoire. Elle baissa la tête et tendit une main vers le robinet, qu'elle ne réussit pas à ouvrir et lâcha.

Elle savait que tout irait bien si seulement elle pouvait se laver. Si elle réussissait à chasser son odeur, la trace de ses mains, si elle pouvait se nettoyer l'intérieur de la bouche au savon. Et tant qu'elle penserait à ce bain – l'eau atteignant ses seins –, au temps qu'elle passerait allongée dans la baignoire à rêver, elle ne penserait à rien d'autre. Mais pour cela, il lui fallait tourner le robinet.

De nouveau elle tendit le bras. Et de nouveau elle échoua. Elle y allait à tâtons, ne voulant pas ouvrir les yeux de peur de se voir dans la glace accrochée derrière la porte de la salle de bains. Si elle se voyait dans la glace, il lui faudrait se mettre à réfléchir, et ça, il n'en était pas question. Elle ne voulait penser qu'à une chose : son bain.

Elle entrerait dans la baignoire et n'en sortirait plus, laissant l'eau clapoter. Elle regarderait les bulles se former, écouterait l'eau couler, la sentirait glisser entre ses doigts. Elle adorerait l'eau. Elle serait bien dans l'eau.

Seulement, rien ne durait jamais éternellement, pas même un bain, et quand ce serait fini, il lui faudrait retrouver le monde des sentiments, ce qu'il lui fallait éviter à tout prix. Car retrouver la faculté de sentir, c'était mourir, c'était la fin de tout. Bizarre, elle avait toujours cru que la mort viendrait lorsqu'elle serait vieille, couchée dans un lit garni de draps neigeux, entourée de ses petits-enfants, sa main dans une main amie qui l'accompagnerait jusqu'à la fin. Elle s'aperçut que la vie, c'était d'abord la solitude. Et que si dans la vie on était toujours seul, on l'était aussi au moment de la mort.

Elle s'en sortirait. Elle y arriverait, à mourir seule. Mais seulement si ça se passait ici et maintenant. Car alors tout serait fini. Elle n'aurait pas à se relever, se plonger dans l'eau pour chasser toute trace de lui avant de sortir du presbytère. Elle n'aurait pas à rentrer chez elle ni à affronter sa mère. Mieux, elle n'aurait pas à le revoir ni à se remémorer comme un film qu'on se repasse inlassablement l'instant où elle avait compris qu'il allait lui taper dessus.

Aimer quelqu'un, j'ignore ce que c'est, songea-t-elle. Je croyais que c'était vouloir partager. Que c'était tendre la main à quelqu'un qui la prenait et vous aidait à sortir de la rivière. On parle. On se confie à celui qu'on aime. On lui dit. C'est là que j'ai mal. Et il vous réconforte. Et lui fait de même à son tour. Et c'est comme ça qu'on apprend à aimer. On s'appuie l'un sur l'autre. On se complète. On se rejoint. Mais pas comme tout à l'heure. Pas comme aujourd'hui, ici, dans cette maison. Non.

C'était ça, le pire, cette sensation qu'elle avait d'être souillée, salie par son amour pour cet homme. Souillée au point de se dire qu'elle n'arriverait jamais à se purifier. Car même lorsque, terrorisée, elle avait compris où il voulait en venir, même lorsqu'elle l'avait supplié de ne pas faire ça et qu'il avait passé outre – la pilonnant, la forçant, la déchirant et finalement la laissant par terre comme un tas de chiffons –, le pire, pour elle, ç'avait été de se dire que c'était l'homme qu'elle aimait qui se comportait ainsi. Et si l'homme qu'elle aimait – et qui savait qu'elle était amoureuse de lui – était capable de lui faire ça et de grogner de plaisir en lui montrant qui était le maître, ce qu'elle avait pris pour de l'amour n'était rien. Il lui semblait, en effet, que quand on aimait un homme qui se savait aimé de vous, il devait tout faire pour ne pas vous blesser. Même s'il ne vous aimait pas autant que vous l'aimiez, il devait vous respecter, avoir de la tendresse pour vous. En tout cas, c'était comme ça que ça se passait en général.

Mais si ça n'était pas vrai, alors elle n'avait plus envie de vivre. Elle entrerait dans la baignoire et laisserait l'eau faire son œuvre. Elle laisserait l'eau la purifier, la tuer et l'emporter à jamais.

19

Jette un œil là-dessus.

Lynley passa la chemise cartonnée pleine de photos à Saint James par-dessus la table basse. Puis il empoigna sa pinte de Guinness, se demandant par quoi il valait mieux commencer : redresser les *Mangeurs de pommes de terre* ou essuyer le cadre et le verre de la *Cathédrale de Rouen*, histoire de vérifier si, sous la poussière, le soleil frappait bien l'édifice de plein fouet.

Semblant lire, en partie du moins, dans ses pensées, Deborah marmonna :

– Et zut ! Ce truc tout de traviole va finir par me rendre dingue.

Et de remettre la reproduction de Van Gogh d'aplomb avant de se laisser tomber sur le canapé près de son époux.

– Sois bénie, mon enfant, lui lança Lynley, attendant que Saint James lui donne son avis sur les clichés qu'il avait rapportés de Clitheroe.

Dora Wragg les avait servis dans le salon. Alors que le pub était fermé pour la seconde moitié de l'après-midi, Lynley y avait trouvé, près du feu qui se mourait, deux dames d'un certain âge en gros tweed et souliers de randonnée, lorsqu'il était rentré de ses visites à Maggie, à la police et au médecin légiste. Les deux femmes étaient plongées dans une discussion animée à propos de la sciatique de Hilda, « pauvre chérie, elle en voit de toutes les couleurs avec ça », et il paraissait peu probable qu'elles s'avisent d'espionner une conversation portant sur un autre sujet que les hanches et le dos de leur amie commune. Toutefois, au vu de leurs deux visages brillants de curiosité, Lynley s'était dit que mieux valait se montrer prudent.

Il attendit donc que Dora Wragg ait posé une Guinness, une Harp et un jus d'orange sur la table basse du salon réservé aux clients de l'auberge et ait tourné les talons avant de tendre la chemise cartonnée à son ami. Saint James examina les photographies. Deborah y jeta un coup d'œil avec un frisson de dégoût et détourna vite les yeux. Lynley ne se sentit pas le cœur de la blâmer.

Les photos semblaient plus dérangeantes que bon nombre d'autres sans qu'il réussît bien à s'expliquer pourquoi. Les morts brutales sous toutes leurs formes ne constituaient pas pour lui une nouveauté. Les morts par strangulation – faciès cyanosés, yeux saillants, sang à la commissure des lèvres – n'avaient pas de secret pour lui. Les coups à la tête, il en avait eu sa dose. Les blessures causées par des couteaux – gorge tranchée, voire même éviscération –, il en avait examiné des tas. Il avait vu des victimes démembrées d'attentats à la bombe, de tireurs fous, des corps mutilés de cent façons. Mais cette mort-là avait quelque chose de terrifiant et il n'arrivait pas à mettre le doigt dessus. Ce fut Deborah qui s'en chargea :

– Ça ne s'est pas fait en un instant, murmura-t-elle. Il en a mis du temps à mourir, pauvre homme.

C'était exactement ça. La mort, Robin Sage avait mis longtemps à la voir arriver. Elle n'était pas venue soudainement comme les morts causées par une balle, un coup de couteau au cœur ou le garrot, qui vous apportent vite l'oubli. Il avait eu tout le temps de se rendre compte de ce qui lui arrivait et tout le temps de souffrir. Les photos prises par les enquêteurs ne laissaient aucun doute là-dessus.

C'était la police de Clitheroe qui les avait prises. C'étaient des clichés en couleurs où le blanc et le noir dominaient. Le blanc, c'était la couche de neige fraîche de quinze centimètres recouvrant le sol et poudrant le mur près duquel gisait le corps. Le noir, c'était le corps emmitouflé dans le costume ecclésiastique et le manteau noir, qui était retroussé jusqu'à la taille comme si le pasteur avait essayé de l'ôter. Malgré tout, globalement, le blanc l'emportait ; car comme le mur que la main cherchait à atteindre, le corps était recouvert d'une fine pellicule de neige. Sept clichés avaient été pris avant que les techniciens n'aient brossé le cadavre et recueilli dans des bocaux la neige sous laquelle il disparaissait. Une fois la neige retirée, le photographe avait continué à mitrailler le cadavre.

Les autres photos racontaient l'agonie de Robin Sage. Des douzaines de profonds sillons creusés dans le sol, la boue épaisse sur les semelles de ses chaussures, la terre et les brins d'herbe collés sous ses ongles montraient qu'il s'était débattu pour tenter d'échapper aux convulsions. Le sang qui dégoulinait sur sa tempe gauche, les trois balafres qui lui zébraient la joue, son œil esquinté, la pierre ensanglantée sous sa tête donnaient une idée de la violence de ces convulsions et de l'impossibilité de les enrayer. La position de la tête et du cou – rejeté si loin en arrière qu'on eût dit que le pasteur avait les cervicales brisées – témoignait de sa lutte frénétique pour trouver un peu d'oxygène. Quant à la langue gonflée et presque coupée en deux qui pendait hors de la bouche, elle en disait long sur les derniers instants de la victime.

Saint James examina les photos une seconde fois. Puis il en mit deux de côté. Un gros plan du visage et un autre des mains.

– Quand on a de la chance, le cœur lâche. Sinon, c'est l'asphyxie. Pauvre type. Il n'a pas eu de pot.

Lynley n'eut pas à regarder les clichés que Saint James avait sortis du tas. Il avait vu les lèvres et les oreilles bleuâtres. Les ongles aussi. L'œil intact était très protubérant. La lividité avancée. Tous ces signes indiquaient l'arrêt respiratoire.

– Ça lui a pris longtemps, pour mourir ? questionna Deborah.

– Certainement que oui, fit Saint James, qui regarda Lynley par-dessus le rapport d'autopsie. Tu as vu le médecin légiste ?

– Empoisonnement à la ciguë. Tout concorde. Pas de lésions de la membrane de l'estomac. Irritation gastrique et œdème des poumons. L'heure de la mort, entre dix heures du soir et deux heures du matin.

– Et le sergent Hawkins, qu'est-ce qu'il t'a raconté ? Pourquoi la Criminelle de Clitheroe a-t-elle gobé sans broncher la théorie de l'empoisonnement accidentel et négligé de mener une enquête ? Pourquoi est-ce qu'ils ont laissé Shepherd s'occuper de l'affaire seul ?

– La Criminelle s'est rendue sur les lieux alors que le corps s'y trouvait encore. Les blessures au visage mises à part, le pasteur semblait avoir eu une attaque. De quelle sorte ? Mystère. L'un des policiers a pensé à une crise d'épilepsie quand il a vu la langue...

– Nom de Dieu, marmonna Saint James.

Lynley opina.

– Après avoir photographié le cadavre, ils ont laissé à Shepherd le soin de rassembler les premiers éléments. Après tout, c'était à lui de s'en occuper. Personne ne savait encore que Sage avait passé la nuit dehors sous la neige : ce n'est qu'au matin que Townley-Young a constaté sa disparition et donné l'alerte en ne le voyant pas se montrer à l'église pour y marier sa fille.

– Mais lorsqu'ils ont appris qu'il était allé dîner au cottage, pourquoi ne sont-ils pas intervenus ?

– D'après Hawkins – qui a été beaucoup plus bavard quand je lui ai fourré ma carte sous le nez qu'il ne l'avait été au téléphone – trois facteurs sont entrés en ligne de compte. Primo, le fait que le père de Shepherd ait participé à l'enquête du constable. Secundo, le fait, toujours d'après Hawkins, que le passage de Shepherd au cottage la nuit où Sage est mort ait été le résultat d'une simple coïncidence. Tertio, des éléments fournis par le médecin légiste.

– La visite de Shepherd n'était pas le fruit d'une coïncidence ? s'étonna Saint James. Shepherd n'était pas en train de faire sa ronde ?

– Mrs. Spence lui avait passé un coup de téléphone lui demandant de venir, répondit Lynley. Elle m'a déclaré qu'elle voulait faire part de ce coup de fil à l'enquête du coroner mais que Shepherd l'en avait dissuadée, lui conseillant de dire qu'il était passé chez elle pendant sa ronde. Elle a précisé qu'il avait menti pour la protéger des ragots et des spéculations hostiles qui se donneraient libre cours une fois le verdict rendu.

– Cette stratégie a été un fiasco, si on en juge par ce que nous avons vu au pub l'autre soir.

– En effet. Mais il y a une chose qui m'intrigue, Saint James. Elle était prête à reconnaître avoir téléphoné à Shepherd quand je lui ai parlé ce matin. Pourquoi se donner tant de peine ? Pourquoi ne pas s'en tenir à la version qu'ils avaient mise au point ensemble ? Même si cette histoire ne plaît pas aux villageois ?

– Peut-être qu'elle n'était pas d'accord avec l'histoire de Shepherd, qu'elle l'a acceptée à contrecœur, suggéra Saint James. S'il a témoigné avant elle à l'enquête, elle pouvait difficilement dire la vérité : elle l'aurait mis en situation de se parjurer.

– Mais pourquoi ne pas accepter la version de Shepherd ? Sa fille n'était pas à la maison. Si Shepherd et elle étaient seuls à savoir qu'elle l'avait appelé, pourquoi se montre-t-elle disposée à me servir une version différente, même si c'est la vérité ? Elle se met dans un mauvais cas en me racontant ça.

– Si je me reconnais coupable, tu ne croiras pas à ma culpabilité, murmura Deborah.

– Seigneur, c'est un jeu drôlement dangereux.

– Ç'a marché comme sur des roulettes avec Shepherd, fit Saint James. Pourquoi ça n'aurait pas marché avec toi ? Elle s'est arrangée pour lui laisser en mémoire l'image d'une femme prise de vomissements. Il l'a crue et a pris sa défense.

– Les vomissements. C'est le troisième facteur qui a incité Hawkins à laisser la Criminelle en dehors du coup. Selon le rapport... (Lynley posa son verre, mit ses lunettes et prit le rapport. Il balaya des yeux la première puis la deuxième page avant de trouver ce qu'il cherchait.) « Le sujet qui a absorbé de la ciguë a des chances d'en réchapper à condition qu'on réussisse à provoquer des vomissements. » Le fait qu'elle ait été malade confortait Shepherd dans l'idée qu'elle avait avalé de la ciguë accidentellement.

– Délibérément. Ou plutôt, pas du tout. (Saint James prit sa pinte de Harp.) *Provoquer*, c'est le mot clé, Tommy. Les vomissements ne sont pas la suite naturelle de l'ingestion de cette substance. Sans doute a-t-elle avalé un purgatif quelconque. Ce qui veut dire qu'elle devait savoir qu'elle avait avalé du poison. Et si tel est le cas, pourquoi n'a-t-elle pas téléphoné à Sage pour le prévenir ou envoyé quelqu'un à sa recherche ?

– Est-ce qu'elle pouvait savoir qu'elle avait mangé quelque chose qui ne lui avait pas réussi sans que ce soit de la ciguë ? Peut-être a-t-elle supposé que c'était autre chose qui était à l'origine de son indisposition ? Du lait tourné ? De la viande avariée ?

– Si elle est innocente, elle a pu faire toutes sortes de suppositions.

Lynley reposa le rapport sur la table basse, ôta ses lunettes, se passa la main dans les cheveux.

– Alors on n'est pas plus avancés. Sauf si on a un mobile. Est-ce que l'évêque de Bradford t'en aurait fourni un ?

– Robin Sage avait été marié, dit Saint James.

– Il était obsédé par l'histoire de la femme adultère, poursuivit Deborah. Il voulait en parler à ses collègues prêtres.

Lynley se pencha en avant sur sa chaise :

– Mais personne ne nous a dit...

– Sans doute que personne n'était au courant.

– Qu'est-il arrivé à son épouse ? Sage était-il divorcé ? Peu probable pour un prêtre.

– Elle est morte il y a dix ou quinze ans. Dans un accident de bateau en Cornouailles.

– Quel genre d'accident ?

– Glennaven, l'évêque de Bradford, l'ignorait. J'ai téléphoné à Truro mais je n'ai pas réussi à joindre l'évêque. Et son secrétaire ne m'a communiqué que l'essentiel : accident de bateau. Il a prétendu qu'il n'était pas autorisé à me donner des renseignements par téléphone. Le type de bateau, les circonstances de l'accident, l'endroit où celui-ci s'est produit, les conditions météorologiques, il n'a rien voulu me préciser. Pas même si Sage était avec elle quand c'est arrivé.

– Ils protègent un des leurs ?

– Il ne savait pas qui j'étais, Tommy. Et même s'il l'avait su, je n'appartiens pas à la Criminelle, je n'ai donc pas accès à ce genre de renseignements.

– Tout de même, qu'est-ce que tu en penses ?

– Du fait qu'ils pourraient protéger Sage ?

– Et à travers lui la réputation de l'Eglise.

– C'est une possibilité. Le lien avec la femme adultère ne saurait être négligé.

– Suppose qu'il l'ait tuée... murmura Lynley.

– Quelqu'un a peut-être attendu le moment de la venger.

– Deux personnes sur un voilier. Seules. La mer est agitée. Soudain, un violent coup de vent. La femme prend un coup de baume sur la tête et se trouve expédiée aussi sec par-dessus bord.

– Ce genre de mort, ça peut se mettre en scène ? questionna Saint James.

– Un meurtre maquillé en accident ? Un coup sur la tête à la place du coup de baume ? Certainement.

– Décidément, c'est ce qu'on appelle la justice poétique, énonça Deborah. Un second meurtre maquillé en accident. Pour être symétrique, c'est symétrique.

– Et c'est parfait, comme vengeance, ajouta Lynley. J'en conviens.

– Mais alors qui est Mrs. Spence ? fit Deborah.

Et Saint James d'énumérer les possibilités :

– Une ancienne gouvernante qui connaissait la vérité, une voisine, une amie de la défunte.

– La sœur de la défunte, suggéra Deborah. Ou sa sœur à lui. Ou alors une cousine. Ou quelqu'un qui avait également travaillé pour l'évêque de Truro.

– Pourquoi pas quelqu'un qui aurait eu une liaison avec Sage ? L'adultère est une arme à double tranchant.

– Il aurait tué sa femme pour vivre avec Mrs. Spence, mais en découvrant la vérité elle l'aurait envoyé promener ? Et se serait volatilisée dans la nature ?

– Les possibilités sont innombrables. Seuls ses antécédents nous permettraient d'y voir clair.

Lynley fit tourner son verre sur la table, y laissant des cercles concentriques humides. Bien qu'ayant écouté ses amis, il ne voulait pas renoncer à ses conjectures.

– Rien de louche dans le passé de Sage, Saint James ? Alcool ? Drogue ? Goûts pervers ?

– Il avait une passion pour les Saintes Ecritures. Mais chez un prêtre, c'est normal. Tu cherches quoi, exactement ?

– Quelque chose concernant les enfants ?

– Pédophilie ?

Lynley faisant oui de la tête, Saint James poursuivit :

– Pas un mot là-dessus.

– Mais imagine que l'Eglise ait cherché à le protéger et à se couvrir du même coup ? Tu vois l'évêque reconnaissant que Robin Sage avait un curieux penchant pour les enfants de chœur, qu'il avait fallu le muter...

– Et il n'arrêtait pas de changer de paroisse, nous a précisé l'évêque, remarqua Deborah.

– ... sous prétexte qu'il ne pouvait s'empêcher de tripoter les petits garçons ? Je suppose qu'ils l'auraient mis entre les pattes d'un psychiatre. Mais de là à évoquer ouvertement son problème...

– C'est la moins plausible des explications. Qui sont les enfants de chœur, ici ?

– Peut-être que ce n'était pas aux garçons qu'il s'intéressait.

– Tu penses à Maggie. Et Mrs. Spence l'aurait empoisonné pour qu'il cesse de... quoi ? Poursuivre sa fille ? La tripoter ? Mais si tel était le cas, pourquoi n'en a-t-elle soufflé mot à l'enquête ?

– Ça reste un meurtre, Saint James. Et elle est seule pour s'occuper de Maggie. Pouvait-elle être certaine que le jury verrait midi à sa porte, qu'il l'acquitterait et la laisserait libre de veiller sur sa fille ? Est-ce qu'elle aurait pris ce risque ? Tu l'aurais pris, toi ?

– Pourquoi ne pas l'avoir dénoncé à la police, alors ? Ou à l'Eglise ?

– C'était sa parole contre celle du pasteur.

– Mais la parole de sa fille...

– Imagine que Maggie ait choisi de le protéger ? Qu'elle ait été d'accord pour avoir des rapports avec lui ? Qu'elle se soit imaginé être amoureuse de lui ? Ou se soit figuré qu'il l'aimait ?

Saint James se frotta la nuque. Deborah appuya son menton au creux de sa paume. Tous deux poussèrent un soupir.

– J'ai l'impression d'être la Reine rouge d'*Alice au pays des merveilles*. Il me faudrait courir deux fois plus vite et je suis déjà à bout de souffle.

– On n'est pas sortis de l'auberge, renchérit Saint James. Il nous faut absolument en savoir plus, mais comment faire ?

– On pourrait exploiter la piste de Truro, dit Lynley. Creuser l'accident de la femme de Sage. Et les antécédents de Sage.

– Bon Dieu, ça fait une sacrée trotte. C'est toi qui vas t'en charger, Tommy ?

– Non.

– Alors qui ?

Lynley sourit.

– Quelqu'un qui est en vacances. Tout comme nous.

A Acton, le sergent Barbara Havers alluma la radio posée sur le frigo et tomba sur Sting. « Ouais, baby, c'est ça, vas-y, mon grand », fit-elle en gloussant. Elle raffolait de la voix de Sting. Lynley avait beau prétendre que ce qu'elle aimait chez lui, c'était son visage hérissé d'une barbe de trois jours qui lui donnait un air viril censé faire tomber les femmes comme des mouches à ses pieds, Barbara n'était pas d'accord. Elle déclarait pour sa part que Lynley était un abominable snob qui refusait de s'intéresser à tout morceau de musique composé au cours des quatre-vingts dernières années. Elle-même n'était pas vraiment fana de rock and roll, mais c'était toujours ce qu'elle choisissait d'écouter de préférence au classique, au jazz, au blues ou à ce que le constable Nkata appelait les « bons vieux airs du répertoire », des classiques des années quarante interprétés par un orchestre où les cordes tenaient un rôle prépondérant. Nkata avait un faible pour le blues. Mais Havers savait qu'il aurait vendu son âme au diable pour passer ne fût-ce que cinq minutes en compagnie de la torride Tina Turner.

– J'en ai rien à battre, qu'elle soit assez vieille pour être ma mère, disait-il aux collègues qui le chambraient. Si ma mère avait eu cette gueule-là, j'aurais jamais foutu le camp de la maison.

Barbara monta le son et ouvrit le réfrigérateur dans l'espoir d'y trouver de quoi stimuler son appétit. Des effluves de carrelet vieux de cinq jours la firent refluer en hâte à l'autre bout de la cuisine. « Nom de Dieu de bordel de merde, qu'est-ce que ça coince ! » murmura-t-elle tout en se demandant comment se débarrasser sans y mettre les doigts du petit carton poisseux. Elle se demanda quelles autres denrées immondes elle allait encore découvrir emballées dans du papier d'aluminium, enfermées dans du plastique, abandonnées dans des barquettes rapportées de chez le traiteur pour un repas sur le pouce et oubliées au frigo depuis longtemps. Restant à une distance raisonnable, elle distingua des traînées vertes le long d'une boîte en plastique. Des pois cassés, sans doute. La couleur correspondait. Mais la consistance fibreuse dénotait plutôt des moisissures. Près de la boîte, une assiette de spaghettis qui n'étaient plus de la première jeunesse et semblaient avoir engendré une forme de vie inconnue. Le réfrigérateur paraissait bel et bien abriter les expériences peu ragoûtantes d'un émule d'Alexandre Fleming[1] fermement décidé à décrocher, lui aussi, un Nobel.

1. Médecin et bactériologiste anglais, il découvrit la pénicilline. Il obtint le prix Nobel de médecine en 1945. *(N.d.T.)*

Les yeux braqués sur ce lamentable spectacle, Barbara s'approcha de l'évier. Elle fouilla parmi les produits à nettoyer, les tampons gratteurs, les brosses et des bouts de tissu tout raides qui avaient jadis été des torchons, et finit par exhumer une boîte de sacs poubelles. Armée des sacs et d'une spatule, elle marcha droit vers le frigo comme on monte au front. Le carrelet fut le premier à atterrir dans le sac, exhalant une odeur qui fit frissonner Barbara. Les pois cassés et les antibiotiques qu'ils contenaient prirent le même chemin, suivis des spaghettis moisis, d'un morceau de gloucester hérissé de barbe, d'une assiette de saucisses et de bacon figés, d'un carton de pizza qu'elle n'eut pas le courage d'ouvrir. Un fond de plat chinois subit le même sort, ainsi que les restes spongieux d'une demi-tomate, trois moitiés de pamplemousse, et une boîte de lait qu'elle se rappelait avoir achetée en juin dernier.

Une fois lancée dans cette opération de nettoyage salutaire, Barbara décida d'aller jusqu'au bout. Tout ce qui n'était pas dans un bocal correctement fermé – mayonnaise tournée, cornichons flasques – alla rejoindre carrelet, pâtes et consort. Lorsqu'elle en eut terminé, les clayettes du frigo étaient désespérément vides, ce qu'elle ne regretta pas un instant, la vue de toutes ces nourritures avariées lui ayant définitivement coupé l'appétit.

Elle referma la porte du réfrigérateur et noua la ficelle autour de la gueule du sac poubelle. Elle ouvrit la porte de derrière, fourra le sac dehors et attendit un moment, histoire de voir s'il ne lui poussait pas des pattes qui lui auraient permis de se propulser seul jusqu'à la poubelle. Voyant qu'il n'en était rien, elle se promit de s'en occuper plus tard.

Elle alluma une cigarette. L'odeur de l'allumette et du tabac contribua à masquer la puanteur de la nourriture gâtée.

J'ai pas complètement perdu mon temps, se dit-elle. Je n'ai rien pour dîner mais je me suis débarrassée d'une corvée. Il ne lui restait plus qu'à récurer les clayettes, laver à grande eau le bac à légumes, après quoi le frigo pourrait être vendu ; certes, il n'était pas tout jeune ni plus très fiable mais elle en fixerait le prix en conséquence. Pas question de l'emporter quand elle s'installerait à Chalk Farm – le studio était beaucoup trop exigu pour contenir autre chose que des appareils électro-ménagers miniatures. Il lui faudrait donc le briquer, le remettre en état... lorsqu'elle serait prête à déménager...

S'approchant de la table, elle s'assit, le pied métallique de la chaise raclant le lino graisseux. Elle fit tourner son clope entre le pouce et l'index, regardant le papier brûler tandis que le tabac grésillait encore. Une autre corvée de faite, une tâche de plus à rayer de la liste : autant dire un pas de plus vers la fermeture de la maison, la vente du pavillon et l'envol vers des horizons inconnus.

Selon les jours, elle se sentait tantôt prête à déménager et tantôt terrorisée par le changement que cela impliquait. Elle était allée une demi-douzaine de fois à Chalk Farm déjà ; elle avait payé la caution du studio, parlé au propriétaire des rideaux et de la pose du téléphone. Elle avait même entraperçu un des locataires assis dans une flaque de soleil à la fenêtre de son appartement du rez-de-chaussée. Pourtant, alors qu'une partie de sa vie – l'avenir – la tirait en avant, l'autre – le passé – la retenait. Une fois qu'elle aurait vendu le pavillon d'Acton, elle ne pourrait plus revenir en arrière. L'un des derniers liens qui la rattachaient à sa mère serait coupé.

Barbara avait passé la matinée en sa compagnie. Elles étaient allées à pied jusqu'au pré communal de Greenford, s'étaient assises sur l'un des bancs entourant l'aire de jeux et avaient regardé une jeune maman qui faisait tourner son gamin sur le manège.

Mrs. Havers était dans un bon jour. Elle avait reconnu Barbara et, bien qu'elle l'eût appelée Doris par trois fois, elle n'avait pas protesté lorsque sa fille lui avait gentiment rappelé que tante Doris était morte et enterrée depuis près de cinquante ans. Elle s'était contentée de dire avec un sourire incertain :

– J'avais oublié, Barbie. Mais tu vois, ça va aujourd'hui. Tu me ramènes bientôt à la maison ?

– Tu ne te plais pas ici ? s'enquit Barbara. Mrs. Flo t'a à la bonne. Et tu t'entends bien avec Mrs. Pendlebury et Mrs. Salkild, hein ?

Sa mère frotta les pieds sur le sol et allongea les jambes devant elle comme une enfant.

– Elles me plaisent, mes nouvelles chaussures, Barbie.

– Je pensais que tu les aimerais.

C'étaient des Reebok lavande avec des bandes argent sur le côté. Barbara les avait dénichées à Camden. Elle s'en était pris une paire en rouge et or – ricanant en pensant à la tête que ferait Lynley lorsqu'il les lui verrait aux pieds. Les lavande étaient trop grandes pour sa mère mais elle les avait achetées quand même, certaine qu'elles auraient du succès. Elle avait pris deux grosses paires de chaussettes pour boucher l'espace entre les orteils et l'extrémité de la chaussure et souri en voyant Mrs. Havers déballer son paquet pour découvrir la surprise.

Barbara avait pris l'habitude de lui apporter une bricole quand elle venait à Hawthorn Lodge où Mrs. Havers était installée depuis maintenant deux mois en compagnie de deux autres personnes âgées et de Mrs. Florence Magentry – Mrs. Flo – qui veillait sur elles. Barbara se disait qu'elle aimait voir s'éclairer le visage de sa mère lorsqu'elle lui faisait un cadeau. Mais elle savait très bien que les paquets étaient destinés à l'empêcher de culpabiliser.

– Tu te plais avec Mrs. Flo, m'man ?

Mrs. Havers observait le petit sur le manège.

– Mrs. Salkild a fait dans sa culotte hier, dit-elle en confidence. Mais Mrs. Flo ne s'est pas fâchée. « Ce sont des choses qui arrivent, mon petit, quand on vieillit. Faut pas vous frapper pour ça. » J'ai pas fait dans ma culotte, moi.

– C'est bien, m'man.

– Et je lui ai donné un coup de main. J'ai pris le gant et la bassine et je l'ai tenue pendant que Mrs. Flo la nettoyait. Mrs. Salkild, elle pleurait, la pauvre. « J'suis désolée. J'ai rien senti venir. » Ça m'a fait mal au cœur. Je lui ai donné des chocolats. J'ai pas sali ma culotte, moi, Barbie.

– Heureusement que Mrs. Flo t'a, m'man. Sans toi, je sais pas comment elle se débrouillerait.

– C'est ce qu'elle dit. Elle sera bien triste quand je partirai. Tu me ramènes à la maison aujourd'hui ?

– Pas aujourd'hui, m'man.

– Bientôt alors ?

– Oui. Mais pas aujourd'hui.

Barbara se demandait parfois s'il ne serait pas préférable de laisser sa mère entre les mains ô combien compétentes de Mrs. Flo, si elle ne ferait pas mieux de se contenter de payer ses frais de pension et de disparaître dans l'espoir que la vieille dame oublierait son existence. Elle ne cessait de s'interroger sur l'utilité de ses visites à Greenford. Tantôt elle se demandait si elles ne servaient pas uniquement à mettre un peu de baume sur sa culpabilité, quitte à bouleverser le train-train de Mrs. Havers, et tantôt elle se persuadait que sa présence régulière dans la vie de sa mère retardait la détérioration intellectuelle de cette dernière. Il n'y avait pas d'ouvrages de référence sur le sujet. Et en eût-il existé, quelle différence cela aurait-il fait ? Il n'y eût été fait mention que de théories scientifiques. Il s'agissait de sa mère, après tout. Elle ne pouvait pas l'abandonner.

Barbara écrasa sa cigarette dans le cendrier et compta les mégots qui s'y entassaient. Dix-huit. Depuis ce matin, elle avait grillé dix-huit cigarettes. Il fallait qu'elle s'arrête de fumer. C'était mauvais pour la santé, c'était dégoûtant. Elle en alluma une autre.

De sa chaise, elle voyait le couloir et, tout au bout, la porte d'entrée. A droite, l'escalier. Et à gauche, le séjour. Impossible de ne pas remarquer l'état d'avancement des travaux. A l'intérieur tout avait été repeint. La moquette posée. La plomberie avait été réparée ou refaite dans les sanitaires et la cuisine. La cuisinière et le four n'avaient jamais été aussi propres en vingt ans. Le lino devait être ciré, le papier peint n'avait pas encore été posé. Mais ces deux choses-là terminées, et les rideaux et voilages passés à la machine ou remplacés, Barbara pourrait s'attaquer à l'extérieur.

Le jardinet côté cour était un véritable cauchemar. Le jardin de devant inexistant. Et le pavillon allait avoir besoin d'une sacrée toilette. Gouttières à remplacer, huisseries à peindre, fenêtres à laver, porte d'entrée à laquer. Ses économies fondaient, son temps était limité du fait de son métier, mais les travaux progressaient au rythme originellement prévu. Si elle ne faisait rien pour en ralentir la marche, le moment où elle se retrouverait bientôt complètement seule ne tarderait pas à arriver.

Cette indépendance, Barbara la souhaitait. Du moins se le répétait-elle. A trente-trois ans, elle n'avait jamais vécu que pour les siens. La perspective d'avoir enfin une vie à elle aurait dû l'emplir de joie. Mais depuis qu'elle avait emmené sa mère chez Mrs. Flo, elle n'éprouvait toujours pas de sentiment de jubilation.

Mrs. Flo avait préparé leur arrivée de façon à lui ôter toute inquiétude. Banderole de bienvenue dans l'escalier, fleurs dans l'entrée. En haut, dans la chambre de sa mère, un manège en porcelaine tournait, égrenant des notes grêles.

– Oh, Barbie, avait murmuré sa mère, regarde !

Et, le menton sur la commode, elle avait regardé les minuscules chevaux monter et descendre.

Il y avait également des fleurs dans la chambre, des iris dans un grand vase blanc.

– J'ai pensé qu'elle aurait besoin d'être seule avec vous un moment, dit Mrs. Flo, les mains plaquées contre sa robe chasuble à rayures. Installez-la en douceur. Il faut qu'elle se sente la bienvenue parmi nous. J'ai du café et un gâteau en bas. C'est un peu tôt pour la pause du matin, mais je me suis dit que vous devriez peut-être repartir très vite.

– Je suis sur une affaire à Cambridge, acquiesça Barbara. (Des yeux, elle fit le tour de la pièce. Propre, impeccable, douillet. Le soleil tombait sur la moquette à fleurs.) Merci, fit-elle.

Mais ce n'était ni au café ni au gâteau qu'elle faisait allusion.

Mrs. Flo lui tapota la main.

– Ne vous faites pas de bile pour votre maman, Barbie. Nous la bichonnerons. Je peux vous appeler Barbie, ça ne vous ennuie pas ?

Barbara aurait voulu lui dire qu'en dehors de ses parents personne ne l'avait jamais appelée ainsi, que ça lui donnait l'impression de redevenir une petite fille sans défense. Elle s'apprêtait à rectifier et à dire : « Je m'appelle Barbara » lorsqu'elle comprit que ce serait détruire l'illusion selon laquelle cette maison était *son* foyer et ces femmes – sa mère, Mrs. Flo, Mrs. Salkild, Mrs. Pendlebury – une famille dont on l'invitait à faire partie pour peu qu'elle le désirât. Ce qui était le cas.

Ce n'était donc pas la perspective d'abandonner définitivement sa mère qui donnait à Barbara envie de traîner les pieds mais celle de sa solitude.

Depuis maintenant deux mois, elle se retrouvait seule en rentrant à Acton, chose qu'elle avait désirée pendant les années où son père avait été malade, chose qu'elle avait souhaitée lorsqu'elle s'était retrouvée en tête à tête avec sa mère à la mort de ce dernier. Pendant une éternité, elle avait cherché une solution, une personne pour s'occuper de Mrs. Havers, et maintenant qu'elle la tenait, il lui fallait songer à remettre la maison en état. Une fois que le pavillon aurait été remis à neuf, elle se trouverait devant le vrai problème : s'organiser. Organiser sa solitude.

Le soir, quand le *King's Arms* se vidait de ses collègues, que MacPherson fonçait retrouver sa femme et ses cinq enfants, que Hale se dépêchait d'aller harceler l'avocat qui s'occupait de son divorce, que Lynley filait dîner avec Helen, que Nkata n'avait rien de plus pressé que de se fourrer au lit avec une de ses six copines, elle regagnait lentement la station de métro de St. James's Park, shootant dans les papiers gras et les épluchures que le vent plaçait sur son chemin. Elle se rendait jusqu'à Waterloo, changeait, prenait la Northern Line. Et puis, affalée sur une banquette avec un exemplaire du *Times*, elle feignait de se passionner pour les affaires intérieures et les événements internationaux dans le seul but de dissimuler la panique que la solitude engendrait chez elle.

Ça n'est pas un crime, de paniquer, ne cessait-elle de se répéter. Pendant trente-trois ans tu as été sous la coupe de quelqu'un. Quoi de plus normal que d'avoir la trouille, le jour où tu te retrouves enfin maîtresse de tes mouvements ? Les prisonniers qui sortent de tôle, ils éprouvent quoi, eux ? Un sentiment de libération ? Une envie irrépressible de danser dans la rue, de se faire couper les cheveux par un coiffeur chic de Knightsbridge ? Voire...

Tout autre qu'elle, dans cette situation, déborderait certainement de projets, s'occuperait activement de finir de rendre le pavillon présentable pour pouvoir le vendre et entamer une nouvelle vie, laquelle commencerait par un changement radical de garde-robe, une remise en forme supervisée par un pro du body-building ressemblant à Arnold Schwarzenegger mais avec une dentition plus séduisante, une passion soudaine pour le maquillage et l'achat d'un répondeur destiné à enregistrer les messages des dizaines d'admirateurs pressés de partager son existence.

Mais Barbara avait toujours eu un sens pratique assez développé. Elle savait que le changement ne se faisait que lentement, quand il se faisait. Aussi pour l'instant, son emménagement à Chalk Farm ne représentait à ses yeux que des boutiques nouvelles auxquelles s'habituer, des rues inconnues qu'il lui faudrait apprendre à explorer, des voisins dont elle devrait faire la connaissance. Tout ça, elle le ferait seule ; le matin, au réveil, elle n'entendrait d'autre voix que la sienne dans le petit studio. Le soir, elle n'aurait personne à qui raconter sa journée.

Certes, elle n'avait jamais eu de compagnon avec qui partager les péripéties de la vie quotidienne. Juste ses parents qui attendaient son retour du Yard non pour engager la conversation mais pour avaler leur dîner et retourner se planter devant la télé où ils regardaient des mélos américains à la chaîne.

Pourtant ses parents avaient constitué une présence humaine dans sa vie au cours de ces trente-trois ans. S'ils n'avaient pas vraiment été une source de joies, ils avaient été là, ils avaient eu besoin d'elle. Maintenant plus personne n'avait besoin d'elle.

Elle comprit que ce qui lui faisait peur, ce n'était pas tant d'être seule que de devenir *invisible*, d'aller grossir les rangs des femmes qui comptent pour du beurre. Le pavillon d'Acton – surtout si elle y ramenait sa mère – l'empêcherait de se dire qu'elle n'était qu'un rouage inutile dans l'univers, s'alimentant, dormant, se lavant, éliminant comme le reste du genre humain, mais ne présentant aucun intérêt pour quiconque, et donc « sacrifiable ». Fermer la porte à clé, remettre celle-ci à l'agent immobilier, partir, c'était risquer de toucher du doigt l'étendue de son insignifiance. Et ça, elle voulait l'éviter le plus longtemps possible.

Elle écrasa sa cigarette, se mit debout et s'étira. Et si elle allait manger grec ? Ce serait plus sympa que de cirer le lino. Brochettes d'agneau avec du riz, *dolmades* [1], le tout arrosé d'une demi-bouteille du vin relativement buvable d'Aristide. Mais d'abord, le sac d'ordures.

Il était toujours là où elle l'avait mis, près de la porte de derrière. Barbara se réjouit de constater que son contenu n'avait pas évolué. Elle le souleva et le traîna le long de l'allée envahie de mauvaises herbes jusqu'à la poubelle. Elle y plongeait le sac d'ordures lorsque le téléphone se mit à sonner.

1. Feuilles de vigne farcies à la viande. *(N.d.T.)*

– Si ça se trouve, c'est quelqu'un qui veut m'inviter au prochain réveillon de la Saint-Sylvestre, marmonna-t-elle. J'arrive !

Elle décrocha à la huitième sonnerie.

– Ah, vous êtes là, fit une voix d'homme. Je craignais de vous avoir ratée.

– Je ne vous manque pas trop ? s'enquit Barbara. Vous arrivez vraiment à dormir avec tous ces kilomètres qui nous séparent ?

Lynley rit.

– Et ces vacances, sergent ? Ça se passe bien ?

– Y a des hauts, y a des bas.

– Un changement de paysage vous donnerait un coup de fouet.

– Possible. Dites-moi, c'est curieux, mais j'ai l'impression que la conversation s'embarque dans une drôle de direction, tout d'un coup.

– A propos de direction, Barbara, la Cornouailles, ça vous irait ?

– Je veux ! Qui est-ce qui paie ?

– Moi.

– Alors je suis partante, inspecteur. Quand est-ce que je quitte Londres ?

20

Il était cinq heures moins le quart lorsque Lynley et Saint James remontèrent la petite allée conduisant au presbytère. Il n'y avait aucun véhicule en vue mais ils distinguèrent de la lumière dans la cuisine et à travers les rideaux d'une pièce du rez-de-chaussée. Près de la porte d'entrée, journaux, flacons vides de produits détergents divers et vieux chiffons attendaient d'être mis à la poubelle. Des chiffons s'exhalait l'odeur piquante de l'ammoniaque.

Lynley sonna. Saint James regarda de l'autre côté de la rue et fronça les sourcils en contemplant l'église.

– Il va sûrement falloir que Barbara épluche les journaux locaux pour trouver un compte rendu de la mort, Tommy. Je doute que le secrétaire de l'évêque de Truro soit plus bavard avec elle qu'il ne l'a été avec moi. A supposer qu'elle arrive à le rencontrer. Il peut très bien la faire lanterner pendant des jours, surtout s'il a quelque chose à cacher et que Glennaven lui a fait part de notre visite.

– Je fais confiance à Havers. Les interrogatoires musclés, c'est dans ses cordes. Elle est capable de venir à bout de toutes les réticences. Même de celles d'un évêque.

Lynley sonna de nouveau.

– Mais de là à ce que Truro reconnaisse que Sage avait des penchants pervers...

– C'est une autre histoire, en effet. Toutefois les penchants pervers ne sont qu'une possibilité. Il y en a d'autres, certaines concernent Sage, d'autres

Mrs. Spence. Si Havers déterre quelque chose, ça nous fera toujours ça à nous mettre sous la dent. Parce que, pour l'instant, on n'est pas très avancés. (Lynley colla le nez à la fenêtre de la cuisine. La lumière provenait d'une petite ampoule accrochée au-dessus de la cuisinière. La pièce était vide.) Ben Wragg nous a bien dit qu'il y avait une gouvernante qui s'occupait du presbytère, non ?

Il appuya sur la sonnette une troisième fois.

Une voix se fit enfin entendre derrière le battant, basse et hésitante.

– Qui est là ?

– Scotland Yard. Brigade criminelle, répondit Lynley. Je peux vous montrer mes papiers si vous le désirez.

La porte s'entrouvrit, puis se referma lorsque Lynley eut glissé sa carte par l'entrebâillement. Une minute s'écoula. Un tracteur passa en grondant dans la rue. Un car scolaire vomit six élèves en uniforme en bordure du parking devant l'église Saint-Jean-Baptiste avant d'attaquer la montée menant au Trough of Bowland.

La porte se rouvrit. Une femme apparut dans l'entrée. Elle tenait la carte dans une main et de l'autre s'efforçait de serrer le col de son pull comme si elle avait peur de ne pas être assez couverte. Sa chevelure – longue masse chargée d'électricité – lui cachait plus de la moitié du visage. L'ombre dissimulait le reste.

– Le pasteur est mort, marmonna-t-elle. Le mois dernier. Le constable l'a trouvé allongé sur le sentier. Il avait mangé un truc pas frais. C'était un accident.

Elle récapitulait les faits comme si elle ne savait pas que New Scotland Yard rôdait dans le village depuis vingt-quatre heures en quête de renseignements. Difficile de croire qu'elle ait pu ne pas avoir vent de leur présence à Winslough. D'autant, se dit Lynley en l'examinant, qu'elle s'était trouvée au pub la veille en compagnie d'un homme lorsque Townley-Young leur avait rendu visite. Townley-Young avait d'ailleurs accosté son compagnon.

Elle ne s'écarta pas pour les laisser entrer. Mais elle tremblait de froid et, baissant les yeux, Lynley constata qu'elle était pieds nus. Il vit également qu'elle portait un pantalon gris en tweed.

– On peut entrer ?

– C'était un accident, répéta-t-elle. Tout le monde le sait.

– Nous ne resterons pas longtemps. Et vous devriez vous mettre au chaud.

Elle resserra plus étroitement le col de son pull. Son regard passa de Lynley à Saint James, revint à Lynley. Après quoi, elle recula et les laissa pénétrer dans la maison.

– Vous êtes la gouvernante ? fit Lynley.

– Oui. Polly Yarkin.

Lynley présenta Saint James et enchaîna :

– On peut vous parler ?

Sans savoir pourquoi, il sentit qu'il lui fallait la traiter avec douceur. Il y avait quelque chose de terrorisé et de défait dans son allure. Et il pensa à un cheval rompu par une main trop dure. Elle semblait prête à décamper à tout moment.

Elle les conduisit dans le séjour, essaya d'allumer un lampadaire mais sans résultat.

– L'ampoule doit être morte, fit-elle en les laissant seuls.

A la lueur déclinante du crépuscule, ils constatèrent que les affaires personnelles du pasteur avaient disparu. Il ne restait plus qu'un canapé, une ottomane et deux chaises près d'une table basse. En face d'eux une bibliothèque vierge de livres occupait le mur du sol au plafond. Quelque chose brillait devant le rayonnage du bas. Lynley s'approcha. Saint James se dirigea vers la fenêtre et écarta les rideaux.

– Pas terrible, le jardin. Les buissons n'ont pas l'air en bon état. Il y a des plantes sous le porche.

Lynley ramassa un petit globe en argent resté ouvert sur le tapis. Tout autour se trouvaient les restes desséchés de triangles charnus qui semblaient bien être des morceaux de fruit. Il en ramassa un également. Aucun parfum. Sa texture évoquait celle d'une éponge sèche. La sphère était accrochée à une chaîne en argent dont le fermoir était cassé.

– C'est à moi, dit Polly Yarkin, revenant dans le séjour, une ampoule à la main. Je me demandais où elle était passée.

– Qu'est-ce que c'est ?

– Une amulette. C'est bon pour la santé. Maman tient à ce que je la porte. C'est idiot, je sais. Mais je ne peux pas le lui dire : elle croit aux porte-bonheur et aux grigris.

Lynley lui tendit l'objet et elle lui rendit sa carte. Ses doigts étaient fiévreux. Elle s'approcha du lampadaire, changea l'ampoule, alluma et alla se réfugier derrière une chaise, les mains sur le dossier.

Lynley gagna le canapé, suivi de Saint James. Elle leur fit signe de s'asseoir, bien qu'elle ne parût pas avoir l'intention de les imiter. Lynley lui désigna la chaise de la main :

– Je n'en ai pas pour longtemps.

Et il attendit qu'elle bouge.

Elle s'exécuta à contrecœur. Assise, elle était davantage à la lumière. Et Lynley comprit que c'était la lumière plus que leur compagnie qu'elle cherchait à éviter.

Pour la première fois depuis qu'il était entré, il s'aperçut qu'elle portait un pantalon d'homme beaucoup trop long dont elle avait roulé le bas pour ne pas marcher dessus.

– C'est au pasteur, expliqua-t-elle. Je pense pas que personne y trouve à redire. J'ai trébuché sous le porche et déchiré ma jupe. Je suis très maladroite.

Il la regarda.

Une marque rouge apparaissait sous le rideau de cheveux.

– C'est vrai que je suis maladroite. Je me cogne partout. C'est une amulette pour m'aider à garder l'équilibre que maman aurait dû me donner.

Elle repoussa ses cheveux vers l'avant. Lynley se demanda ce qu'elle essayait encore de cacher. Sa peau luisait sur son front. Etait-ce la nervosité ? La fièvre ? Il ne faisait pas suffisamment chaud dans la maison pour que les gouttes de transpiration aient une autre cause.

– Vous êtes sûre que ça va ? Vous ne voulez pas qu'on fasse venir un médecin ?

Elle baissa les jambes du pantalon pour dissimuler ses pieds.

– Il y a au moins dix ans que je n'ai pas vu de médecin. Je suis tombée, c'est tout. Ne vous inquiétez pas.

– Mais si vous vous êtes cogné la tête...

– J'ai heurté cette saleté de porte, c'est tout.

Elle se cala avec précaution dans le fauteuil, posa les mains sur les accoudoirs. Mais son geste manquait de naturel, on aurait dit qu'elle essayait de se rappeler quelle posture adopter en présence de visiteurs. Il y avait surtout dans le mouvement de ses bras, la façon dont elle s'obligea à desserrer les doigts pour les poser bien à plat sur la tapisserie du siège, quelque chose qui suggérait qu'elle n'avait qu'une envie : passer ses bras autour de sa taille et attendre, pliée en deux, qu'une mystérieuse souffrance intérieure se dissipe. Ni Lynley ni Saint James ne se décidant à parler, elle dit :

– Les marguilliers m'ont demandé de remettre le presbytère en état en attendant l'arrivée d'un nouveau pasteur. J'ai fait du ménage. Parfois, je brique tellement que j'arrive à me faire mal.

– Vous astiquez depuis la disparition du pasteur ?

Ça semblait étonnant car la maison n'était pas si grande.

– Ça prend du temps, de trier, après la mort de quelqu'un.

– Vous avez fait du bon travail.

– Les candidats passent toujours le presbytère en revue avant de se décider.

– C'est comme ça que Mr. Sage a procédé ? Il a visité le presbytère avant d'accepter de s'installer à Winslough ?

– La maison, il s'en fichait. Sans doute parce qu'il n'avait pas de famille.

– Il n'a jamais fait allusion à sa femme ? intervint Saint James.

Polly attrapa l'amulette posée sur ses genoux.

– Sa femme ?

– Il avait été marié. Il était veuf.

– Jamais il ne m'en a parlé. Je croyais... Les femmes ne semblaient pas spécialement l'intéresser.

Lynley et Saint James échangèrent un regard.

– Que voulez-vous dire ? fit Lynley.

Polly referma les doigts autour de l'amulette, reposa le bras sur l'accoudoir.

– Femmes de ménage chargées de l'église, sonneur de cloches, c'était la même chose pour lui : il les traitait pareil. C'est pour ça que je me suis dit... qu'il était trop sérieux. Que les femmes et tout ça, c'était pas son truc. Il était toujours plongé dans la Bible. Il priait. Et il insistait pour que je prie avec lui. « Prions pour bien commencer la journée, Polly », me disait-il.

– Que disait-il comme prière ?

– Mon Dieu, aide-nous à connaître Ta volonté et à trouver la solution.

– C'est ça qu'il récitait, comme prière ?
– En gros, oui. Y en avait toute une tartine. Je me suis toujours demandé ce que c'était que cette solution que j'étais censée trouver. Une solution au problème de la cuisson de la viande, peut-être. Pourtant il ne se plaignait jamais de ma cuisine. « Chère Polly, me disait-il, vous cuisinez comme saint... » J'ai oublié son nom. Saint Michel ?
– Saint Michel combattait le démon.
– Ah... Je n'y connais rien, à la religion. Le pasteur ne le savait pas. Heureusement.
– S'il appréciait votre cuisine, il a dû vous prévenir qu'il dînerait dehors le soir de sa mort.
– Tout ce qu'il m'a dit, c'est qu'il ne dînerait pas. J'ignorais qu'il sortait. Je me suis dit qu'il devait être mal fichu.
– Pourquoi ?
– Il avait passé la journée enfermé dans sa chambre. Et il n'avait pas touché à son déjeuner. Il est sorti l'après-midi pour téléphoner dans son bureau, mais il est remonté aussi sec chez lui après ça.
– Quelle heure était-il ?
– Trois heures environ.
– Vous avez entendu sa conversation ?
Ouvrant la paume, elle regarda l'amulette. Referma les doigts dessus.
– J'étais inquiète. C'était pas son genre, de bouder la nourriture.
– Vous avez entendu sa conversation ?
– Rien qu'un peu. Et parce que je me faisais de la bile. Je ne l'ai pas espionné, vous savez. Depuis quelque temps, il dormait mal. Son lit était sens dessus dessous le matin, comme s'il s'était battu avec ses draps. Et il...
Lynley se pencha, les coudes sur les genoux.
– Je comprends dans quel esprit vous avez agi, Polly. Ça partait d'une bonne intention. Loin de moi l'idée de vous jeter la pierre.
Elle ne parut pas convaincue.
– Que disait-il ? questionna Lynley. A qui parlait-il ?
– Vous ne pouvez pas juger. Vous ne pouvez pas savoir ce qui est bien. C'est à Dieu d'en décider, pas à vous.
– Nous ne sommes pas ici pour vous juger...
– Non, rectifia Polly. Ça, c'est ce que j'ai entendu.

C'est ce qu'il a dit au téléphone. « Vous ne pouvez pas juger. Vous ne pouvez pas savoir ce qui est bien. C'est à Dieu d'en décider, pas à vous. »

– C'est le seul coup de fil qu'il ait passé ce jour-là ?

– A ma connaissance, oui.

– Est-ce qu'il était en colère ? Il a élevé la voix ? Il criait ?

– Il semblait fatigué.

– Et après, vous ne l'avez pas revu ?

De la tête, elle fit non. Après, elle lui avait apporté le thé dans son bureau, pour s'apercevoir qu'il était remonté dans sa chambre. Elle l'y avait suivi, avait frappé, lui avait proposé la nourriture, qu'il avait refusée.

– « Vous n'avez rien avalé de la journée, monsieur, je lui ai dit. Je ne m'en irai pas d'ici tant que vous n'aurez pas mangé vos toasts. » Alors il a fini par m'ouvrir. Il était habillé, le lit était fait mais j'ai tout de suite compris ce qu'il était en train de faire avant que j'arrive.

– Quoi ?

– Prier. Il avait aménagé une sorte d'oratoire dans un coin de la chambre avec une bible et un prie-Dieu. C'est là qu'il se trouvait.

– Comment le savez-vous ?

En guise d'explication, elle se passa la main sur le genou.

– Son pantalon. Il était froissé au genou. Le pli était écrasé.

– Que vous a-t-il dit ?

– Que j'étais une brave fille mais qu'il ne fallait pas que je m'inquiète. Je lui ai demandé s'il était souffrant et il a répondu que non.

– Vous l'avez cru ?

– « Vous vous crevez, avec tous ces allers-retours à Londres », je lui ai dit. Il était rentré de la veille. Et chaque fois qu'il allait à Londres, il en revenait en plus mauvais état que la fois d'avant. Et dès qu'il regagnait le presbytère, il se mettait à prier. Des fois je me demandais... Qu'est-ce qu'il peut bien fabriquer là-bas pour revenir dans cet état ? Mais comme il faisait le trajet en train, je me disais que c'était la fatigue du voyage. Aller à la gare, acheter son billet, changer ici et là. C'est épuisant, un voyage comme ça.

– Savez-vous où il allait à Londres ?

Polly l'ignorait. Comme elle ignorait le motif de ses séjours. Qu'il s'agît des affaires de la paroisse ou d'affaires personnelles, le pasteur ne lui faisait pas de confidences. La seule chose que Polly savait, c'était qu'il descendait dans un hôtel situé non loin de la gare d'Euston. Régulièrement. Voulaient-ils qu'elle leur donne le nom de l'établissement ?

Si elle l'avait, volontiers.

Elle s'apprêtait à se lever mais eut une sorte de cri étouffé qu'elle s'efforça de dissimuler sous une quinte de toux. Elle souffrait, c'était évident.

– Désolée, dit-elle. Ça m'apprendra à me flanquer par terre. Je me suis drôlement arrangée. Quelle maladroite je fais.

Elle se leva en douceur.

Lynley l'observa, sourcils froncés, remarquant la façon bizarre dont elle tenait son pull bouchonné devant elle à deux mains. Lorsqu'elle se mit à marcher, elle fit porter le poids de son corps sur la jambe droite.

– Vous avez eu de la visite aujourd'hui, Polly ? lança Lynley à brûle-pourpoint.

– Non, fit-elle, s'immobilisant. Pas que je me souvienne.

Elle fit mine de se concentrer, battant le rappel de ses souvenirs, les yeux sur le tapis.

– Je ne vous crois pas. Vous n'êtes pas tombée, n'est-ce pas ?

– Si. Derrière.

– Qui était-ce ? Mr. Townley-Young ? Pour vous parler des déprédations commises à Cotes Hall ?

– Cotes Hall ? Non.

– Il vous a parlé de la veille au pub, alors. De l'homme avec qui vous preniez un pot ? Son gendre, c'est ça ?

– J'étais avec Brendan, oui. Mais Mr. Townley-Young n'est pas venu me voir.

– Alors qui...

– Je suis tombée. Je me suis esquintée. Ça m'apprendra à faire attention.

Et elle sortit de la pièce.

Lynley se mit debout et s'approcha de la fenêtre. De là, il se dirigea vers la bibliothèque puis revint vers la fenêtre. Un radiateur mural installé sous les vitres sifflait avec insistance. Lynley essaya de fermer le robinet.

Mais ce dernier était coincé. Il renouvela sa tentative, se brûla et poussa un juron.

– Tommy.

Il pivota vers Saint James, resté sur le canapé.

– Qui ?

– Ou plutôt pourquoi ?

– Pourquoi ? Mais pour l'amour du ciel...

La voix de Saint James était calme.

– Examine la situation. Scotland Yard débarque à Winslough et se met à poser des questions. Tout le monde est censé fournir des réponses identiques. Mais peut-être que Polly n'a pas envie de faire comme tout le monde. Et peut-être que quelqu'un le sait.

– Là n'est pas la question, Saint James. Cette petite a été tabassée. Par quelqu'un qui...

– Elle ne veut pas parler. Elle a sans doute peur. Ou alors elle protège quelqu'un. Comment savoir... Il nous faut découvrir si ce qui lui est arrivé a un rapport avec ce qui est arrivé à Sage.

– On croirait entendre Barbara Havers.

Polly reparut, un bout de papier à la main.

– *Hamilton House*. J'ai le numéro de téléphone.

Lynley fourra le papier dans sa poche.

– Combien de fois Mr. Sage est-il allé à Londres ?

– Quatre, cinq fois. Je peux consulter son agenda si vous voulez.

– Son agenda est toujours là ?

– Avec ses affaires, oui. Il a fait don de tout ce qu'il possédait aux œuvres mais sans préciser à qui donner quoi. Le conseil de la paroisse m'a demandé de tout emballer dans des cartons en attendant de prendre une décision à ce sujet. Vous aimeriez y jeter un coup d'œil ?

– Si possible.

– Dans le bureau.

Elle leur fit longer le couloir, dépassa l'escalier. Manifestement, elle avait nettoyé la moquette car Lynley repéra des taches d'humidité : certaines près de la porte, et d'autres formant une traînée irrégulière jusqu'à l'escalier dont l'un des murs avait été lavé aussi. En face de l'escalier, sous une urne vide, était roulé un morceau de tissu bariolé. Tandis que Polly les précédait, Lynley le ramassa. Le tissu léger, semblable à de la gaze, présentait des fils d'or. Cela lui rappela les tuniques et les jupes indiennes qu'on vendait sur les marchés. Pensivement, il enroula la gaze autour de son doigt, constata qu'elle était curieusement raide et l'approcha de la lumière du plafonnier que Polly avait allumé tout en gagnant l'avant de la maison. Le tissu était taché de roux. Les bords déchirés indiquaient que le morceau avait été arraché et non coupé au ciseau. Lynley l'examina sans être autrement étonné. Il le mit dans sa poche et suivit Saint James dans le bureau du pasteur.

Polly se tenait près de la table de travail. Elle avait allumé la lampe, mais s'était placée de façon que ses cheveux dissimulent en partie son visage. La pièce était encombrée de cartons qui étaient tous étiquetés. Il y en avait un d'ouvert qui contenait des vêtements. C'était sans doute là que Polly avait pris son pantalon.

– Il possédait beaucoup d'affaires personnelles, remarqua Lynley.

– Pas des choses de valeur. Il n'aimait pas jeter. Quand je voulais me débarrasser de quelque chose, il fallait que je le mette sur son bureau pour qu'il prenne une décision. Il conservait surtout ce qui se rapportait à ses voyages à Londres. Tickets de musées, cartes de métro. Des souvenirs. Il les collectionnait. Il y a des gens comme ça.

Lynley navigua au milieu des cartons, lisant les étiquettes. *Livres, toilettes, papiers paroisse, séjour, vêtements, chaussures, bureau, chambre, sermons, revues, divers...*

– C'est quoi, divers ?

– Des choses qu'il gardait dans ses poches, des bouts de papier, des programmes de théâtre.

– Et son agenda ? Où peut-on le trouver ?

Du doigt, elle désigna les cartons *bureau* et *livres*. Il y en avait une douzaine. Lynley les déplaça pour y accéder plus commodément.

– En dehors de vous, qui a passé les affaires du pasteur en revue ?

– Personne. A la paroisse, ils m'ont demandé de tout empaqueter et étiqueter. Mais ils ne sont pas encore venus y jeter un coup d'œil. Je suppose qu'ils voudront conserver le carton d'affaires de la paroisse et qu'ils feront peut-être cadeau de ses sermons au nouveau pasteur. Quant aux vêtements...

– Et avant qu'elles soient mises dans des cartons, coupa Lynley, qui a examiné ses affaires ?

Elle hésita. Elle était près de lui. Il perçut l'odeur de sa transpiration à travers la laine du pull.

– Après la mort du pasteur, précisa Lynley, pendant l'enquête, est-ce que quelqu'un a examiné ses affaires ?

– Le constable.

– Il était seul ? Avec vous ? Ou avec son père ?

D'un rapide coup de langue, elle s'humecta la lèvre supérieure.

– Je lui apportais du thé. Tous les jours. Je ne faisais qu'entrer et sortir.

– Alors il a travaillé seul ? (Comme elle hochait la tête, il ajouta :) Je vois.

Il ouvrit un premier carton tandis que Saint James s'attaquait à un autre.

– Maggie Spence venait souvent au presbytère, m'a-t-on dit. Le pasteur l'aimait bien.

– Je pense, oui.

– Ils se voyaient seul à seul ?

– Seuls ?

– Le pasteur et Maggie. Ils étaient seuls ? Ici ? Dans le séjour ? Ailleurs ? Au premier ?

Polly examina la pièce comme pour se souvenir.

– Ils se voyaient ici.

– Seuls ?

– Oui.

– La porte du bureau était-elle ouverte ou fermée ?

Elle se mit à ouvrir un carton.

– Fermée, la plupart du temps. (Sans laisser à Lynley le temps de poser une autre question, elle poursuivit :) Ils bavardaient. Ils parlaient de la Bible. Je leur apportais le thé. Lui était assis là... (Du doigt, elle désigna un fauteuil sur lequel étaient empilés trois autres cartons.) Et Maggie sur le tabouret. Devant le bureau.

A un bon mètre de distance, nota Lynley, se demandant qui l'avait placé là : Sage, Maggie ou Polly.

– Est-ce que le pasteur rencontrait d'autres jeunes de la paroisse ?

– Non. Juste Maggie.

– Ça vous a paru bizarre ? Après tout, il y avait un club de loisirs pour les adolescents. Il ne les rencontrait jamais ?

– Quand il est arrivé à Winslough, il y avait une réunion à l'église pour les jeunes. C'est comme ça qu'ils ont monté le club. Je leur faisais des scones.

– Mais Maggie était la seule à venir au presbytère ? Et sa mère ?

– Mrs. Spence ? (Polly fouilla dans un carton d'un air affairé. Il ne contenait que des papiers.) Mrs. Spence n'a jamais mis les pieds ici.

– Il lui arrivait de téléphoner ?

Polly réfléchit. En face d'elle, Saint James examinait une liasse de papiers et de prospectus.

– Une fois, elle a appelé. Juste avant le dîner. Maggie était encore ici. Elle lui a demandé de rentrer.

– Etait-elle en colère ?

– Difficile à dire, elle n'est pas restée longtemps au téléphone. Elle m'a demandé si Maggie était là, si je pouvais la lui passer. Je suis allée chercher la petite. Maggie s'est contentée de dire oui, maman, non, maman, écoute, maman. Et elle est partie.

– Bouleversée ?

– Elle avait le visage gris, traînait les pieds. Comme quelqu'un qui se fait pincer en train de faire une chose défendue. Elle aimait beaucoup le pasteur, Maggie. Mais sa mère ne l'appréciait pas. Maggie venait ici en cachette.

– Et sa mère l'a découvert. Comment ?

– Les gens ne peuvent pas s'empêcher de parler. Dans un village de la taille de Winslough, il n'y a pas de secrets.

Lynley ne souffla mot mais il n'en pensait pas moins. Pour autant qu'il ait pu s'en rendre compte, les secrets, ce n'était pas ce qui manquait à Winslough, et tous ou presque tournaient autour du pasteur, de Maggie, du constable et de Juliet Spence.

– C'est ça qu'on cherche ? fit Saint James, brandissant un petit agenda à couverture de plastique noir et reliure à spirale.

– Je vous laisse, fit Polly, sortant de la pièce.

Quelques instants plus tard, ils entendirent l'eau couler dans la cuisine.

Lynley mit ses lunettes et feuilleta l'agenda à reculons en partant de décembre. Bien qu'à la date du 23 figurât le mariage Townley-Young et que le matin du 22 le pasteur eût griffonné *Power-Townley-Young 10 h 30*, il n'était fait mention nulle part du dîner du 22 chez Juliet Spence. La veille, toutefois, une note indiquait *Yanapapoulis.*

– Quand Deborah l'a-t-elle rencontré ?

– Pendant que nous étions à Cambridge, toi et moi. En novembre. Un jeudi. Aux alentours du 20, je crois.

Lynley feuilleta l'agenda. Les pages étaient pleines d'annotations se rapportant à la vie du pasteur. Réunions diverses, visites aux malades, mise en place du club de loisirs, baptêmes, enterrements, mariages, réunions avec de jeunes fiancés, rendez-vous à Bradford.

Il trouva ce qu'il cherchait à la date du jeudi 16. *SS. 13 h 00.*

– *SS*, fit-il à Saint James. Ça te dit quelque chose ?

– Les initiales de quelqu'un.

– Possible. Mais il n'en a utilisé nulle part ailleurs dans son agenda. La plupart du temps, il notait les noms en entier. Alors, tu as une idée ?

– Il pourrait s'agir d'une organisation, émit Saint James, pensif. Un groupe de nazis ?

– Robin Sage, un nazi ? Un crypto-fasciste ?

– Les services secrets, peut-être ?

– Robin Sage, James Bond au petit pied ?

– Non, parce qu'alors il se serait agi du MI5 ou du MI6. Ou encore du SIS. (Saint James commença à remettre les choses dans les cartons.) Pas grand-chose d'intéressant là-dedans. En dehors de l'agenda. De la papeterie, des cartes de visite, le début d'un sermon sur les lis des champs, de l'encre, des stylos, des crayons, des catalogues, deux paquets de graines de tomates, un dossier correspondance comprenant des lettres de refus, des lettres de candidature. Un formulaire d'inscription...

Saint James fronça les sourcils.

– A quoi ?

– Un cours de théologie. A Cambridge.

– Et alors ?

– Ce n'est pas ça. Ce qui est intéressant, c'est le formulaire en soi. A moitié rempli. Ça me fait penser à ce que Deborah et moi... Passons. En un mot, ça m'évoque les services sociaux.

Lynley comprit l'enchaînement des pensées de son ami, qui partait de son expérience personnelle.

– Il voulait adopter un enfant ?

– Ou en placer un ?

– Seigneur Dieu. Maggie ?

– Peut-être considérait-il que Juliet Spence ne faisait pas le poids en tant que mère.

– D'où la réaction violente de cette dernière ?
– Probable.
– Mais personne n'a laissé entendre qu'elle pourrait ne pas être une bonne mère.
– Pas étonnant quand l'enfant fait l'objet de mauvais traitements. Tu sais comment ça se passe. La gamine est terrorisée, elle n'ose se confier à personne. Quand enfin elle tombe sur quelqu'un en qui elle a confiance...
Saint James rabattit les bords du carton et les ferma avec du scotch.
– Nous n'avons peut-être pas envisagé les tête-à-tête de Maggie et du pasteur sous le bon angle. Au lieu de tenter de la séduire, il essayait peut-être de lui arracher la vérité. (Lynley s'assit dans le fauteuil, posa l'agenda.) Mais tout ça, ce sont des spéculations vaines. Nous n'avons pour ainsi dire pas d'éléments. Nous ne savons même pas quand il allait à Londres parce qu'il est impossible de savoir d'après l'agenda où il était. Certes, il y a des listes de noms, des rendez-vous de notés, mais le seul nom de lieu qui y figure est Bradford.
– Il gardait les reçus, dit Polly Yarkin depuis le seuil. (Elle portait un plateau sur lequel étaient posés une théière, deux tasses et deux soucoupes, ainsi qu'un paquet de biscuits au chocolat. Elle déposa le plateau sur le bureau.) Les reçus des hôtels. Il les gardait. Ça devrait vous aider, pour les dates.
Ils trouvèrent le dossier « notes d'hôtel » dans le troisième carton. Cela leur permit de constater que le pasteur était allé cinq fois à Londres, entre octobre et le 21 décembre, deux jours avant sa mort. A cette date figurait un nom : *Yanapapoulis.* Lynley compara notes d'hôtel et entrées consignées dans l'agenda et ne découvrit que trois renseignements susceptibles de présenter un intérêt : *Kate, 12 h 00,* le 11 octobre, lors de la première visite à Londres de Sage ; un numéro de téléphone, noté lors de son deuxième séjour ; et les initiales *SS* lors du troisième.
Lynley composa le numéro. Un standard londonien.
– Services sociaux, fit une voix exténuée.
Lynley sourit et fit signe à Saint James qu'il avait mis dans le mille.
Sa conversation ne lui apprit pas grand-chose. Il n'y avait personne du nom de Yanapapoulis et il s'avéra impossible de retrouver l'assistante sociale à qui Sage

avait eu affaire. A supposer qu'il en eût rencontré une. S'il avait rendu visite aux services sociaux lors d'un de ses passages à Londres, il avait emporté ce secret dans la tombe. Mais cela leur faisait quand même quelque chose à se mettre sous la dent. C'était mieux que rien.

– Mr. Sage vous a-t-il parlé des services sociaux, Polly ? s'enquit Lynley. Ont-ils téléphoné ici ?

– Les services sociaux ? Les gens qui s'occupent des personnes âgées et tout ça ?

– Oui.

Comme elle faisait non de la tête, Lynley poursuivit :

– Vous a-t-il dit qu'il comptait aller voir les services sociaux à Londres ? Lui est-il arrivé de rapporter des documents, des papiers ?

– Il y en a peut-être dans le carton *divers*.

– Quoi, par exemple ?

– Je ne sais pas. Mais s'il a rapporté des papiers et qu'il les a laissés traîner dans son bureau, c'est dans ce carton que je les ai rangés.

En l'ouvrant, Lynley constata que celui-ci renfermait un fatras illustrant divers aspects de la vie de Robin Sage. Dans ce carton, il y avait en effet de tout. Plans du métro londonien, collection jaunissante de fascicules historiques qu'on peut se procurer dans les églises de campagne. Coupures de journaux extraites de la rubrique littéraire du *Times* indiquant que le pasteur avait une préférence pour les biographies, la philosophie et les romans ayant reçu (ou failli recevoir) le Booker Prize [1]. Lynley tendit une liasse de papiers à Saint James et, bien calé dans le fauteuil, se mit à en examiner une autre. Polly se déplaçait précautionneusement dans la pièce, remettant les cartons en ordre, vérifiant que les rabats étaient bien fermés. Lynley sentait son regard se poser sur lui et s'éloigner aussitôt.

Il passa sa liasse en revue.

Observations à propos de divers tableaux vus dans les musées. Guide de la galerie Turner au Tate Museum. Notes de restaurants (déjeuners, dîners). Manuel d'utilisation d'une scie électrique. Notice d'installation d'un panier de bicyclette. Notice de nettoyage d'un fer à vapeur. Prospectus pour un club de remise en forme. Dépliants qu'on recueille en se promenant dans les rues

1. Prix littéraire le plus prestigieux d'Angleterre. *(N.d.T.)*

londoniennes. Pub pour un coiffeur de Clapham High Street, *Le Coupe-Fou, demander Sheelah.* Tract annonçant la tenue d'un meeting (*Le parti travailliste vous parle ce soir à 8 h 00, au Camden Town Hall*). Sans parler d'une collection de papillons émanant d'œuvres de charité diverses. Une brochure des Hare Krishna servait de signet dans le *Book of Common Prayers*[1]. Lynley feuilleta le recueil de prières et tomba sur un passage d'Ezéchiel : « Lorsque le pécheur se détourne du péché qu'il a commis pour pratiquer le droit et la justice, il sauvera sa vie. » Il relut le passage, mais à voix haute cette fois, et regarda Saint James.

– De quoi Sage aimait-il tant parler d'après Glennaven ?

– De la différence entre ce qui est moral et ce qui est bien.

– Pourtant, si j'en crois ce texte, l'Eglise anglicane semble considérer que c'est la même chose.

– C'est ça qui est merveilleux, avec les Eglises, fit Saint James, dépliant un bout de papier, le lisant, le mettant de côté et le reprenant.

– Pourquoi abordait-il sans cesse ce thème ? questionna Lynley. Pour noyer le poisson ? Entraîner ses collègues dans des discussions stériles ?

– C'est l'opinion du secrétaire de Glennaven.

– Ou parce qu'il avait un dilemme à résoudre ? suggéra Lynley, jetant un nouveau coup d'œil au texte d'Ezéchiel. « Il sauvera sa vie. »

– Tiens, fit Saint James. Il y a une date là-dessus. Le 11. Ça correspond peut-être à une de ses visites à Londres.

Et il le tendit à Lynley.

Lynley lut les mots gribouillés.

– Charing Cross jusqu'à Sevenoaks, prendre High Street à gauche vers... Un itinéraire, Saint James.

– La date colle avec un de ses passages dans la capitale ?

Lynley se reporta à l'agenda.

– Le premier, en effet. Le 11 octobre, où l'on trouve le nom Kate.

– Il aurait pu aller la voir. Peut-être que de cette visite ont découlé les autres. Aux services sociaux,

1. Recueil de prières de l'Eglise anglicane. *(N.d.T.)*

d'abord. Et ensuite à ... quel nom a-t-il noté en décembre ?

– Yanapapoulis.

Saint James jeta un bref coup d'œil à Polly.

– N'importe laquelle de ces visites aurait pu servir de déclencheur. Provoquer le crime.

Ce n'étaient là que des conjectures, qui ne reposaient sur rien de concret, et Lynley ne l'ignorait pas. Des preuves, ils n'en avaient pas et il était prêt à parier qu'il n'y en avait jamais eu, à moins que quelqu'un ne se fût amusé à les faire disparaître. Pas d'arme abandonnée sur les lieux du crime. Pas d'empreintes compromettantes. Pas la moindre mèche de cheveux. Il n'y avait rien pour relier le tueur présumé à sa victime, sinon la conversation téléphonique surprise par Maggie et confirmée par Polly, et un dîner au terme duquel la maîtresse de maison et son invité avaient été malades.

Lynley avait conscience que Saint James et lui s'attelaient à une tâche insensée : reconstituer toute une tapisserie à l'aide d'un seul fil. Et cela ne lui plaisait pas. Il n'aimait pas non plus la curiosité manifestée par Polly Yarkin et qu'elle s'efforçait de dissimuler tant bien que mal, bougeant un carton, en déplaçant un autre, frottant le pied de la lampe avec la manche de son pull pour ôter des grains de poussière inexistants.

– Vous étiez à l'enquête du coroner ? lui demanda-t-il.

Elle s'éloigna vivement de la lampe, comme prise en flagrant délit.

– Moi ? Oui. Tout le monde y était.

– Pourquoi ? Vous deviez témoigner ?

– Non.

– Alors ?

– Eh bien... Je voulais savoir ce qui s'était passé. Je voulais l'entendre de sa bouche.

– Entendre quoi ?

Elle haussa imperceptiblement les épaules.

– Ce qu'elle avait à dire. Tout le village a assisté à l'enquête.

– Parce qu'il s'agissait du pasteur et d'une femme ? Ou parce qu'il s'agissait de Juliet Spence en particulier ?

– Je ne saurais vous dire.

– Ce que pensent les autres ? Ou ce que vous pensez, vous ?

Polly baissa les yeux mais sa mimique suffit à renseigner Lynley : il comprit pourquoi elle leur avait offert du thé et pourquoi elle s'était attardée dans le bureau tandis qu'ils examinaient les affaires personnelles de Robin Sage.

21

Lorsque Polly eut refermé la porte derrière eux, Saint James et Lynley prirent l'allée. Parvenus au bout, ils s'arrêtèrent pour examiner l'église Saint-Jean-Baptiste. Il faisait nuit noire. Les réverbères étaient allumés le long de la rue en pente qui descendait vers le village. Leurs rayons ocres perçaient le brouillard vespéral. Ici, près de l'église, seules la pleine lune et les étoiles fournissaient un peu de lumière.

– Je fumerais volontiers une cigarette, fit Lynley, d'un ton absent. Tu crois que j'arriverai à me passer de tabac, un jour ?

– Jamais, probablement.

– Tu es réconfortant, Saint James.

– Ce n'est qu'une probabilité statistique sur laquelle viennent se greffer des considérations d'ordre médical et scientifique. Le tabac est une drogue. Quand on est accro à une drogue, c'est dur de décrocher.

– Comment as-tu réussi à passer au travers ? Nous n'avions rien de plus pressé que d'en griller une après les matches, dès qu'on mettait le pied à Windsor, pour en mettre plein la vue à tout le monde. Mais toi, non. Comment se fait-il que tu n'aies jamais donné dans le tabagisme ?

– C'est simple : j'ai été témoin très jeune d'une scène qui m'a marqué. (Comme Lynley lui lançait un regard interrogateur, Saint James expliqua :) Ma mère a pincé David avec un paquet de Dunhill alors qu'il avait douze ans. Elle l'a bouclé dans les cabinets et l'a obligé à fumer tout le paquet. Et elle nous a enfermés dans les WC avec lui.

– Pour fumer ?

– Pour regarder. Ma mère ne jurait que par les leçons de choses.

– Ça a marché.

– Avec moi, oui. Et avec Andrew aussi. Mais Sid et David ont pris un malin plaisir à faire râler maman. Sid a fumé comme un pompier jusqu'à l'âge de vingt-trois ans. Et David, lui, continue.

– N'empêche que ta mère avait raison. Au sujet du tabac.

– Bien entendu. Mais je ne suis pas sûr que ses méthodes d'éducation aient été très saines. Quand on la poussait à bout, elle devenait un vrai gendarme. Sid prétendait que c'était à cause de son prénom, qu'on ne pouvait rien attendre d'autre de quelqu'un qui s'appelait Hortense. De mon côté, je me disais que son mauvais caractère venait du fait qu'elle ne vivait pas bien sa maternité, la considérant plus comme une calamité que comme une bénédiction. Mon père rentrait toujours très tard. Elle était donc seule pour nous élever, même s'il lui arrivait d'être secondée par une gouvernante quand celle-ci avait résisté aux tentatives d'intimidation de David et Sid, qui s'arrangeaient pour faire fuir toutes les nounous les unes après les autres.

– As-tu eu le sentiment d'être maltraité ?

Saint James boutonna son pardessus. Il y avait peu de vent car l'église les protégeait des rafales qui soufflaient sur la lande mais le brouillard qui tombait était sur le point de se transformer en gel et il lui collait à la peau. Réprimant un frisson, il réfléchit à la question de Lynley.

Les colères maternelles ne lui avaient jamais paru terrifiantes. Quand on la contrariait, sa mère se transformait en Médée. Elle avait la main leste, elle criait et, lorsque l'un de ses enfants s'était rendu coupable d'une incartade, elle lui en tenait rigueur pendant des heures, voire même des jours. Elle n'agissait jamais sans une bonne raison, elle ne punissait jamais sans fournir d'explication. Pourtant certains éducateurs auraient trouvé beaucoup à redire à son comportement.

– Non, dit-il, convaincu de dire la vérité. Nous étions turbulents. Elle faisait de son mieux.

Lynley hocha la tête et se replongea dans l'examen de l'église. Saint James, lui, songeait qu'il n'y avait pas grand-chose à voir. Le clair de lune frappait les bords crénelés du toit et nimbait d'argent les contours d'un arbre du cimetière. Le reste n'était que ténèbres et ombres. L'horloge de la tour. Le petit toit qui surmontait le porche d'entrée du cimetière. Le porche nord. C'était bientôt l'heure de l'office du soir. Mais, dans l'église, personne ne vaquait aux préparatifs nécessaires.

Saint James attendit, observant son ami. Ils avaient emporté le carton *divers*, que Saint James portait sous son bras. Il le posa par terre et souffla dans ses mains pour les réchauffer. Son geste arracha Lynley à ses méditations.

– Excuse-moi. On ferait mieux de s'en aller. Deborah va se demander où nous sommes passés. Je réfléchissais, expliqua-t-il sans bouger pour autant.

– Aux mères qui maltraitent leurs enfants ?

– En partie, oui. Mais surtout à la façon dont tout ça colle. Si ça colle. S'il existe une possibilité que quelque chose colle.

– La petite ne t'a rien dit qui puisse te permettre de penser qu'elle ait été victime de sévices quand tu l'as vue ce matin ?

– Maggie ? Non. Mais pourquoi se serait-elle confiée à moi ? S'il est vrai qu'elle a fait des confidences à Sage – lequel aurait décidé de prendre des mesures qui lui ont finalement coûté la vie –, je doute qu'elle ait eu envie de se confier à quelqu'un d'autre. La pauvre gamine doit se sentir responsable de ce qui est arrivé au pasteur.

– Cette idée n'a pas l'air de t'enthousiasmer, malgré ton coup de fil aux services sociaux.

Lynley hocha la tête.

– « Lorsque le pécheur se détourne du péché qu'il a commis pour pratiquer le droit et la justice, il sauvera sa vie. » Est-ce que ce passage d'Ezéchiel concernait Juliet Spence ou Sage lui-même ?

– Ni l'un ni l'autre, probablement. Si ça se trouve, tu es en train d'échafauder une théorie sur du sable : c'est peut-être par hasard que le signet se trouvait à cet endroit. Ou peut-être que ce texte se rapportait à quelqu'un d'autre. C'était sans doute un passage de la Bible dont Sage s'était servi pour réconforter un pécheur venu se confesser. Ou alors, il utilisait peut-être ce verset pour rameuter des fidèles. « Observer les commandements, pratiquer la justice et le droit », c'était adorer Dieu le dimanche.

– Je n'avais pas pensé à la confession, reconnut Lynley. Mes péchés, je les garde pour moi. C'est pourquoi j'ai du mal à concevoir que les autres puissent les déballer devant témoin. Mais imagine que quelqu'un se soit confessé à Sage et s'en soit ensuite mordu les doigts ?

Saint James réfléchit.

– Cela semble peu probable, Tommy. Car si je te suis bien, il aurait fallu que ce pénitent sache que Sage allait chez Juliet Spence ce soir-là. Or qui était au courant, pour ce dîner ? (Il se mit à énumérer.) Mrs. Spence. Maggie...

Une porte claqua et l'écho s'en répercuta jusqu'à eux. Entendant des pas précipités, ils se retournèrent. Colin Shepherd ouvrait la portière de sa Land Rover. En les apercevant, il marqua un temps d'arrêt.

– Et le constable, bien sûr, murmura Lynley, se déplaçant pour aller intercepter Shepherd.

Dans un premier temps, Saint James resta au bout de l'allée, à quelques mètres de distance. Il vit Lynley s'immobiliser un petit instant devant le cône de lumière projeté par le plafonnier de la Rover. Il le vit retirer les mains de ses poches et constata non sans une certaine stupeur que son poing droit était fermé. Saint James, qui connaissait son ami, décida de le rejoindre.

Lynley disait d'un ton à la fois aimable et glacial :

– Vous avez eu un accident, constable ?

– Non, fit Shepherd.

– Qu'est-il arrivé à votre visage ?

Saint James atteignit le cône de lumière. Le visage du constable était abîmé au front et aux joues, qui portaient des marques rouges. Du doigt, Shepherd toucha les égratignures.

– Ça ? Je jouais avec le chien. A Cotes Fell. Je vous ai vu là-bas aujourd'hui.

– A Cotes Fell ?

– Au manoir. Du haut de la colline, on a une excellente vue sur Cotes Hall. C'est bien simple : on voit tout. Le manoir, le cottage, le parc. Tout. C'est un excellent poste d'observation pour quiconque a envie de savoir ce qui se passe en bas.

– Et si vous cessiez de tourner autour du pot, constable ? J'imagine qu'en dehors de ce qui est arrivé à votre figure, vous avez quelque chose à me dire ?

– On distingue les moindres allées et venues, on voit si le cottage est fermé, qui travaille au manoir.

– Et on sait également, finit Lynley, quand le cottage est vide, où est accrochée la clé de la cave à provisions. C'est ça que vous essayez de me dire, n'est-ce pas ? Pendant que vous y êtes, vous avez peut-être une accusation à formuler ?

Shepherd portait une torche. Il la jeta sur le siège avant de la Rover.

– Pourquoi ne me demandez-vous pas ce qui se passe à Cotes Fell ? Ni qui s'amuse à grimper là-haut ?

– Vous, si j'ai bien compris. Vous venez de me le dire à l'instant. Peut-être imprudent de votre part, non ?

Le constable émit un grognement de dédain. Il commença à monter dans la voiture. Lynley l'interrompit.

– Vous semblez avoir renoncé à la théorie de l'accident à laquelle vous adhériez hier. Je peux savoir pourquoi ? Est-ce que vous auriez fait une découverte de nature à vous persuader que votre enquête laissait à désirer ?

– C'est vous qui le dites, pas moi. Si vous êtes là, c'est parce que vous l'avez bien voulu. Personne ne vous a appelé. Je vous serais reconnaissant de vous en souvenir.

La main sur le volant, il s'apprêta à s'asseoir sur la banquette.

– Vous avez approfondi la question de son voyage à Londres ? questionna Lynley.

– Quel voyage ? fit Shepherd, méfiant.

– Mr. Sage s'est rendu à Londres dans les jours qui ont précédé sa mort. Vous le saviez ?

– Non.

– Polly Yarkin ne vous a pas mis au courant ? Est-ce que vous avez interrogé Polly ? C'était sa gouvernante, après tout. Elle devait en savoir plus long sur lui que bien des gens. C'est elle qui...

– J'ai parlé à Polly. Mais je ne l'ai pas interrogée. Il n'y a pas eu d'interrogatoire officiel.

– Alors officieusement. Récemment, peut-être ? Aujourd'hui, même ?

Il y eut un silence.

Shepherd ôta ses lunettes que la brume avait embuées. Il les essuya sur sa veste.

– Et vous avez également cassé vos lunettes, remarqua Lynley.

Saint James constata qu'elles tenaient à l'aide d'un morceau de sparadrap.

– Vous vous êtes fichtrement dépensé, avec le chien, à Cotes Fell.

Shepherd remit ses lunettes. Il plongea la main dans sa poche et en retira un jeu de clés. Puis il fixa Lynley.

– Maggie Spence a disparu. Si vous n'avez rien d'autre à me dire, inspecteur, je file. Juliet m'attend. Elle est sens dessus dessous. De toute évidence, vous ne lui avez pas dit que vous comptiez vous rendre à l'école pour parler à Maggie. Et si j'en crois la directrice, vous l'avez vue seul à seul. C'est comme ça qu'on opère, au Yard, maintenant ?

Touché, songea Saint James. Le constable ne semblait pas décidé à se laisser intimider. Il avait des munitions et le cran de s'en servir.

– Est-ce que vous avez essayé de savoir s'il y avait un lien entre eux, Mr. Shepherd ? Est-ce que vous avez cherché à en apprendre davantage ?

– Mon enquête a été faite dans les règles. Clitheroe n'y a rien trouvé à redire. Et le coroner non plus. S'il existe un lien que je n'ai pas réussi à découvrir, ce n'est sûrement pas un lien qui le rattache à Juliet. Elle n'a rien à voir avec son décès, je suis prêt à le parier. Et maintenant si vous voulez bien m'excuser...

Il se hissa dans la voiture, mit le contact. Le moteur rugit, les phares s'allumèrent. Il fit grincer les vitesses pour passer la marche arrière.

Lynley se pencha par la vitre pour ajouter quelques mots. Et tout ce que Saint James put saisir se résuma à :

– ... ceci avec vous.

Tandis que Lynley fourrait quelque chose dans la main de Shepherd. Puis la voiture glissa le long de l'allée jusqu'à la rue, les vitesses grincèrent de nouveau. Et le constable s'éloigna.

Lynley le regarda partir. Saint James observa Lynley. Son visage était sombre.

– Dommage que je ne ressemble pas davantage à mon père, dit Lynley. Lui l'aurait traîné de force dans la rue pour lui casser la figure avant de lui briser six ou sept doigts. Il a fait ça, une fois, devant un pub à St. Just. Il avait vingt-deux ans. Ma tante Agatha était amoureuse d'un type qui l'avait plaquée. « Si cet abruti croit qu'il peut briser le cœur de ma sœur sans que je réagisse, il se trompe. »

– La violence ne résout rien.

– Non, soupira Lynley. Mais ça défoule.

Ils redescendirent l'allée pour récupérer le carton *divers* que Lynley fourra sous son bras. A quatre cents mètres de là environ, ils virent briller les feux arrière de la Land Rover. Shepherd s'était arrêté sur le bas-côté. Ils l'observèrent un instant pour voir s'il repartait. Voyant qu'il ne bougeait pas, ils se mirent en route pour regagner l'auberge.

– Et maintenant ?

– Londres, fit Lynley. C'est la seule direction que je voie pour l'instant.

– Tu vas faire appel à Havers ?

– Non. Je vais devoir m'y coller moi-même. Comme je l'ai expédiée à Truro à mes frais, avec ma carte de crédit, je doute qu'elle se dépêche de rentrer. Il lui faudra au moins trois jours pour effectuer l'aller-retour. Et en première classe, encore. Il va donc falloir que je me farcisse le voyage à Londres.

– Qu'est-ce que je peux faire pour toi ?

– Rien. Profite de tes vacances. Emmène Deborah faire un tour. En Cumbria, par exemple.

– Du côté des lacs ?

– C'est une idée. Je me suis laissé dire qu'Aspatria était charmant en janvier.

Saint James sourit.

– Ça fait une sacrée trotte, si on veut faire l'aller-retour dans la journée. Il va falloir qu'on se lève au moins à cinq heures. Tu me devras une fière chandelle, Tommy. Et pour peu que je fasse chou blanc concernant Mrs. Spence, ça te coûtera encore plus cher.

– Comme d'habitude.

Devant eux, un chat noir fila entre deux immeubles, quelque chose de gris et de flasque dans la gueule. L'animal déposa sa proie sur le trottoir et, en bon félin, se mit à lui donner de petits coups de patte, jouant avec la bestiole avant de la clouer définitivement au sol. Lorsqu'ils approchèrent, le chat se figea, penché sur sa prise, le poil hérissé. Saint James aperçut un petit rat qui, prisonnier des griffes du chat, clignait désespérément des yeux. Il songea un instant à faire déguerpir le chat afin de mettre un terme à ce jeu cruel. Mais les rats véhiculaient de sales maladies. Mieux valait donc laisser le chat finir son travail.

– Qu'aurais-tu fait si Polly avait prononcé le nom de Shepherd ? demanda-t-il à son ami.

– Je l'aurais arrêté, ce salopard. Remis entre les mains de la Criminelle de Clitheroe. Je l'aurais fait virer de la police.

– Et comme elle ne l'a pas nommé ?

– Il va falloir que je prenne le problème par un autre bout.

– Tu vas lui casser la figure ?

– Métaphoriquement. Je suis le fils de mon père, après tout. Même si je ne vais pas jusqu'à me livrer à des voies de fait.

– Qu'as-tu remis à Shepherd avant qu'il démarre ?

Lynley remonta le carton qu'il tenait sous le bras et qui avait glissé.

– De quoi le faire réfléchir.

Colin se souvenait avec netteté de la dernière fois que son père l'avait frappé. Il avait seize ans. Trop fougueux pour penser aux conséquences de son acte, il s'était levé afin de prendre la défense de sa mère. Repoussant sa chaise de la table du dîner – il entendait encore le grincement des pieds sur le carrelage –, il avait hurlé « Fous-lui la paix, p'pa ! » avant d'attraper son père par le bras pour l'empêcher de continuer à la gifler.

P'pa se fichait en rogne pour tout et n'importe quoi, et il était d'autant plus redoutable qu'on ne savait jamais quand il allait se déchaîner. Le plus petit rien suffisait à le mettre hors de lui. La cuisson du rôti. Un bouton manquant à sa chemise. Une demande d'argent pour payer la note du gaz. Une remarque sur l'heure à laquelle il était rentré la veille. Ce soir-là, ç'avait été un coup de fil du prof de biologie de Colin. Colin avait raté un contrôle, il n'avait pas appris ses leçons. Y avait-il un problème à la maison, s'était enquis Mr. Tarville.

Sa mère avait abordé le sujet à table avec prudence, comme si elle tentait de faire passer un message que son fils ne devait pas comprendre.

– Le prof de Colin m'a demandé s'il y avait des problèmes à la maison, Ken. Il a dit qu'on pourrait peut-être consulter un conseiller...

Elle n'avait pas réussi à aller plus loin.

– Un conseiller ? C'est ça que t'as dit ? Un conseiller ? avait dit p'pa d'un ton indiquant qu'elle aurait mieux fait de manger en silence et de garder pour elle le coup de téléphone de l'enseignant.

– Comment veux-tu que Colin étudie, Ken ? Avec tout ce vacarme à la maison.

Mais son intonation qui s'efforçait d'être raisonnable ne faisait que trahir sa peur.

Or p'pa, la peur, c'était sa drogue. C'était ça qui le motivait.

Il reposa son couteau puis sa fourchette sur la nappe. Il recula sa chaise de la table.

– Parle-moi un peu de ce vacarme, Clare.

Et comme elle se taisait, comprenant où il voulait en venir, il insista :

– Non. Sérieusement. Raconte-moi.

Et voyant qu'elle continuait de se taire, il se leva.

– Réponds-moi, Clare.

– C'est rien, Ken. Mange.

Il ne lui en fallut pas plus pour se jeter sur elle.

Il l'avait déjà frappée à trois reprises – la tenant par les cheveux d'une main, la giflant de l'autre – lorsque Colin lui sauta dessus. La réaction de son père fut identique à ce qu'elle avait été depuis l'enfance de Colin. Si les femmes étaient faites pour recevoir des claques, les garçons, eux, étaient faits pour encaisser des coups de poing.

A la différence près que, cette fois-ci, Colin n'avait plus huit ans. Certes il avait toujours la trouille de son père, mais il était fou de rage. Et la colère et la peur lui envoyèrent une décharge d'adrénaline dans le corps. Aussi lorsque p'pa le frappa, pour la première fois de son existence Colin lui rendit le coup. P'pa mit plus de cinq minutes à le mater. A coups de poing, de pied et de ceinture. Mais lorsqu'il eut terminé, le rapport des forces avait changé.

– La prochaine fois, je te tue, salopard. Tu verras, si je le fais pas.

A peine Colin eut-il prononcé ces mots qu'il lut sur le visage de son père qu'il était, lui aussi, capable d'inspirer de la peur à quelqu'un.

Colin avait été fier de constater que, grâce à son intervention, son père n'avait plus jamais tabassé sa mère. Celle-ci avait fait une demande de divorce un mois plus tard. C'était grâce à lui s'ils avaient été débarrassés de cette ordure. Il s'était juré de ne jamais lui ressembler. Et jamais il n'avait frappé quiconque. Avant de s'en prendre à Polly.

Sur le bas-côté de la route qui filait loin de Winslough, Colin était assis dans sa Land Rover et roulait entre ses doigts le morceau de tissu provenant de la jupe de Polly, que l'inspecteur lui avait fourré dans la main. Quel plaisir ç'avait été pour lui... La chair de Polly contre sa paume; le tissu déchiré en deux temps trois mouvements; le goût salé de sa peur; ses cris, ses supplications, et surtout son sanglot étouffé de douleur – fini les soupirs de la luxure, Polly, c'est ça que tu voulais ? C'est comme ça que tu espérais que ça se passerait entre nous, cette fois ?; et enfin le sentiment de triomphe avec lequel il avait accepté sa reddition. Il l'avait forcée, pilonnée, humiliée, ne cessant de la traiter de salope, de conne, de pouffiasse, de truie, d'une voix identique à celle de son père.

Il avait agi poussé par la rage, le désespoir, le désir frénétique d'éloigner le souvenir d'Annie, la vérité d'Annie.

Colin se plaqua le bout de tissu sur les yeux et s'efforça de ne penser ni à Polly ni à sa femme. Tandis qu'Annie se mourait, il avait enfreint toutes les règles, erré dans les ténèbres et s'était perdu quelque part entre dépression et désespoir. Depuis sa mort, il passait son temps à essayer de récrire l'histoire de son abominable maladie et à tenter de ressusciter l'image d'un mariage parfait. Il lui avait été tellement plus facile de vivre dans le mensonge plutôt que d'affronter la vérité que, lorsque Polly avait essayé de lui dessiller les yeux au presbytère, Colin l'avait frappée autant pour sauvegarder à tout prix ce mensonge que pour lui faire mal.

Il avait toujours pensé s'en sortir grâce à cette fable dont les éléments fondamentaux étaient la délicatesse de leurs relations, la certitude qu'Annie lui permettait de connaître la chaleur et la tendresse, la compréhension, la compassion et l'amour. Dans cette fiction il y avait aussi un récit complet de sa maladie, détaillant sa souffrance muette, expliquant ses tentatives pour la sauver, et, pour finir, la calme acceptation de son impuissance. La fable le montrait debout à son chevet, lui tenant la main, s'efforçant de graver dans sa mémoire la couleur de ses yeux avant qu'elle les ferme à jamais. La fable voulait que, bien que s'en allant par petits bouts, Annie conservât intacts son optimisme et son intelligence.

Vous oublierez tout ça, lui avaient affirmé les villageois à l'enterrement. Avec le temps, vous ne vous souviendrez que des bons moments. Et des bons moments, vous en avez connu avec elle, Colin. Laissez le temps faire son œuvre, vous verrez. Vous guérirez et vous pourrez penser à ces deux merveilleuses années vécues avec elle avant qu'elle ne tombe malade.

Mais les choses ne s'étaient pas passées ainsi. Au lieu de guérir, il avait retouché ses souvenirs. Dans sa version revue et corrigée, Annie avait accepté son sort avec élégance et dignité tandis qu'il lui apportait le réconfort de son soutien indéfectible. Oubliés les moments où elle s'abîmait dans l'amertume. Disparue sa rage à lui. L'amertume et la colère avaient cédé le pas à une nouvelle réalité venue gommer ce qu'il ne pouvait regarder en face : la haine qu'elle lui inspirait, le non-respect des vœux prononcés lors de leur mariage, la rapidité avec laquelle il avait accepté sa mort qui l'avait libéré, et le fait qu'à la fin il ne leur restait plus à partager que la maladie, et l'horreur quotidienne de devoir y faire face.

Aide-moi à me faire meilleur que je ne suis, avait-il pensé après la mort d'Annie. Ces six dernières années, il s'était efforcé de s'amender, cherchant l'oubli au lieu du pardon.

Il frotta le tissu contre son visage, qui s'accrocha aux écorchures laissées par les ongles de Polly. Le frêle chiffon était poisseux du sang de Polly et plein de l'odeur secrète de son corps.

– Pardonne-moi, Polly, murmura-t-il.

Il avait été intraitable. Annie disparue, il s'était refusé à voir Polly Yarkin seul à seul. Car elle connaissait les faits. Et elle ne lui en tenait pas rigueur. Mais le fait qu'elle sût risquait de l'empêcher de se supporter. Cela, elle n'arrivait pas à le comprendre. Elle était incapable de comprendre à quel point il était important pour eux de mener des vies séparées. Tout ce qu'elle voyait, c'était son amour pour Colin et le désir de l'aider à se remettre sur pied. Si seulement elle avait compris qu'ils avaient trop partagé de choses concernant Annie pour pouvoir partager quoi que ce soit d'autre, elle aurait appris à accepter les limites qu'il entendait donner à leurs relations après la mort de sa femme. Les ayant acceptées, elle l'aurait laissé aller son chemin sans elle. Plus tard, elle se serait réjouie d'apprendre qu'il était amoureux de Juliet. Et ainsi Robin Sage ne serait pas mort.

Colin savait ce qui s'était passé et comment elle s'y était prise. Il comprenait pourquoi elle avait agi. S'il pouvait se racheter aux yeux de Polly en gardant le silence, il le ferait. Les policiers de Scotland Yard dévideraient l'écheveau des événements le moment venu lorsqu'ils s'interrogeraient sur sa présence à Cotes Fell. Il ne la trahirait pas car il portait une grande part de responsabilité dans son geste.

Il poursuivit sa route. Contrairement à la veille, toutes les lumières étaient allumées dans le cottage lorsqu'il s'arrêta dans la cour du manoir. Juliet sortit en courant quand il ouvrit la portière de la voiture. Elle enfilait son caban. Une écharpe rouge et verte pendait à son bras telle une bannière.

– Dieu merci, te voilà, dit-elle. J'ai cru que j'allais devenir folle en t'attendant.

– Désolé. (Il descendit de la Land Rover.) Les gars de Scotland Yard m'ont intercepté juste au moment où je partais.

– Pourquoi ? fit-elle d'un ton hésitant.

– Ils venaient du presbytère.

Elle boutonna son manteau, enroula l'écharpe autour de son cou. Extirpant ses gants de sa poche, elle se mit à les enfiler.

– Je vois. C'est à cause d'eux que je me suis fait un sang d'encre, alors.

– Ils ne vont pas tarder à mettre les voiles. L'inspecteur a eu vent du voyage effectué par le pasteur à Londres la veille de... la veille de sa mort. Il va sûrement se lancer sur cette piste. Et de là, sur une autre. C'est comme ça qu'ils procèdent, ces gars-là. Pas de danger qu'il embête de nouveau Maggie.

– Oh, mon Dieu. (Les yeux baissés, Juliet n'en finissait pas d'enfiler ses gants, lissant le cuir un doigt après l'autre en un geste saccadé qui trahissait son inquiétude.) J'ai téléphoné à la police de Clitheroe. Les flics ne m'ont pas prise au sérieux. Elle a treize ans, il n'y a que trois heures qu'elle a disparu, madame. Attendez-vous à la voir débarquer à neuf heures. C'est toujours comme ça que ça se passe, avec les gosses. Mais c'est faux, Colin. Il arrive qu'ils ne reparaissent pas. Maggie ne reviendra pas. Je ne sais même pas où aller la chercher. Josie m'a dit qu'elle s'était sauvée de l'école. Nick est parti à ses trousses. Il faut que je la retrouve.

Il la prit par le bras.

– Je la retrouverai, moi. Tu dois attendre ici.

Elle se libéra.

– Pas question ! Il faut que je sache... Ecoute, c'est moi qui dois la retrouver. Et personne d'autre.

– Tu dois rester au cottage. Imagine qu'elle téléphone...

– Je ne peux pas rester ici à ne rien faire.

– Tu n'as pas le choix.

– Et toi, tu ne comprends pas. Tu essaies d'être gentil. Je sais. Mais écoute-moi. Je suis certaine qu'elle ne téléphonera pas. L'inspecteur est allé la voir au lycée. Qui sait quelles bêtises il lui a fourrées dans le crâne... Je t'en prie, Colin, il faut que je la retrouve. Aide-moi.

– Entendu. Dès que j'ai du nouveau, je t'appelle. Je vais m'arrêter à Clitheroe et envoyer des hommes patrouiller dans le secteur. Nous la trouverons, je te le promets. Et maintenant, rentre.

– Non...

– Je ne vois pas d'autre moyen de procéder, Juliet. (Il la remorqua vers la maison. Elle résistait. Il ouvrit la porte.) Reste près du téléphone.

– Il lui a raconté des bêtises, répéta-t-elle. Où a-t-elle bien pu aller ? Elle n'a ni argent ni nourriture. Seulement son manteau bleu d'uniforme. Un petit manteau de rien du tout. Avec le froid qu'il fait...

– Elle ne doit pas être bien loin. Et n'oublie pas qu'elle est avec Nick. Il veillera sur elle.

– Mais imagine qu'ils fassent du stop... que quelqu'un les ait pris. Ils sont peut-être à Manchester ou à Liverpool à l'heure qu'il est.

Il lui massa les tempes avec ses doigts. Ses grands yeux sombres étaient pleins de larmes.

– Chuuuuut, murmura-t-il. Pas de panique, mon cœur. Je t'ai dit que je la retrouverais et je la retrouverai. Fais-moi confiance. Et maintenant, essaie de te calmer. (Il lui ôta son écharpe et déboutonna son manteau. Il caressa sa joue.) Prépare-lui quelque chose à manger et garde-le au chaud. Elle ne tardera pas à rentrer, je te le promets. (Il lui effleura les joues et les lèvres.) Je te le promets.

– Colin, fit-elle, déglutissant avec peine.

– Tu peux me faire confiance.

– Je sais. Tu es si bon avec nous.

– Et j'ai bien l'intention de continuer. (Doucement, il l'embrassa.) Ça ira, maintenant, mon amour ?

– Je... oui. Je vais attendre. Je ne bouge pas. (Elle prit la main de Colin et l'approcha de ses lèvres. Soudain son front se plissa. Elle l'attira vers la lumière du vestibule.) Tu t'es blessé ? Que t'est-il arrivé à la figure, Colin ?

– Ce n'est rien, ne t'inquiète pas, dit-il en l'embrassant de nouveau.

Après qu'elle l'eut regardé s'éloigner, que le bruit du moteur de la Rover se fut estompé, remplacé par le craquement des branches agitées par le vent, Juliet laissa son caban tomber de ses épaules devant la porte du cottage. Elle jeta son écharpe par-dessus mais conserva ses gants.

Elle se mit à les examiner. C'étaient de vieux gants de cuir doublés de lapin, la peau en était mince comme du papier à cigarette tellement elle les avait portés, un fil décousu pendait à la hauteur du poignet droit. Elle les appuya contre ses joues. Le cuir était frais mais elle ne pouvait se rendre compte de la température de son visage à travers, c'était comme si quelqu'un d'autre la touchait, lui prenait le visage entre les mains avec tendresse, avec amour ou par jeu.

Voilà ce qui avait tout déclenché : son besoin d'un homme. Des années durant elle avait réussi à s'en passer en s'isolant avec sa fille – courant d'un endroit à un autre, ne se fixant nulle part. Pour chasser de son esprit le désir et la douleur sourde qui l'accompagnait, elle avait focalisé son énergie sur Maggie, devenue sa raison de vivre.

Juliet savait que ses inquiétudes de ce soir, elle les devait à un aspect d'elle-même qui lui avait toujours posé problème. Désirer un homme, vouloir toucher un corps d'homme, désirer qu'il vous chevauche et connaître cette joie au moment où les corps s'unissent...

C'était le manque qui l'avait amenée aux portes de la catastrophe. Aussi était-il juste que le désir physique dont elle n'était jamais parvenue à se débarrasser totalement au cours de ces années fût à l'origine de la disparition de Maggie.

Les *si seulement* se pressaient par dizaines dans son esprit. Mais elle n'en retint qu'un car, malgré tous ses efforts, il lui était impossible d'en minimiser l'importance. Sa liaison avec Colin avait été le facteur déclenchant dans tout ce qui s'était passé avec Maggie.

C'était par Polly qu'elle en avait entendu parler, longtemps avant de le rencontrer. Et elle s'était crue à l'abri, persuadée que, comme Polly était amoureuse de cet homme, qu'il était de plusieurs années son cadet et qu'elle l'apercevait rarement, il y avait peu de chances qu'elle risquât quoi que ce soit.

Même lorsqu'il était venu lui rendre visite au cottage à titre officiel, qu'elle l'avait surpris garé dans l'allée près de la lavande, le visage sombre et désespéré, et qu'elle s'était rappelé l'histoire de sa femme telle que Polly la lui avait racontée, même lorsqu'elle avait, à la vue de son chagrin, senti s'ouvrir une brèche dans la glace de son attitude, elle n'avait pas mesuré le danger qu'il représentait pour elle, se croyant définitivement à l'abri de la faiblesse.

Ce n'est que lorsqu'il fut entré dans la maison et qu'elle le vit examiner le décor chaleureux de la cuisine avec une envie non dissimulée qu'elle se sentit pleine de compassion. Au début, s'apprêtant à remplir deux verres d'une liqueur maison, elle avait examiné à son tour la pièce, s'efforçant de comprendre ce qui pouvait l'émouvoir ainsi. Comme ce ne pouvaient être les meubles ou appareils communs à toutes cuisines – cuisinière, table, chaises, placards –, elle se demanda ce que ça pouvait être d'autre. Un homme pouvait-il être bouleversé à la vue de pots à épices, de fleurs en pots sur le rebord de la fenêtre, de bocaux posés sur le plan de travail, de deux miches de pain en train de refroidir, de vaisselle dans l'égouttoir, d'un torchon mis à sécher sur un tiroir ? Ou alors était-ce le dessin maculé de traces de doigts fixé au mur au-dessus de la cuisinière à l'aide d'un bout de ruban adhésif qui le mettait dans cet état? Deux silhouettes en jupe, bras et jambes pareils à des baguettes – dont l'une était nantie de seins évoquant des boulets de charbon –, entourées de fleurs géantes et surmontées des mots *Je t'aime, maman*, tracés par une main enfantine. Il avait regardé le dessin, l'avait regardée, elle, détourné les yeux et puis il n'avait plus su où diriger ses regards.

Pauvre homme, avait-elle pensé. Et ç'avait été pour elle le commencement de la fin. Comme elle était au courant, pour sa femme, elle s'était mise à parler et il lui avait été impossible de faire machine arrière. Pendant leur conversation, elle s'était dit, Rien qu'une fois, mon Dieu, avoir un homme à moi, rien qu'une fois, il souffre tellement, si je réussis à contrôler la situation, si lui seul éprouve du plaisir, si je ne pense pas à moi, ça ne peut pas être si mal que cela. Et tandis qu'il l'interrogeait, lui demandait pourquoi elle s'était servie de son fusil, elle l'avait fixé carrément. Elle lui avait répondu, brièvement, sans fioritures. Et au moment où il allait partir – son enquête faite, merci madame –, elle avait décidé de lui montrer son revolver pour l'empêcher de s'en aller. Elle lui fit une démonstration de tir et attendit qu'il réagisse, lui prenne l'arme des mains, la frôle en lui ôtant le revolver des doigts. Mais il n'en avait rien fait, restant à bonne distance; elle comprit alors qu'il pensait exactement la même chose, Rien qu'une fois, mon Dieu, rien qu'une fois.

Jamais il ne serait question d'amour, décida-t-elle. En effet, elle avait dix bonnes années de plus que lui, ils ne se connaissaient pas, ne s'étant pas adressé la parole avant ce jour. Et, en outre, la religion à laquelle elle avait depuis longtemps renoncé stipulait que ce n'était pas en s'adonnant aux plaisirs de la chair que l'on pouvait satisfaire les besoins de l'esprit.

Tandis que filait l'après-midi, elle s'était cramponnée à ces idées, se croyant à l'abri de l'amour. Cette fois, ce serait seulement pour le plaisir, songea-t-elle. Et après ça, terminé.

Lorsque, regardant le réveil de sa table de nuit, elle avait constaté que quatre heures s'étaient écoulées et qu'elle n'avait pas un instant pensé à Maggie, elle aurait dû se rendre compte du danger qu'il représentait. C'est à ce moment-là qu'elle aurait dû mettre un terme à l'histoire, au moment où la culpabilité arrivait au galop pour remplacer l'engourdissement délicieux qui succédait à l'orgasme. Elle aurait dû se barricader, l'éloigner à l'aide d'une remarque sarcastique et blessante. *Tu baises pas mal, pour un flic.* Mais au lieu de ça, elle avait dit :

– Oh, mon Dieu.

Et il avait compris.

– Quel égoïste je suis. Tu te fais du mauvais sang à cause de ta fille, hein ? Je file. Je suis resté trop longtemps. Je...

Lorsqu'il marqua une pause, elle ne tourna pas les yeux vers lui mais sentit sa main lui effleurer le bras.

– Je ne sais pas comment ça s'appelle, ce que je ressens. Si ce n'est qu'être avec toi comme ça... ça n'était pas suffisant. Et ça ne l'est toujours pas. Je ne comprends pas ce qui m'arrive.

Elle aurait dû rétorquer. Dis-toi que tu avais envie de tirer un coup, constable. Que t'étais pas le seul. Et qu'on est prêts à remettre ça.

Mais elle ne broncha pas. Elle l'écouta s'habiller, s'efforçant de trouver une vacherie qui lui ôterait l'envie de revenir. Lorsqu'il s'assit au bord du lit et tourna son visage vers le sien et qu'elle lut sur ses traits de l'émerveillement et de la peur, elle se dit que c'était le moment d'arrêter les frais. Au lieu de quoi, elle l'entendit qui disait :

– C'est possible, ça, que je sois déjà amoureux de toi, Juliet Spence ? En l'espace d'un après-midi ? C'est possible que ma vie change aussi vite ?

Et elle de répondre :

– Oui. Mais il ne faut pas.

– Quoi ?

– M'aimer.

Il ne comprit pas, pensant sans doute que c'était de la timidité de sa part.

– Comme si j'y pouvais quoi que ce soit, fit-il.

Lorsqu'il lui passa lentement la main le long du corps et que son corps s'avança malgré elle à sa rencontre, elle sut qu'il avait raison. Il lui téléphona le soir même bien après minuit.

– Je ne sais pas ce qui m'arrive. Je ne sais pas quel nom donner à ce qui m'arrive. Je me disais que si j'entendais ta voix... Parce que jamais je n'ai éprouvé...

Mais c'est ce que disent tous les hommes, non ? Jamais je n'ai ressenti une chose pareille, laisse-moi t'enfiler encore une ou deux fois, que j'y regoûte. C'est vrai, tu me plais ; mais y a pas que ça et je sais pas pourquoi.

Elle avait agi comme une idiote, et dans les grandes largeurs encore, parce qu'elle aimait se sentir aimée. Même Maggie n'avait pas pu l'en empêcher. Avec son air d'avoir tout compris à peine arrivée au cottage cinq minutes après le départ de Colin, son chat dans les bras, ses yeux encore rouges des larmes qu'elle avait essuyées ; sa façon d'examiner Colin en silence quand il venait dîner au cottage ou qu'il les emmenait se promener sur la lande avec son chien ; ses supplications, son refus de rester seule quand sa mère allait passer une heure ou deux chez Colin. Maggie n'avait pas réussi à la retenir. Et, au fond, c'était inutile : Juliet était consciente du caractère éphémère de ces relations amoureuses. Dès le début, elle avait compris que cet amour était de ceux qui n'ont pas d'avenir et qu'il lui faudrait engranger dans sa mémoire les moindres instants vécus en compagnie de Colin de façon à pouvoir se les repasser plus tard. Simplement, après avoir vécu au jour le jour pendant des années et dans la crainte d'un lendemain qui risquait de détruire leur existence, elle oublia qu'elle s'était efforcée de faire vivre à Maggie une vie normale en apparence. C'est pourquoi la crainte qu'avait Maggie de voir Colin envahir leur existence était bien réelle. Lui expliquer que cette crainte était infondée reviendrait à détruire son univers. Incapable de faire du mal à Maggie, Juliet ne parvenait pas non plus à renoncer à Colin. Encore une semaine, pensait-elle, mon Dieu, laissez-le-moi encore une semaine et je mettrai un terme à nos relations. Je vous le promets.

Elle avait acheté cette soirée à coups de promesses. Impossible de se le dissimuler.

Telle mère, telle fille finalement, songea Juliet.

Si Maggie couchait avec Nick, c'était plus que par volonté adolescente de se venger ; plus que l'envie de chercher un homme qu'elle pourrait appeler papa dans le secret de son cœur : c'était le sang qui parlait enfin. Pourtant Juliet savait qu'elle aurait pu empêcher l'inévitable si elle n'avait pas fréquenté Colin : elle avait donné le mauvais exemple à sa fille.

Juliet retira ses gants de cuir et les laissa tomber sur le caban et l'écharpe qui gisaient déjà par terre. Au lieu d'aller dans la cuisine préparer un dîner que sa fille ne mangerait pas, elle se dirigea vers l'escalier. Elle marqua une pause au pied des marches, une main sur la rampe, essayant de trouver la force de monter au premier. Cet escalier ressemblait à des dizaines d'autres avec sa moquette usée et ses murs nus. Les gravures, c'était une chose de plus à retirer quand on déménageait ; alors à quoi bon se donner la peine d'en accrocher ? Fais simple, fais fonctionnel. S'en tenant à ce principe, elle avait toujours refusé de décorer sa maison dans la crainte de s'y attacher.

Aventure, c'était ainsi qu'elle baptisait chaque déménagement. Allons voir le Northumberland de plus près. De la fuite, elle avait essayé de faire un jeu. Ce n'était que lorsqu'elle avait cessé de fuir qu'elle avait perdu la partie.

Elle monta l'escalier, le cœur serré par la terreur. Pourquoi s'est-elle sauvée ? se demanda Juliet. Que lui a-t-on raconté ? Que sait-elle ?

La porte de la chambre de Maggie était entrebâillée, elle la poussa. Le clair de lune brillait à travers les branches du tilleul devant la fenêtre et dessinait une forme zigzagante sur le lit. Le petit chat de Maggie était roulé en boule sur la couverture, la tête entre les pattes, feignant de dormir afin que Juliet le laisse tranquille. Punkin avait été le premier point sur lequel Juliet avait cédé. *Maman, j'aimerais tellement avoir un chat, s'il te plaît.* Ce n'était pas une requête déraisonnable, après tout. Ce qu'elle n'avait pas compris sur le moment, c'était que la joie de faire plaisir à Maggie l'inciterait à recommencer. Au début, ç'avaient été des petits riens – une soirée pyjama chez ses copines, un voyage à Lancaster avec Josie et sa mère –, mais petit à petit, ils avaient fini par donner à Maggie l'impression d'avoir des racines à Winslough, d'y être chez elle. Finalement, elle avait demandé à sa mère si elles ne pouvaient pas se fixer dans ce village. Et ainsi elle avait rencontré Nick, puis le pasteur...

Juliet s'assit au bord du lit et alluma la lumière. Punkin enfouit son museau plus profond entre ses pattes, mais se trahit en remuant la queue. Juliet lui caressa la tête, passa la main le long de son échine souple. Il aurait pu être plus propre. Seulement il passait trop de temps à rôder dans le bois. Dans six mois, il n'aurait plus rien d'un chat apprivoisé, l'instinct reprenant le dessus, il retournerait à l'état sauvage.

Par terre, près du lit, gisait l'album de Maggie avec sa couverture craquelée, ses pages cornées au point de tomber en miettes par endroits. Juliet s'en empara et le posa sur ses genoux. L'album offert à sa fille pour son sixième anniversaire s'intitulait *Temps forts de la vie de Maggie*. En tâtant les feuillets, Juliet s'aperçut qu'il était plein à craquer. Jamais elle n'avait songé à le parcourir – c'eût été faire intrusion dans l'univers intime de Maggie. Aujourd'hui, elle décida d'y jeter un coup d'œil, poussée non par la curiosité mais par le besoin de comprendre.

La première partie renfermait des souvenirs d'enfance. Main d'adulte et main enfantine accompagnées de ces mots *Maman et moi.* Rédaction sur le thème : « Mon chien », avec cette annotation du professeur : « Ce Fred doit être un bien charmant animal de compagnie, Margaret. » Programme d'un récital donné à Noël par la chorale dont Maggie faisait partie et qui avait interprété un ambitieux extrait du *Messie* de Haendel. Récompense sous forme de ruban pour un dossier sur les plantes. Cartes postales de vacances passées à camper dans les Hébrides, à Holy Island, dans la région des lacs. Juliet feuilleta les pages. Du bout des doigts, elle effleura le dessin représentant les deux mains, le ruban, étudia les photos de sa fille. Ces documents retraçaient l'histoire de leurs vies, ce qu'elle avait réussi à construire avec sa fille sur du sable.

La seconde partie de l'album indiquait à quel prix cet édifice avait été réalisé. Elle comportait une collection de coupures de journaux et de magazines sur la course automobile. Parmi ces coupures figuraient des photos d'hommes. Pour la première fois, Juliet mesura l'ampleur que la phrase *il est mort dans un accident d'automobile, ma chérie* avait prise dans l'imagination de Maggie. A partir de ces révélations laconiques, Maggie s'était inventé un père. Ses pères étaient tous vainqueurs à Indianapolis, Monte-Carlo ou au Mans. Ils jaillissaient de voitures en flammes sur une piste italienne et s'éloignaient, tête haute. Ils perdaient une roue, percutaient des murets, débouchaient des bouteilles de champagne et brandissaient des trophées. Ils avaient tous un point commun : ils étaient vivants.

Juliet referma l'album et posa les mains sur la couverture. Ce que j'ai fait, Maggie, c'était pour te protéger. Quand on est mère, Maggie, on peut tout supporter, sauf perdre son enfant. Le reste, on peut l'encaisser – la perte de ses biens, de sa maison, de son boulot, de son amant, de son mari, de son mode de vie. Mais perdre un enfant, il n'y a rien de pire pour une mère, ça vous anéantit. C'est pourquoi on évite soigneusement de prendre des risques.

Tu ne le sais pas encore, ma chérie, parce que tu n'as pas vécu le moment où tes muscles se contractent et où le besoin d'expulser et de crier provoque l'apparition de ce petit paquet de chair qui braille, respire, se love contre ton ventre, sa nudité contre la tienne, totalement dépendant de toi, aveugle encore, ses mains se fermant par réflexe. Et une fois que tu tiens ces doigts entre les tiens... non, même pas... une fois que tu as regardé cette vie que tu as créée, tu sais que tu es prête à faire et endurer n'importe quoi pour la protéger. Dans son intérêt, bien sûr, mais dans le tien également.

Et c'est là, la plus impardonnable de mes fautes, Maggie, ma chérie. J'ai inversé le processus et j'ai menti ce faisant, parce que je ne pouvais supporter l'immensité de ma perte. Mais maintenant je vais te dire la vérité. Ce que j'ai fait, je l'ai fait en partie pour toi, ma petite fille. Mais ce que j'ai fait il y a bien longtemps, c'est pour moi surtout que je l'ai fait.

22

– Tu crois que c'est raisonnable de s'arrêter maintenant, Nick ? fit Maggie d'une voix aussi ferme que possible.

Les mâchoires lui faisaient mal tellement elle les serrait pour s'empêcher de claquer des dents. Bien qu'ayant gardé les mains dans ses poches pendant tout le trajet, elle ne sentait plus le bout de ses doigts. La marche l'avait épuisée et ses muscles étaient douloureux à force d'avoir bondi derrière haies, murets et fossés au moindre bruit de moteur de voiture. Mais il était encore relativement tôt bien qu'il fît nuit et elle savait que l'obscurité les aidait dans leur fuite.

Ils s'étaient tenus à l'écart de la route chaque fois que ç'avait été possible, piquant vers le sud-ouest et Blackpool. Le trajet à travers champs et sur la lande n'avait pas été facile, mais Nick avait refusé de fouler le macadam tant qu'ils n'auraient pas mis au moins huit kilomètres entre Clitheroe et eux. Même alors, il n'avait pas voulu emprunter la route menant à Longridge où ils comptaient faire du stop pour gagner Blackpool. Il avait décidé qu'ils continueraient par les petits chemins tortueux, longeant les fermes, traversant les hameaux, passant à travers champs quand ils ne pouvaient faire autrement. Cet itinéraire rallongeait considérablement le trajet jusqu'à Longridge mais il était plus sûr, et elle le remercierait de l'avoir pris. A Longridge, ils ne risqueraient pas d'attirer l'attention. Mais en attendant, pas question de cheminer le long de la route.

Maggie n'avait pas de montre mais elle savait qu'il ne

devait pas être plus de huit heures, huit heures et demie. Elle avait l'impression qu'il était plus tard que ça ; mais c'était parce qu'ils étaient fatigués, qu'il faisait froid et que les provisions que Nick avait pu se procurer étaient depuis longtemps épuisées. Forcément, elles avaient été maigres, ces provisions. Que pouvait-on espérer acheter avec trois livres à peine ? Après les avoir équitablement réparties et s'être promis de les faire durer jusqu'au matin, ils avaient dévoré les chips, croqué les pommes pour apaiser leur soif puis englouti les biscuits afin de combler leur envie de sucre. Son casse-croûte terminé, Nick avait fumé cigarette sur cigarette pour tromper sa faim. Maggie avait essayé de ne pas penser à ses propres tiraillements d'estomac et elle y était parvenue d'autant plus facilement que le froid pinçait horriblement, lui permettant de se concentrer sur autre chose. Ses oreilles étaient gelées.

Nick escaladait un muret de pierres sèches lorsque Maggie reprit :

– On peut pas s'arrêter maintenant, Nick. On n'a pas fait assez de chemin. Et puis d'abord, où est-ce que tu nous emmènes ?

Il désigna du doigt trois rectangles de lumière de l'autre côté du petit mur qu'il venait de franchir.

– Dans cette ferme. Il doit y avoir une grange. On pourra y coucher.

– Tu veux qu'on couche dans une *grange* ?

Il ramena ses cheveux en arrière.

– Qu'est-ce que tu veux faire d'autre ? On peut pas prendre une chambre quelque part. On n'a pas de fric.

– Mais je croyais...

Plissant les yeux, elle hésita. Qu'est-ce qu'elle s'était imaginé ? Qu'elle allait s'enfuir, ne revoir personne hormis Nick, cesser de penser, cesser de se poser des questions, trouver un endroit où se cacher ?

Il attendait. Plongeant la main dans sa poche, il en sortit ses Marlboro. Il secoua le paquet, en fit tomber la dernière cigarette dans sa paume. Comme il allait froisser le paquet, Maggie remarqua :

– Tu devrais peut-être la garder. Pour plus tard.

– Non.

Il écrasa le paquet et le jeta par terre. Il alluma sa cigarette tandis qu'elle enjambait le muret. Elle récupéra le papier, le défroissa, le plia et le mit dans sa poche.

– Des fois qu'ils nous chercheraient, faut pas laisser de traces.

Il hocha la tête.

– T'as raison, allez, viens.

Il lui prit la main et la remorqua vers les lumières.

– Pourquoi on s'arrête maintenant ? questionna-t-elle de nouveau. C'est pas un peu tôt ?

Il regarda le ciel nocturne, la position de la lune.

– Ouais, peut-être, fit-il en fumant d'un air pensif. Ecoute, on va se reposer un petit moment ici, on dormira plus tard ailleurs. T'es pas crevée ? T'as pas envie de t'asseoir un peu ?

Bien sûr que si. Seulement elle avait l'impression que si elle s'asseyait, elle n'arriverait pas à se relever. Et puis les chaussures qu'elle avait aux pieds n'étaient pas idéales pour faire de la marche.

– Je sais pas... dit-elle, frissonnant.

– Et t'as besoin de te réchauffer, ajouta-t-il d'un ton décidé, l'entraînant résolument vers les lumières.

Le champ qu'ils traversèrent était un pâturage au sol bosselé, recouvert par places de crottes de mouton qui se détachaient sur le sol gelé telles des ombres. Maggie marcha en plein dans un tas de crottes, glissa et faillit dégringoler. Nick la rattrapa de justesse.

– Fais gaffe, Mag, c'est plein de merde ici. (Avec un rire, il ajouta :) T'as du pot que ça soit pas de la bouse de vache.

Il lui serra le bras et lui proposa de tirer une bouffée de sa cigarette. Elle la prit, tira dessus et rejeta la fumée par le nez.

– Finis-la, dit-elle.

Il ne se fit pas prier. Il accéléra l'allure pour traverser le champ mais ralentit brusquement lorsqu'ils furent presque de l'autre côté. Un gros troupeau de moutons se pressait contre la barrière, monceau de neige sale dans l'obscurité. Baissant la voix, Nick fit : « Heee, ooohhh » tandis qu'ils arrivaient à la hauteur des bêtes et tendit le bras. Comme en réponse à un signal, les animaux se bousculèrent, s'écartant pour céder le passage à Nick et Maggie, mais dans le calme, sans bêlement ni nervosité.

– Tu sais t'y prendre, apprécia Maggie. Tu sais vraiment y faire.

– Les moutons, c'est pas sorcier.

– Peut-être, n'empêche que tu sais toujours comment manœuvrer. C'est ce que j'aime chez toi, Nick.

Il tourna les yeux vers la ferme.

– Je me débrouille, avec les moutons.

– Pas seulement avec les moutons, je t'assure.

Il s'accroupit près de la barrière, repoussant une brebis. Maggie s'accroupit à ses côtés. Il fit rouler sa cigarette entre ses doigts et prit une longue inspiration comme s'il allait parler.

– Quoi ? fit Maggie.

De la tête, il fit non. Ses cheveux lui tombèrent sur le front et la joue et il se concentra sur sa cigarette. Maggie lui serra le bras et s'appuya contre lui. On était bien, là, la laine et le souffle des animaux les réchauffaient. Pour un peu elle y aurait passé la nuit. Elle leva la tête.

– Les étoiles. J'ai toujours rêvé de connaître leur nom. Mais la seule que je connais, c'est l'étoile du Nord, la plus brillante. (Elle se retourna.) Ça doit être... (Elle fronça les sourcils. Si Longridge était à l'ouest de Clitheroe, l'étoile du Nord devait se trouver...) Nick. J'arrive pas à repérer l'étoile du Nord. On est perdus ?

– Comment ça, perdus ?

– Je crois qu'on va dans la mauvaise direction parce que l'étoile du Nord n'est pas où...

– On peut pas se fier aux étoiles pour se guider, Mag. Faut qu'on se fie au terrain.

– Qu'est-ce que tu veux dire ? Comment tu peux savoir dans quelle direction tu vas si tu te fies au terrain ?

– J'ai toujours vécu dans cette région, c'est pour ça que je le sais. On peut pas escalader et descendre les collines en pleine nuit. Et c'est ce qu'on serait obligés de faire si on piquait droit sur l'ouest. Faut qu'on les contourne.

– Mais...

Il écrasa sa cigarette contre la semelle de sa chaussure. Se redressa.

– Viens. (Il enjamba la barrière et, se retournant, lui tendit la main pour l'aider.) Et maintenant, plus un mot. Il doit y avoir des chiens.

Ils se glissèrent dans l'enclos réservé aux chevaux sans une parole ; le seul bruit qu'on entendait provenait de leurs semelles, qui craquaient sur le sol gelé. Arrivé de l'autre côté de l'enclos, Nick se baissa et examina les alentours. Maggie l'observa.

– La grange est à l'autre bout de la cour. Quelle gadoue. Cramponne-toi à moi. Ça va pas être de la tarte.

– Les chiens ?

– Je ne les vois pas. Mais ils ne doivent pas être loin.

– Et s'ils aboient, s'ils nous poursuivent, qu'est-ce qu'on...

– T'inquiète pas. Viens.

Il enjamba le muret. Elle le suivit, s'écorchant au passage le genou contre une pierre. Elle étouffa un cri. Son collant fila. Au point où elle en était, elle n'allait pas faire une histoire pour une écorchure. Stoïque, elle se laissa tomber sur le sol sans même une grimace de douleur. Des fougères denses bordaient le mur. Plus on s'en éloignait et se dirigeait vers la cour, plus le sol truffé de nids-de-poule devenait boueux. Chaque pas s'accompagnait d'un bruit de succion. Maggie sentait ses pieds s'enfoncer dans la gadoue, qui s'insinuait dans ses chaussures. Elle frissonna. Juste au moment où elle murmurait : « Nick, j'ai du mal à décoller les pieds », les chiens firent leur apparition.

D'abord ce furent des aboiements. Puis, jaillissant des communs, trois colleys traversèrent la cour à la vitesse de l'éclair, aboyant et montrant les dents. Nick poussa vivement Maggie derrière lui. Les chiens de berger écossais s'immobilisèrent à moins de deux mètres, grondant, prêts à bondir.

Nick tendit la main.

– Non, chuchota Maggie.

D'un œil craintif, elle regarda la ferme, s'attendant à ce que la porte s'ouvre et à ce que le fermier sorte. Rouge de colère, il leur crierait après. Il téléphonerait à la police. Après tout, ils étaient sur ses terres.

Les chiens se mirent à hurler.

– Nick !

Nick s'accroupit.

– Eh ben, grands crétins. Si vous croyez me faire peur.

Et de siffler tout doucement.

Ce fut magique. Les bergers se calmèrent et s'approchèrent pour lui renifler la main. Nick les caressa à tour de rôle, riant, leur tirant les oreilles.

– Vous nous mordrez pas, hein, grands crétins ?

Pour toute réponse, ils agitèrent la queue et l'un

d'eux lécha la joue de Nick. Lorsque l'adolescent se releva, ils l'entourèrent et l'escortèrent dans la cour.

Maggie ne cessait de regarder les bergers tout en pataugeant dans la boue.

– Comment t'as fait, Nick ?

– C'est rien, c'est des chiens, Mag, fit-il en la prenant par la main.

La vieille grange de pierre, partie intégrante d'un corps de bâtiment tout en longueur, se dressait en face de la ferme. Un étroit cottage la jouxtait, au premier étage duquel, derrière un rideau, une lumière brillait. Ç'avait dû être la ferme d'origine, un grenier avec un hangar en dessous. Le grenier avait été ultérieurement aménagé pour loger un métayer et sa famille. On accédait à ce logement au moyen d'un escalier menant à une porte rouge surmontée d'une ampoule nue qui était allumée. Au-dessous se trouvait le hangar à voitures muni d'une seule fenêtre sans vitres et d'une porte cintrée.

Nick examina le hangar puis la grange. Immense, cette dernière était une ancienne étable qui tombait en ruine. Le clair de lune illuminait son toit affaissé, sa rangée d'ouvertures pour le foin à l'étage et ses vastes portes dont le bois fissuré se gondolait. Tandis que les chiens leur reniflaient les pieds, Maggie attendit, les bras serrés, que Nick aille de l'avant. Après un temps de réflexion, Nick emprunta un sentier aux allures de bourbier conduisant au hangar.

– Y a pas des gens là-haut ? chuchota Maggie, l'index pointé vers l'étage.

– Sans doute que oui. Faudra pas faire de bruit. Mais on sera au chaud, ici, au moins. La grange est trop grande et elle fait face au vent. Allez, viens.

Il l'entraîna vers la porte cintrée qui, sous l'escalier, donnait accès au hangar. La lumière, qui brûlait au premier devant les appartements du métayer, se faufilait à l'intérieur de la remise par une unique fenêtre, ne répandant qu'un maigre filet de clarté. Les chiens les suivirent. C'était là qu'ils dormaient car on distinguait dans un coin sur le sol de pierre un tas de couvertures mâchouillées. Les animaux se dirigèrent de ce côté, reniflèrent les couvertures et se couchèrent dans la laine.

La pierre des murs et du sol rendait le froid du dehors

encore plus incisif. Maggie essaya de se consoler en se disant que l'Enfant Jésus était né dans une étable. Mais elle ne se sentait pas rassurée pour autant car des quatre coins de la remise – qui formaient de profondes poches d'obscurité – s'échappaient d'étranges craquements et crissements.

Balayant la remise du regard, elle distingua une pile de gros sacs de jute contre un mur, des seaux, des outils qu'elle aurait été bien en peine de nommer, une bicyclette, un rocking-chair dont l'assise en rotin avait disparu, une cuvette de WC couchée sur le flanc. Contre le mur du fond était appuyée une commode poussiéreuse. Nick s'en approcha. Après avoir péniblement ouvert le tiroir du haut, il dit, tout excité :

– Regarde ça, Mag. Quel pot !

Elle se fraya un chemin jusqu'à lui. Du tiroir, il sortait une couverture. Puis une autre. Grandes, mousseuses. Parfaitement propres. Nick referma en partie le tiroir. Le bois grinça. Les chiens levèrent la tête. Maggie retint son souffle et tendit l'oreille. Elle perçut un vague bruit de voix – d'homme d'abord, puis de femme – suivi d'une musique mélodramatique et de détonations. Mais personne ne fit mine de descendre.

– La télé, dit Nick. On est tranquilles.

Il repoussa divers objets jonchant le sol, étendit la première couverture par terre, la pliant en deux pour qu'elle serve à la fois de matelas et d'isolant, et lui fit signe d'approcher. La seconde, il la rabattit sur eux.

– Tu vas voir, tu vas vite te réchauffer, Mag, fit-il en l'attirant contre lui.

Et en effet, elle se sentit instantanément revigorée. Pourtant, en touchant la couverture et en humant le parfum de lavande qui s'en échappait, elle ne put s'empêcher de manifester de l'étonnement :

– Pourquoi est-ce qu'ils laissent leurs couvertures ici ? Elles risquent pas de se salir ? Ou de moisir ?

– Qu'est-ce que ça peut faire ? Tant pis pour eux. Allonge-toi. C'est agréable, hein ? Tu te réchauffes, Mag ?

Les crissements semblaient plus forts maintenant qu'elle était au ras du sol. Ils s'accompagnaient parfois de piaillements. Elle se blottit tout contre Nick.

– C'est quoi, ce bruit ?

– La télé.

– Non, l'autre. T'as entendu ?
– Oh, ça. Des rats, je pense.
Elle se redressa vivement.
– Des rats ! Nick ! Pas question que je... J'ai peur des... Nick !
– Chhhhut. Ils ne t'embêteront pas. Allez, allonge-toi.
– Des rats ! Les morsures de rat, ça peut être mortel ! Et je...
– On est plus gros qu'eux. C'est eux qui doivent avoir les jetons. Pas nous. Pas de danger qu'ils sortent de leur trou.
– Mes cheveux... Il paraît qu'ils aiment ramasser les cheveux pour faire leur nid.
– T'inquiète pas, je les chasserai s'ils approchent. (Il la poussa à s'allonger et se coucha sur le côté.) Sers-toi de mon bras comme oreiller. Ils me grimperont pas sur le bras, tu crains rien. Bon Dieu, Mag, mais tu trembles. Approche-toi encore.
– On va rester longtemps ici ?
– Juste le temps de souffler.
– Promis ?
– Promis. (Ouvrant son blouson de cuir, il ajouta :) Pour que tu aies plus chaud.
Avec un coup d'œil craintif vers les flaques d'ombre où les rats détalaient au milieu des sacs de jute, elle s'allongea sur la couverture, contre la poitrine de Nick. Elle était tétanisée de froid et de peur, gênée de se sentir si près des fermiers. Certes, les chiens bergers n'avaient dérangé personne, mais si le fermier s'avisait de faire une ronde avant de se mettre au lit, il risquait fort de les découvrir.
Nick lui embrassa la tête.
– Ça va ? On va pas s'éterniser, Mag. Juste se reposer un peu.
– Ça va.
Elle lui passa les bras autour du corps pour profiter de sa chaleur autant que de celle de la couverture. S'efforçant de ne plus songer aux rats, elle essaya d'imaginer qu'ils étaient dans leur appartement de jeunes mariés. C'était la première nuit qu'ils passaient officiellement ensemble. Une nuit de noces, en somme. La pièce était petite mais le clair de lune éclairait le joli papier peint décoré de boutons de rose. Il y avait des

gravures au mur, des aquarelles représentant des chiens et des chats en train de gambader et Punkin était couché au pied du lit.

Elle se rapprocha de Nick. Elle portait une somptueuse chemise de nuit de satin rose pâle aux bretelles et au corsage ornés de dentelle. Ses cheveux cascadaient sur ses épaules, elle s'était mis du parfum au creux du cou, derrière les oreilles et entre les seins. Lui portait un pyjama de soie marine. Elle sentait ses os, ses muscles peser contre son corps. Il avait envie de faire l'amour, évidemment – il avait toujours envie – et elle aussi. C'était si bon d'être l'un contre l'autre.

– Mag, dit Nick. Reste tranquille. Ne fais pas ça.

– Je ne fais rien.

– Si.

– Je me rapproche. Il fait froid.

– On peut pas. Pas ici. Compris ?

Elle se pressa contre lui. Il avait beau dire, elle sentait que son sexe était déjà dur. Elle glissa une main entre leurs deux corps.

– Mag !

– C'est juste pour que tu aies bien chaud, chuchota-t-elle en le lui caressant comme il le lui avait appris.

– Mag ! Non !

– Mais ça te plaît, tu vas pas dire le contraire ? dit-elle, serrant son membre, le relâchant.

– Mag, retire ta main !

Elle le caressa sur toute sa longueur.

– Bon sang, Mag, arrête !

Elle esquissa un mouvement de recul lorsqu'il lui flanqua une tape sur la main pour lui faire lâcher prise et les larmes lui montèrent aux yeux.

– Je voulais seulement... (Respirer lui faisait mal.) C'était pas agréable ? Je voulais te faire plaisir.

Sous la lumière sourde, il avait l'air de quelqu'un qui souffre.

– C'est agréable. Tu es un amour. Mais ça me donne des envies et c'est pas le moment. Tu comprends ça ? Allez, rallonge-toi.

– Je voulais être tout près de toi.

– Mais on est près l'un de l'autre, Mag. Allez, je vais te serrer dans mes bras. (Il l'invita à se rallonger.) C'est bon d'être couchés l'un à côté de l'autre, non ?

– Je voulais...

– Chhhhut, c'est rien. (Il lui déboutonna son manteau et lui passa un bras autour de la taille.) On est bien comme ça, chuchota-t-il, la bouche dans ses cheveux.

De la main, il se mit à lui caresser le dos.

– Mais je voulais...

– Chhhhut, on est aussi bien comme ça, non ? Serrés l'un contre l'autre.

Ses doigts, qui décrivaient des cercles dans son dos, s'immobilisèrent sur sa nuque en une tendre pression. Complètement détendue, tout à la joie de se sentir aimée et protégée, elle finit par sombrer dans le sommeil.

Ce furent les chiens qui la réveillèrent en se précipitant dehors tandis qu'une voiture pénétrait dans la cour de la ferme. Ils n'avaient pas encore aboyé qu'elle se redressait en sursaut, les yeux grands ouverts. Constatant qu'elle était seule, elle plaqua la couverture contre sa poitrine et chuchota, affolée : « Nick ! » Il sortit de l'ombre près de la fenêtre. La lumière du premier avait été éteinte. Impossible de savoir pendant combien de temps elle avait dormi.

– Y a quelqu'un, dit-il.

– La police ?

– Non. (Il jeta un coup d'œil à la fenêtre.) Je crois que c'est mon père.

– Ton père ? Mais comment...

– Je sais pas. Viens. Ne fais pas de bruit.

Ils attrapèrent les couvertures et s'approchèrent de la fenêtre. Les chiens faisaient un boucan de tous les diables et les lumières s'allumaient.

– Eh là ! Ça suffit ! cria rudement une voix. (Quelques aboiements retentirent puis les chiens se turent.) Que se passe-t-il ? Qui est là ?

La boue clapota sous les pas de quelqu'un qui traversait la cour. Une conversation s'engagea. Maggie tendait l'oreille mais les deux interlocuteurs parlaient à voix basse. Une femme s'enquit : « C'est Frank ? » Et une voix d'enfant cria : « Je veux voir, m'man. »

Maggie s'enroula plus étroitement dans la couverture. Elle se cramponna à Nick.

– Où est-ce qu'on va bien pouvoir aller ? Tu crois qu'on peut courir, Nick ?

– Ne bouge pas. Il devrait... Oh, merde.

– Quoi ?

Mais elle comprit en attrapant ces mots au vol :

– Ça vous embête, si je jette un œil ?

– Pas du tout. Ils sont deux, vous dites ?

– Un garçon et une fille. Ils doivent encore avoir leur uniforme sur le dos. Le garçon porte peut-être un blouson d'aviateur en cuir.

– Rien vu qui ressemble à ça de près ou de loin. Mais allez-y toujours. Le temps d'enfiler des bottes et je vous rejoins. Vous voulez une torche ?

– Non merci, j'en ai une.

Les pas se dirigèrent vers la grange. Maggie attrapa Nick par son blouson.

– Fichons le camp, Nick ! On peut courir jusqu'au muret. Se cacher dans le pâturage...

– Et les chiens ?

– Quoi, les chiens ?

– Ils nous suivront, ils nous trahiront. Et puis l'autre type a dit qu'il allait se mettre à notre recherche, lui aussi. (Nick se détourna de la fenêtre et examina le hangar des yeux.) Le mieux, c'est encore de se planquer ici.

– Où ?

– Pousse les sacs. Aplatis-toi derrière.

– Et les rats ?

– On n'a pas le choix. Allez, viens me donner un coup de main.

Le fermier entamait la traversée de la cour pour rejoindre le père de Nick lorsque, abandonnant leurs couvertures, ils commencèrent à écarter les sacs de toile. Ils entendirent le père de Nick crier : « Rien dans la grange ! » et l'autre homme répondre : « Essayez le hangar. » Au bruit de leurs pas, Maggie s'activa fébrilement, repoussant les sacs, les éloignant du mur de façon à pouvoir se cacher derrière. Au moment où elle venait de s'accroupir contre le mur près de Nick, la lumière d'une torche brilla à travers la fenêtre.

– Elle est dans un triste état, votre remise, commenta le père de Nick.

Une seconde lumière jaillit.

– C'est là que couchent les chiens. Même si j'étais en cavale, j'sais pas si j'oserais approcher. (La torche s'éteignit. Maggie poussa un soupir. Puis elle perçut des pas dans la boue.) Mais on ferait peut-être mieux de vérifier.

Le faisceau lumineux reparut, plus fort, dans l'encadrement de la porte.

Un gémissement de chien accompagna le chuintement de bottes trempées sur le sol de pierre. Des ongles crissèrent contre les dalles ; le grincement se rapprocha des sacs.

– Non, fit Maggie très bas.

Nick se plaqua contre elle.

– Regardez, dit le fermier. On a touché à la commode.

– Ces couvertures, par terre, c'est leur place, normalement ?

– Ben, non. (La torche éclaira la pièce, les angles puis le plafond. La lumière se posa sur la cuvette de WC, sur le rocking-chair poussiéreux. S'immobilisa sur le tas de sacs, illumina le mur juste au-dessus de la tête de Maggie.) Ah, dit le fermier. On les tient. Sortez de là, les enfants. Sortez ou je lâche les chiens.

– Nick ? fit Mr. Ware. C'est toi, mon garçon ? La petite est avec toi ? Montrez-vous. Et plus vite que ça.

Maggie se releva la première, toute tremblante, clignant des yeux à cause de la lumière. Sur le point de prendre la défense de Nick : « Faut pas lui crier après, Mr. Ware. Tout ce qu'il voulait, c'était m'aider », elle fondit en larmes, songeant *Ne me renvoyez pas chez moi. Je ne veux pas rentrer à la maison.*

– Qu'est-ce qui t'a pris, bon Dieu de bonsoir, Nick ? jeta Mr. Ware. Sors de là. Je devrais te flanquer une raclée. Est-ce que tu te rends compte de l'état dans lequel tu as mis ta mère ?

Nick tourna la tête, les yeux étrécis telles des fentes à cause de la lumière de la torche que son père lui braquait en pleine figure.

– J'suis désolé.

– Désolé, désolé... C'est un peu court, tu crois pas ? gronda Mr. Ware. Violation de propriété, tu sais ce que ça veut dire ? Les gens chez qui tu t'es introduit auraient pu te mettre la police au train. Qu'est-ce que t'as dans le crâne ? T'es malade ou quoi ? Et qu'est-ce que tu comptais faire avec la petite ?

Nick se dandinait d'un pied sur l'autre sans un mot.

– T'es dans un état, poursuivit Mr. Ware, l'examinant de la tête aux pieds. Tu t'es regardé seulement ? On dirait un clodo.

– Arrêtez, s'écria Maggie, s'essuyant le nez sur la manche de son manteau. Nick n'y est pour rien. Il m'a aidée, c'est tout.

Mr. Ware poussa un nouveau grognement et éteignit sa torche. Le fermier l'imita. Mr. Ware ordonna :

– Dehors, vous deux. Dans la voiture.

Le fermier ramassa les deux couvertures et les suivit. Les chiens tournicotaient autour de la vieille Nova de Mr. Ware, reniflant les pneus et la terre. Les lumières extérieures de la ferme étant allumées, Maggie put mesurer l'état dans lequel étaient ses vêtements. Ils étaient couverts de boue et de saletés. Par endroits, la mousse des murs qu'elle avait escaladés avait laissé des traînées verdâtres. Ses chaussures pleines de gadoue étaient hérissées de brins de fougère et de paille. A cette vue, elle se remit à pleurer. Qu'est-ce qu'elle s'était imaginé ? Où auraient-ils bien pu aller ? Sans argent, sans vêtements chauds, sans carte pour se guider. Qu'est-ce qu'elle s'était donc imaginé ?

Elle serra le bras de Nick tandis que, pataugeant dans la boue, ils gagnaient la voiture.

– Je suis désolée, Nick, fit-elle en sanglotant. C'est ma faute. Je le dirai à ta mère. Je lui expliquerai tout.

– Montez, vous deux, fit Mr. Ware d'un ton rogue. On verra plus tard qui est responsable. (Il ouvrit la portière côté conducteur et dit au fermier :) Je m'appelle Ware. Frank Ware. Je suis à Skelshaw Farm, du côté de Winslough. Si jamais vous constatez que ces deux imbéciles ont fait des dégâts chez vous, je suis dans l'annuaire.

Hochant la tête, le fermier ne souffla mot. Raclant la boue du pied, il paraissait impatient de les voir partir.

– Tirez-vous du chemin, les rigolos, dit-il aux chiens bergers lorsque soudain la porte de la ferme s'ouvrit. Une fillette d'environ six ans en chemise de nuit et pantoufles s'encadra sur le seuil.

Eclatant de rire, elle agita la main :

– Bonjour, oncle Frank. Tu veux pas que Nickie passe la nuit chez nous ?

Sa mère se précipita et la tira en arrière avec un regard navré en direction de la voiture.

Maggie ralentit l'allure et s'immobilisa. Puis elle se tourna vers Nick. Son regard navigua de Nick à son père et de son père au fermier. Dans un premier temps, ce furent leurs ressemblances qui lui sautèrent aux yeux : même implantation de cheveux bien que la couleur fût différente ; même bosse sur le nez ; même port de tête. Puis, dans un second temps, le reste : les chiens, les couvertures, la direction qu'ils avaient prise, la façon dont Nick avait insisté pour faire halte dans cette ferme, sa présence devant la fenêtre lorsqu'elle s'était réveillée.

Une sorte de calme s'abattit sur elle, si intense qu'elle crut tout d'abord que son cœur s'était arrêté de battre. Ses larmes cessèrent de couler. Elle trébucha dans la boue, saisit la poignée de la portière, sentit Nick lui prendre le bras. De très loin, elle l'entendit prononcer son nom.

– Maggie, écoute-moi, je t'en prie. Je savais pas quoi faire d'autre...

Mais le brouillard lui emplit la tête et elle ne put distinguer la suite. Elle monta à l'arrière. Dans son champ de vision, sous un arbre, étaient empilées de vieilles ardoises ; elle les fixa. Elles étaient grandes, beaucoup plus grandes qu'elle ne s'y attendait, elles ressemblaient à des stèles funéraires. Elle se mit à les compter. Une, deux, trois. A douze, elle sentit la voiture osciller tandis que Mr. Ware s'installait au volant et que Nick la rejoignait sur la banquette arrière. Il la regardait, elle le sentait bien, mais ça n'avait pas d'importance. Elle continua de compter. Treize, quatorze, quinze. Pourquoi toutes ces ardoises ? Et pourquoi étaient-elles empilées sous cet arbre ? Seize, dix-sept, dix-huit.

Le père de Nick baissait sa vitre.

– Merci, Kev, dit-il. Et t'en fais pas.

Le fermier s'approcha, se pencha pour parler à Nick.

– Désolé, mon garçon. Y a pas eu moyen de mettre la gamine au lit quand elle a su que tu allais arriver. C'est qu'elle a un faible pour toi, tu sais, cette petite.

– Tant pis, fit Nick.

Son oncle tapa à deux reprises sur la portière en signe d'adieu puis recula.

– Allez, les rigolos, dit-il aux bergers. Tirez-vous de là.

La voiture fit tant bien que mal demi-tour et prit la direction de la route. Mr. Ware alluma la radio.

– Qu'est-ce qui vous plairait, comme musique, les jeunes ?

Maggie colla le nez à la vitre sans répondre.

– N'importe quoi, p'pa, fit Nick. Ça n'a pas d'importance.

Ces mots eurent raison du calme de Maggie, elle eut l'impression qu'ils lui pesaient sur l'estomac tels des morceaux de plomb. Nick tendit la main vers elle. Elle eut un mouvement de recul.

– Désolé, dit-il tout bas. Je savais pas quoi faire d'autre. On n'avait pas de fric. Pas d'endroit où aller. Je savais vraiment pas quoi faire.

– Tu m'avais promis de prendre soin de moi.

– Mais je me doutais pas que ça serait... (Elle vit sa main se crisper sur son genou.) Ecoute, Mag. Comment veux-tu que je m'occupe correctement de toi si je plaque l'école ? Tu sais que je veux devenir vétérinaire. Pour ça, faut que j'étudie. Et après on pourra vivre ensemble. Mais...

– Tu m'as menti.

– Non !

– T'as téléphoné à ton père de Clitheroe en allant acheter des provisions. Tu lui as dit où on serait. C'est ça ?

Son silence parla pour lui. Le paysage nocturne défilait derrière la vitre. Les murets de pierre cédèrent le pas aux haies hirsutes. Les champs à la campagne. De l'autre côté de la lande, noires gardiennes du Lancashire, les collines se détachaient sur le ciel.

Mr. Ware avait mis le chauffage en allumant la radio. Pourtant Maggie n'avait jamais eu aussi froid. Elle se sentait encore plus gelée que lorsqu'ils marchaient à travers champs ou qu'ils étaient allongés dans la remise. Elle avait plus froid que la nuit précédente dans le repaire de Josie où, tandis qu'elle était à demi dévêtue, Nick l'avait pénétrée en lui chuchotant des promesses sans lendemain.

Son équipée était terminée, elle se retrouvait à la case départ. Chez sa mère.

Lorsque Mr. Ware s'immobilisa dans la cour de Cotes Hall, la porte du cottage s'ouvrit et Juliet Spence s'élança. Maggie entendit Nick chuchoter furieusement : « Mag ! Attends ! » Mais elle ouvrit la portière. Sa tête lui semblait si lourde qu'elle n'arrivait pas à la lever. Elle n'arrivait pas non plus à marcher.

Elle entendit sa mère approcher, ses bottes claquant sur les pavés. Elle attendit. Quoi ? Impossible de le dire.

La colère, le sermon, la punition ? Aucune importance. Elle se sentait hors d'atteinte. Plus rien ne pouvait la toucher désormais.

D'une drôle de voix rauque, Juliet murmura :

– Maggie ?

Mr. Ware se mit à lui donner des explications. Maggie capta au passage des bribes de phrases. « Conduite chez son oncle... sacrée trotte à pied... affamée, sûrement... complètement crevée... Les gosses. On se demande ce qu'ils ont dans la tête par moment... »

Juliet s'éclaircit la gorge.

– Merci. Je ne sais pas ce que j'aurais fait si... Merci, Frank.

– Ils pensaient pas vraiment à mal, remarqua Ware.

– Vous avez raison, enchérit Juliet.

La voiture fit marche arrière, effectua un demi-tour et s'engagea le long du sentier. Maggie se tenait toujours tête basse. Trois nouveaux claquements retentirent contre les pavés et elle aperçut les bottes de sa mère.

– Maggie.

Impossible de lever le nez. Elle avait l'impression d'être lourde comme du plomb. Elle sentit une main effleurer ses cheveux et recula craintivement.

– Qu'y a-t-il ? fit sa mère, inquiète.

Mais plus encore que de l'inquiétude, il y avait de la peur dans sa voix.

Maggie se demanda pourquoi. Le rapport de forces s'était de nouveau inversé, ce qu'elle redoutait était arrivé : elle était seule avec sa mère et toute retraite lui était coupée. Les yeux embués, elle sentit un sanglot se former dans sa gorge et s'efforça de le ravaler.

Juliet s'écarta.

– Rentre, Maggie. Il fait froid. Tu frissonnes.

Et elle se mit en route vers le cottage.

Maggie leva la tête. Elle flottait dans une sorte de néant. Nick était parti et sa mère s'éloignait. Il ne lui restait plus rien à quoi se raccrocher. Aucun hâvre où se reposer. Ce fut plus fort qu'elle, elle laissa échapper le sanglot qu'elle retenait. Sa mère s'immobilisa.

– Dis quelque chose, fit Juliet d'une voix désespérée, tremblante. Parle-moi. Dis-moi ce qui s'est passé. Pourquoi tu t'es sauvée. On ne peut continuer à vivre ensemble si tu ne me dis rien. Et si tu gardes le silence, nous sommes perdues.

Juliet était sur le seuil, Maggie dans la cour. L'adolescente eut l'impression que des kilomètres les séparaient. Elle aurait voulu se rapprocher mais ne savait comment s'y prendre. Elle ne distinguait pas suffisamment bien le visage de sa mère pour savoir si c'était prudent. Elle n'aurait su dire si sa voix tremblait de douleur ou de colère.

– Maggie, ma chérie, je t'en prie. (La voix de Juliet se brisa.) Parle-moi, je t'en supplie.

L'angoisse de sa mère fit un petit trou dans le cœur de Maggie.

Sur le point de fondre en larmes, elle dit :

– Nick m'avait promis de s'occuper de moi. Il disait qu'il m'aimait. Que j'étais différente. Mais il m'a menti. Il a demandé à son père de venir nous chercher sans même m'en parler. Et moi, pendant ce temps-là, je me figurais...

Elle se mit à pleurer sans plus bien savoir la raison de son chagrin. Si ce n'est qu'elle n'avait nulle part où aller ni personne à qui faire confiance. Or elle avait besoin de quelqu'un, d'un point d'ancrage, d'un foyer.

– Je suis désolée pour toi, ma chérie.

Il y avait tant de compréhension dans ces mots que Maggie poursuivit :

– Il a fait semblant d'apprivoiser les chiens, de dénicher des couvertures et... (Le reste de l'histoire suivit dans le désordre. Le policier londonien. Les ragots à la sortie de l'école. Les chuchotements.) Alors j'ai eu peur.

– De quoi ?

Maggie fut incapable de formuler le reste. Plantée dans la cour sous le vent qui fouettait ses vêtements, elle se sentait incapable d'avancer comme de reculer. Parce qu'il n'y avait pas moyen de revenir en arrière. Et qu'aller de l'avant, c'était peut-être aller au-devant de l'anéantissement.

Mais Juliet parut comprendre car elle dit :

– Oh, mon Dieu, Maggie. Comment as-tu pu penser... Tu es ma vie. Tu es tout ce que j'ai. Tu...

Appuyée contre le chambranle, les poings sur les yeux, la tête levée vers le ciel, elle se mit à pleurer.

Bruit atroce. On aurait dit qu'on lui arrachait les tripes. Qu'elle mourait.

Maggie n'avait jamais vu pleurer sa mère. Ses larmes

la terrifièrent. Elle attendit, la main crispée sur le col de son manteau. Maman n'était-elle pas la plus forte ? Ne savait-elle pas toujours ce qu'il fallait faire ? Maintenant elle se rendait compte qu'elle n'était pas si différente de sa mère. Elle s'approcha.

– Maman ?

Juliet fit non de la tête.

– Je ne peux pas arranger ça. Je ne peux rien changer à ce qui s'est passé. C'est impossible.

Se décollant du chambranle, elle entra dans la maison. D'un pas morne et comme absent, Maggie la suivit dans la cuisine et la regarda s'asseoir à la table, le visage dans les mains.

Ne sachant que faire, l'adolescente mit la bouilloire sur le feu et commença à préparer du thé. Le temps que le thé soit prêt, Juliet avait cessé de pleurer. Sous la lumière sans pitié du plafonnier, elle paraissait vieillie et malade. Des marques rouges criblaient sa peau. Ses cheveux lui pendaient mollement dans le cou. Elle attrapa une serviette en papier et se moucha dedans. Puis, à l'aide d'une autre serviette, elle s'essuya le visage.

Le téléphone se mit à sonner. Maggie ne bougea pas. Dans quelle direction devait-elle aller maintenant ? Mystère. Elle attendit un signe. Repoussant sa chaise, sa mère se leva et décrocha le combiné. Sa conversation fut brève, son ton neutre.

– Oui, elle est là. Frank Ware les a retrouvés... Non... non... impossible... je ne crois pas, Colin... Pas ce soir.

Lentement, elle raccrocha le combiné. Après un moment passé à fixer le téléphone, elle retourna s'asseoir.

Maggie lui apporta à boire.

– De la camomille. Tiens, maman.

Maggie versa le breuvage fumant et en fit tomber sur la soucoupe. Elle tendit la main vers les serviettes en papier pour éponger les dégâts. Les doigts de sa mère se refermèrent autour de son poignet.

– Assieds-toi.

– Tu ne veux pas...

– Assieds-toi, ma chérie.

Maggie s'exécuta. Juliet prit la tasse et la tint entre ses paumes. Les yeux braqués sur sa tasse, elle la fit tourner. Ses mains fortes ne tremblaient pas.

Maggie comprit que quelque chose d'exceptionnel se préparait. Ça se sentait dans l'air. Et dans le silence.

La bouilloire sifflait encore en sourdine sur la cuisinière, qui crachotait.

Soudain elle vit sa mère relever la tête, comme quelqu'un qui a pris une décision.

– Mets-toi là, Maggie. Je vais te parler de ton père.

23

Polly s'installa dans la baignoire qui se remplissait doucement. Elle s'efforça de ne penser qu'à l'eau chaude qui s'insinuait entre ses jambes, lui recouvrait doucement les cuisses mais, retenant de justesse un cri, elle ferma les yeux. L'image de son corps disparut lentement derrière ses paupières baissées, remplacée par de petits points rouges qui cédèrent bientôt la place au noir. Le noir, c'était ce qu'il lui fallait. Derrière ses paupières mais aussi dans son esprit.

Elle souffrait davantage maintenant que cet après-midi au presbytère. Elle avait l'impression d'avoir subi le supplice de la roue, les ligaments de son bas-ventre semblaient avoir été arrachés de leur logement. Son bassin et son pubis étaient en triste état. Son dos, son cou la lançaient. Mais ces douleurs-là, contrairement aux autres, s'effaceraient avec le temps.

Si elle ne voyait que du noir, elle ne serait pas obligée de voir son visage : ses lèvres retroussées sur ses dents, ses yeux semblables à des fentes. Si elle ne voyait que du noir, elle ne serait pas obligée de le voir se remettre debout en chancelant, son affaire faite, le souffle haché, s'essuyant la bouche du dos de la main pour chasser son odeur. Elle n'aurait pas à le voir, appuyé contre le mur, se rajustant. Le reste, bien sûr, elle ne pourrait y échapper. La voix gutturale de Colin la traitant sans relâche d'ordure, de salope. Sa angue qu'il lui fourrait dans la bouche. Ses dents la ordant, ses mains lui arrachant ses vêtements, et is à la fin les coups qu'il lui avait administrés. Il lui faudrait vivre avec ce souvenir qu'aucune pilule ne pourrait effacer.

Le pire, c'est qu'elle savait qu'elle ne l'avait pas volé. Sa vie était gouvernée par les lois de la magie, après tout, et elle avait violé la plus importante :

Les huit mots du précepte de la Wicca tu prononceras
Et sans dommage pour autrui ta volonté s'accomplira.

Elle avait réussi à se persuader que c'était pour le bien d'Annie qu'elle traçait le cercle magique. Mais dans le secret de son cœur, elle s'était dit – elle avait espéré – qu'Annie mourrait et que sa disparition inciterait Colin à se rapprocher d'elle, à partager son chagrin avec quelqu'un qui avait connu sa femme. Et elle s'était figuré que cet échange de confidences les aurait amenés à s'aimer, l'aurait aidé à oublier. Dans ce but – qualifié par elle de noble, de désintéressé, de juste – elle se mit à tracer le cercle et à faire appel à Vénus. Le fait qu'elle ait attendu presque un an après la mort d'Annie pour adopter ce rituel ne changeait rien à l'affaire. La Déesse n'était pas idiote : elle lisait dans le cœur de celui qui l'invoquait. En entendant ces mots :

Dieu et Déesse qui êtes dans les cieux
Faites que de moi Colin tombe amoureux

...elle n'avait pas manqué de se rappeler que, trois mois avant le décès d'Annie Shepherd, son amie Polly Yarkin – dotée de pouvoirs hors du commun parce que conçue par une magicienne à l'intérieur du cercle magique au moment où la pleine lune de la Balance illuminait la pierre levée de Cotes Fell – avait cessé de pratiquer le rituel du Soleil pour s'adonner à celui de Saturne. Brûlant des branches de chên portant du
noir, respirant l'encens de la scille, Pol vait prié pour
qu'Annie meure, se disant que n'était pas un
événement redoutable, que m in à une vie de souffrances était un acte ch Ainsi avait-elle justifié
le mal qu'elle faisait sachant que la Déesse ne
laisserait pas c aise action impunie.
passé avant aujourd'hui n'était
Tout ce ourd'hui, la Déesse avait puni Polly
qu'un méritait, lui amenant un Colin non pas
co dre mais un homme bestial, ivre de luxure
ence, bref lui rendant au centuple la monnaie

de sa pièce. Quelle idiotie de s'être figuré que Juliet Spence – et les attentions dont Colin la comblait – représentait le châtiment que la Déesse lui réservait. Les voir ensemble, comprendre ce qu'ils étaient l'un pour l'autre n'avait été que le prélude à l'humiliation qu'elle avait finalement subie.

C'était fini maintenant. Il ne pouvait rien lui arriver de pire, la mort exceptée. Et comme elle était déjà plus qu'à demi morte, cette perspective même ne lui semblait pas redoutable.

– Polly, ma jolie ? Qu'est-ce que tu fabriques ?

Polly ouvrit les yeux et se releva si vite que l'eau du bain déborda de la baignoire. Elle fixa la porte derrière laquelle se faisait entendre la respiration sifflante de sa mère. Rita ne grimpait généralement au premier qu'une fois par jour – le soir, pour aller se coucher –, et comme ce n'était jamais avant minuit, Polly s'était dit qu'elle aurait la paix lorsqu'elle avait, élevant la voix, déclaré en rentrant qu'elle ne dînerait pas et était montée s'enfermer dans la salle de bains. Sans un mot, elle tendit le bras pour attraper une serviette. L'eau déborda de nouveau.

– Polly ? T'es toujours dans la baignoire, ma belle ?

– Je prends mon bain.

– Mais j'ai entendu couler l'eau il y a déjà deux heures de ça, quand tu es rentrée à la maison. Qu'est-ce qui se passe, poupée jolie ? (Rita gratta de l'ongle au battant.) Polly ? Tu réponds ?

– Rien.

Polly s'enveloppa dans la serviette en sortant de la baignoire. Lever une jambe puis l'autre. L'effort la fit grimacer.

– Mon œil ! L'hygiène, c'est important, d'accord. Mais l[illegible] franchement, tu exagères. Qu'est-ce que tu mijotes ? [illegible] toilette de mariée, c'est en l'honneur d'un petit me[illegible] doit venir te retrouver cette nuit dans ta chambrette ? Tu veux un peu de mon P[illegible]encart, mon petit chat ?

– Je suis crevée. Je [illegible] coucher. Retourne devant ta télé.

– Pas question. (Nou[illegible]ttement d'ongle.) Qu'est-ce qui se passe ? Tu [illegible]s bien ?

Polly s'entortilla dans la servi[illegible] dégoulinait en ruisselet le long de ses jambes [illegible] de bain vert plein de taches.

– Mais si, Rita, fit-elle d'un ton aussi proche de la normale que possible. (Passant en revue les différentes façons qu'elle avait de s'adresser à sa mère, elle opta pour le registre amical :) Redescends, m'man. C'est pas l'heure de ta série policière ? Et coupe-toi une tranche de gâteau. Tu m'en couperas une aussi, que tu laisseras sur le plan de travail.

Elle attendit la réponse, le départ bruyant de Rita, mais aucun son ne lui parvint de derrière la porte. Polly lorgna le battant d'un air inquiet. Elle était trempée, frigorifiée, mais ne pouvait se décider à se défaire de la serviette pour se sécher, ne se sentant pas encore prête à regarder son corps.

– Le gâteau ? dit Rita.

– J'en prendrai un morceau.

La poignée grinça. D'une voix sèche, Rita lança :

– Ouvre-moi, ma fille. Ça fait bien quinze ans que tu n'as pas mangé de pâtisseries. Il y a sûrement quelque chose qui ne va pas. Et je veux savoir...

– Rita...

– Je n'ai pas envie de plaisanter, bébé joli. Et à moins que t'aies l'intention de filer par la fenêtre, tu ferais mieux d'ouvrir. Je ne bougerai pas de là, je te préviens.

– Mais c'est rien, m'man.

La poignée grinça plus fort. La porte vibra.

– Tu veux que je demande au constable de venir ? Je peux lui passer un coup de fil, tu sais. Mais j'ai pas l'impression que ça te ferait plaisir.

Polly attrapa la robe de chambre suspendue à son crochet et tira le verrou. Elle se drapa dans le peignoir et en nouait la cordelière lorsque sa mère ouvrit la porte. Polly tourna vivement le dos, ôta l'élastique qui retenait ses cheveux et les laissa pendre.

– Il s'est pointé ici aujourd'hui, ton Mr. Shepherd, dit Rita. Il m'a raconté qu'il était en quête d'outils pour réparer la porte de l'abri. Un type serviable, ce policier. T'es au courant, mon bijou ?

Polly fit non de la tête et tritura sa cordelière à laquelle elle avait fait un nœud. Tandis que ses doigts s'affairaient, elle attendait que sa mère s'en aille. Rita ne faisait pas mine de bouger.

– Tu ferais mieux de me raconter, ma grande.

– Quoi ?

– Ce qui s'est passé.

Rita entra d'un pas pesant dans la salle de bains et parut l'emplir de sa masse, de son parfum mais surtout de son pouvoir. Polly s'efforça de rassembler ses propres forces mais elle n'était pas de taille.

Elle entendit cliqueter les bracelets de Rita tandis que cette dernière tendait le bras derrière elle. Elle ne broncha pas – elle savait que sa mère n'avait pas l'intention de lui taper dessus – mais elle attendit que Rita réagisse aux vibrations qui émanaient du corps de sa fille.

– Je ne sens pas ton aura, laissa tomber Rita. Et il n'y a aucune chaleur en toi. Tourne-toi un peu par ici.

– Rita, je t'en prie. Je suis crevée. J'ai bossé toute la journée, j'ai envie de me mettre au lit.

– Ne me prends pas pour une idiote. Tourne-toi, je te dis.

Polly fit un nœud double à la cordelière. Elle secoua les cheveux pour mieux dissimuler son visage. Et elle pivota lentement en disant :

– Je suis claquée. J'ai glissé dans l'allée du presbytère ce matin et je me suis esquinté la figure. C'est sensible. J'ai dû me froisser un muscle dans le dos par la même occasion. Je me suis dit qu'un bon bain chaud...

– Lève la tête. Dépêche.

C'était un ordre. Rita ne plaisantait pas, et elle n'eut pas le courage de résister. Elle releva le menton tout en gardant les yeux baissés. Elle n'était qu'à quelques centimètres de la tête de chèvre accrochée au cou de sa mère. Elle se concentra sur la tête de l'animal et sa ressemblance avec la sorcière nue se tenant au cœur du pentagramme à partir duquel étaient lancées les invocations.

– Dégage ton visage.

Polly obéit.

– Regarde-moi.

Polly obtempéra.

Rita prit une soudaine inspiration et l'air siffla entre ses dents tandis qu'elle se trouvait face à face avec sa fille. Ses pupilles se dilatèrent, puis se contractèrent telles deux têtes d'épingle noires. Tendant la main, elle frôla la marque qui zébrait la joue de Polly de l'œil à la bouche. Elle ne la toucha pas mais Polly eut l'impression de sentir ses doigts. Ils voletèrent devant son œil enflé. Descendirent de la joue à la bouche. Enfin, ils se glissèrent dans ses cheveux. Cette fois Rita prit la tête de Polly entre ses mains et la jeune fille eut l'impression que ce contact lui résonnait dans tout le crâne.

– Tu as encore autre chose à me montrer ?

Polly sentit les doigts accentuer leur pression et lui tirer les cheveux mais elle se borna à dire :

– Non. Je suis tombée. Je suis un peu contusionnée.

Seulement sa voix manquait de conviction.

– Ouvre ton peignoir.

– Rita.

Les mains de Rita accentuèrent leur pression, une pression réconfortante qui dispensait de la chaleur.

– Ouvre ton peignoir.

Polly dénoua le premier nœud mais ne parvint pas à défaire le second. Sa mère s'en chargea, s'aidant de ses interminables ongles peints en bleu et de ses mains qui tremblaient. Elle écarta le peignoir et recula tandis qu'il tombait par terre.

– Mère Toute-Puissante, dit-elle, portant la main à son pendentif en forme de tête de chèvre.

Sous le cafetan, sa poitrine se soulevait et retombait. Polly baissa la tête.

– C'est lui, fit Rita. C'est lui qui t'a fait ça, pas vrai, Polly ? En sortant d'ici.

– Laisse tomber, dit Polly.

– Laisser... fit Rita, sidérée.

– Je lui ai fait du mal. Mes intentions n'étaient pas pures quand j'ai invoqué la Déesse. J'ai menti à la Déesse. Elle s'est servie de lui pour me punir. Il n'a été qu'un instrument entre Ses mains.

Rita la prit par le bras et la fit pivoter vers la glace du lavabo encore pleine de buée. Elle la nettoya d'un revers de main, s'essuya la paume après son cafetan.

– Regarde, Polly. Regarde bien. Vas-y.

Polly aperçut dans la glace ce qu'elle avait déjà vu de ses yeux. La marque des dents de Colin sur ses seins, les ecchymoses, les traces de coups. Elle ferma les yeux mais sentit les larmes prêtes à couler de sous ses cils.

– Tu crois que c'est de cette façon que la Déesse châtie celles qui lui mentent ? En leur envoyant un salopard doublé d'un violeur ?

– Quel qu'il soit, le souhait de la personne qui invoque la Déesse lui revient avec trois fois plus de force. Ce n'est pas à toi que je vais l'apprendre. Mes souhaits n'étaient pas purs. Je voulais Colin, mais il appartenait à Annie.

– Personne n'appartient à personne ! dit Rita. Et Elle n'a pas recours au sexe pour punir Sa prêtresse. Tu dérailles. Tu te mets à penser comme ces connards de chrétiens : « Nourriture des vers de terre, vil tas de fumier. La femme est la porte par laquelle entre le démon... semblable à la piqûre du scorpion. » C'est ça, l'image que tu as de toi ? Tu te vois comme quelque chose de dégoûtant qu'il faut piétiner ? Qui ne vaut rien ?

– J'ai fait du mal à Colin. J'ai tracé le cercle...

Rita la fit pivoter vers elle.

– Et tu vas recommencer, tout de suite, avec moi. Pour Mars. Comme tu aurais dû le faire depuis le début.

– J'ai invoqué Mars, l'autre nuit. J'ai mis les cendres sur la tombe d'Annie. J'y ai ajouté la pierre aux anneaux. Mais mes intentions n'étaient pas pures.

– Polly ! s'écria Rita. Tu n'as rien fait de mal !

– Je voulais qu'elle meure.

– Parce qu'elle n'avait pas envie de mourir, elle ? Le cancer la rongeait, mon petit cœur. Ovaires, estomac, foie. Jamais tu n'aurais réussi à la sauver. Personne ne pouvait la guérir.

– Si. La Déesse. Si je l'avais invoquée correctement. Mais je ne l'ai pas fait. Alors Elle m'a punie.

– Ne sois pas idiote. Ce n'est pas un châtiment que tu viens de subir, mais un viol. Et il va falloir que le coupable paie.

Polly se dégagea.

– Je ne veux pas que tu te serves de tes pouvoirs contre Colin. Je ne te laisserai pas faire.

– Ce n'est pas à la magie que je vais faire appel, ma grande. Mais à la police.

Effectuant un demi-tour, elle se dirigea vers la porte.

– Non ! (Polly frissonna de douleur en se baissant pour récupérer son peignoir.) Inutile de déranger la police. Je ne dirai rien. Pas un mot.

Rita pivota vers elle.

– Ecoute-moi...

– Non, toi, écoute-moi, m'man. Ce qu'il a fait, c'est sans importance.

– Sans... C'est comme si tu disais que tu n'as aucune importance. Que tu ne comptes pas.

Polly rattacha la cordelière de son peignoir.
– Je sais.

*

– Le lien avec les services sociaux a donné à Tommy la certitude que, quelles qu'aient été ses raisons de se débarrasser du pasteur, elles ont un rapport avec Maggie.
– Qu'en penses-tu ?
Saint James ouvrit la porte de leur chambre et la referma derrière eux.
– Je ne sais pas. Il y a quelque chose qui me chiffonne.
Deborah se débarrassa de ses chaussures et se laissa tomber sur le lit, où elle s'assit en tailleur et se frotta les pieds.
– J'ai l'impression que mes pieds ont vingt ans de plus que moi. Les chaussures de femme sont conçues par des sadiques. On devrait les fusiller.
– Tu veux fusiller les chaussures ?
– Les chaussures aussi.
Elle détacha un peigne en écaille de ses cheveux et le lança sur la commode. Elle portait une robe de laine verte de la couleur de ses yeux qui flottait autour d'elle comme une cape.
– Je ne sais pas si tes pieds ont quarante-cinq ans. Mais toi tu en parais quinze.
– C'est l'éclairage, Simon. Les lumières tamisées. Autant t'y habituer. Parce que plus ça ira, plus la lumière sera tamisée chez nous.
En éclatant de rire, il ôta sa veste. Il retira sa montre et la posa sur la table de nuit sous une lampe dont l'abat-jour à pompons s'effilochait. Il la rejoignit, soulevant sa mauvaise jambe de façon à être mi-assis, mi-vautré sur le lit, en appui sur les coudes.
– J'en suis ravi.
– Pourquoi ? Tu aimes les lumières douces tout d'un coup ?
– Non. Ce que j'aime, c'est l'idée de passer avec toi les années qui viennent.
– Pourquoi ? Tu croyais qu'on ne les passerait pas ensemble ?
– Franchement, avec toi, je ne sais jamais trop à quoi m'en tenir.

Repliant les jambes, elle appuya son menton sur ses genoux, ramenant les pans de sa robe autour d'elle. Les yeux sur la porte de la salle de bains, elle dit :

– Ote-toi vite cette idée de la tête, mon amour. Dis-toi que ce n'est pas parce que je suis ce que je suis que cela va nous séparer. C'est vrai, je ne suis pas commode...

– Tu ne l'as jamais été.

– ... mais le plus important, pour moi, c'est que nous soyons *ensemble*. (Comme il ne répondait pas immédiatement, elle tourna la tête vers lui.) Tu me crois ?

– J'aimerais bien.

– Mais ?

Il enroula autour de son doigt une mèche de ses cheveux, qui accrocha la lumière. Roux, châtain, blond ? Impossible d'en définir la couleur.

– La vie est loin d'être un long fleuve tranquille et il y a des moments où on se demande si on forme vraiment une équipe avec son partenaire. Quand ça se produit, on ne sait plus d'où on est parti, ni où on va, ni même pourquoi on a décidé de s'unir.

– Je ne me suis jamais posé ce genre de question. Je t'ai toujours aimé. J'ai toujours vécu près de toi.

– Mais ?

Elle sourit, contournant astucieusement l'obstacle :

– La première fois que tu m'as embrassée, tu as cessé d'être le héros de mon enfance pour devenir l'homme que je voulais épouser. Ç'a été aussi simple que ça.

– Ce n'est jamais simple, Deborah.

– Je crois que si. Quand les deux parties sont d'accord.

Elle lui embrassa le front, l'arête du nez, la bouche. Il lui posa la main sur la nuque. Mais elle s'esquiva, descendit du lit et défit la fermeture Eclair de sa robe en bâillant.

– Alors on a perdu notre temps, à Bradford ?

Elle se dirigea vers la penderie pour y prendre un cintre.

Interloqué, il la regarda, essayant de comprendre quel était le rapport.

– Bradford ?

– Robin Sage. Est-ce que tu as trouvé quelque chose au presbytère concernant son mariage ? La femme adultère ? Ou saint Joseph ?

Il la laissa détourner la conversation sans insister. Après tout, c'était plus commode.

– Rien. Mais ses affaires étaient enfermées dans des cartons et il y en avait des douzaines. Nous sommes loin d'avoir tout épluché. Tommy pense qu'on a peu de chances de dénicher quoi que ce soit. Pour lui, c'est à Londres que se trouve la vérité. Et il est persuadé que celle-ci a un rapport avec les liens unissant Maggie à sa mère.

Deborah retira sa robe par la tête et d'une voix étouffée par le tissu remarqua :

– Je ne comprends pas pourquoi tu rejettes la piste du passé. Une mystérieuse épouse disparue en mer dans un non moins mystérieux accident, c'est intrigant, non ? Si ça se trouve, il a téléphoné aux services sociaux pour des raisons sans rapport avec la petite.

– Exact. Mais pourquoi aux services sociaux de *Londres* ? Pourquoi ne pas avoir contacté l'antenne régionale s'il s'agissait d'un problème local ?

– Effectivement, à supposer que ce coup de fil ait concerné Maggie, pourquoi a-t-il contacté Londres ?

– Peut-être ne voulait-il pas que ça revienne aux oreilles de sa mère.

– Dans ce cas, il aurait aussi bien pu téléphoner à Manchester ou à Liverpool. S'il ne l'a pas fait, c'est qu'il avait une raison. Laquelle ?

– C'est bien la question. D'une façon ou d'une autre, il nous faut trouver la réponse. Suppose qu'il ait téléphoné à la suite de confidences que Maggie lui aurait faites. S'il empiétait sur ce que Juliet Spence considérait comme son territoire – à savoir l'éducation de sa fille – et ce d'une façon susceptible de constituer une menace pour elle et s'il lui avait fait savoir qu'il s'aventurait sur son terrain, pour lui forcer la main, peut-être, tu ne crois pas que ça l'aurait fait réagir ?

– Oui, acquiesça Deborah d'un ton pensif. Je crois qu'elle aurait réagi.

Elle suspendit sa robe au cintre, en arrangea les plis.

– Seulement tu n'es pas convaincue ?

– Ce n'est pas ça. (Elle attrapa sa chemise de nuit, l'enfila et le rejoignit sur le lit au bord duquel elle s'assit, examinant ses pieds.) C'est simplement que... (Froncement de sourcils.) Je serais plutôt tentée de croire que si Juliet Spence l'a assassiné et que Maggie est derrière tout ça, Mrs. Spence l'a tué non parce qu'elle était elle-même menacée mais parce que Maggie l'était. C'est sa fille, après tout. Tu ne peux pas perdre ça de vue avec tout ce que ça implique.

Saint James sentit comme une décharge électrique lui parcourir la nuque. La phrase de Deborah risquait de les entraîner sur un terrain glissant. Gardant le silence, il attendit qu'elle poursuive. Ce qu'elle fit, tout en suivant du doigt un dessin du dessus-de-lit.

– Voilà un petit être qui a grandi dans son sein pendant neuf mois, écoutant les battements de son cœur, lui donnant des coups de pied, s'efforçant de se manifester. Maggie est sortie de son ventre. Elle a tété son lait. En quelques semaines, elle a appris à reconnaître son visage et sa voix... (Elle s'arrêta de jouer avec le couvre-lit. S'efforça en vain de prendre un ton raisonnable.) Une mère, c'est prêt à tout pour défendre son enfant. Je veux dire... Est-ce qu'elle ne ferait pas n'importe quoi pour protéger la vie qu'elle a créée ? Franchement, tu ne crois pas que c'est à cause de ça que ce meurtre a eu lieu ?

En bas, dans l'auberge, la voix de Dora Wragg retentit :

– Josephine ! Où es-tu encore passée ? Combien de fois faudra-t-il te le répéter...

Une porte claqua. Ils ne purent entendre le reste.

– Tout le monde n'est pas comme toi, mon amour, dit Saint James. Tout le monde n'a pas la même conception de la maternité.

– Mais si c'est sa fille unique...

– Qui sait dans quelles circonstances cette petite est née. Quel rôle elle a joué dans l'existence de sa mère. De quelle manière elle a usé sa patience. Tu ne peux pas considérer Mrs. Spence et sa fille à travers le filtre de tes désirs. Tu ne peux pas te mettre à la place de cette femme.

Deborah eut un rire amer.

– Ça, je sais, fit-elle, retournant contre elle-même ses derniers mots.

– Non, dit-il. Tu ignores ce que l'avenir te réserve.

– Quand l'avenir a le passé pour prologue ?

Elle secoua la tête. Il ne put distinguer qu'une partie de sa joue tel un petit quartier de lune presque dissimulé par ses cheveux.

– Le passé est parfois le prologue de l'avenir. Et parfois, non.

– C'est pratique, ce genre d'idées, quand on veut fuir les responsabilités, Simon.

– Peut-être. Mais ça peut aussi être un moyen d'avancer, tu ne crois pas ? Tu passes ton temps les yeux tournés vers le passé pour en tirer des présages, mon cœur. Mais ça ne sert qu'à te faire souffrir.

– Parce que toi, les présages, ça ne t'intéresse pas ?

– C'est vrai, reconnut-il. Pas en ce qui nous concerne, du moins.

– Et en ce qui concerne les autres ? Tommy et Helen ? Tes frères ? Ta sœur ?

– Ça ne m'intéresse pas non plus. De toute façon, ils feront ce qu'ils ont décidé de faire quelles que soient les questions que je me pose.

– Alors à qui penses-tu ?

Il ne répondit pas. Les paroles de Deborah lui avaient remis en mémoire un fragment de conversation et il réfléchissait. Mais il avait peur, en donnant un autre tour à la conversation, qu'elle ne prenne ça pour une nouvelle marque d'indifférence de sa part.

– Réponds-moi, fit-elle en s'énervant. Il y a quelque chose qui te tracasse et je ne supporte pas d'être tenue à l'écart alors que nous parlons de...

Il lui serra la main.

– Cela n'a rien à voir avec nous, Deborah. Ni avec ça.

– Alors... (Elle comprit aussitôt.) Juliet Spence.

– Ton instinct te trompe rarement lorsqu'il s'agit des êtres et des situations. Le mien n'est pas bon. Je cherche toujours les faits. Tandis que toi, ce sont les conjectures qui t'intéressent.

– Et alors ?

– Tu te souviens de ce que tu as dit tout à l'heure, que le passé était le prologue de l'avenir ? (Il desserra sa cravate et la retira par la tête, la jetant vers le dessus de la commode. Elle rata son but et resta accrochée à une poignée de tiroir.) Polly Yarkin a surpris Sage en conversation au téléphone le jour de sa mort. Il parlait du passé.

– A Mrs. Spence ?

– Ça se pourrait bien. Il parlait de juger... (Saint James qui déboutonnait sa chemise s'interrompit pour essayer de retrouver les mots que Polly leur avait répétés.) « Vous ne pouvez pas juger. Il ne vous appartient pas de juger ce qui s'est passé alors. »

– L'accident de bateau.

– C'est ça qui me tracasse depuis que je suis sorti du presbytère. Cette phrase ne colle pas avec son intérêt pour les services sociaux. Mais quelque chose me dit que ça doit coller quelque part. Il avait passé toute la journée à prier, nous a dit Polly. Il avait refusé de s'alimenter.

– Il jeûnait ?

– Oui. Mais pourquoi ?

– Peut-être qu'il n'avait pas faim.

– Ou qu'il faisait pénitence, suggéra Saint James.

– Pour se faire pardonner un péché ? Lequel ?

Il finit de déboutonner sa chemise et l'envoya rejoindre la cravate. Mais il manqua son but et la chemise atterrit par terre.

– Je l'ignore. Mais je parie que Mrs. Spence le sait.

LE PASSÉ EST LE PROLOGUE

24

Parti de Winslough bien avant le lever du soleil sur la colline de Cotes Fell, Lynley atteignit la banlieue londonienne vers midi. La circulation était de plus en plus inextricable dans la capitale, et il était presque une heure lorsqu'il arriva à Onslow Square. Il trouva à se garer à la place d'une Mercedes dont la portière était plissée en accordéon côté conducteur et dont le propriétaire était nanti d'une minerve.

Il ne lui avait pas téléphoné de Winslough. Il ne l'avait pas non plus appelée de la Bentley. D'abord il s'était dit qu'il était trop tôt – Helen ne se levait jamais avant neuf heures sauf cas de force majeure. Toutefois, les heures passant, il avait pensé qu'il lui valait mieux s'abstenir de peur qu'elle ne se sente obligée de modifier son emploi du temps. Helen n'était pas quelqu'un qui aimait être à la botte d'un homme et il n'allait pas l'obliger à se couler dans le moule de la femme soumise. Son appartement n'était pas loin de chez lui, après tout. Si elle était sortie, il gagnerait Eaton Terrace où il déjeunerait. Il se félicita de son raisonnement, digne d'un homme plein de bon sens. C'était plus simple que de regarder la vérité en face : il mourait d'envie de la voir mais ne voulait pas s'exposer à une déception en découvrant qu'Helen avait d'autres activités de prévues.

Il sonna, attendit, examinant le ciel de la couleur d'une pièce de dix pence, se demandant quand il allait pleuvoir et si la pluie à Londres se traduirait par de la neige dans le Lancashire. Il sonna de nouveau et perçut sa voix accompagnée de bruits de friture dans l'interphone.

– Tu es là, dit-il.

– Tommy, fit-elle en appuyant sur le bouton d'ouverture.

Elle l'attendait sur le pas de sa porte. Pas maquillée, les cheveux retenus en arrière à l'aide d'un élastique et d'un ruban, elle avait l'air d'une adolescente. Ses propos ne firent qu'accentuer la ressemblance :

– J'ai eu une dispute monstre avec papa, dit-elle en l'embrassant. Je devais retrouver Sidney et Hortense pour déjeuner dans un restaurant arménien que Sid a découvert à Chiswick et qui est délicieux d'après elle. Mais papa a débarqué à Londres hier pour affaires et il a passé la nuit ici. Et ce matin, nous nous sommes querellés comme des chiffonniers.

Lynley retira son manteau. Elle avait fait du feu pour se consoler. Sur une table basse devant la cheminée traînaient le journal du matin, deux tasses et deux soucoupes ainsi que les restes d'un petit déjeuner composé d'œufs durs et de toasts calcinés.

– Tu détestes ton père ? C'est nouveau, alors. J'avais toujours eu l'impression que tu étais sa préférée.

– Oh, on ne se déteste pas, et je *suis* sa préférée. C'est bien pour ça d'ailleurs que je lui en veux d'être si exigeant avec moi. Tu sais comment il est. « Ne te méprends surtout pas, ma chérie. Ta mère et moi ne voulons pas t'empêcher de profiter de l'appartement. » Et tu connais sa voix. Sonore.

– Une voix de baryton, oui. Il veut que tu vides les lieux ?

– « Ta grand-mère voulait qu'Onslow Square serve à toute la famille. Tu es de la famille, ses souhaits sont donc exaucés. Cependant quand nous réfléchissons, ta mère et moi, à la façon dont tu passes ton temps... etc, etc. » Il est très fort, une fois qu'il est lancé. J'ai horreur qu'il me fasse le coup du chantage à l'appartement.

– « Raconte-moi ce que tu fais de tes journées, Helen. Les bêtises qui t'occupent. » C'est ça ?

– Exactement. (Elle s'approcha de la table basse, plia le journal et se mit à empiler la vaisselle sale.) Tout ça parce que Caroline n'était pas là pour lui préparer son petit déjeuner : elle est repartie en Cornouailles, où elle est décidée à rester. La faute à Denton, bien sûr,

Tommy. Parce que Cybele nage dans le bonheur conjugal. Parce qu'Iris se plaît follement dans le Montana avec son troupeau de vaches et son cow-boy. Mais surtout parce que son œuf n'était pas cuit à son goût et que j'ai fait brûler ses toasts. Ç'a été la goutte d'eau qui a fait déborder le vase. Le matin, il est toujours d'une humeur de dogue, de toute façon.

Lynley réfléchit. Il ne pouvait se prononcer sur les époux des sœurs d'Helen – Cybele avait jeté son dévolu sur un industriel italien, et Iris sur un éleveur de bétail yankee. Mais il y avait un aspect de la vie d'Helen qu'il connaissait bien et sur lequel il pouvait donner son sentiment. Au cours des dernières années, Caroline avait tenu lieu à Helen de bonne, de dame de compagnie, de gouvernante, de cuisinière, de camériste, bref de providence. Mais Caroline était née et avait grandi en Cornouailles. Et dès le début, il avait su que la vie londonienne finirait par lui peser.

– Parce que tu t'étais figurée que Caroline resterait éternellement à ton service? Toute sa famille est à Howenstow [1], observa-t-il.

– Ça aurait pu se faire. Si Denton n'avait pas jugé bon de lui briser le cœur. Vraiment, Tommy, tu devrais intervenir auprès de ton valet de chambre. Sa conduite avec les femmes est inqualifiable.

Lynley la suivit dans la cuisine. Ils posèrent la vaisselle sur le plan de travail et Helen se dirigea vers le frigo. Elle en sortit un pot de yaourt au citron et l'ouvrit à l'aide d'une cuiller.

– J'allais t'inviter à déjeuner, fit-il très vite en la voyant plonger sa cuiller dans le yaourt.

– Vraiment? Je te remercie, chéri, mais c'est impossible. Il faut que je réfléchisse à la meilleure façon d'organiser ma vie. (S'agenouillant, elle fouilla de nouveau dans le réfrigérateur, en sortit trois autres pots.) Fraise, banane, citron. Qu'est-ce que tu veux?

– Rien de tout ça. Je rêvais de saumon fumé suivi d'une longe de veau. Apéritif au champagne. Bordeaux avec le repas. Cognac pour terminer.

– Banane, alors, décida Helen, lui tendant pot et cuiller. C'est rafraîchissant. Je vais préparer du café.

Lynley examina le yaourt et fit une grimace.

– C'est de la nourriture pour chat.

1. Voir *Une douce vengeance. (N.d.T.)*

Il s'approcha d'une table circulaire en verre et bouleau installée dans une sorte d'alcôve. Le courrier s'empilait dessus ainsi que deux journaux de mode dont certaines pages étaient cornées. Il les feuilleta tandis qu'Helen versait les grains de café dans le moulin et mettait l'appareil en marche. Elle avait des lectures étonnantes : robes de mariée et mariages. Satin, soie, lin, coton. Fleurs dans les cheveux, chapeaux, voiles. Réceptions, petits déjeuners de noces. Mairie, église.

Relevant la tête, il constata qu'elle l'observait. Pivotant abruptement, elle s'occupa du café. Mais il avait perçu une lueur de désarroi dans son regard – depuis quand Helen se laissait-elle prendre au dépourvu ? –, aussi se demanda-t-il s'il était la cause de ce soudain intérêt pour les cérémonies nuptiales ou s'il fallait attribuer ça aux diatribes paternelles. Comme lisant dans ses pensées, elle laissa tomber :

– Il n'arrête pas de délirer à propos de Cybele, c'est pour ça qu'il s'énerve après moi. Cybele, mère de quatre enfants, appartenant au gratin milanais, protectrice des arts et des lettres, membre actif d'innombrables comités de bienfaisance. Et qui, en plus, parle italien comme une véritable Italienne. C'est agréable d'avoir une sœur aînée bourrée de qualités. Si encore elle avait eu le bon goût d'être malheureuse. Ou d'épouser une canaille. Mais non ! Carlo l'adore, il ne jure que par sa frêle petite rose anglaise. (Helen glissa rudement le récipient en verre sous le bec de la cafetière.) Frêle, tu parles ! Cybele est à peu près aussi fragile qu'un cheval.

Elle ouvrit un placard et commença à sortir un assortiment de bocaux, pots et boîtes, qu'elle posa sur la table. Les biscuits au fromage voisinèrent bientôt sur une assiette avec une tranche de brie. Olives et petits légumes au vinaigre atterrirent dans un bol. Bientôt suivis d'oignons miniatures. Pour terminer, elle posa sur la table un morceau de salami et une planche à découper.

– Le déjeuner, annonça-t-elle, prenant place en face de lui tandis que le café commençait à glouglouter.

– Gastronomique, ironisa-t-il. Je me demande à quoi je pensais en te proposant du saumon fumé et de la longe de veau.

Lady Helen se coupa une part de brie et l'étala sur un biscuit.

– Papa ne comprend pas que je veuille exercer un métier : il est d'une autre époque. Il pense que je devrais me rendre utile.

– C'est bien ce que tu fais, non ? (Lynley s'attaqua à son yaourt à la banane, s'efforçant de penser que c'était une nourriture solide, qu'il convenait de mastiquer.) Quand Simon est débordé, tu le dépannes.

– Justement, ça c'est une chose que papa a du mal à avaler. Quel plaisir sa fille trouve-t-elle à relever et photographier des empreintes ? A placer des cheveux sur des lamelles ? A taper des comptes rendus où il n'est question que de chairs en décomposition ? Est-ce là le genre d'existence que doit mener sa précieuse fille ? Est-ce pour cela qu'il m'a envoyée parfaire mon éducation dans une *finishing school* ultra chic ? Pour passer le restant de mes jours – épisodiquement, certes – enfermée dans un laboratoire ? Si j'étais un homme, je pourrais au moins passer le temps à mon club. Ça, il comprendrait. C'est ce qu'il a fait pendant la quasi-totalité de sa jeunesse.

Lynley haussa un sourcil.

– Je croyais que ton père avait présidé trois ou quatre grosses compagnies prospères. Qu'il en préside encore une actuellement.

– Inutile de me le rappeler. Il m'en a rebattu les oreilles toute la matinée tout en dressant la liste des organisations caritatives auxquelles je devrais me consacrer. Franchement, il y a des moments où j'ai l'impression qu'il sort d'un roman de Jane Austen.

Lynley se mit à tapoter la couverture du magazine qu'il venait de feuilleter.

– Il y a sûrement d'autres moyens de le rassurer sur ton sort que de te lancer dans les bonnes œuvres. Tu pourrais te consacrer à des activités trouvant grâce à ses yeux.

– Certes. Réunir des fonds pour la recherche médicale, rendre visite aux personnes âgées. Je ne devrais pas rester inactive. J'ai d'ailleurs bien l'intention de me remuer. Mais il y a toujours des empêchements de dernière minute.

– Je ne parlais pas de bénévolat.

Alors qu'elle se coupait une tranche de saucisson, elle s'immobilisa. Elle reposa le couteau, s'essuya les doigts sur une serviette en lin pêche.

– Pense au nombre de problèmes que tu résoudrais en te mariant, Helen. L'appartement d'Onslow Square redevenu vacant, tes parents, tes sœurs...
– Ils peuvent venir ici quand bon leur semble. Ils le savent bien.
– ... tu pourrais te prétendre trop accaparée par ton époux pour mener une vie sociale trépidante comme celle de Cybele.
– Il *faut* que je commence à m'intéresser davantage à ce qui se passe. Papa a raison sur ce point, même si ça m'énerve d'être obligée de le reconnaître.
– Et une fois nantie d'enfants, tu pourrais t'abriter derrière eux et les soucis qu'ils te donnent pour envoyer promener ton père et ses diatribes sur ton inactivité. Non que je l'imagine continuant à t'accabler de reproches. Il serait trop heureux...
– De quoi ?
– De te savoir... casée, j'imagine.
– Casée ? (Lady Helen embrocha un pickle et le mâchonna pensivement.) Tu n'es pas provincial à ce point. Dis-moi que je rêve.
– Je ne voulais pas...
– Sérieusement, tu ne penses pas que le destin d'une femme, c'est d'être *casée*, Tommy, si ? Ou est-ce que c'est le rôle que tu voulais me voir jouer, moi ?
– Non. Désolé. J'ai mal choisi mes mots.
– Choisis-en d'autres, alors.
Il posa le yaourt sur la table. La mixture avait bon goût au départ mais après elle vous laissait un arrière-goût sur le palais.
– On tourne autour du pot. On ferait mieux d'arrêter. Ton père sait que je veux t'épouser, Helen.
– Et alors ?
Il croisa les jambes, les décroisa. Il fit mine de desserrer sa cravate, se rappela in extremis qu'il n'en portait pas. Il poussa un soupir.
– Et alors, rien, bon sang ! En m'épousant, tu ne serais pas si malheureuse que ça.
– C'est papa qui serait content, si on se mariait. Ça, c'est sûr.
Vexé par le sarcasme, il répondit sur le même ton :
– Que ton père soit content, je m'en moque. Mais il y a...
– Ce n'est pas toi qui as employé le mot « heureux » tout à l'heure ? Ou est-ce que tu aurais oublié ?

– Mais il y a des moments – comme maintenant, par exemple – où j'en viens à me dire que ça me plairait, à moi.

Elle se cala sur sa chaise, frappée par la remarque. Ils se regardèrent. Heureusement, le téléphone se mit à sonner.

– Laisse, dit-il. Ne bouge pas. Il faut qu'on discute de tout ça, qu'on mette tout à plat. Et le plus tôt sera le mieux.

– Je ne suis pas de ton avis. (Le téléphone était sur le plan de travail près de la cafetière, elle se leva pour aller répondre. Tout en parlant à son interlocuteur, elle remplit deux tasses de café.) Bien vu. Il est assis dans ma cuisine en train de manger du salami et du yaourt... (Elle éclata de rire.) Truro ? Avec ses cartes de crédit ? Ne vous privez de rien, alors. Non... Ne vous inquiétez pas, Barbara. Nous avions une discussion sans intérêt sur les mérites respectifs des cornichons au vinaigre et de l'aneth.

Helen savait très bien quand sa légèreté le blessait, aussi se garda-t-elle de le regarder en face en lui tendant le combiné.

– Havers, pour toi, précisa-t-elle inutilement.

En prenant le récepteur, il referma ses doigts sur les siens. Il ne lâcha prise que lorsqu'elle releva la tête. Mais il ne souffla mot parce qu'après tout, bon sang, elle était dans son tort et que ce n'était pas lui qui allait lui présenter des excuses.

En disant bonjour à Havers, il se rendit compte que son intonation avait dû le trahir car elle attaqua son rapport sans autre préambule.

– Je suis sûre que vous allez bicher si je vous dis qu'à Truro, l'Eglise anglicane prend le travail de la police très à cœur. Le secrétaire de l'évêque a eu l'extrême bonté de m'accorder un rendez-vous avec son patron dans... une semaine. Authentique. L'évêque ne sait où donner de la tête, paraît-il. (Elle souffla bruyamment. Sans doute était-elle encore en train de fumer.) Vous devriez voir dans quelles conditions ces gens-là sont logés. Nom de Dieu de bordel de merde. La prochaine fois que je me risque à l'église, empêchez-moi de mettre la main à mon porte-monnaie quand on me présentera la corbeille de la quête. C'est eux qui devraient m'entretenir, pas le contraire.

– En d'autres termes, vous avez perdu votre temps.

Lynley regarda Helen se rasseoir et redresser les coins des pages qu'elle avait cornées. Elle lissait le papier soigneusement avec ses doigts afin d'être sûre qu'il ne perde rien de son manège. Il la connaissait suffisamment bien pour savoir que son geste était délibéré. L'espace d'un instant, pris d'une rage insensée, il faillit donner un coup de pied dans la table.

– Accident de bateau, c'était un euphémisme, poursuivait Havers à l'autre bout du fil.

Lynley s'arracha à la contemplation d'Helen.

– Quoi ?

– Je parie que vous n'écoutiez pas. Tant pis. Quand est-ce que vous avez remis le son ?

– Accident de bateau.

– Très bien, fit-elle, répétant ce qu'elle venait de dire.

Comprenant que l'évêque de Truro ne l'aiderait pas, elle s'était rendue au journal, où elle avait passé la matinée à lire des numéros anciens. Là elle avait découvert que l'accident qui avait coûté la vie à la femme de Robin Sage...

– A propos, elle s'appelait Susanna.

... n'avait primo pas eu lieu à bord d'un bateau de plaisance et secundo pas été considéré comme un accident.

– Ça s'est passé à bord du ferry qui relie Plymouth à Roscoff, précisa Havers. Et d'après les journaux, il s'agissait d'un suicide.

Havers lui fournit les détails glanés dans les différents comptes rendus. Les Sage effectuaient la traversée par un temps de chien, ils allaient passer deux semaines de vacances en France. Le repas terminé, à mi-parcours...

– La traversée dure six heures, inspecteur.

... Susanna était allée aux toilettes tandis que son mari retournait au salon avec son livre. Ce n'est qu'une heure plus tard qu'il s'était aperçu qu'elle aurait dû être de retour, mais comme elle était un peu déprimée, il s'était dit qu'elle avait dû vouloir s'isoler.

– Il avait sans doute un peu trop tendance à la couver quand elle avait un coup de blues, dit Havers. Et il a préféré la laisser se débrouiller seule. C'est moi qui interprète.

D'après les renseignements recueillis par Havers,

Robin Sage avait quitté le salon à deux ou trois reprises durant la traversée pour se dégourdir les jambes, boire un verre, acheter une tablette de chocolat, mais pas pour se mettre à la recherche de sa femme dont l'absence prolongée ne semblait pas l'inquiéter. Arrivé en France, il était descendu jusqu'à sa voiture, persuadé qu'elle l'y attendrait. Ne la voyant pas alors que les voyageurs commençaient à quitter le bateau, il était parti à sa recherche.

– Il n'a donné l'alerte qu'en remarquant que son sac à main était sur la banquette avant de la voiture, dit Havers. Il y avait un mot dedans. Un instant... (Lynley entendit un froissement de papier.) « Désolée, Robin, je ne parviens pas à trouver la lumière. » Pas de signature. Mais c'était son écriture.

– Un peu laconique, comme mot, observa Lynley.

– Vous n'êtes pas le seul à avoir eu cette impression, fit Havers.

La traversée s'était effectuée dans de mauvaises conditions météorologiques. Il avait fait nuit pendant toute la seconde partie du voyage. Et froid. Tant et si bien qu'il n'y avait eu personne sur le pont pour voir si une femme avait enjambé le bastingage.

– Ou si on l'avait fait basculer par-dessus bord ? suggéra Lynley.

Havers enchaîna :

– Ç'aurait pu être un suicide, mais ç'aurait également pu être autre chose. C'est d'ailleurs pour ça que les flics de part et d'autre de la Manche ont cuisiné Sage à deux reprises. Sans résultat. Faute de témoin. Personne n'avait vu Sage aller au bar, personne ne l'avait vu se lever pour se dégourdir les jambes.

– Et sa femme n'aurait pas pu quitter le bateau en douce à Roscoff ?

– Pas en venant d'Angleterre, inspecteur. Son passeport était dans son sac avec son argent, son permis de conduire, ses cartes de crédit et tout le bataclan. Elle n'aurait pas pu descendre du bateau en Angleterre ni en France. Et la police a cherché partout.

– Et le corps ? Où est-ce qu'elle a été retrouvée ? Qui l'a identifiée ?

– Je l'ignore encore, mais je m'en occupe. Vous avez envie de faire des paris ?

– Sage était obsédé par l'histoire de la femme adultère, dit Lynley pour lui-même.

– Et faute d'avoir des pierres sous la main sur le bateau, il l'a balancée dans l'eau pour la punir ?
– Peut-être.
– Quoi qu'il en soit, ils dorment bien tranquillement dans les bras du Seigneur maintenant. Au cimetière de Tresillian. Je suis allée vérifier. C'est là qu'ils reposent tous.
– Comment ça, tous ?
– Susanna, Robin Sage et l'enfant. Tous les trois. Les uns à côté des autres.
– L'enfant ?
– Ouais. L'enfant. Joseph. Leur fils.

Lynley fronça les sourcils, écoutant son sergent et regardant Helen. Havers lui fournissait tous les détails. Helen traçait des lignes dans sa tranche de brie avec la pointe de son couteau, ses magazines refermés posés sur un coin de table.
– Il avait trois mois quand il est mort, dit Havers. Et elle... attendez que je vérifie... Elle est décédée six mois plus tard. Ça tendrait à accréditer la thèse du suicide, non ? Elle devait être affreusement dépressive après la perte de son bébé. Et incapable de trouver la lumière, pour reprendre son expression.
– La cause de la mort du bébé ?
– Je ne la connais pas.
– Trouvez-la.
– Très bien. (Elle froissa des papiers, notant ses instructions dans un calepin sans doute. Soudain, elle dit :) Bon Dieu, inspecteur, trois mois. Vous croyez que Sage... ou sa femme...
– Je ne sais pas, sergent. (A l'autre bout de la ligne, il entendit le craquement d'une allumette. Elle s'octroyait une nouvelle cigarette. Lui-même en aurait volontiers grillé une.) Tâchez de creuser, d'en savoir plus sur cette Susanna. Histoire de voir s'il n'y a pas un lien entre elle et Juliet Spence.
– Spence... c'est noté. (Re-froissement de papier.) Je vous ai fait des photocopies des articles de journaux. C'est maigre, mais vous voulez que je vous les faxe au Yard quand même ?
– Ce sera toujours mieux que rien.
– Bien. (Il l'entendit tirer sur sa cigarette.) Inspecteur...

– Quoi ?
– Ne relâchez pas vos efforts. Avec Helen, je veux dire.
Facile à dire, songea-t-il en raccrochant. Il regagna la table et constata qu'Helen avait hachuré toute la croûte du brie avec son couteau. Elle avait renoncé à manger son yaourt et le salami n'était qu'à moitié coupé. Pour l'instant, elle faisait rouler une olive sur son assiette, la poussant à l'aide d'une fourchette. Elle avait l'air si triste qu'il se sentit plein de compassion.
– Ton père n'aimerait pas te voir jouer avec la nourriture, dit-il d'un ton tranquille.
– Sans doute que non. Cybele ne joue jamais avec la nourriture. Quant à Iris, elle ne mange pas.
Il s'assit et considéra le brie qu'il avait étalé sur un biscuit. Il le prit, le reposa, tendit la main vers le bocal de petits légumes au vinaigre, le repoussa.
– Bon. Je file. Il faut que j'aille...
– Je suis désolée, Tommy. Je t'ai fait de la peine. Je ne le fais pas exprès. C'est plus fort que moi.
– Je te provoque, dit-il.
Elle retira élastique et ruban de ses cheveux et se passa l'élastique autour du poignet.
– Je cherche des preuves. Quand je n'en trouve pas, j'en fabrique.
– Il s'agit d'une liaison, Helen, nous ne sommes pas au tribunal. Qu'essaies-tu de prouver au juste ?
– Que je ne fais pas le poids.
– C'est moi qui ne fais pas le poids, fit-il, s'efforçant de garder un ton objectif mais sans y parvenir.
Elle leva la tête. Ses yeux étaient secs, sa peau marbrée de rouge.
Il s'empara du ruban qu'elle triturait entre ses doigts.
– N'attends pas de moi que je mette un terme à nos relations, je ne le ferai pas. C'est à toi de prendre l'initiative de la rupture.
– Je romprai, si tu me le demandes.
– Je n'en ai pas l'intention.
– Ce serait tellement plus facile.
– Oui, n'est-ce pas ? Au début, peut-être. (Il se mit debout.) Il faut que j'aille faire un saut dans le Kent cet après-midi. Je compte sur toi pour le dîner ? (Il sourit.) Et le petit déjeuner ?
– Faire l'amour, ça n'est pas ce qu'il y a de plus difficile, Tommy.

– Je sais. Faire l'amour, c'est simple. Ce qui l'est moins, c'est de vivre ensemble.

Lynley s'engagea dans le parking de la gare de Sevenoaks au moment où les premières gouttes de pluie s'abattaient sur le pare-brise de la Bentley. Il fouilla dans la poche de son manteau pour y repêcher les notes trouvées dans les affaires du pasteur.

Les directives étaient simples : il se dirigea vers la grand-rue, qu'il longea un moment avant de sortir de la ville. Quelques virages après l'endroit où s'étaient dressés les chênes éponymes de Sevenoaks [1], il déboucha en rase campagne. Deux chemins et une petite montée plus loin, il se retrouva à l'entrée d'une allée baptisée Wealdon Oast. Elle menait à une maison au toit de tuiles blanches et aux murs de brique, flanquée sur sa façade nord d'une sécherie de houblon comme on en trouve souvent dans le Kent. La bâtisse donnait à l'ouest sur Sevenoaks et au sud sur des champs et des bois. Terres et arbres étaient pour l'instant d'un terne hivernal ; mais le reste de l'année, ils devaient exploser en une palette de couleurs.

Tout en se garant entre une Sierra et une Metro, Lynley se demanda si Robin Sage était venu jusque-là à pied. Il n'avait pas dû faire le trajet en voiture depuis le Lancashire et les directives retrouvées dans ses papiers semblaient indiquer deux choses. Primo, il était arrivé par le train sans avoir l'intention de prendre un taxi à la gare. Secundo, personne n'était venu l'attendre, pas plus à la gare qu'ailleurs en ville.

Un panneau de bois aux lettres jaunes fixé à gauche de la porte indiquait que la sécherie avait été reconvertie en bureau. *Gitterman Inter.* Toujours en jaune, mais en caractères plus petits, le nom de la propriétaire de l'agence d'intérim : *Katherine Gitterman.*

Kate, songea Lynley. Encore une réponse aux questions que l'examen de l'agenda de Sage et celui du carton *divers* l'avaient amené à se poser.

Une jeune femme assise derrière le bureau de la réception leva le nez lorsque Lynley entra. Ce qui avait jadis été un séjour était maintenant un bureau aux murs ivoire, à la moquette verte et au mobilier de chêne

1. *Oak* : chêne. *(N.d.T.)*

moderne. La jeune fille lui adressa un signe de tête tout en continuant sa conversation téléphonique.

– Je peux vous envoyer Sandy de nouveau, Mr. Coatsworth. Elle avait de bonnes relations avec tout le monde et ses compétences... Oui, c'est celle qui porte un appareil dentaire. (Elle roula les yeux en direction de Lynley. Ils étaient de la couleur de son ombre à paupières marine, elle-même soigneusement assortie à la couleur de son cardigan.) Oui, bien sûr, Mr. Coatsworth. Laissez-moi jeter un coup d'œil... (Sur son bureau, par ailleurs immaculé, étaient empilés six dossiers. Elle ouvrit le premier.) Vous ne m'ennuyez nullement, Mr. Coatsworth. Je vous assure. (Elle feuilleta le deuxième.) Vous n'avez jamais eu Joy ? Non, elle ne porte pas d'appareil dentaire. Et elle tape à la machine... voyons voir...

Lynley jeta un regard sur sa gauche par la porte ouvrant sur la partie circulaire du séchoir. Six boxes y avaient été aménagés. Dans deux des boxes, des jeunes filles tapaient sur des machines à écrire électriques tandis qu'un minuteur tictaquait. Dans une troisième niche, un jeune homme s'activait sur un traitement de texte. Secouant la tête, il marmonna :

– Bon Dieu, il est naze. Encore une saute de courant. (Se penchant, il fouilla dans une trousse pleine de disquettes et de matériel sophistiqué.) Le disque dur s'est planté. J'espère qu'elle avait sauvegardé.

– Je peux vous aider, monsieur ?

Lynley pivota vers le bureau de la réception. Miss Marine le regardait, le crayon en l'air, prête à prendre des notes. Elle avait fait disparaître les dossiers qu'elle avait remplacés par un bloc. Derrière elle, d'un vase posé sur une crédence luisante de propreté, un pétale de rose tomba. Lynley s'attendit à ce qu'un gardien jaillisse des profondeurs de la maison, pelle en main, pour faire disparaître le navrant pétale fané.

– Je cherche Katherine Gitterman, dit-il en sortant sa carte. Scotland Yard. Brigade criminelle.

– Vous voulez voir Kate ? *Kate* ? fit la jeune femme, incrédule.

– Est-ce qu'elle est là ?

Sans le quitter des yeux, elle fit oui de la tête et composa un numéro à trois chiffres sur le cadran du téléphone. Après un conciliabule étouffé, elle l'entraîna devant un second bureau pourvu d'un buvard en cuir aubergine sur lequel, disposé en éventail, reposait le courrier de la journée. Elle ouvrit une porte derrière le bureau et lui désigna un escalier de la main.

– C'est là-haut. (Avec un sourire, elle ajouta :) Vous l'avez contrariée. Elle n'aime pas les surprises.

Kate Gitterman l'attendait en haut de l'escalier. C'était une grande femme vêtue d'une robe de chambre écossaise ajustée dont la ceinture était nouée avec soin. La couleur dominante de l'écossais était le vert, un vert parfaitement assorti à celui de la moquette. Sous sa robe de chambre, elle portait un pyjama, lui aussi vert.

– La grippe, expliqua-t-elle. Ça touche à sa fin. J'espère que ça ne vous ennuie pas. (Sans lui laisser le temps de répondre, elle enchaîna :) Je vais vous recevoir par ici.

Et elle l'entraîna le long d'un étroit couloir qui conduisait dans le séjour d'un appartement moderne et bien équipé. Une bouilloire siffla tandis qu'ils entraient.

– Un instant, je vous prie, fit-elle en sortant.

Les semelles de ses pantoufles de cuir claquèrent sur le lino tandis qu'elle s'activait dans la cuisine.

Lynley parcourut les lieux du regard. Comme les bureaux du rez-de-chaussée, la pièce était d'une netteté qui confinait à l'obsession, pourvue d'étagères, de rayonnages et supports divers où chaque objet semblait avoir sa place attitrée. Les coussins du canapé et des fauteuils étaient disposés avec une régularité géométrique. Un petit tapis persan était parfaitement centré par rapport à la cheminée. Dans l'âtre brûlait une pyramide de boulets de charbon artificiels.

Il lisait les titres des cassettes alignées au garde-à-vous sous le téléviseur lorsqu'elle reparut.

– Je tiens à rester en forme, fit-elle pour expliquer la présence aux côtés des *Hauts de Hurlevent* de programmes de gymnastique.

De toute évidence, la forme était pour elle aussi importante que la propreté. Non seulement elle était mince et athlétique, mais elle figurait sur une photo de la taille d'un poster participant à une course à pied avec le brassard 194. Un foulard rouge noué bas sur le front, transpirant à grosses gouttes, elle avait néanmoins réussi à adresser un sourire éblouissant à l'appareil.

– Mon premier marathon, expliqua-t-elle. Le premier, ça compte.

– Je m'en doute.
– Oui, n'est-ce pas ?
Elle se passa le pouce et le majeur dans les cheveux. Sa chevelure châtain clair soigneusement rehaussée de mèches blondes était coupée court et lui dégageait élégamment le visage, ce qui suggérait la fréquentation assidue d'un coiffeur expert en matière de coupe et de balayage. Au vu des rides qui lui entouraient les yeux, Lynley lui donna quarante-cinq, quarante-huit ans. Mais il se dit qu'habillée pour travailler ou sortir, bien maquillée, et à la lumière clémente d'un restaurant, elle devait faire dix ans de moins.

Elle tenait à la main une tasse d'où s'échappait un filet de vapeur délicieusement parfumé.

– Du bouillon de poulet, fit-elle. Je devrais sans doute vous proposer à boire, mais j'ignore ce qu'il convient d'offrir à un policier en visite. Car vous êtes policier, n'est-ce pas ?

Il lui tendit sa carte. Contrairement à la réceptionniste, elle l'examina avant de la lui rendre.

– J'espère qu'il ne s'agit pas d'une de mes filles. (Elle se dirigea vers le canapé et s'assit à l'extrême bord du siège, sa tasse de bouillon de poulet en équilibre sur le genou gauche. Il constata qu'elle avait des épaules de nageuse et la posture d'une femme de l'époque victorienne qui est sanglée dans un corset.) Je fais toujours ma petite enquête quand elles se présentent chez moi. Et je leur demande des références. Trois au minimum. Si j'obtiens de mauvais renseignements sur elles émanant de plus de deux de leurs anciens employeurs, je ne donne pas suite. Ainsi je n'ai jamais de problèmes. Jamais.

Lynley la rejoignit et prit place dans l'un des fauteuils.

– Je suis venu vous voir à propos d'un certain Robin Sage. J'ai retrouvé dans ses affaires des indications qui m'ont permis d'arriver jusqu'à cette sécherie de houblon, ainsi que votre nom, Kate, dans son agenda. Est-ce que vous le connaissez ? Est-il venu vous voir ?

– Robin ? Oui.

– Quand ?

Elle fronça les sourcils.

– Je ne m'en souviens pas exactement. C'était à l'automne. Fin septembre peut-être.

– Le 11 octobre ?
– C'est possible. Voulez-vous que je vérifie ?
– Avait-il un rendez-vous ?
– En un certain sens, oui. Pourquoi ? Il a des ennuis ?
– Il est mort.
Ses doigts se crispèrent imperceptiblement autour de la tasse.
– Et vous enquêtez ?
– Les circonstances de sa mort sont pour le moins étranges. (Il attendit qu'elle lui demande des précisions. Comme elle ne bronchait pas, il poursuivit :) Sage vivait dans le Lancashire. Ce n'est pas pour engager une intérimaire qu'il est venu vous voir ?
Elle but une gorgée de bouillon.
– Non. Il était venu me parler de Susanna.
– Sa femme.
– Ma sœur. (Elle sortit de sa poche un carré de lin blanc, s'essuya les coins de la bouche, puis le remit soigneusement en place.) Je n'avais pas eu de ses nouvelles depuis les obsèques de Susanna. Il n'était pas vraiment le bienvenu. Pas après ce qui s'était passé.
– Entre lui et sa femme ?
– Et le bébé. Joseph. Quelle horrible histoire.
– Ce n'était qu'un nouveau-né lorsqu'il est mort, si j'ai bien compris.
– En effet. Il n'avait que trois mois. Mort subite du nourrisson. Susanna est allée le réveiller un matin, pensant qu'il avait réussi à faire toute sa nuit pour une fois. En fait, il était mort. Et depuis plusieurs heures. Il était tout raide. Elle lui a cassé trois côtes en essayant de lui faire un massage cardiaque. Evidemment, il y a eu une enquête. Et, avec cette histoire de côtes cassées, on a parlé de sévices à enfant.
– C'est la police qui s'est posé ces questions ? fit Lynley, surpris. Si les os avaient été brisés après la mort...
– Ils l'auraient su. Je sais. Ce n'est pas la police qui s'est interrogée. Les flics l'ont cuisinée, bien sûr, mais une fois en possession du compte rendu du médecin légiste, ils se sont rendus à l'évidence. Malgré ça, les bruits ont continué à circuler. Et Susanna s'est trouvée dans une situation délicate.
Kate se leva et s'approcha de la fenêtre dont elle écarta les rideaux. La pluie fouettait les vitres. D'un ton pensif mais dénué de violence, elle laissa tomber :

– Je lui en ai voulu. Et je lui en veux toujours. Mais Susanna se tenait pour seule responsable.

– Normal, comme réaction, non ?

– Normal ? fit Kate avec un petit rire étouffé. Sa situation n'avait rien de normal.

Lynley attendit la suite. La pluie serpentait le long des carreaux, formant de petits ruisselets. En bas, le téléphone sonna.

– Joseph avait dormi dans leur chambre, les deux premiers mois.

– Rien d'anormal à ça.

Sans paraître l'entendre, elle poursuivit :

– Après quoi Robin a insisté pour qu'on le mette dans une chambre à part. Susanna voulait le garder près d'elle, mais elle a capitulé. Il était très persuasif.

– Comment cela ?

– Il prétendait qu'un enfant pouvait être traumatisé de façon irréversible pour avoir été témoin, même tout petit, de ce que Robin, dans son infinie sagesse, appclait la « scène primitive ». (Kate se détourna et avala une nouvelle gorgée de bouillon.) Robin refusa d'avoir des rapports avec ma sœur tant que le bébé serait dans leur chambre. Lorsque Susanna voulut... renouer avec lui, il lui fallut obéir à son mari. Vous vous doutez des répercussions que la mort du petit Joseph eut sur les scènes primitives.

Leur couple avait rapidement capoté, poursuivit Kate. Robin se jetant dans le travail pour se distraire. Susanna s'enfonçant dans la dépression.

– J'habitais et travaillais à Londres à l'époque, continua Kate. Je l'ai fait venir chez moi. Je l'emmenais visiter les galeries de tableaux. Je lui prêtais des livres pour qu'elle apprenne à reconnaître les différentes espèces d'oiseaux qui vivent dans les parcs. Je lui préparais des itinéraires et l'obligeais à sortir marcher tous les jours. Il fallait bien que quelqu'un fasse quelque chose. J'ai essayé.

– De quoi faire ?

– De l'intéresser de nouveau à la vie. Qu'est-ce que vous croyez ? Elle se complaisait dans son chagrin. Elle s'enfonçait dans la culpabilité, le dégoût de soi. C'était malsain. Et Robin ne l'aidait guère.

– Il avait du chagrin, lui aussi, je suppose.

– Elle n'arrivait pas à « digérer » la mort de son fils.

Le soir, quand je rentrais, je la trouvais assise sur le lit, la photo du bébé contre son sein, prête à tout me raconter de nouveau et à revivre la scène. Et cela jour après jour. Comme si le fait d'en parler pouvait lui faire du bien. (Kate revint vers le canapé et posa sa tasse sur la table basse.) Elle se torturait, incapable d'essayer de tirer un trait sur le passé. Je lui ai dit qu'il fallait qu'elle oublie. Qu'elle était jeune. Qu'elle aurait un autre bébé. Joseph était mort, enterré. Si elle ne réagissait pas rapidement, si elle ne se reprenait pas en main, elle le rejoindrait bientôt dans la tombe.

– Ce qui a fini par arriver.

– C'est de ça que je *le* tiens pour responsable. Avec ses scènes primitives et sa foi dans le jugement de Dieu. Parce que c'est ce qu'il lui avait raconté. Que la mort de Joseph avait été l'œuvre de Dieu. Sale type. Susanna n'avait pas besoin d'entendre des âneries pareilles. Elle n'avait pas besoin de croire qu'on la punissait. De quoi, d'abord ? De quoi ?

Kate sortit son mouchoir une seconde fois et se l'appliqua sur le front encore qu'elle ne parût pas transpirer.

– Excusez-moi. Il y a des choses dont il vaut mieux ne pas se souvenir.

– C'est pour ça que Robin Sage est venu vous voir ? Pour remuer des souvenirs ?

– Tout d'un coup, voilà qu'il s'intéressait à elle. Au cours des six mois précédant sa mort, il s'était totalement désintéressé de ma sœur. Mais subitement il s'en préoccupait, m'accablant de questions. Que faisait-elle quand elle était chez vous ? Où allait-elle ? De quoi parlait-elle ? Comment se comportait-elle ? Qui voyait-elle ? (Elle eut un rire amer.) Et ça, après toutes ces années. J'ai bien failli lui coller ma main sur la figure. Quand je pense à la hâte qu'il avait mise à la voir enterrée.

– Que voulez-vous dire ?

– Il allait identifier des corps que la mer avait rejetés sur le rivage. A deux ou trois reprises, il a prétendu que c'était Susanna. Alors que ce n'était ni la bonne taille ni la bonne couleur de cheveux. On peut dire qu'il était pressé d'en finir.

– Pourquoi ?

– Je l'ignore. Au début, j'ai cru qu'il y avait une autre

femme dans sa vie, qu'il comptait épouser; et qu'il lui fallait que Susanna soit déclarée morte officiellement pour pouvoir convoler.

– Mais il ne s'est pas remarié.

– Non. Je suppose que la femme l'a plaqué.

– Juliet Spence. Est-ce que ça vous dit quelque chose ? A-t-il mentionné ce nom lorsqu'il est passé vous voir ? Susanna vous en aurait-elle parlé ?

Elle fit non de la tête.

– Pourquoi ?

– Elle a empoisonné Robin Sage. Le mois dernier dans le Lancashire.

Kate leva la main comme pour toucher sa coiffure impeccable mais n'alla pas au bout de son geste. Son regard se fit distant.

– Etrange. Ça me fait plaisir.

Lynley ne fut guère surpris.

– Votre sœur a-t-elle fait allusion à d'autres hommes lorsqu'elle vivait chez vous ? Est-elle sortie avec des hommes lorsque son ménage a commencé à battre de l'aile ? Son mari s'en serait-il aperçu ?

– Les hommes, elle n'en parlait pas. Elle ne parlait que de bébés.

– Il y a un lien inévitable entre les deux.

– J'ai toujours trouvé que c'était une désolante bizarrerie du règne humain. Tout le monde court après l'orgasme sans réfléchir : ce n'est qu'un piège biologique visant à assurer la perpétuation de l'espèce. Quelle niaiserie.

– Les gens nouent des liens. Amour et intimité vont de pair.

– Ils sont bien bêtes, dit Kate.

Lynley se mit debout. Kate passa derrière lui et rectifia la position du coussin du fauteuil.

Il la regarda, se demandant ce que sa sœur avait éprouvé. Sans doute avait-elle dû se sentir coupée de l'humanité.

– Sauriez-vous pourquoi Robin Sage a téléphoné aux services sociaux à Londres ?

Kate retira un cheveu du revers de sa robe de chambre.

– Il devait me chercher, j'imagine.

– Vous leur fournissez des intérimaires ?

– Non. J'ai monté cette société il y a seulement huit

ans. Avant, je travaillais pour les services sociaux. Je suppose qu'il a téléphoné là-bas d'abord.

– Mais votre nom figurait dans son agenda avant qu'il ne contacte les services en question. Comment expliquez-vous cela ?

– Je ne sais que vous dire. Peut-être que dans son désir de fouiller dans le passé, il voulait examiner le dossier de Susanna. Les services sociaux de Truro ont dû être impliqués à la mort du bébé. Et il est peut-être allé à Londres pour retrouver la trace de son dossier.

– Pourquoi ?

– Pour le lire, sans doute.

– Pour découvrir si les services sociaux étaient au courant de ce que quelqu'un d'autre prétendait savoir ?

– A propos de la mort de Joseph ?

– Serait-ce une possibilité ?

Elle croisa les bras sur la poitrine.

– Si la mort du bébé avait été suspecte, les instances concernées auraient agi en conséquence, inspecteur.

– Peut-être que c'était limite, que ç'aurait pu être interprété dans un sens ou dans l'autre.

– Mais pourquoi ce soudain intérêt pour cette histoire ? Joseph mort, Robin s'était plongé dans le travail. « Nous nous en sortirons avec l'aide de Dieu », répétait-il à Susanna. (Kate pinça les lèvres en une grimace de dégoût.) Ce n'est pas moi qui lui aurais jeté la pierre si elle avait rencontré quelqu'un d'autre. Oublier Robin ne fût-ce que quelques heures, ç'aurait été le paradis.

– Vous croyez que c'est possible ? C'est l'impression que vous avez eue ?

– Pas d'après ce qu'elle me racontait. Quand elle ne parlait pas de Joseph, elle essayait de me faire parler des enfants dont je m'occupais. Ce qui était une autre façon de se punir.

– Vous étiez assistante sociale ? Je croyais...

Il désigna d'un geste l'escalier.

– Que j'étais secrétaire ? Non. J'avais des ambitions plus vastes. J'ai même été jusqu'à croire, à un moment donné, que je pourrais aider les gens. Changer leur vie. Améliorer les choses. Ridicule ! Dix ans dans les services sociaux m'ont ôté mes illusions.

– En quoi consistait votre travail ?

– Je m'occupais des mères et des nouveau-nés : j'allais les voir chez eux. Plus ça allait, plus j'avais le sentiment que notre culture élevant l'enfantement au rang de mythe en avait fait le point d'orgue de la vie d'une femme, et que celle-ci voyait se réaliser à cette occasion ses aspirations les plus hautes. Un tissu d'âneries, propagées par les hommes. La plupart des femmes que je voyais étaient atrocement malheureuses ; et les autres incapables, par ignorance, de se rendre compte de l'étendue de leur malheur.

– Mais votre sœur y croyait, à ce mythe ?

– Oui. Et c'est ce qui l'a tuée, inspecteur.

25

– C'est le fait qu'il ne cessait de se tromper en identifiant les corps qui m'agace, fit Lynley. (Il adressa un signe de tête au policier de garde, agita sa carte et descendit le long de la rampe d'accès au parking souterrain de New Scotland Yard.) Pourquoi affirmer, à chaque fois, que c'était sa femme ? Pourquoi ne pas dire qu'il n'en était pas sûr ? Ça n'avait aucune importance. De toute façon, les corps auraient fait l'objet d'une autopsie. Il devait s'en douter.

– Cela fait penser à Max de Winter [1], répondit Helen.

Lynley se gara sans problème près de l'ascenseur car à cette heure tardive les administratifs étaient depuis longtemps partis. Il réfléchit.

– On essaie de nous faire croire qu'elle méritait de mourir, murmura-t-il.

– Susanna Sage ?

Il sortit et lui ouvrit la porte.

– Non, Rebecca. Lascive, lubrique, c'était le mal incarné...

– Exactement le genre de femmes qu'on a envie d'inviter à dîner pour mettre de l'ambiance.

– ... et elle l'a poussé à la tuer en lui racontant un mensonge.

– C'est vrai ? J'ai oublié l'intrigue.

Lynley la prit par le bras et l'entraîna vers l'ascenseur, qu'il appela. Ils attendirent tandis que l'appareil craquait et grinçait.

1. Personnage du roman de Daphné du Maurier : *Rebecca. (N.d.T.)*

– Elle avait un cancer. Elle voulait se suicider mais n'en avait pas le courage. Comme elle le haïssait, elle l'a poussé à la supprimer, le brisant du même coup. Son coup fait et après avoir fait disparaître le bateau dans la baie de Manderley, Max de Winter dut attendre qu'un corps de femme soit rejeté sur le rivage afin de pouvoir l'identifier comme étant celui de Rebecca, disparue dans une tempête.

– Pauvre chou.

– De qui parles-tu, Helen ? D'elle ou de lui ?

– C'est le problème. On est censé compatir, mais on n'est pas fier de prendre le parti du meurtrier.

– Rebecca était une femme sans pudeur ni conscience. L'auteur nous présente les choses de façon que nous pensions que ce crime était justifié.

– L'était-il ? Le crime est-il jamais justifié ?

– C'est toute la question, dit-il.

Ils prirent l'ascenseur en silence.

La pluie avait commencé à tomber pendant qu'il regagnait Londres. A Blackheath, un embouteillage lui avait fait craindre de ne jamais réussir à traverser la Tamise. Pourtant il avait réussi à arriver à Onslow Square à sept heures, ils étaient allés dîner au *Green's* à huit heures et quart et maintenant à onze heures moins vingt, ils ralliaient son bureau du Yard afin de voir ce que le sergent Havers leur avait faxé de Truro.

D'un accord tacite, ils avaient déclaré un cessez-le-feu. Ils avaient parlé du temps, de la décision prise par sa sœur de vendre ses terres et ses moutons du Yorkshire afin de se rapprocher de sa mère, d'une exposition de Winslow Homer [1] qui devait se tenir à Londres. Il sentait qu'elle avait besoin de le tenir à distance et se comportait en conséquence bien que cela ne lui plût guère. Mais il savait qu'il avait davantage de chances de gagner sa confiance en se montrant patient plutôt qu'en cherchant l'affrontement.

Les portes de l'ascenseur s'ouvrirent. Même à la Criminelle, la nuit, le personnel était nettement moins nombreux que pendant la journée ; aussi l'étage paraissait-il désert. Sur le seuil d'un bureau, deux des collègues de Lynley buvaient dans des gobelets en plastique, tout en fumant et parlant du dernier ministre qui

1. Peintre américain, 1836-1910. *(N.d.T.)*

s'était fait pincer derrière la gare de King's Cross, son pantalon baissé.

– Le pays s'en va en quenouille, et lui se faisait une pute, remarqua Phillip Hale. On se demande ce qu'ils ont dans la tête, ces gars-là.

John Stewart fit tomber sa cendre par terre.

– Tringler une superbe créature en jupe de cuir, c'est plus gratifiant que de résoudre des problèmes politiques.

– Mais ça n'était pas une call-girl. C'était une pouffiasse à dix livres la passe. Enfin quoi, bon Dieu, tu l'as *vue,* non ?

– Ouais. Mais sa femme aussi, je l'ai vue.

Les deux hommes éclatèrent de rire. Lynley jeta un coup d'œil à Helen. Visage impassible. Remorquant Helen, il passa devant ses collègues, leur adressa un signe de tête.

– Je te croyais en vacances, fit Hale dans son dos.

– Nous sommes en Grèce, rétorqua Lynley.

Dans son bureau, il attendit sa réaction tout en retirant son manteau et l'accrochant derrière la porte. Mais elle ne fit aucun commentaire, se contentant de reprendre leur sujet de conversation initial, pas si éloigné que ça au fond de ses préoccupations personnelles.

– Tu crois que Robin Sage l'a tuée, Tommy ?

– Il faisait nuit, la mer était mauvaise. Aucun témoin pour voir sa femme se jeter par-dessus bord, ni pour déclarer l'avoir vu, lui, se rendre au bar au sortir du salon.

– Mais un prêtre ? Non seulement il aurait tué mais il aurait continué à exercer son ministère comme si de rien n'était ?

– Il n'a pas continué à exercer de la même façon. Il a quitté Truro juste après sa mort. Et il a exercé de façon différente. Dans des paroisses où on ne le connaissait pas.

– S'il avait quelque chose à cacher, comment ses paroissiens auraient-ils pu s'en apercevoir puisqu'ils ne le connaissaient ni d'Eve ni d'Adam ?

– Exact.

– Mais pourquoi l'avoir tuée ? Quel était son mobile ? Jalousie ? Colère ? Vengeance ? Héritage ?

Lynley tendit la main vers le combiné.

– Trois possibilités viennent à l'esprit. Ils avaient perdu leur fils unique six mois plus tôt.

– Mais il s'agissait d'une mort subite.

– Peut-être la tenait-il pour responsable. Ou alors peut-être avait-il une liaison avec une autre femme, auquel cas il savait bien que son statut de prêtre l'empêchait de divorcer.

– Ou alors c'est elle qui avait une aventure avec un autre homme. Il l'a découvert et a agi sous l'empire de la colère.

– Ou bien encore, troisième possibilité, elle se suicide et lui, veuf éploré, se trompe en identifiant le corps. Mais rien de tout ça n'explique pourquoi il est allé voir la sœur de Susanna au mois d'octobre. Et Juliet Spence, qu'est-ce qu'elle vient faire dans cet embrouillamini ? (Il décrocha le téléphone.) Tu sais où est le fax, Helen ? Tu veux voir si Barbara m'a envoyé les coupures de journaux ?

Elle sortit pour s'acquitter de sa mission et il appela *Crofters Inn*.

– J'ai laissé un message à Denton, lui annonça Saint James lorsque Dora Wragg lui eut passé la communication. Il m'a dit qu'il ne t'avait pas aperçu de la journée. J'imagine qu'à l'heure qu'il est, il doit appeler tous les hôpitaux de Londres à Manchester, persuadé que tu as eu un accident.

– Je vais lui passer un coup de fil. Et Aspatria ?

Saint James lui fit part des faits qu'ils avaient réussi à glaner en Cumbria où la neige avait commencé à tomber à midi et les avait poursuivis pendant le trajet de retour à Winslough.

Avant d'emménager à Winslough, Juliet Spence avait travaillé en qualité de gouvernante à Stewart House, vaste domaine à quelque sept kilomètres d'Aspatria. Comme Cotes Hall, l'endroit était isolé et habité à l'époque uniquement au mois d'août par le fils du propriétaire qui venait de Londres y passer ses vacances avec sa famille.

– On l'a renvoyée ? questionna Lynley.

Pas du tout, répondit Saint James. La maison avait été léguée au National Trust [1] à la mort de son propriétaire. La société avait demandé à Juliet Spence de rester, une fois la demeure et le parc ouverts au public. Mais elle était partie pour Winslough.

– Elle a eu des problèmes à Aspatria ?

1. Société pour la conservation des sites et monuments. *(N.d.T.)*

– Aucun. J'ai parlé au fils du propriétaire. Il ne m'a fait que des compliments à son sujet. Il avait beaucoup d'affection pour Maggie.

– Tu as fait chou blanc, alors, murmura Lynley.

– Pas tout à fait. Deborah et moi avons passé des coups de fil pour toi presque toute la journée.

Avant d'arriver à Aspatria, poursuivit Saint James, Juliet Spence avait travaillé dans le Northumberland, non loin du petit village de Holystone. Elle avait été gouvernante et dame de compagnie d'une vieille dame invalide du nom de Soames-West, qui vivait seule dans une petite maison géorgienne située au nord du village.

– Mrs. Soames-West n'avait pas de famille en Angleterre, ajouta Saint James. Et j'ai cru comprendre qu'il y avait belle lurette qu'elle n'avait pas reçu de visites. Mais elle avait beaucoup d'estime pour Juliet Spence, qu'elle a été navrée de voir partir. Elle m'a demandé de la rappeler à son bon souvenir.

– Pourquoi Juliet Spence est-elle partie de chez cette dame ?

– Elle n'a donné aucune explication. Elle lui a seulement dit qu'elle avait trouvé un autre emploi et qu'il était temps pour elle de partir.

– Combien de temps est-elle restée chez Mrs. Soames-West ?

– Deux ans. Elle était restée deux ans également à Aspatria.

– Et avant ça, elle était où ?

Lynley leva la tête tandis qu'Helen revenait, un fax d'un mètre de long à la main. Elle le lui tendit. Il le posa sur son bureau.

– A Tiree, pendant deux ans.

– Dans les Hébrides ?

– Oui. Et avant, à Benbecula. Tu commences à comprendre, j'imagine.

En effet. Plus on remontait en arrière, plus son lieu de travail était reculé. A ce train-là, elle avait dû occuper son premier emploi en Islande.

– C'est sur l'île de Benbecula qu'on perd sa trace, enchaîna Saint James. Elle était employée dans une petite pension de famille. Mais personne n'a été capable de me dire où elle travaillait avant.

– Curieux.

– C'était il y a longtemps. Je ne trouve pas ça

curieux. Ce que je trouve bizarre, en revanche, c'est sa façon de vivre. Sans doute parce que je suis du genre casanier.

Helen prit place dans le fauteuil face au bureau de Lynley. Il avait allumé sa lampe au lieu des rampes de néon, aussi était-elle partiellement dans l'ombre. Seules ses mains étaient éclairées. Elle portait une bague ornée d'une perle qu'il lui avait offerte pour son vingtième anniversaire. Etrange, qu'il ne s'en soit pas aperçu plus tôt.

– Malgré leur boulimie de voyages, il y a peu de chances qu'elles bougent pour le moment, fit Saint James.

– Qui ça ?

– Juliet Spence et Maggie. Maggie n'est pas allée en classe aujourd'hui. C'est grâce à Josie qu'on l'a su. On en a d'abord déduit qu'après avoir appris que tu étais parti pour Londres, elles avaient décidé de plier bagage.

– Tu es sûr qu'elles sont encore à Winslough ?

– Oui. Tout en faisant le service, Josie nous a raconté qu'elle avait eu Maggie au téléphone vers cinq heures. Maggie serait grippée. Possible. Mais il n'y a pas que ça : elle se serait également fâchée avec son copain. Et c'est pour ça qu'elle sécherait les cours selon Josie. Mais même si la petite n'est pas malade et qu'elles se préparent à prendre la fuite, la neige qui tombe depuis maintenant six heures a rendu les routes quasiment impraticables. A moins d'avoir des skis, je vois mal comment elles peuvent filer. (Deborah ayant fait une intervention, Saint James ajouta :) Très juste. Deborah pense que tu ferais mieux de louer une Range Rover au lieu d'essayer d'arriver jusqu'ici avec la Bentley. S'il continue à neiger, tu seras coincé.

Lynley promit d'y songer et raccrocha.

– Du nouveau ? questionna Helen tandis qu'il étalait le fax sur son bureau.

– De plus en plus curieux, répondit-il en mettant ses lunettes et commençant à lire.

Les faits étaient dans le désordre : le premier article avait trait aux obsèques. Contrairement à son habitude, Havers avait envoyé les données n'importe comment. Agacé, il prit une paire de ciseaux, découpa les articles. Il les remettait dans l'ordre chronologique lorsque le téléphone sonna.

– Denton vous croit mort, annonça Barbara Havers.
– Havers, pourquoi diable m'avez-vous faxé tout ça en vrac ?
– J'ai fait ça ? J'ai dû me laisser distraire par le type qui utilisait la photocopieuse à côté de moi. On aurait dit le sosie de Ken Branagh [1]. Encore que je me demande ce qui aurait bien pu pousser Branagh à photocopier des dépliants pour une brocante. Il trouve que vous conduisez trop vite, à propos.
– Kenneth Branagh ?
– Denton, inspecteur. Et comme vous ne l'avez pas appelé, il vous croit en bouillie quelque part sur la M1 ou la M6. En vous installant chez Helen, vous nous faciliteriez drôlement la tâche.
– Je m'y emploie, sergent.
– Bien. Passez-lui un coup de fil, à ce pauvre garçon. J'ai eu beau lui dire que vous étiez encore en vie à treize heures, il a refusé de me croire, déclarant que je ne vous avais pas vu de mes yeux vu. Qu'est-ce qu'une voix après tout ? Quelqu'un aurait très bien pu vous imiter.
– Je vais l'appeler, dit Lynley. Qu'avez-vous déniché ? Je sais que le petit Joseph est mort de mort subite...
– Vous n'avez pas chômé ! Ajoutez-en une seconde et vous saurez tout à propos de Juliet Spence.
– Une seconde quoi ?
– Mort subite du nourrisson.
– Elle a perdu un enfant suite à une mort subite ?
– Non. Elle en est morte elle-même.
– Pour l'amour du ciel, Havers ! Juliet Spence est à Winslough.
– Possible. N'empêche que la Juliet Spence qui a un lien avec les Sage de Cornouailles est enterrée dans le même cimetière qu'eux, inspecteur. Elle est décédée il y a quarante-quatre ans. Quarante-quatre ans, trois mois et seize jours exactement.

Lynley approcha de lui le tas de fax triés et agrafés.
– Que se passe-t-il ? s'enquit Helen.
Havers poursuivit :
– Le lien que vous cherchiez, ce n'était pas entre Juliet Spence et Susanna. Mais entre Susanna et la mère

1. Metteur en scène et comédien anglais. *(N.d.T.)*

de Juliet, Gladys. Elle habite toujours Tresillian, au fait. J'ai pris le thé avec elle cet après-midi.

Il parcourut le premier article, reculant l'instant où il lui faudrait examiner la photo granuleuse qui l'accompagnait et prendre une décision.

– Gladys connaissait toute la famille : Robin a grandi à Tresillian et elle tenait la maison de ses parents. C'est elle qui s'occupe des fleurs à l'église. Elle doit avoir dans les soixante-dix ans, mais elle me paraît de taille à nous battre à plates coutures au tennis. Quoi qu'il en soit, elle s'est rapprochée de Susanna à la mort du petit Joseph. Comme elle avait traversé la même épreuve, elle voulait l'aider. Mais Susanna ne l'entendait pas de cette oreille.

Ouvrant son tiroir, il y prit une loupe qu'il promena au-dessus de la photo transmise par fax, regrettant de ne pas avoir l'original. La femme de la photo avait un visage plus plein que celui de Juliet Spence, des cheveux plus foncés qui bouclaient autour de la tête et lui descendaient sur les épaules. Mais plus de dix ans s'étaient écoulés depuis que le cliché avait été pris. La jeune fille de la photo avait pu devenir une femme entre deux âges au visage plus mince et aux cheveux grisonnants. La bouche semblait identique. Les yeux aussi.

Havers poursuivait au bout du fil :

– Susanna et elle ont passé quelque temps ensemble après avoir enterré le bébé. La perte d'un enfant, et plus particulièrement d'un enfant mort dans ces conditions, c'est une chose dont une femme ne peut se remettre. Gladys m'a dit qu'elle pensait encore à sa petite Juliet tous les jours et qu'elle n'oubliait jamais son anniversaire. Elle se demande ce qu'elle serait devenue en grandissant. Elle fait toujours des cauchemars, revivant l'après-midi où la petite ne s'est pas réveillée de sa sieste.

C'était une possibilité, aussi floue que la photo, mais pas négligeable cependant.

– Après Juliet, Gladys a eu deux autres enfants. Et elle a essayé de persuader Susanna que son chagrin s'atténuerait si elle mettait d'autres bébés au monde. Mais comme elle en avait déjà un qui était né *avant* Juliet et qui avait vécu normalement, elle n'a jamais réussi à convaincre Susanna, qui ne cessait de lui rappeler ce fait.

Il reposa loupe et photo. Il lui fallait se faire confirmer encore un autre détail avant d'aller plus loin.

– Havers, et le corps de Susanna ? Qui est-ce qui l'a retrouvé ? Et où ?

– D'après Gladys, elle a été mangée par les poissons. Nul ne l'a jamais retrouvée. Il y a eu des obsèques ; mais dans la tombe, il n'y a que dalle. Même pas un cercueil.

Il reposa le combiné sur son support et ôta ses lunettes. Avec soin, il les essuya à l'aide de son mouchoir avant de les remettre sur son nez. Il consulta ses notes – Aspatria, Holystone, Tiree, Benbecula – et comprit ce qu'elle avait essayé de faire. Le pourquoi, c'était Maggie qui lui en fournirait la clé.

– Susanna et Juliet Spence ne forment qu'une seule et même personne, n'est-ce pas ?

Helen quitta son fauteuil et vint se planter derrière lui afin de pouvoir regarder les documents étalés sur son bureau. Elle lui posa une main sur l'épaule.

Il lui prit la main.

– Je crois, oui.

– Qu'est-ce que ça signifie ?

Il parla d'un ton pensif.

– Elle aura eu besoin d'un extrait de naissance pour se procurer un autre passeport avec lequel quitter discrètement le ferry à son arrivée en France. Il se peut qu'elle ait obtenu une copie de l'extrait de naissance de la petite Spence à St. Catherine's House – ou plutôt à Somerset House [1]. A moins qu'elle n'ait dérobé l'original à Gladys. Elle était chez sa sœur à Londres avant son « suicide ». Elle a dû avoir le temps d'organiser tout ça.

– Pourquoi ? questionna Helen.

– Peut-être parce qu'elle avait été prise en flagrant délit d'adultère, après tout.

Le lendemain matin, un mouvement furtif éveilla Helen, qui entrouvrit un œil. Une lumière grise filtrant à travers les rideaux éclairait son fauteuil préféré, sur le dossier duquel un manteau était jeté. Le réveil annonçait huit heures. « Seigneur », murmura-t-elle en donnant un coup de poing à son oreiller. Et elle referma les yeux. Le lit bougea de nouveau.

1. Service central de l'état-civil. *(N.d.T.)*

– Tommy, dit-elle, tâtonnant pour s'emparer du réveil et le tourner face contre le mur. Ce n'est même pas encore l'aube. Je t'assure, chéri, il faut que tu dormes encore un peu. A quelle heure est-ce que nous nous sommes couchés ? Deux heures du matin ?

– Zut, fit-il tranquillement. Je sais.

– Bon, alors tiens-toi tranquille.

– La réponse est sous mon nez, Helen.

Fronçant les sourcils, elle se retourna et le vit assis, appuyé contre le dosseret, ses lunettes sur le nez, qui examinait des piles de bouts de papier, dépliants, tickets, programmes et documents divers qu'il avait étalés sur le lit. Bâillant, elle reconnut les documents. Ils avaient fouillé à trois reprises dans le carton *divers* de Robin Sage avant de renoncer et d'aller se coucher. Il se pencha en avant, fourragea dans une pile, s'appuya de nouveau contre le dosseret, comme s'il attendait l'inspiration.

– La réponse est là, j'en suis sûr.

Helen tendit le bras sous les couvertures et posa la main sur sa cuisse.

– Sherlock Holmes l'aurait déjà trouvée.

– Inutile de me le faire remarquer.

– Hmmmmm, tu as la cuisse chaude.

– Helen, je suis en plein travail.

– Je te dérange ?

– A ton avis ?

Eclatant de rire, elle attrapa sa robe de chambre, se la mit sur les épaules et s'assit près de lui. Elle prit un tas de papiers au hasard et les feuilleta.

– Je croyais que tu avais trouvé la solution hier soir. Si Susanna se savait enceinte, si le bébé n'était pas de lui, s'il lui était impossible de lui faire croire que c'était le sien du fait qu'ils avaient cessé d'avoir des rapports, ce qui d'après sa sœur semble avoir été le cas... Qu'est-ce que tu veux de plus ?

– Un mobile. Je veux savoir pourquoi elle l'aurait tué. Ce que nous avons pour l'instant, c'est ce qui l'aurait poussé, lui, à la supprimer.

– Peut-être voulait-il qu'elle revienne. Et peut-être a-t-elle refusé.

– Il ne pouvait pas l'y contraindre.

– Imagine qu'il ait décidé de déclarer que l'enfant était de lui ? Qu'il se soit servi de Maggie pour lui forcer la main ?

– Un test génétique aurait eu vite fait de flanquer son plan par terre.

– Alors peut-être que Maggie est sa fille après tout. Peut-être qu'il était responsable de la mort de Joseph. Ou peut-être que Susanna en était persuadée. Aussi en s'apercevant qu'elle était de nouveau enceinte, elle a préféré prendre le large.

Lynley poussa une sorte de grognement indiquant qu'il n'était pas d'accord et s'empara de l'agenda de Robin Sage. Helen constata que, pendant qu'elle dormait encore, il était allé chercher l'annuaire du téléphone, qui était ouvert au pied du lit.

– Voyons voir.

Elle passa en revue sa pile de papiers, se demandant pourquoi les passants conservaient ces dépliants crasseux qu'on leur fourrait dans la main à tout bout de champ. Elle-même s'en serait débarrassée dans la première poubelle venue. Elle n'aimait pas refuser de les prendre, les types qui les distribuaient avaient l'air tellement sérieux... Mais de là à les garder...

Elle bâilla une nouvelle fois.

– On a l'impression de suivre une piste à rebours, dit-elle. De pister un personnage de conte de fées.

Il consultait les dernières pages de l'annuaire, faisant courir son doigt le long du feuillet.

– Six. Une chance que ça n'ait pas été Smith.

Il jeta un coup d'œil à sa montre de gousset, posée sur la table de nuit, repoussa les couvertures. Les bouts de papier voletèrent tels des détritus soulevés par le vent.

– C'est Hansel et Gretel qui semaient des miettes de pain derrière eux, ou le Petit Chaperon rouge ?

Il fouillait dans sa valise restée ouverte par terre et en extirpa des vêtements sans ménagement. S'il avait été là, Denton en aurait grincé des dents.

– De quoi tu parles, Helen ?

– De ces papiers. On dirait des miettes de pain. A ceci près qu'au lieu de les semer sur son passage, Sage les ramassait.

Nouant la ceinture de sa robe de chambre, Lynley la rejoignit, s'assit sur le lit et se mit à relire les dépliants. Concert à St-Martin-in-the-Fields. Concessionnaire automobile à Lambeth. Meeting à Camden Town Hall. Salon de coiffure à Clapham High Street.

– Il est venu de Winslough en train, dit Lynley, pensif, en étalant les prospectus. Passe-moi le plan du métro, Helen.

Armé du plan du métro londonien, il entreprit de disposer les dépliants dans un ordre différent : meeting à Camden Town Hall. Concert. Concessionnaire automobile. Et enfin, salon de coiffure.

– Le premier, c'est à la gare d'Euston qu'on a dû le lui donner, remarqua-t-il.

– Et s'il se rendait à Lambeth, il a dû prendre la Northern Line et changer à Charing Cross, ajouta Helen.

– Où il se sera fait refiler le deuxième, pour le concert. Mais Clapham High Street, dans tout ça ?

– Peut-être est-ce là qu'il s'est rendu en dernier lieu, après être passé à Lambeth. Qu'est-ce qui est marqué dans son agenda ?

– Pour son dernier jour à Londres, il a noté *Yanapapoulis*, c'est tout.

– Yanapapoulis, fit Helen avec un soupir lourd de tristesse. La Grèce... J'ai tout gâché. Quand je pense qu'à l'heure qu'il est, on pourrait être à Corfou...

Il lui passa un bras autour des épaules et lui embrassa la tempe.

– Aucune importance. On ferait là-bas ce qu'on fait ici.

– Parler de Clapham High Street ?

Il sourit, posa ses lunettes sur la table de nuit. Repoussant ses cheveux en arrière, il lui embrassa le cou.

– Pas exactement, murmura-t-il. Clapham High Street, on en reparlera un peu plus tard...

Ce qu'ils firent, une heure après.

Lynley laissa Helen s'occuper du café mais, échaudé par le déjeuner qu'elle lui avait servi la veille, il ne se sentait pas d'humeur à avaler un petit déjeuner confectionné par ses soins. Alors il prépara des œufs brouillés, auxquels il ajouta de la crème, des olives noires et des champignons pour faire bonne mesure. Il ouvrit une boîte de pamplemousse en quartiers, les versa sur une assiette, posa dessus une cerise au marasquin et s'employa à faire des toasts.

Pendant ce temps, Helen s'activait au téléphone. Le temps que le petit déjeuner soit prêt, elle avait appelé cinq des six Yanapapoulis figurant dans l'annuaire, noté les noms de quatre restaurants grecs qu'elle n'avait pas encore testés, pris par écrit la recette d'un gâteau au pavot parfumé à l'ouzo, promis de transmettre à ses « supérieurs hiérarchiques » la plainte d'un administré mécontent de la façon dont la police avait traité une affaire de cambriolage le concernant près de Notting Hill Gate, et défendu son honneur face aux accusations portées contre elle par une femme ivre de rage et persuadée qu'elle était la maîtresse de son mari volage.

Lynley posait les assiettes sur la table et versait café et jus d'orange lorsque Helen fit enfin mouche. Elle avait demandé à parler à papa ou à maman. La réponse prit du temps. Lynley se servait de marmelade d'orange lorsqu'il entendit Helen dire :

– Désolée d'apprendre ça, mon chou. Et ta maman, est-ce qu'elle est là ? Tu es tout seul à la maison, alors ? Tu ne vas pas à l'école ? Oh, mais évidemment. Si Linus a un rhume, il faut bien que quelqu'un s'occupe de lui... Tu as de la solutricine ? Pour la gorge, c'est épatant.

– Au nom du ciel, Helen...

Levant la main, elle l'interrompit.

– Elle est où ? Je vois. Tu peux me donner le nom, mon grand ? (Lynley vit ses yeux s'agrandir, ses lèvres esquisser un sourire.) Parfait. C'est formidable, Philip. Merci de ton aide. Oui, mon grand, donne-lui du bouillon de poulet.

Elle raccrocha et sortit de la cuisine.

– Helen, le petit déjeuner...

– Un instant, chéri.

Bougonnant, il attaqua ses œufs. Pas mauvais du tout, bons même. Denton n'aurait certainement pas approuvé ce mélange de saveurs mais, en matière de nourriture, son domestique avait toujours eu des vues plutôt étroites.

– Tiens, regarde ça.

Sa robe de chambre flottant autour d'elle dans un envol de soie bourgogne, Helen réintégra bruyamment la cuisine – de toutes les femmes que Lynley connaissait, elle était la seule à porter des mules à talons hauts ornées de pompons de la même couleur que ses vêtements de nuit – et lui mit sous le nez l'un des dépliants qu'ils avaient examinés.

– Quoi ?

– Le *Coupe-Fou*, dit-elle. Clapham High Street. Seigneur, quel nom horrible pour un salon de coiffure. On se demande où ils vont chercher ça.

Il étala de la marmelade d'orange sur un morceau de toast tandis qu'Helen, s'asseyant sur une chaise, plongeait sa cuiller dans les quartiers de pamplemousse.
– Tommy ! Tu cuisines ? Mais je vais te garder !
– Ça me réchauffe le cœur. (Il fronça les sourcils en lisant le prospectus :) Coiffeur unisexe. Prix intéressants. Demander Sheelah.
– Yanapapoulis, fit Helen. Qu'est-ce que tu as mis dans ces œufs ? C'est un délice.
– Sheelah Yanapapoulis ?
– Exact. Et c'est sûrement celle que nous cherchons, Tommy. Parce que ce serait un peu gros, comme coïncidence, que Robin Sage soit allé voir une Yanapapoulis alors qu'il avait sur lui un prospectus portant le nom d'un établissement où travaille une autre fille du même nom. Tu ne trouves pas ? (Sans attendre sa réponse, elle enchaîna :) C'est son fils que j'ai eu au téléphone, à propos. Il m'a dit de l'appeler à son travail. De demander Sheelah.
Lynley sourit.
– Tu es étonnante.
– Et toi tu es un merveilleux cuisinier. Si seulement tu avais été là pour préparer le petit déjeuner de papa hier matin...
Il poussa le papier de côté et se replongea dans ses œufs.
– Ça peut s'arranger.
– Sans doute. (Elle ajouta du lait à son café et y versa du sucre en poudre.) Tu passes l'aspirateur ? Tu nettoies les carreaux, aussi ?
– Si on me le demande.
– Doux Jésus, mais c'est moi qui sors gagnante dans cette histoire.
– Alors, c'est oui ?
– Comment ça ?
– Tu me prends à l'essai ?
– Tommy, tu es impitoyable.

26

Bien que le fils de Sheelah Yanapapoulis leur eût recommandé d'appeler le *Coupe-Fou*, Lynley préféra se rendre sur place. Le salon de coiffure était au rez-de-chaussée d'un bâtiment victorien étroit et noir de suie sis dans Clapham High Street, où il était coincé entre un restaurant indien de plats à emporter et un réparateur d'électroménager. Il avait emprunté Albert Bridge pour traverser la Tamise et contourné le pré communal de Clapham non loin duquel Samuel Pepys [1] avait passé, très entouré, ses dernières années. Du temps de Pepys, le quartier s'était vu qualifié de paradisiaque; mais ce n'était alors qu'un village de campagne avec ses bâtiments et ses cottages, ses champs et ses jardins potagers au lieu des rues encombrées qui avaient vu le jour avec l'arrivée du chemin de fer. Le pré était toujours là, semblable à lui-même, mais bon nombre des délicieuses villas d'origine avaient depuis longtemps disparu, remplacées par les édifices plus étriqués et nettement moins inspirés du XIXe siècle.

La pluie qui avait commencé la veille continuait de tomber tandis que Lynley roulait le long de la grand-rue. L'averse métamorphosait papiers, journaux et autres détritus jonchant le caniveau en boules détrempées et délavées. Elle avait également chassé presque tous les passants. A l'exception d'un homme mal rasé en manteau de tweed élimé qui traînait les pieds le long du trottoir en soliloquant, un journal déployé au-dessus de

1. Mémorialiste anglais du XVIIe siècle. *(N.d.T.)*

sa tête, la seule autre créature vivante dans le secteur était un bâtard, qui reniflait une chaussure abandonnée sur une caisse.

Lynley trouva une place de parking dans St. Luke's Avenue, empoigna manteau et parapluie et revint à pied jusqu'au salon où il constata que la pluie avait également un effet désastreux sur la clientèle. A peine avait-il ouvert la porte qu'il fut agressé par l'odeur du produit utilisé pour les permanentes et vit que cette opération malodorante s'effectuait sur la tête de l'unique cliente du salon. C'était une femme grassouillette d'une cinquantaine d'années plongée dans un *Royalty Monthly* [1].

– Merde alors ! Vise un peu ça, Stace. La robe qu'elle portait au Royal Ballet a bien dû coûter dans les quatre cents livres.

– Sapristi de sapristi, rétorqua Stace d'un ton qui était à mi-chemin entre l'enthousiasme poli et l'ennui le plus profond.

Imbibant de produit l'un des petits rouleaux roses qui ornaient le crâne de sa cliente, elle contempla son reflet dans la glace. Elle lissa ses sourcils qui étaient de la couleur exacte de ses cheveux noirs et raides comme des baguettes. C'est alors qu'elle aperçut Lynley, debout derrière le comptoir de verre séparant l'accueil du reste du magasin.

– On coiffe pas les hommes. (D'un mouvement de tête, elle désigna le fauteuil voisin de celui qu'occupait la dame à la permanente, faisant cliqueter telles des castagnettes ses longues boucles d'oreilles de jais.) Je sais bien que c'est marqué unisexe sur les dépliants. Mais c'est seulement le lundi et le mercredi. Quand Rog est là. Et aujourd'hui, comme vous pouvez voir, il est pas là. Y a que Sheel et moi. Désolée.

– En fait, c'est Sheelah Yanapapoulis que je cherche, précisa Lynley.

– Vraiment ? Elle fait pas les hommes non plus. Je veux dire, elle les coiffe pas. Parce que pour ce qui est de se les faire, elle a toujours eu du bol, cette nénette. Pas vrai, Sheel ? Sors de ton trou, ma grande. C'est ton jour de chance.

– Stace, je t'ai dit que je filais. Linus a une angine et

1. Mensuel consacré aux faits et gestes de la famille royale. *(N.d.T.)*

j'ai pas fermé l'œil de la nuit. Comme j'ai pas de rendez-vous cet après-midi, inutile que je m'incruste.

Un mouvement dans la pièce du fond accompagna la voix plaintive, fatiguée. Un sac se ferma avec un *bruit* métallique. Des chaussures claquèrent sur le sol.

– Il est beau gosse, Sheel, fit Stace avec un clin d'œil. Tu vas quand même pas rater ça, ma choute.

– C'est pas Harold qui se paie ma tête, des fois ? Parce que si c'est ça...

Elle jaillit de l'arrière-boutique, posant une écharpe noire sur ses cheveux courts élégamment coupés et d'un blond blanc. En apercevant Lynley, elle hésita. Ses yeux bleus se posèrent sur lui, notant le manteau, le parapluie, sa coupe de cheveux. Aussitôt, elle prit un air méfiant. Puis elle releva abruptement la tête :

– Je suis Sheelah Yanapapoulis. Qui êtes-vous ?

Lynley exhiba sa carte.

– Brigade criminelle. Scotland Yard.

Elle boutonnait un imperméable vert et, bien qu'ayant ralenti le mouvement, elle continua à fermer son vêtement.

– La police ?

– Oui.

– J'ai rien à vous dire, fit-elle en passant son sac à son bras.

– Je n'en ai pas pour longtemps, insista Lynley. J'ai peur que ce ne soit très important.

L'autre coiffeuse tournait le dos à sa cliente. D'un ton inquiet, elle proposa :

– Tu veux que j'appelle Harold, Sheel ?

Sheelah l'ignora.

– Important pour qui ? Est-ce qu'un de mes gamins aurait fait une bêtise ? Je les ai laissés à la maison aujourd'hui, c'est pas un crime. Ils sont tous enrhumés. Ils ont fait des bêtises ?

– A ma connaissance, non.

– Ils ont la manie de jouer avec le téléphone. Gino a fait le 999 et appelé les pompiers, le mois dernier. Il a pris une raclée. Mais c'est une tête de mule. Comme son père. Il serait bien capable de recommencer, histoire de rigoler.

– Ce n'est pas à cause de vos enfants que je suis là, Mrs. Yanapapoulis. Encore que ce soit grâce à Philip que je vous ai trouvée.

Elle serrait la lanière de ses bottillons autour de ses chevilles. Elle se releva en poussant un grognement et se plaqua les poings au creux des reins. Lynley s'aperçut alors qu'elle était enceinte.

– Pourrions-nous aller parler quelque part ?

– Parler de quoi ?

– D'un certain Robin Sage.

Ses mains se posèrent sur son ventre.

– Vous le connaissez, je crois.

– Et alors ?

– Sheel, j'appelle Harold, dit Stace. Ça m'étonnerait qu'il veuille que tu parles aux flics.

Lynley s'adressa de nouveau à Sheelah :

– Vous rentrez chez vous, si j'ai bien compris. Alors laissez-moi vous raccompagner. Nous pourrons bavarder en chemin.

– Ecoutez, je suis une bonne mère, moi, monsieur. Personne peut dire le contraire. Vous n'avez qu'à poser la question autour de vous. Demandez à Stace, tiens.

– C'est une sainte, confirma Stace. Ses mômes passent avant tout. Combien de fois est-ce que tu t'es privée de chaussures pour que tes gosses puissent se payer des chouettes baskets ? Et la dernière fois que t'as dîné dehors, ça remonte à quand ? Et le repassage, qui c'est qui se le tape, Sheel ? Et des fringues neuves, t'en as pas acheté des masses l'an dernier.

Stace reprenant son souffle, Lynley en profita pour s'engouffrer dans la brèche :

– Il s'agit d'une affaire de meurtre, glissa-t-il.

L'unique cliente du salon abaissa son magazine. Stace se plaqua son flacon de produit à permanente contre la poitrine. Sheelah fixa Lynley, paraissant soupeser ses paroles.

– Quel meurtre ?

– Celui de Robin Sage.

Ses traits s'adoucirent et elle perdit son air bravache. Elle inspira à fond.

– Très bien. J'habite Lambeth, les enfants m'attendent. Si vous voulez parler, on parlera là-bas.

– Ma voiture est à deux pas d'ici, dit Lynley tandis qu'ils quittaient la boutique.

Dans leur dos, Stace cria :

– J'appelle Harold !

Une nouvelle averse dégringola tandis que Lynley

fermait la porte du magasin. Il ouvrit son parapluie. Bien que celui-ci fût assez vaste pour deux, Sheelah, préférant sans doute garder ses distances, ouvrit un petit parapluie pliant qu'elle sortit de la poche de son imperméable. Elle ne prononça pas un mot avant d'être assise dans la voiture. Lynley mit le cap sur Clapham Road et Lambeth.

– Sacrée bagnole, murmura-t-elle. J'espère qu'elle a une alarme parce que vous risquez de ne pas même retrouver un boulon en sortant de chez moi. (Elle caressa le siège de cuir.) Ça leur plairait, à mes gamins.

– Vous avez trois enfants?

– Cinq.

Remontant le col de son imperméable, elle regarda par la vitre.

Lynley lui jeta un coup d'œil de biais. Elle avait le langage d'une fille de la rue et des préoccupations d'adulte mais elle n'avait pas la tête d'une femme qui a mis cinq enfants au monde. Elle ne devait même pas avoir la trentaine.

– Cinq enfants. Vous devez avoir de quoi vous occuper.

– Tournez à gauche ici, dit-elle. Il faut que vous preniez South Lambeth Road.

Ils prirent la direction de l'Albert Embankment et lorsqu'ils tombèrent sur un bouchon près de Vauxhall Station, elle le pilota à travers un dédale de petites rues qui leur permit d'atteindre la tour où elle habitait. Vingt étages, tout acier et béton, nue, entourée d'autres tours d'acier et de béton. Couleurs dominantes, le gris rouillé et un beige tirant sur le jaune.

L'ascenseur dans lequel ils pénétrèrent sentait les couches mouillées. La paroi du fond était couverte de petits papiers pour des réunions de quartier, des organisations décidées à agir contre la violence, des lignes de téléphone d'urgence à appeler pour parler d'un peu tout, du viol au sida. Les parois latérales disparaissaient sous des glaces fendillées. Les portes s'ornaient de graffiti illisibles au centre desquels, en rouge vif, on pouvait lire *Hector est un suceur de pine.*

Pendant le bref trajet, Sheelah secoua son parapluie, le replia, le fourra dans sa poche, puis elle retira son foulard et fit bouffer ses cheveux.

Lorsque les portes s'ouvrirent, Sheelah dit :

– Par ici.

Et elle l'entraîna le long d'un étroit couloir vers l'arrière du bâtiment. Des portes numérotées longeaient le couloir de part et d'autre. Derrière les battants, la musique résonnait, les téléviseurs babillaient, des voix retentissaient. Une femme hurla :

– Billy, lâche-moi !

Un bébé se mit à pleurer.

De l'appartement de Sheelah jaillissaient des cris d'enfant :

– Non ! Pas question ! Tu peux pas me forcer !

Accompagnés d'un bruit de tambour manquant d'assurance. Sheelah ouvrit la porte et s'exclama :

– Qui est-ce qui vient faire un bisou à sa maman ?

Aussitôt, trois de ses enfants se précipitèrent, ne demandant pas mieux que de s'exécuter. C'était à qui braillerait le plus :

– Philip dit qu'il faut qu'on lui obéisse, maman.

– Il a forcé Linus à manger du bouillon de poulet pour le petit déjeuner.

– Hermes m'a piqué mes chaussettes et il veut pas me les rendre et Philip a dit...

– Où est-il, Gino ? s'enquit Sheelah. Philip ! Viens voir maman.

Un garçon d'une douzaine d'années, mince, la peau caramel, parut sur le seuil de la cuisine, une cuiller en bois à la main, une casserole dans l'autre.

– Je fais de la purée, expliqua-t-il. Ces saletés de pommes de terre arrêtent pas de déborder. Faut que je les surveille.

– Commence par m'embrasser.

– Ah, arrête.

– Approche, fit Sheelah.

Philip lui piqua une bise sur la joue. Elle l'attrapa par les cheveux dans lesquels il avait planté un peigne à grosses dents qui lui faisait comme un diadème en plastique. Elle tira dessus, l'enleva.

– Arrête d'imiter ton père. Ça me rend dingue, Philip. (Elle fourra le peigne dans la poche arrière de son jean et lui flanqua une claque sur la fesse.) Voilà mes fils, fit-elle à Lynley. Et ce monsieur, les enfants, c'est un policier. Alors tenez-vous à carreau, vu ?

Les gamins dévisagèrent Lynley. Il s'efforça de ne pas les imiter. Plus qu'une famille, ils évoquaient une réunion des Nations Unies en miniature, chacun d'entre eux ayant de toute évidence un père différent.

Sheelah se mit en devoir de faire les présentations, pinçant l'un, embrassant l'autre. Philip. Gino. Hermes. Linus.

– Mon petit trognon, Linus, dit Sheelah. C'est lui qui m'a tenue éveillée toute la nuit avec son angine.

– Et ça, c'est Peanut, dit Linus, tapotant le ventre de sa mère.

– Exactement. Et ça en fait combien en tout, mon petit cœur ?

Linus leva la main, doigts écartés, avec un grand sourire. Son nez coulait abondamment.

– Combien ?

– Cinq.

– Très juste. (Elle retira son imperméable et le tendit à Gino.) Allons dans la cuisine. Si Philip fait la purée, faut que je prépare les saucisses. Hermes, range ce tambour, tu veux, et mouche Linus. Pas avec le pan de ta chemise, bon sang !

Les enfants la suivirent dans la cuisine, l'une des quatre pièces sur lesquelles donnait le séjour, les trois autres étant deux chambres et une salle de bains, respectivement bourrées de camions en plastique, ballons, bicyclettes et vêtements sales. Les chambres, comme Lynley put le constater, donnaient sur la tour voisine. A cause des meubles, on avait du mal à se retourner : deux jeux de lits superposés dans l'une, un lit pour deux personnes et un berceau dans l'autre.

– Harold a téléphoné ce matin ? demandait Sheelah à Philip lorsque Lynley pénétra dans la cuisine.

– Non. (Philip frottait la table avec un chiffon gris.) Tu ferais mieux de le plaquer, maman. C'est pas un type intéressant.

Elle alluma une cigarette puis, sans avaler la fumée, la posa sur un cendrier et se tint au-dessus en inspirant profondément.

– Je peux pas faire ça, mon chéri. Peanut a besoin d'un papa.

– Ouais. Ben, à propos de Peanut, je sais pas si c'est bon pour elle, que tu fumes.

– Je fume pas. Tu m'as vue fumer ? Tu me vois une clope au bec ?

– C'est pareil. Tu respires la fumée. C'est pas bon. Tu veux qu'on attrape tous un cancer ?

– Tu sais tout. T'es comme...
– Mon père.

Elle prit une poêle à frire dans un placard et s'approcha du réfrigérateur. Deux listes y étaient accrochées, fixées par un bout de scotch jaunâtre. REGLES. TACHES MENAGERES. Quelqu'un avait griffonné dessus : *Va te faire foutre, maman !* Sheelah s'empara des listes et pivota vers les enfants. Philip s'occupait des pommes de terre. Gino et Hermes tournaient autour des pieds de la table. Linus avait la main dans une boîte de corn-flakes qui traînait par terre.

– Qui est-ce qui a fait ça ? lança Sheelah. Allez. Il faut que je sache. Qui a fait ça, bon sang ?

Silence. Les garçons regardèrent Lynley, comme s'ils craignaient qu'il ne fût venu les arrêter à cause de ce graffiti.

Froissant les papiers, elle les jeta sur la table.

– La règle numéro un, dans cette maison, c'est quoi ? C'est quoi, la règle numéro un, Gino ?

Il se fourra les mains derrière le dos, craignant sans doute de se faire taper sur les doigts.

– Faut respecter le bien d'autrui.

– Et ce papier, il appartenait à qui ? C'est sur le papier de qui, que tu as gribouillé ?

– J'ai rien fait !

– Ah, oui ? Tu crois que je vais avaler ça ? Qui est-ce qui fait des bêtises, en général, ici ? Tu vas me prendre ces listes, filer dans ta chambre et les recopier dix fois chacune.

– Mais m'man...

– Tu n'auras pas de purée ni de saucisses tant que tu n'auras pas terminé.

– Mais j'ai pas...

L'attrapant par le bras, elle le poussa vers les chambres.

– Ne reviens que quand tu auras fini.

Les autres garçons échangèrent des regards furtifs lorsqu'il eut tourné les talons. Sheelah s'approcha du plan de travail et respira la fumée.

– Sans tabac, je pourrais pas tenir le coup, dit-elle à Lynley en lui montrant sa cigarette qui se consumait dans le cendrier. Il y a certaines choses dont je pourrais me passer. Mais le tabac, non.

– Je fumais, moi aussi, dans le temps.

– Ouais ? Alors vous savez de quoi je parle. (Elle sortit les saucisses du frigo et les fit glisser dans la poêle. Elle alluma le gaz, passa un bras autour du cou de Philip et l'embrassa bruyamment sur la tempe.) T'es vraiment un chouette petit gars, tu sais. Dans cinq ans, les filles se traîneront à tes pieds. Faudra que tu les chasses à grands coups de pompe dans le...

Philip sourit et se dégagea.

– M'man !

– Ouais, parfaitement ! Et tu verras, tu seras pas du genre à cracher dessus quand tu seras grand. Comme...

– Comme mon père.

Elle lui pinça le derrière.

– Petit voyou. (Elle se tourna vers la table.) Hermes, surveille les saucisses. Approche ta chaise. Linus, mets le couvert. Faut que je parle à ce monsieur.

– Je veux des corn-flakes, dit Linus.

– Pas pour le déjeuner.

– J'en veux !

– Pas au déjeuner, je te dis. (Elle lui arracha la boîte des mains et la fourra dans un placard. Linus se mit à pleurer.) La ferme ! (Et à Lynley :) C'est la faute à son père. Ah, les Grecs... Ils laissent leurs gosses faire n'importe quoi. Ils sont pires que les Italiens. Sortons d'ici pour parler.

Elle emporta sa cigarette dans le séjour, faisant halte devant une planche à repasser pour enrouler le fil effiloché autour du fer. Du pied, elle repoussa un énorme panier de linge plein à ras bord.

– Ça fait pas de mal de s'asseoir.

Avec un soupir, elle se laissa tomber sur le canapé. Les coussins avaient des housses roses. Par les trous de brûlures de cigarette on apercevait le vert de la housse d'origine. Un immense collage décorait le mur. Les photos étaient pour la plupart des photos d'amateur disposées en étoile autour d'un portrait central, lequel avait été réalisé en studio par un professionnel. Il y avait bien ici et là quelques physionomies d'adultes mais sur toutes on voyait des enfants. Même sur ses photos de mariage – Sheelah se tenait à côté d'un homme basané, lunettes à monture métallique et dents de devant écartées – figuraient deux de ses enfants. Philip nettement plus jeune et Gino, qui ne devait guère avoir plus de deux ans.

– C'est votre œuvre ? fit Lynley, montrant le collage.

Elle se tordit le cou pour y jeter un coup d'œil.

– Vous voulez savoir si c'est moi qui l'ai réalisé ? Ouais. Les enfants m'ont aidée. Mais pour l'essentiel, c'est moi. Gino ! (Elle se pencha en avant.) File dans la cuisine, le déjeuner va être prêt.

– Mais les listes...

– Fais ce que je te dis. Donne un coup de main à tes frères et ferme-la.

Gino réintégra la cuisine d'un pas lourd, jetant un regard circonspect à sa mère en passant, tête basse. Le bruit s'atténua dans la cuisine.

Sheelah secoua la cendre de sa cigarette et se la fourra sous le nez un instant. Puis elle la remit dans le cendrier.

– Vous avez vu Robin Sage en décembre, n'est-ce pas ? questionna Lynley.

– Juste avant Noël. Il est passé au salon, comme vous. Je croyais qu'il voulait se faire couper les cheveux ; mais non, il voulait me parler. Pas à la boutique. Ici.

– Vous a-t-il dit qu'il était prêtre ?

– Il était habillé en prêtre mais sur le moment j'ai cru que c'était un déguisement. Ça serait bien des services sociaux de m'envoyer un gars déguisé en prêtre pour m'espionner. J'en ai ras le bol de ces gens-là, je vous le dis. Ils se pointent ici au moins deux fois par mois, prêts à me sauter dessus et à embarquer mes gosses pour les coller dans un vrai foyer au cas où j'aurais le malheur de leur taper dessus. (Elle eut un rire amer.) Ils peuvent toujours attendre. Salopards.

– Qu'est-ce qui vous a fait croire qu'il était des services sociaux ? Il avait un papier officiel ? Il vous a montré une carte ?

– Sa façon de se comporter en débarquant ici. Il m'a dit qu'il voulait me parler de l'instruction religieuse des petits. Il voulait savoir où j'envoyais les enfants suivre des cours de catéchisme. Si on allait à l'église et où. Mais pendant ce temps, il n'arrêtait pas d'examiner l'appartement comme s'il en calculait la superficie et se demandait si j'arriverais à y caser Peanut. Et il n'arrêtait pas de me poser des questions sur la maternité, l'éducation des enfants, la discipline et tout ça. Les conneries habituelles des assistantes sociales. (Elle se pencha et alluma une lampe. L'abat-jour était recouvert tant bien que mal d'une écharpe pourpre.) Alors j'ai cru qu'il était chargé par les services sociaux de me surveiller et que c'était sa façon à lui d'essayer de me situer.

– Mais il ne vous a pas dit qu'il était envoyé par l'administration.

– Non, il s'est contenté de me regarder comme le font tous ces gens-là, le visage tout crispé, les sourcils froncés. (Elle imita, fort bien d'ailleurs, l'expression pleine de fausse sympathie des fonctionnaires des services sociaux. Lynley essaya de réprimer un sourire, mais n'y parvint pas. Elle hocha vigoureusement la tête.) Je les connais depuis la naissance de mon premier. Ce sont des incompétents. Infichus de vous aider ou de faire quoi que ce soit. Ils ne vous croient pas lorsque vous leur dites que vous faites de votre mieux. Et quand il arrive quelque chose, ils vous tombent dessus à bras raccourcis. Je peux pas les voir en peinture. C'est à cause d'eux que j'ai perdu ma petite Tracey Joan.

– Tracey Jones ?

– Non. Tracey *Joan*. Tracey Joan Cotton. (Changeant de position, elle désigna le portrait qui occupait le centre du collage. On y voyait un bébé rieur vêtu de rose qui tenait un éléphant en peluche gris. Sheelah toucha du doigt le visage du bébé.) Ma petite fille. C'était ma petite Tracey.

Lynley sentit les poils se hérisser sur le dos de ses mains. Elle lui avait parlé de ses cinq enfants. Comme elle était enceinte, il avait mal compris. Se levant de sa chaise, il s'approcha pour scruter la photo. Le bébé ne semblait guère avoir plus de quatre ou cinq mois.

– Que lui est-il arrivé ?

– On l'a enlevée, un soir. Alors qu'elle était dans ma voiture.

– Quand ?

– Je ne sais pas. (Sheelah poursuivit en hâte lorsqu'elle vit son expression.) J'étais allée retrouver son père au pub. Je l'avais laissée dormir dans la voiture parce qu'elle avait un peu de fièvre. Quand je suis ressortie du pub, elle avait disparu.

– Ça s'est produit quand ?

– Il y a eu douze ans en novembre dernier. (Sheelah remua de nouveau, se détourna de la photo. Elle se frotta les yeux.) Elle avait alors six mois, ma petite Tracey Joan. Et quand elle a été kidnappée, au lieu d'essayer de faire quelque chose, ces salopards des services sociaux m'ont collée entre les pattes de la police.

Assis dans la Bentley, Lynley se demanda s'il n'allait pas se remettre à fumer. Il se rappela la prière d'Ezéchiel lue dans le livre de Robin Sage : « Lorsque le pécheur se détourne du péché qu'il a commis pour pratiquer le droit et la justice, il sauvera sa vie. » Et il comprit tout.

C'était à ça que ça se ramenait : il avait voulu sauver son âme. Mais elle avait voulu sauver l'enfant.

Lynley se demanda en face de quel dilemme le prêtre s'était trouvé en retrouvant la trace de Sheelah Yanapapoulis. Car sans aucun doute sa femme avait dû lui dire la vérité. La vérité était son unique moyen de défense et sa meilleure chance de réussir à le convaincre de fermer les yeux, d'oublier le crime qu'elle avait commis des années plus tôt.

Ecoute-moi, avait-elle dû lui dire. Je l'ai sauvée, Robin. Tu sais ce qu'il y avait dans les dossiers de Kate concernant les parents de cette petite, ses antécédents, ce qui lui est arrivé ? Est-ce que tu veux tout savoir ? Ou veux-tu me condamner sans connaître les faits ?

Il avait dû vouloir qu'elle le mette au courant. C'était au fond un homme bien, soucieux avant tout de faire ce qui était juste, pas seulement ce qui était prescrit par la loi. Aussi avait-il dû l'écouter énoncer les faits et avait-il dû ensuite vouloir aller vérifier à Londres. D'abord en se rendant chez Kate Gitterman, où il avait sûrement essayé de savoir si sa femme avait eu accès aux dossiers de sa sœur à l'époque où cette dernière travaillait pour les services sociaux. Puis en allant dans les bureaux des services sociaux chercher la trace de l'adolescente dont le bébé de deux mois avait eu une fracture du crâne et une jambe cassée avant d'être kidnappé dans une rue de Shoreditch. Il avait dû réussir à réunir les informations sans trop de problèmes.

La mère avait quinze ans, avait dû lui dire Susanna. Le père treize. La petite n'avait aucune chance de s'en sortir avec eux. Tu ne comprends donc pas ? Oui, je l'ai enlevée, Robin. Et je recommencerais.

Il était allé à Londres. Il avait vu ce que Lynley avait vu. Il l'avait rencontrée. Peut-être que, pendant qu'il était dans l'appartement, Harold avait débarqué : « Comment ça va, baby ? Comment ça va, mon petit cœur ? » En lui posant sa main brune sur le ventre, une main où brillait l'alliance en or. Peut-être Sage avait-il entendu Harold chuchoter : « Impossible, ce soir, bébé. Pas la peine d'en faire un plat, Sheel. Je peux pas. » Juste avant de repasser la porte.

Est-ce que tu sais comment ça se passe avec les services sociaux quand ils découvrent qu'une mère bat son gosse ? Tu crois qu'ils lui donnent une seconde chance ? Est-ce que tu sais à quel point c'est difficile de prouver qu'il y a eu sévices à enfant quand l'enfant ne parle pas et que les « accidents » dont il a été victime paraissent avoir une explication logique ?

– J'ai jamais touché à un cheveu de sa tête, avait dit Sheelah à Lynley. Mais ils m'ont pas crue. Oh, ils m'en ont laissé la garde, faute de pouvoir prouver quoi que ce soit ; mais ils m'ont obligée à assister à des cours, à me rendre dans leurs bureaux toutes les semaines et... (Elle écrasa sa cigarette.) C'était Jimmy, le coupable. Son abruti de père. La petite pleurait et il ne savait pas comment la faire taire. J'étais sortie, les laissant seuls une petite demi-heure, et Jimmy lui a fait du mal dans un moment de colère. Il l'a lancée... contre le mur... Jamais je... Jamais j'aurais fait une chose pareille. Mais personne ne m'a crue et il s'est bien gardé de dire la vérité.

Aussi lorsque le bébé disparut et que la jeune Sheelah Cotton qui n'était pas encore Yanapapoulis jura qu'il s'agissait d'un kidnapping, Kate Gitterman téléphona à la police et leur expliqua ce qu'elle en pensait. Les flics avaient observé la mère, son degré d'hystérie, et s'étaient mis en quête d'un cadavre au lieu de chercher la piste éventuelle d'un kidnappeur. Et aucun des enquêteurs n'avait songé à faire le lien entre le suicide d'une jeune femme au large des côtes de France et le kidnapping du bébé trois semaines plus tard à Londres.

– Mais ils n'ont jamais retrouvé le corps, avait poursuivi Sheelah, s'essuyant les joues. Parce que je ne lui ai jamais fait de mal, à cette petite, que je ne lui en aurais jamais fait. C'était mon bébé. Je l'aimais. (Les garçons s'étaient postés sur le seuil de la cuisine tandis qu'elle pleurait, Linus avait traversé le séjour et grimpé sur le canapé près d'elle. Le serrant contre sa poitrine, le berçant, sa joue contre sa tête, elle avait ajouté :) Je suis une bonne mère. Je m'occupe bien de mes enfants. Personne peut dire le contraire.

Assis dans la Bentley dans Lambeth Street, vitres embuées, tandis que les voitures passaient près de lui dans un chuintement, Lynley se souvint de la fin de l'histoire de la femme surprise en flagrant délit d'adultère. Et des pierres qu'on lui jetait. Seul l'homme qui n'avait pas péché – révélateur, songea-t-il, c'étaient les hommes, pas les femmes, qui lapidaient la fautive – pouvait juger et punir. Ceux dont l'âme n'était pas pure devaient s'abstenir.

Va à Londres si tu ne me crois pas, avait-elle dû lancer à son mari. Vérifie. Tu me diras s'il aurait mieux valu pour la petite vivre avec une femme qui lui avait fracturé le crâne.

Il était venu. Il avait rencontré Sheelah. Et il lui avait fallu prendre une décision. Lui-même n'était pas entièrement blanc : c'était son incapacité à aider sa femme à surmonter son chagrin à la mort de Joseph qui l'avait poussée à commettre ce crime. Comment pouvait-il lui jeter la pierre alors qu'il était responsable, en partie, de l'enlèvement ? Comment pouvait-il déclencher un processus qui l'anéantirait tout en démolissant l'enfant ? Ne valait-il pas mieux qu'elle fût la mère de Maggie ? Elle, et non cette femme aux cheveux décolorés, avec ses enfants de toutes les couleurs et leurs pères envolés ?

Il avait prié afin de distinguer le moral du juste. Sa conversation téléphonique avec sa femme le jour de sa mort montrait clairement dans quel sens allait sa décision : *Il ne nous appartient pas de juger les événements passés. On ne peut pas savoir ce qui est bien. C'est Dieu qui en décide, pas nous.*

Lynley consulta sa montre de gousset. Une heure et demie. Il prendrait l'avion jusqu'à Manchester où il louerait une Range Rover. Ainsi il arriverait à Winslough dans la soirée.

Il prit le téléphone de la voiture et composa le numéro d'Helen. Elle comprit au son de sa voix lorsqu'il prononça son nom.

– Veux-tu que je vienne avec toi ? lui demanda-t-elle.

– Non. Je ne suis pas de bonne compagnie en ce moment. Et je doute que ça s'améliore.

– Aucune importance, Tommy.

– Pour moi, c'est important.

– Je voudrais t'aider.
– Alors sois là pour moi quand je rentrerai.
– Comment cela ?
– Je veux rentrer à la maison et que ce soit toi ma maison.
Helen hésita. Il crut entendre sa respiration mais se dit que c'était impossible compte tenu de la mauvaise liaison.
– Qu'est-ce qu'on fera ?
– On s'aimera. On se mariera. On aura des enfants. En espérant que tout ira pour le mieux. Seigneur, je ne sais plus, Helen.
– Tu m'as l'air d'être dans un sale état. (Elle-même n'était pas gaie.) Que vas-tu faire ?
– T'aimer.
– A Winslough, je veux dire. Que vas-tu faire ?
– Souhaiter être Salomon alors que je jouerai le rôle de Némésis.
– Oh, Tommy.
– Dis-le. De toute façon un jour ou l'autre tu le diras. Alors pourquoi pas maintenant ?
– Je serai là. Toujours. Quand tout ça sera fini. Tu le sais.
Lentement, il reposa le combiné sur son support.

LE TRAVAIL DE NÉMÉSIS

27

– Alors, il la cherchait, Tommy ? s'enquit Deborah. Il n'a jamais cru qu'elle s'était noyée ? C'est pour ça qu'il allait de paroisse en paroisse ? C'est ainsi qu'il a atterri à Winslough ?

Saint James mit une autre cuillerée de sucre dans sa tasse et considéra pensivement sa femme. Elle avait versé le café mais n'avait pas mis de sucre dans le sien. Elle faisait tourner entre ses mains le pot de crème. Tête baissée, elle attendit la réponse de Lynley. C'était la première fois qu'elle intervenait.

– Je crois que c'est le hasard qui l'a guidé.

Lynley piqua une bouchée de veau sur sa fourchette. Il était arrivé au *Crofters Inn* alors que Saint James et Deborah terminaient de dîner. Bien qu'ils n'aient pas été seuls dans la salle à manger ce soir-là, les deux autres couples qui avaient dégusté respectivement du bœuf et de l'agneau s'étaient repliés dans le salon pour y prendre le café. Entre deux apparitions de Josie Wragg, il leur avait raconté l'histoire de Sheelah Cotton Yanapapoulis, Katherine Gitterman et Susanna Sage.

– Récapitulons, poursuivit-il. Elle n'allait pas à l'église ; elle vivait dans le nord tandis qu'il habitait le sud ; elle déménageait sans cesse ; elle choisissait des endroits perdus. Lorsque ces endroits étaient en passe d'être plus fréquentés, elle s'en allait.

– Pas cette fois, remarqua Saint James.

Lynley attrapa son verre de vin.

– Oui. C'est bizarre qu'elle n'ait pas déménagé après ses deux années ici.

– C'est peut-être à cause de Maggie, fit Saint James. Ce n'est plus une gamine, elle a un petit ami ; et si j'en crois Josie, elle tient drôlement à lui. Peut-être qu'elle n'a pas réussi à renoncer à Nick. Qu'elle a refusé de partir.

– C'est possible. Mais sa mère avait toujours besoin de se tenir à l'écart.

Deborah releva vivement la tête, fit mine de parler mais se ravisa.

– Je trouve curieux que Juliet ou plutôt Susanna n'ait rien fait pour la forcer à quitter Winslough, continua Lynley. Après tout, elles n'allaient plus être seules encore très longtemps à Cotes Hall. Les travaux terminés, Brendan Power et sa femme... (Sur le point d'embrocher une petite pomme de terre nouvelle, il s'interrompit.) Bon sang, mais c'est bien sûr !

– Les déprédations au manoir, c'était elle, fit Saint James.

– Forcément. Une fois le manoir habité, ses chances d'être aperçue, voire reconnue augmentaient. Pas nécessairement par les gens du village. Mais par les invités des Power. Et avec la venue du bébé, Brendan Power et sa femme en auraient reçu, des visites. Famille, amis, connaissances.

– Sans compter le pasteur.

– Elle ne pouvait courir ce risque.

– Pourtant, elle avait dû entendre mentionner le nom du nouveau pasteur avant de le rencontrer, dit Saint James. Je trouve étrange qu'elle n'ait pas inventé un prétexte pour filer.

– Peut-être qu'elle a essayé. Mais c'est à l'automne que le pasteur a débarqué à Winslough. Maggie était à l'école. Après avoir accepté de rester pour faire plaisir à la petite, elle pouvait difficilement trouver un prétexte pour plier bagage.

Deborah lâcha le pot de crème et le repoussa.

– Tommy, dit-elle, s'efforçant de contrôler sa voix, je ne vois pas comment tu peux être sûr de tout ça. (Lynley la regardant, elle poursuivit :) Peut-être qu'elle n'avait pas besoin de fuir. Quelle preuve as-tu que Maggie n'est pas sa fille pour commencer ? Elle pourrait l'être, non ?

– C'est peu probable, Deborah.

– Tu tires des conclusions sans avoir toutes les données.

– De quelles autres données ai-je besoin?
– Imagine que... (Deborah empoigna sa cuiller avec violence comme pour frapper la table avec. Puis elle la laissa tomber. Et d'un ton découragé :) Je suppose qu'elle... Je ne sais pas.
– Une radio de la jambe de Maggie nous permettrait de constater des traces de fracture et des tests génétiques finiraient de nous donner les éléments nécessaires, lui dit Lynley.
Elle se mit debout, repoussa ses cheveux en arrière.
– Oui. Bien. Ecoutez... Je suis un peu fatiguée. Je vous demande de m'excuser. Je crois que je vais monter. Non, reste, Simon. Je suis sûre que Tommy et toi avez des tas de choses à vous dire. Bonne nuit.
Elle fut dehors avant qu'ils aient eu le temps de réagir. Lynley remarqua à l'adresse de Saint James :
– J'ai dit quelque chose qui...
– Ce n'est rien.
L'air pensif, Saint James fixait la porte, se demandant si Deborah n'allait pas faire demi-tour. Comme elle ne reparaissait pas, il se tourna vers son ami. Les raisons qu'ils avaient, Deborah et lui, de douter de la justesse des conclusions de Lynley étaient différentes mais pas infondées.
– Pourquoi n'y est-elle pas allée au culot? questionna-t-il. Pourquoi n'a-t-elle pas essayé de lui raconter que Maggie était le fruit de ses amours avec un amant de rencontre?
– J'avoue que je me suis posé la question. Ça semblait logique, comme démarche. Mais tu oublies que Sage avait vu la petite avant de rencontrer sa mère. Il devait savoir qu'elle avait l'âge qu'aurait eu Joseph. Juliet n'avait donc pas le choix. Impossible de lui faire prendre des vessies pour des lanternes. Elle ne pouvait que lui dire la vérité et espérer qu'elle passerait.
– Et elle lui a dit la vérité?
– Je pense que oui. La vérité n'était d'ailleurs pas très jolie : deux gamins, pas mariés, nantis d'un nouveau-né avec une fracture du crâne et une jambe cassée. Elle a dû se prendre pour le sauveur de Maggie.
– Peut-être qu'elle l'a été.
– Oui. C'est ce qui est embêtant. Elle l'a peut-être sauvée. Et Robin Sage le savait. Après tout, il avait rendu visite à Sheelah Yanapapoulis. Dans l'incapacité

de se la représenter, à quinze ans, avec un bébé sur les bras, il s'est livré à des suppositions à partir de son comportement avec ses autres enfants, de sa façon de les élever, d'en parler. Mais bien sûr il lui était difficile de deviner ce que Maggie serait devenue en restant avec Sheelah au lieu de grandir en compagnie de Juliet Spence. (Lynley se versa un autre verre de vin et eut un sourire sans joie.) Je suis heureux de ne pas m'être trouvé à la place de Sage. Sa décision a dû être déchirante. La mienne n'est que pénible. Et encore pas pour moi.

– Tu n'es pas responsable, souligna Saint James. Il y a eu meurtre.

– Et je suis au service de la justice. Je sais bien, Simon. Mais pour ne rien te cacher, je n'en tire aucun plaisir. (Il but une longue gorgée de vin, se resservit, but de nouveau. Il reposa son verre sur la table. Le vin luisait sous la lampe.) J'ai essayé de chasser Maggie de mes pensées aujourd'hui. De me focaliser sur le crime. Je n'arrête pas de me dire que si je continue à examiner ce que Juliet a fait en cette nuit de décembre, il y a des années de cela, je risque d'oublier pourquoi elle a agi comme elle l'a fait. Parce que le pourquoi de tout cela n'est pas important.

– Alors laisse tomber le reste.

– Depuis une heure et demie, je ne cesse de me répéter comme une litanie : il lui a téléphoné pour lui faire part de sa décision. Elle a protesté. Dit qu'elle ne renoncerait pas à Maggie comme ça. Elle lui a demandé de venir au cottage pour en discuter. Elle est allée chercher de la ciguë. Elle lui en a fait manger au dîner. Elle l'a renvoyé chez lui. Sachant qu'il allait mourir. Et comment.

Saint James enchaîna :

– Elle s'est administré une purge. Puis elle a téléphoné au constable, qu'elle a mouillé dans l'affaire.

– Alors, au nom du ciel, pourquoi puis-je lui pardonner ? s'exclama Lynley. Elle a assassiné un homme. Pourquoi est-ce que j'ai envie de me boucher les yeux, de ne pas la considérer comme une meurtrière ?

– A cause de Maggie. Victime quand elle était bébé, elle est en passe de le redevenir. Par ta faute.

Lynley ne souffla mot. Dans le pub, une voix d'homme couvrit momentanément les autres. Une conversation générale s'ensuivit.

– Que va-t-il se passer? s'enquit Saint James.
Lynley froissa sa serviette sur la table.
– J'ai demandé à une femme flic de Clitheroe de venir.
– Chercher Maggie?
– Il faudra que quelqu'un se charge de la petite quand nous emmènerons la mère. (Il consulta sa montre de gousset.) Elle n'était pas de service lorsque je suis passé au commissariat. Ses collègues se sont mis à sa recherche. Elle doit me retrouver chez Shepherd.
– Il n'est pas encore au courant?
– Je vais chez lui.
– Tu veux que je t'accompagne? (Comme Lynley jetait un coup d'œil à la porte par laquelle Deborah avait disparu, Saint James le rassura :) Ne t'inquiète pas pour ça.
– Dans ce cas, je serai ravi que tu viennes.
Dans le pub la foule était dense ce soir. Pour la plupart elle se composait de fermiers venus à pied, en tracteur ou en Land Rover parler du temps et de la météo. La fumée des cigarettes et des pipes s'élevait dans l'air tandis qu'ils se racontaient les effets de la neige sur leurs moutons, les routes, leurs femmes et leur travail. La neige s'étant arrêtée de tomber entre midi et six heures et demie, on pouvait encore rouler. Mais vers six heures et demie, les flocons étaient repartis de plus belle et les paysans semblaient prendre des forces pour soutenir un siège qui menaçait d'être long.
Ils n'étaient d'ailleurs pas les seuls. Les ados du village massés à l'autre bout du pub jouaient au flipper et regardaient Pam Rice flirter avec son petit ami comme elle l'avait fait le soir de l'arrivée des Saint James à Winslough. Brendan Power était assis près du feu, levant le nez précipitamment chaque fois que la porte s'ouvrait. Ce qui se produisait régulièrement, les villageois arrivant les uns après les autres, tapant du pied pour enlever la neige de leurs chaussures et se secouant pour la faire tomber de leurs vêtements et de leurs cheveux.
– Cette fois, c'est parti, Ben, cria une voix par-dessus le vacarme.
Manœuvrant les leviers derrière le bar, Wragg avait l'air aux anges. En hiver, les clients ne se bousculaient pas. Si le temps continuait comme ça, une bonne partie des consommateurs réclameraient un lit pour la nuit.

Saint James abandonna Lynley le temps d'aller prendre son manteau et ses gants.

Deborah était assise sur le lit, le dos calé contre les oreillers. Elle avait la tête renversée, les yeux fermés, les mains sur les genoux. Elle ne s'était pas déshabillée.

Tandis qu'il fermait la porte, elle dit :

– J'ai menti. Mais tu le savais, n'est-ce pas ?

– Je savais que tu n'étais pas fatiguée. Si c'est ce que tu veux dire.

– Tu n'es pas fâché ?

– Je devrais l'être ?

– Je ne suis pas une bonne épouse.

– Parce que tu n'avais pas envie d'écouter la suite de l'histoire de Juliet Spence ? Je ne pense pas que ce soit un critère.

Il prit son manteau dans la penderie et l'enfila, pêchant ses gants dans sa poche.

– Tu l'accompagnes. Pour finir le travail.

– Je serai plus tranquille de ne pas le savoir seul. C'est moi qui l'ai entraîné dans cette galère.

– Tu es un ami formidable pour lui, Simon.

– Et vice versa.

– Et tu es un merveilleux ami pour moi aussi.

S'approchant du lit, il s'assit. Il posa sa main sur les siennes. Deborah ouvrit le poing. Il sentit un objet entre sa paume et la sienne. Une pierre avec deux anneaux entrelacés peints en rose vif.

– J'ai trouvé ça sur la tombe d'Annie Shepherd. Ça m'a fait penser au mariage. Je l'ai toujours sur moi, depuis. Je me disais que ça m'aiderait à être meilleure.

– Je n'ai pas à me plaindre, Deborah.

Il lui embrassa le front et lui remit la pierre dans la main.

– Tu voulais parler. J'ai refusé. Désolée.

– Je voulais prêcher, rectifia-t-il. Ce n'est pas la même chose. Je ne peux pas t'en vouloir de refuser d'écouter mes sermons. (Il se mit debout et enfila ses gants. Il prit son écharpe dans la commode.) Je ne sais pas combien de temps ça va prendre.

– Aucune importance. J'attendrai.

Elle posait la pierre sur la table de nuit lorsqu'il sortit.

Lynley l'attendait dehors devant le pub, abrité sous le porche, regardant la neige qui continuait de tomber en serpentins silencieux éclairés par les réverbères et les lumières des maisons bordant Clitheroe Road.

– Elle n'a été mariée qu'une fois, Simon. Avec Yanapapoulis.

Ils se dirigèrent vers le parking où il avait laissé la Range Rover louée à Manchester.

– J'ai essayé de comprendre le cheminement que Sage avait suivi pour prendre sa décision et ça se résume à ça : ce n'est pas une mauvaise fille, après tout, elle aime ses gosses, et elle n'a été mariée qu'une fois malgré la vie qu'elle a menée avant et après ce mariage.

– Que lui est-il arrivé ?

– A Yanapapoulis ? Il lui a fait un gosse, Linus, son quatrième fils, et il s'est mis en ménage avec un type de vingt ans qui débarquait de Delphes.

– Porteur d'un message de l'oracle ?

Lynley sourit.

– Et le reste, elle te l'a raconté ?

– Indirectement. Elle m'a avoué qu'elle avait un faible pour les étrangers basanés : Grecs, Italiens, Iraniens, Pakistanais, Nigérians. « Il suffit qu'ils lèvent le petit doigt et je me retrouve enceinte. » Seul le père de Maggie était anglais. Et ça ne l'a pas empêché d'être un beau salaud.

– Tu y crois à son histoire ? A la façon dont Maggie s'est retrouvée avec une fracture du crâne ?

– Qu'est-ce que ça peut faire que je la croie ou non ? Robin Sage l'a crue. C'est pour ça qu'il est mort.

Ils grimpèrent dans la Range Rover. Lynley fit une marche arrière. Ils frôlèrent un tracteur et se frayèrent un chemin à travers le labyrinthe de voitures jusqu'à la rue.

– Il s'est appuyé sur ce qui était moral pour prendre sa décision, Tommy. Il a choisi le parti de la loi. Qu'aurais-tu fait à sa place ?

– J'aurais vérifié, comme lui.

– Et une fois au courant de la vérité ?

Lynley poussa un soupir et tourna en direction du sud et de Clitheroe Road.

– Aucune idée, Simon. Je n'ai pas les certitudes morales de Sage. Je ne vois pas les choses en noir et blanc. Seulement en gris, un gris qui n'en finit plus, malgré la loi et mes obligations professionnelles.

– Mais si tu devais prendre une décision ?

– Alors ce serait une question de crime et de châtiment.

– Le crime commis par Juliet Spence à l'encontre de Sheelah Cotton ?

– Non. Le crime commis par Sheelah sur la personne du bébé : avoir laissé l'enfant seule avec son père, qui en a profité pour la maltraiter ; l'avoir laissée sans surveillance dans la voiture quatre mois plus tard, rendant possible son enlèvement. Je suppose que je me demanderais si le fait d'avoir été privée de sa fille pendant treize ans ou de l'avoir perdue à jamais constitue un châtiment suffisant, compte tenu des crimes commis contre elle.

– Et après ?

Lynley lui lança un regard de biais.

– Après, je me retrouverais à Gethsémani, priant pour que quelqu'un d'autre boive la coupe. C'est, je crois, ce que Sage a dû faire.

Colin Shepherd l'avait vue à midi, mais elle avait refusé de le laisser entrer. Maggie n'était pas bien, lui avait-elle dit. Fièvre persistante, frissons, mal au ventre. Sa fugue avec Nick, sa nuit à la dure même courte dans la grange l'avaient éprouvée. Elle avait eu une seconde mauvaise nuit mais elle dormait maintenant. Et Juliet n'avait pas envie qu'on la réveille.

Elle sortit lui dire tout ça, fermant la porte derrière elle, frissonnant de froid. Tout ça pour l'inciter à s'en aller. S'il l'aimait, il ne la laisserait pas grelotter dehors.

Son langage gestuel était clair : bras croisés, doigts enfouis dans les manches de sa chemise de flanelle, posture raide. Mais il se dit que c'était le froid, essayant de découvrir sous ses paroles un message caché. Il scruta son visage, la regarda dans les yeux. Il n'y lut qu'un air lointain, affable. Sa fille avait besoin d'elle et il agissait en égoïste en espérant qu'elle s'intéresserait à autre chose pour le moment.

– Juliet, quand est-ce qu'on pourra parler ?

Mais avec un regard en direction de la chambre de Maggie, elle répondit :

– Il faut que je reste à son chevet. Elle fait des cauchemars. Je t'appellerai plus tard, d'accord ?

Et, se glissant à l'intérieur, elle avait refermé silencieusement la porte du cottage. Il entendit la clé tourner dans la serrure.

Il voulut crier.

– Tu oublies que j'ai une clé ? Je peux entrer si je veux. Je peux te forcer à parler. T'obliger à m'écouter.

Mais, au lieu de cela, il fixa longuement la porte, attendant que son cœur cesse de battre à tout rompre.

Il s'était remis au travail, effectuant ses rondes, s'occupant de trois voitures qui avaient dérapé sur les routes verglacées, faisant franchir à cinq moutons égarés un muret croulant près de Skelshaw Farm, remplaçant les pierres du muret. La routine, en somme. Rien qui pût lui occuper l'esprit. Plus les heures filaient, plus il avait du mal à se concentrer.

Le temps avait passé et elle n'avait pas téléphoné. Il erra dans sa maison comme une âme en peine en attendant. Il regarda par la fenêtre la neige immaculée dans le cimetière de l'église Saint-Jean-Baptiste et, au-delà, les pâturages et les flancs de la colline de Cotes Fell. Il fit du feu et laissa Leo se rôtir devant les flammes cependant que le soir tombait. Il nettoya trois de ses armes. Il se fit une tasse de thé, y ajouta du whisky, oublia de la boire. Il souleva le téléphone à deux reprises pour s'assurer qu'il fonctionnait normalement. La neige aurait pu endommager les lignes. Mais en entendant la tonalité monotone, il se dit qu'il y avait quelque chose qui ne tournait décidément pas rond.

Il s'efforça de repousser cette idée. Elle se faisait du souci pour Maggie, se dit-il. Et à juste titre. Inutile d'aller chercher plus loin.

A quatre heures, incapable de supporter l'attente plus longtemps, il composa le numéro. La ligne était occupée. Un quart d'heure plus tard, elle l'était encore. Une demi-heure plus tard, aussi. Et ainsi de suite jusqu'à cinq heures et demie. Il comprit alors qu'elle avait décroché de façon que la sonnerie ne dérange pas sa fille.

Entre cinq heures et demie et six heures, il fit des vœux pour qu'elle appelle. Après six heures, il se mit à faire les cent pas. Il se repassa les brèves conversations qu'ils avaient eues ces deux derniers jours, depuis que Maggie avait réintégré le cottage après sa fugue. Il entendit l'intonation de Juliet au téléphone, résignée, et un sentiment de désespoir l'envahit.

A huit heures, lorsque le téléphone sonna, il bondit pour répondre. Une voix sèche s'enquit :
– Où diable étais-tu passé, mon garçon ?
Colin serra aussitôt les dents et s'efforça de se détendre :
– J'étais au travail, p'pa. Comme d'habitude, je te signale.
– N'essaie pas de faire le malin. Il a demandé une femme flic et elle est en route. Tu le sais, mon garçon ? T'es au courant ?
Le fil du téléphone était long. Colin cala le récepteur contre son oreille et s'approcha de la fenêtre de la cuisine. Il voyait de la lumière sous le porche du presbytère mais le reste n'était qu'ombre et formes indistinctes, à cause de la neige qui tombait dru.
– Qui a demandé une femme flic ? De quoi est-ce que tu causes ?
– Le type du Yard.
Colin pivota. Il regarda l'horloge. Les yeux du chat bougeaient en rythme, la queue faisait tic-tac.
– Comment le sais-tu ?
– J'ai gardé des contacts, mon gars. J'ai des potes qui me rencardent. Je rends des services et ceux que je dépanne me renvoient l'ascenseur. Je t'avais expliqué la marche à suivre quand t'as commencé à bosser. Mais t'as la tête dure. Tu es tellement bête, tellement sûr...
Colin entendit tinter un verre contre le récepteur à l'autre bout du fil. Le cliquetis d'un glaçon.
– Qu'est-ce que tu bois ? Du gin ou du whisky ?
Le verre s'écrasa contre un obstacle : mur, meuble, cuisinière, évier.
– Espèce de minable. Bon à rien. J'essaie de te filer un coup de main.
– J'ai pas besoin de ton aide.
– Mon œil ! T'es dans la merde jusqu'au cou, tu la sens même plus tellement t'es enfoncé dedans. Cette espèce de prétentieux est resté enfermé près d'une heure avec Hawkins, mon gars. Il a convoqué le médecin légiste et le policier qui s'est rendu à Winslough quand tu as trouvé le corps. J'ignore ce qu'il a bien pu leur raconter, mais ce que je peux te dire, c'est qu'ils ont demandé une femme flic. Je ne sais pas ce que ce type du Yard magouille, mais tu peux être sûr qu'il a la bénédiction de Clitheroe. T'as compris, mon garçon ? Et Hawkins ne t'a pas mis au parfum, si ?

Shepherd ne souffla mot. Il s'aperçut qu'il avait oublié un faitout sur la cuisinière à l'heure du déjeuner. Heureusement, celui-ci ne contenait que de l'eau salée qui s'était évaporée. Le fond du récipient était plein de calcaire.

– Alors, ça veut dire quoi, d'après toi ? poursuivit son père. Tu piges ou faut que je te fasse un dessin ?

Colin se força à prendre un ton indifférent.

– Je vois pas d'inconvénient à ce qu'ils fassent venir une femme flic, p'pa. Tu te mets dans tous tes états pour rien.

– Qu'est-ce que ça signifie, bon Dieu ?

– Qu'il y a des éléments qui m'ont échappé. Que l'enquête doit être rouverte.

– Espèce d'abruti ! Tu sais ce que ça signifie, de bousiller une enquête criminelle ?

Colin voyait les veines saillir sur les bras de son père.

– Ben alors, c'est pas une première. C'est pas la première fois qu'il faudrait rouvrir une enquête.

– Crétin, pauvre con, siffla son père. Tu as témoigné en sa faveur alors que tu étais sous serment. Tu fricotais avec elle. Si tu crois qu'on oubliera ça quand...

– J'ai du nouveau. Ça n'a rien à voir avec Juliet. Je suis prêt à tout raconter au type du Yard. Tant mieux qu'il ait une femme flic avec lui, il va en avoir besoin.

– Qu'est-ce que tu me chantes ?

– J'ai trouvé le tueur, p'pa.

Silence. Il entendit craquer le feu du séjour. Leo rongeait consciencieusement un os de jambon.

– T'es sûr ? fit son père, circonspect. T'as des preuves ?

– Oui.

– Parce que si tu te plantes encore un coup, t'es foutu, mon gars. Et quand ça arrivera...

– Pas de danger que ça arrive.

– ... faudra pas pleurer pour avoir mon aide. J'en ai ras le bol de te couvrir auprès des gens de Hutton-Preston. C'est compris ?

– Compris, p'pa. Merci de ta confiance.

– C'est ça, fous-toi de ma gueule...

Colin raccrocha. Le téléphone se remit à sonner dix secondes après. Il le laissa sonner. Il grésilla trois bonnes minutes tandis qu'il le fixait, imaginant son père à l'autre bout de la ligne. Il devait le maudire, avoir envie de le réduire en bouillie. Mais à moins d'avoir une de ses petites copines sur qui se défouler, il serait bien obligé de se calmer tout seul.

Lorsque la sonnerie cessa, Colin se versa un fond de whisky, retourna dans la cuisine et composa le numéro de Juliet. La ligne était toujours occupée.

Il emporta son verre dans la chambre qui lui tenait lieu de bureau et s'assit à sa table de travail. Du tiroir du bas, il sortit le petit volume *Magie et alchimie : simples, épices et plantes.* Il le posa près d'un bloc et commença à rédiger son rapport. Ça coulait, il écrivait sans peine, assemblant faits et conjectures. Il n'avait pas le choix. Si Lynley avait demandé qu'on lui envoie une femme flic, c'est qu'il s'apprêtait à causer des ennuis à Juliet. Il n'y avait qu'une façon de l'en empêcher.

Il venait de terminer son rapport, il l'avait relu et tapé à la machine, lorsqu'il entendit claquer les portières de la voiture. Leo se mit à aboyer. Il se leva et se dirigea vers la porte avant qu'ils aient eu le temps de sonner. Ils le trouveraient prêt.

– Je suis heureux que vous soyez venus, leur dit-il.

Il parlait d'un ton assuré, avec aisance. Il referma la porte derrière eux et les entraîna dans le séjour.

Le blond, Lynley, ôta manteau, écharpe et gants et fit tomber la neige de ses cheveux comme s'il avait l'intention de s'attarder. L'autre, Saint James, desserra son écharpe, déboutonna deux ou trois boutons de son manteau mais ne retira que ses gants.

– J'ai demandé à Clitheroe de m'envoyer une femme policier, dit Lynley.

Colin leur versa à chacun un whisky et leur tendit leur verre sans se soucier de savoir s'ils voulaient boire. Ils n'avaient pas envie de boire. Saint James hocha la tête et posa son verre sur une table basse près du canapé. Lynley dit merci et posa le sien par terre en s'asseyant, sans y avoir été invité, dans l'un des fauteuils. Il fit signe à Colin de s'asseoir. Son visage était grave.

– Je sais, répondit Colin, décontracté. Entre autres qualités, vous possédez le don de double vue, inspecteur. Je m'apprêtais à téléphoner au sergent Hawkins pour qu'il m'en envoie une. (Il leur tendit le petit volume.) Vous avez besoin de ça, je suppose.

Lynley prit l'opuscule et, chaussant ses lunettes, commença par lire le titre puis le texte de la jaquette. Il ouvrit le livre et parcourut la table des matières. Certaines pages étaient cornées – celles que Colin avait étudiées – et il en prit connaissance. Près du feu, Leo se remit à ronger son os, fouettant le sol de sa queue.

Lynley releva la tête sans un mot.

– Les erreurs, les mauvais départs, c'est ma faute, dit Colin. Je n'ai pas soupçonné Polly tout de suite ; mais je crois que, grâce à ça, les choses s'éclairent. (Il tendit son rapport agrafé à Lynley, qui passa le petit livre à Saint James, et se mit à lire. Colin l'observa, guettant sur son visage un signe d'émotion.) Juliet s'étant reconnue coupable et ayant déclaré que c'était un accident, je me suis focalisé là-dessus. Je ne voyais pas pour quelle raison on aurait assassiné Sage et lorsque Juliet m'a affirmé que personne ne pouvait pénétrer dans sa resserre sans qu'elle soit au courant, je l'ai crue. Je n'avais pas compris que ce n'était pas lui qui était visé. Je me faisais du souci pour elle, à cause de l'enquête du coroner. Bref je n'avais pas une vision claire des choses. J'aurais dû réaliser plus tôt que ce meurtre n'avait strictement rien à voir avec le pasteur. Qu'il en avait été victime par erreur.

Lynley avait encore deux pages à lire, pourtant il ferma le rapport et retira ses lunettes. Il les remit dans la poche de sa veste et tendit le document à Colin.

– Vous auriez dû réaliser plus tôt... Intéressante, votre formule. C'était avant ou après lui avoir tapé dessus, constable ? Et pourquoi l'avoir agressée, au fait ? Pour lui arracher une confession ? Ou par plaisir ?

Colin laissa échapper les feuillets et se baissa pour les ramasser.

– Nous sommes ici pour parler de meurtre. Si Polly déforme les faits et qu'elle oriente les soupçons vers moi, c'est révélateur, non ?

– Ce qui est révélateur, surtout, c'est qu'elle ne nous a rien dit du tout. Pas plus au sujet de l'agression dont elle a été victime qu'au sujet de Juliet Spence. Elle ne se comporte pas vraiment comme quelqu'un qui essaie de masquer sa culpabilité.

– Pourquoi le ferait-elle ? La personne qu'elle visait est toujours en vie. L'autre, elle peut faire passer sa disparition pour une erreur.

– Et son mobile, bien sûr, c'est l'amour non payé de

retour. Vous avez décidément une haute opinion de vous-même, Mr. Shepherd.

Colin sentit ses traits se durcir.

– Je vous suggère d'examiner les faits.

– Non, écoutez-moi. Et écoutez-moi bien parce que, quand j'aurai terminé, vous démissionnerez de la police. Ce qui est le souhait de vos supérieurs.

Et l'inspecteur commença à parler. Il égrena des noms qui n'avaient aucun sens pour Colin : Susanna Sage et Joseph, Sheelah Cotton et Tracey, Gladys Spence, Kate Gitterman. Il lui parla de la mort subite d'un nourrisson, d'un suicide, d'une tombe vide dans une concession familiale. Il retraça l'itinéraire de Robin Sage à travers Londres, lui raconta l'histoire telle que Sage et lui-même l'avaient reconstituée. Pour finir, il déplia un article de journal en disant :

– Regardez cette photo, Mr. Shepherd.

Mais Colin ne détacha pas ses regards de l'endroit où il les avait dirigés lorsque l'homme du Yard avait commencé à parler : le râtelier, et les armes qu'il venait de nettoyer. Elles étaient prêtes et il voulait s'en servir.

Il entendit Lynley dire : « Saint James » et son compagnon prit la parole à son tour. Colin songea, Non. Je ne veux pas, je ne peux pas. Et il évoqua son visage pour garder la vérité à distance. Des mots, des expressions parvenaient parfois jusqu'à lui : la plante la plus vénéneuse de l'hémisphère occidental... racine... devait savoir... le liquide huileux qui suinte lorsqu'on coupe la tige indique que... n'a pas pu avaler...

D'une voix qui lui parut venir de si loin qu'il avait du mal à l'entendre, il dit :

– Elle était malade. Elle en avait mangé. J'étais là.

– J'ai peur que non. Elle avait pris un purgatif.

– La fièvre. Elle était brûlante. Brûlante.

– Elle avait dû également prendre quelque chose pour faire monter sa température. Du poivre de Cayenne, par exemple.

Il eut l'impression d'être coupé en deux.

– Regardez la photo, Mr. Shepherd.

– Polly voulait la tuer. Elle voulait déblayer le terrain.

– Polly Yarkin n'a rien à voir avec tout ça, dit Lynley. Vous lui avez servi d'alibi. A l'enquête du coroner, vous deviez témoigner que Juliet avait été souffrante la nuit où Robin Sage est mort. Elle s'est servi de vous, Shepherd. Elle a assassiné son mari. Regardez la photo.

Est-ce que ça lui ressemblait ? Etait-ce son visage ? Ses yeux ? La photo datait de plus de dix ans, elle était sombre, elle était floue.

– Ça ne prouve rien. Le cliché n'est même pas net.

Mais les deux autres se montrèrent impitoyables. Une confrontation entre Kate Gitterman et sa sœur permettrait d'identifier cette dernière. Sinon, on pourrait exhumer le corps de Joseph Sage et procéder à des tests génétiques pour voir s'ils correspondaient à la femme qui se faisait appeler Juliet Spence. Parce que si elle était bien Juliet Spence pourquoi refuserait-elle de subir des tests, de laisser Maggie en subir, de fournir les documents relatifs à la naissance de Maggie, bref de se dédouaner ?

Il ne lui restait plus rien à dire ni à révéler. Il se mit debout et s'approcha du feu avec la photo et l'article qui l'accompagnait. Il les jeta dans l'âtre et regarda les flammes rouler les bords du papier puis se jeter dessus avidement et enfin les consumer.

Leo le suivit du regard, quittant son os de l'œil, gémissant sourdement. Mon Dieu, que la vie était simple pour un chien. Nourriture, abri. Chaleur quand il faisait froid. Fidélité et amour à toute épreuve.

– Je suis prêt, dit-il.

– Nous n'avons pas besoin de vous, constable, fit Lynley.

Colin leva la tête pour protester. La sonnette retentit. Le chien aboya, se tut.

– Vous voulez peut-être aller ouvrir vous-même, dit Colin, amer. Ce doit être votre femme flic.

C'était elle, en effet. Elle était en uniforme, harnachée contre le froid, ses lunettes embuées d'humidité. Mais elle n'était pas seule.

– Garrity, de la Criminelle de Clitheroe. Le sergent Hawkins m'a mise au courant.

Derrière elle sous le porche se tenait un homme en tweed rugueux et bottes, casquette baissée sur le front. Frank Ware. Le père de Nick. Tous deux étaient éclairés par les phares de l'un de leurs deux véhicules, qui jetaient une lueur blanche aveuglante à travers le rideau de neige.

Colin regarda Frank Ware. Ware regarda la femme

flic puis Colin. Il tapa du pied pour faire tomber la neige de ses bottes et se tripota le nez.

– Désolé de vous déranger. Mais il y a une voiture renversée dans un fossé du côté du réservoir, Colin. J'ai pensé que je ferais mieux de te prévenir. J'ai l'impression que c'est l'Opel de Juliet.

28

Force leur fut d'emmener Shepherd avec eux : il avait grandi dans la région et connaissait le terrain. Lynley n'était cependant pas disposé à le laisser conduire son propre véhicule. Il le fit donc asseoir sur le siège avant de sa Range Rover de location. Suivis d'une seconde Rover où avaient pris place le constable Garrity et Saint James, ils se mirent en route vers le réservoir.

La neige se précipitait contre le pare-brise, formant des bannières blanches, étincelant à la lumière des phares avant d'être emportée par le vent. Les autres véhicules avaient tassé la neige sur la route, y laissant des ornières, mais la glace qui en ourlait les bords rendait le trajet périlleux. Même le 4x4 avait du mal à négocier les virages. Ils glissaient, patinaient, avançant à la vitesse d'un escargot.

Ils passèrent devant le monument aux morts de la guerre de 14-18 où le soldat, tête baissée, brandissait son fusil d'un blanc éclatant. Ils longèrent le pré communal où la neige soufflait en tourbillons fantomatiques qui poudraient les arbres. Ils traversèrent le pont en dos d'âne qui enjambait un ruisseau bouillonnant. La visibilité devenait de plus en plus mauvaise, les essuie-glaces laissant sur le pare-brise des traînées de glace.

– Et merde, marmonna Lynley, réglant le bouton du dégivrage.

Manœuvre qui s'avéra inutile car le problème venait de l'extérieur et non de l'intérieur de la voiture.

Près de lui, Shepherd n'ouvrait la bouche que pour laisser tomber les indications nécessaires lorsqu'ils atteignaient un croisement. Lynley lui jeta un regard de biais lorsqu'il dit :

– Prenez à gauche.

Sur la gauche, les phares illuminèrent un panneau indiquant Fork Reservoir.

L'espace d'un instant, il songea à décocher à son passager reproches et critiques; Dieu sait que Shepherd s'en tirait à bon compte : ses supérieurs lui demandaient sa démission au lieu d'exiger qu'il soit jugé publiquement. Mais le visage du constable, pareil à un masque vide, ôta à Lynley l'envie de jouer les censeurs. Colin Shepherd revivrait les événements de ces derniers jours le reste de sa vie. Et au moment de fermer les yeux, ce serait sans doute le visage de Polly Yarkin qui le hanterait le plus.

Derrière eux, le constable Garrity conduisait sa Range Rover avec hargne. Malgré rafales de vent et vitres remontées ils entendaient grincer les vitesses. Le moteur rugissait, protestait, mais jamais elle ne se laissait distancer de plus de six mètres.

Une fois qu'ils eurent laissé derrière eux les abords du village, il n'y eut plus que les phares des deux véhicules et les lumières d'une ferme çà et là pour les éclairer. C'était comme s'ils conduisaient les yeux bandés, car la neige reflétait leurs phares, formant devant eux un mur perméable et laiteux toujours changeant.

– Elle savait que vous étiez allé à Londres, dit Shepherd finalement. Je le lui avais dit. De ça aussi, je suis responsable.

– Faites des prières pour que nous la retrouvions, constable.

Lynley changea de vitesse pour prendre un virage. Les pneus glissèrent, puis adhérèrent de nouveau à la route. Derrière eux, le constable Garrity leur adressa un coup de klaxon de félicitations. Ils continuèrent d'avancer péniblement.

A quelque six kilomètres du village, l'entrée de Fork Reservoir apparut sur leur gauche, signalée par un rideau de pins. Leurs branches pendaient lourdement sous le poids de la neige que retenaient les aiguilles des conifères. Les pins bordaient la route sur plus de quatre cents mètres. De l'autre côté, une haie se détachait sur fond de lande dénudée.

– Là, dit Shepherd lorsqu'ils parvinrent au bout de la rangée d'arbres.

Lynley repéra le véhicule au moment où Shepherd le lui signalait : la forme d'une voiture, vitres, toit, capot, coffre, dissimulée sous une croûte de neige. L'Opel était à moitié sortie de la route à l'endroit où la montée s'amorçait, l'arrière dans le fossé, le châssis reposant en équilibre instable sur le bas-côté.

Ils se garèrent. Shepherd proposa sa torche. Le constable Garrity les rejoignit et braqua sa propre torche vers le véhicule. Les roues arrière, qui en patinant avaient creusé deux tranchées dans la neige, étaient profondément enfouies dans le fossé.

– Ma sœur, cette idiote, a essayé de faire ça une fois, remarqua le constable Garrity, désignant de la main la route verglacée qui grimpait. Elle a voulu franchir une montée et elle est redescendue aussi sec. C'est tout juste si elle ne s'est pas cassé le cou, l'imbécile.

Lynley fit tomber la neige de la portière côté conducteur et manœuvra la poignée. La voiture n'était pas fermée. Il ouvrit la portière, promena le faisceau de sa lampe à l'intérieur et dit :

– Mr. Shepherd ?

Shepherd le rejoignit. Saint James ouvrit l'autre portière. Le constable Garrity lui tendit sa torche. Shepherd inspecta du regard valises et cartons tandis que Saint James examinait la boîte à gants restée grande ouverte.

– Eh bien, constable ? fit Lynley. C'est sa voiture ?

C'était une Opel comme il en existe des centaines mais différente des autres en ceci que le siège arrière était encombré d'affaires diverses. Shepherd tira vers lui un des cartons et en sortit une paire de gants de jardinage. Lynley vit sa main se refermer dessus. Il comprit.

– Pas grand-chose d'intéressant, fit Saint James en refermant d'un coup sec la boîte à gants.

Il prit un morceau de chiffon sale qui traînait par terre et se l'entortilla autour de la main avec un bout de ficelle. Pensivement, il contempla la lande. Lynley suivit son regard.

Le paysage était une étude en blanc et noir. Neige et nuit sans lune ni étoiles. Rien n'arrêtait le vent à cet endroit-là, ni bois, ni colline, aussi l'air glacial était-il coupant et vous faisait-il venir les larmes aux yeux.

– Qu'y a-t-il par là-bas ? questionna Lynley.

Personne ne répondit. Le constable Garrity s'administrait des claques sur les bras et tapait des pieds.

– Il doit bien faire moins dix.

Sourcils froncés, Saint James s'amusait à faire des nœuds avec le bout de ficelle ramassé près du chiffon. Shepherd tenait toujours les gants de jardinage dans son poing. Il observait Saint James. Il semblait en état de choc, hébété.

– Constable, reprit Lynley. Qu'est-ce qu'il y a par là-bas ?

Shepherd se secoua. Retirant ses lunettes, il les essuya sur sa manche. Tentative futile. A peine les eut-il remises que les verres furent aussitôt mouchetés de neige.

– La lande, dit-il. La ville la plus proche, c'est High Bentham. Au nord-ouest.

– On y accède par cette route ?

– Non. Celle-ci rejoint la A65.

Direction Kirby Lonsdale, songea Lynley. Et au-delà, la M6, les lacs et l'Ecosse. Ou alors, vers le sud, Lancaster, Manchester, Liverpool. Les possibilités étaient nombreuses. Si elle était parvenue à aller jusque-là, elle avait peut-être réussi à trouver un moyen de passer en Irlande. Les choses étant ce qu'elles étaient, elle jouait le rôle du renard dans un paysage hivernal et la police ou le temps impitoyable finiraient par la poursuivre jusqu'à son terrier.

– High Bentham est plus près d'ici que la A65 ?

– Par cette route, non.

– Mais en prenant à travers champs ? Bon sang, mon vieux, vous ne pensez tout de même pas qu'elles vont marcher sur le bas-côté, attendant qu'on les prenne en stop.

Les yeux de Shepherd se braquèrent vers l'intérieur de la voiture puis vers le constable Garrity, comme s'il tenait à s'assurer qu'ils avaient compris qu'ils pouvaient compter sur sa collaboration.

– En coupant par la lande et en marchant vers l'est, la A65 est à huit kilomètres. High Bentham, deux fois plus loin.

– Elles pourraient trouver une voiture pour les prendre sur la A65, inspecteur, dit le constable Garrity. Elle n'est peut-être pas encore fermée à la circulation.

– Jamais elles ne réussiront à faire seize kilomètres à pied par ce temps, observa Saint James. Mais si elles se dirigent vers l'est, elles auront le vent en pleine figure. Il n'est pas dit qu'elles arriveront à couvrir les huit kilomètres.

Lynley pivota, tournant le dos à l'obscurité, et dirigea sa torche par-delà la voiture. Le constable Garrity suivit son exemple, fit quelques pas dans la direction opposée. Mais la neige avait effacé les empreintes que Juliet Spence et Maggie avaient pu laisser sur le sol.

Lynley dit à Shepherd :

– Est-ce qu'elle connaît le terrain ? Est-elle déjà venue par là ? Y a-t-il un endroit où elle pourrait s'abriter ? (Voyant passer un frémissement sur le visage de Shepherd, il questionna :) Où ?

– C'est trop loin.

– Où ?

– Même si elle est partie avant la tombée de la nuit, avant que la neige ne tombe avec cette violence...

– Faites-moi grâce de votre analyse, Shepherd. Où ?

Shepherd tendit le bras vers l'ouest.

– La grange de Back End. C'est à huit kilomètres au sud de High Bentham.

– Et à quelle distance d'ici ?

– En coupant à travers la lande ? A cinq kilomètres environ.

– Est-ce qu'elle connaissait cet endroit ?

Shepherd déglutit. Son visage se figea, formant un masque. Celui d'un homme qui n'a plus ni espoir ni avenir.

– On y est allés à pied, du réservoir, quatre ou cinq fois. Elle connaît la grange.

– Et c'est le seul abri ?

– Oui.

Pour parvenir jusqu'à Back End, leur expliqua-t-il, il aurait d'abord fallu que Juliet retrouve le sentier menant de Fork Reservoir à Knottend Well. La piste était facile à repérer quand il faisait beau et clair mais dans l'obscurité et avec la neige on pouvait prendre la mauvaise direction et tourner en rond pendant un bout de temps. A supposer que Juliet y fût parvenue, Maggie et elle avaient pu la suivre jusqu'à Raven's Castle, sorte de repère placé au croisement du Cross of Greet et d'East Cat Stones.

– Et la grange est loin de ce croisement ?

– A deux kilomètres au nord du Cross of Greet. Pas loin de la route qui court du nord au sud, reliant High

Bentham à Winslough. Je ne comprends pas pourquoi elle ne s'est pas dirigée de ce côté en voiture, fit Shepherd en guise de conclusion. Au lieu de partir par là.

– Pourquoi dites-vous cela ?

– Parce qu'il y a une gare à High Bentham.

Saint James sortit de la voiture et referma la portière.

– Peut-être qu'elle essaie de nous lancer sur une fausse piste, Tommy.

– Par ce temps ? fit Lynley. J'en doute. Il lui aurait fallu un complice. Un deuxième véhicule.

– Elle aurait pu rouler jusqu'ici, simuler un accident, poursuivre sa route en voiture en compagnie de quelqu'un d'autre, suggéra Saint James. Le faux suicide, ça ne serait pas la première fois qu'elle ferait le coup.

– Mais qui lui aurait donné un coup de main ?

Les regards convergèrent vers Shepherd.

– La dernière fois que je l'ai aperçue, il était midi. Elle m'a dit que Maggie était malade. C'est tout. Devant Dieu, je vous jure qu'elle ne m'en a pas dit plus, inspecteur.

– Vous avez déjà menti auparavant.

– Je ne mens pas. Je suis sûr qu'elle n'avait pas pensé que ça pourrait lui arriver. (Du pouce, il désigna la voiture.) Cet accident n'est pas une mise en scène : elle n'a rien prémédité, si ce n'est sa fuite. Regardez les choses en face. Elle sait que vous êtes allé à Londres. Si Sage a découvert la vérité là-bas, vous aussi, forcément. Elle prend la fuite. Elle est bouleversée. Elle commet une imprudence au volant. La voiture dérape sur la glace, verse dans le fossé. Elle essaie de se sortir de ce mauvais pas. Impossible. Elle descend de son véhicule, se plante au bord de la route, comme nous en ce moment, pour réfléchir. Elle sait qu'elle pourrait essayer de rejoindre la A65 en coupant à travers la lande. Mais il neige et elle a peur de se perdre parce que jamais elle n'est allée se promener dans cette direction et qu'elle ne peut pas prendre un risque pareil avec le temps qu'il fait. Alors elle tourne ses regards de l'autre côté, se souvient subitement de la grange. Ses chances d'arriver jusqu'à High Bentham sont nulles. En revanche, elle se dit que Maggie et elle ont une chance d'atteindre la grange. Elle met donc le cap sur la grange.

– C'est peut-être ce qu'elle veut nous faire croire.

– Mais non, bon sang, c'est ce qui s'est passé. C'est la raison pour laquelle...

Il s'interrompit. Regarda la lande.

– La raison pour laquelle ? lui souffla Lynley.

– Elle a emporté le revolver, répondit Shepherd dont les paroles furent happées par le vent.

La boîte à gants restée ouverte. Le chiffon et la ficelle par terre.

Comment pouvait-il savoir qu'elle possédait une arme ?

Il avait vu le revolver. Il l'avait vue tirer avec. Elle l'avait sorti d'un tiroir du séjour. Où il gisait, enveloppé dans un chiffon. Elle avait tiré sur l'une des cheminées du manoir.

– Bon Dieu, Shepherd, vous saviez qu'elle avait un revolver ? Qu'est-ce qu'elle fabrique avec cette arme ? C'est une collectionneuse ? Elle a un permis ?

Non.

– Dieu du ciel !

Il n'avait pas pensé... Il aurait dû le lui confisquer. Mais il ne l'avait pas fait.

Shepherd parlait d'une voix basse. Il venait d'avouer la première des entorses au règlement qu'il avait commises pour Juliet Spence, sachant où le conduirait cet aveu.

Lynley empoigna le levier de changement de vitesses et jura de nouveau. Ils s'élancèrent vers le nord. Ils n'avaient pour ainsi dire pas le choix. A supposer qu'elle ait trouvé la piste à la sortie du réservoir, l'obscurité et la neige lui donnaient l'avantage sur ses poursuivants. Si elle était encore sur la lande et qu'ils essayaient de la suivre avec leurs torches, elle les repérerait rapidement et viserait les faisceaux jumeaux. Leur seul espoir était de pousser jusqu'à High Bentham et de piquer ensuite vers le sud en empruntant la route qui conduisait à Back End. Si elle n'avait pas atteint la grange, ils ne pourraient prendre le risque de l'y attendre : elle aurait pu se perdre dans la tempête. Il leur faudrait traverser la lande, repartir vers le réservoir. Il leur faudrait essayer de la retrouver, en espérant que tout se passerait pour le mieux.

Lynley s'efforça de ne pas penser à Maggie, en plein désarroi, terrifiée, suivant Juliet dans sa course folle. Il ne savait pas à quelle heure les deux femmes avaient quitté le cottage. Ni quels vêtements elles portaient. Lorsque Saint James parla d'hypothermie, Lynley monta dans la Range Rover et donna un coup de poing sur le klaxon. Pas comme ça, songea-t-il. Sacré bon sang. Quelle que soit la fin, cela ne finira pas comme ça.

Le vent et la neige ne leur laissèrent pas un instant de répit ; elle tombait si dru que le nord-ouest serait sûrement enfoui sous un mètre cinquante de neige au matin. Le paysage était méconnaissable. Les verts et les roux assourdis de l'hiver avaient cédé la place à un paysage lunaire. Les genêts avaient disparu. Herbages, fougères, bruyère disparaissaient sous un drap uni ; les seuls repères étaient les blocs rocheux dont les sommets, poudrés mais néanmoins visibles, formaient comme des taches sombres sur la peau blanche alentour.

Ils se traînaient sur le sol verglacé, gravissaient les montées, redescendaient. Les lumières de la Range Rover du constable Garrity luisaient derrière eux.

– Jamais elles n'y arriveront, dit Shepherd, contemplant les flocons qui se pressaient contre les vitres. Personne ne le pourrait, avec une tempête pareille.

Lynley passa en première. Le moteur protesta.

– Elle est aux abois, remarqua-t-il. Ça devrait l'aider à aller de l'avant.

– Poursuivez, inspecteur, fit Shepherd. (Il se recroquevilla dans son manteau. A la lueur du tableau de bord, son visage était verdâtre.) C'est ma faute. Si elles meurent.

Là-dessus il colla le nez contre la vitre, tripotant ses lunettes.

– Ce ne sera pas le seul poids que vous aurez sur la conscience, Mr. Shepherd. Mais j'imagine que je ne vous apprends rien.

Ils atteignirent un virage. Un panneau pointé vers l'ouest indiquait Keasden.

– Tournez ici, dit Shepherd.

Ils obliquèrent pour s'engager dans un chemin dont on ne distinguait que deux sillons de la largeur d'une voiture. Le chemin traversait un hameau qui paraissait ne comporter qu'une cabine téléphonique, une minuscule église et une demi-douzaine de panneaux portant des noms de sentiers. Ils eurent un bref moment de répit lorsqu'ils pénétrèrent dans un petit bois à l'ouest du hameau. Là, les branches des arbres étaient chargées de neige et le sol relativement dégagé. Après un autre virage, ils débouchèrent de nouveau en terrain plat et une rafale de vent se rua sur la voiture. Lynley en ressentit le contrecoup et se cramponna au volant. Il sentit les pneus glisser. Il jura et souleva le pied de la pédale, s'interdisant de freiner. Les pneus trouvèrent un point d'appui. La voiture repartit.

– Et si elles ne sont pas dans la grange ? s'enquit Shepherd.

– Alors nous irons du côté de la lande.

– Comment ? Vous ne connaissez pas la lande. Vous risquez d'y trouver la mort. Tout ça pour mettre la main sur une meurtrière ?

– Ce n'est pas seulement une meurtrière que je recherche.

Ils approchaient de la route qui reliait High Bentham à Winslough. La distance de Keasden à ce carrefour était d'environ cinq kilomètres. Il leur avait fallu près d'une demi-heure pour la couvrir.

Ils prirent à gauche en direction du sud et de Winslough. Sur les huit cents mètres suivants, ils ne distinguèrent que les lumières de rares maisons ici et là, la plupart très en retrait par rapport à la route. Les terres étaient hérissées de murets. Puis ils se retrouvèrent de nouveau sur la lande. Là il n'y avait plus ni murets ni barrières pour servir de ligne de démarcation entre les terres et la route. Seules les traces laissées par un lourd tracteur leur indiquaient le chemin. Dans une demi-heure celles-ci auraient sans doute disparu.

Le vent fouettait la neige qui formait de petits cyclones de cristal. Ils tournoyaient devant la voiture tels des derviches fantomatiques et repartaient en tourbillonnant dans l'obscurité.

– On dirait que ça se calme, remarqua Shepherd. (Lynley lui jetant un coup d'œil incrédule, il poursuivit :) Le vent rabat les flocons vers nous. Mais la neige a cessé de tomber.

Lorsqu'il examina les alentours, Lynley constata que les propos de Shepherd dépassaient le stade des vœux pieux. La neige tombait effectivement avec moins de violence. Les essuie-glaces déblayaient maintenant ce qu'apportait la lande et non ce qui tombait du ciel. Le seul point encourageant dans tout ça, c'était que la situation ne pouvait guère empirer.

Ils se traînèrent encore pendant dix minutes, le vent gémissant tel un chien. Lorsque leurs phares épinglèrent une grille qui servait de portail, Shepherd reprit la parole.

– C'est ici. La grange est à droite. Juste après le mur.

Lynley se pencha vers le pare-brise. Il ne distingua rien hormis des tourbillons de flocons et l'obscurité.

– C'est à trente mètres de la route, dit Shepherd. (De l'épaule, il ouvrit sa portière.) Je vais jeter un coup d'œil.

– Vous ferez ce que je vous dirai de faire, décréta Lynley. Ne bougez pas.

Un muscle tressaillit dans la mâchoire de Shepherd.

– Elle a une arme, inspecteur. Si elle est là-dedans, il est peu probable qu'elle me tire dessus. Je peux lui parler.

– Il y a sûrement beaucoup de choses que vous pouvez faire. Mais pour l'instant vous allez me faire le plaisir de vous tenir tranquille.

– Un peu de bon sens ! Laissez-moi...

– Vous en avez assez fait comme ça.

Lynley sortit de la voiture. Le constable Garrity et Saint James le rejoignirent. Ils braquèrent leurs torches dans la neige et distinguèrent le mur de pierre perpendiculaire à la route. Ils promenèrent leurs faisceaux le long du mur et découvrirent une grille aux barreaux de fer rouges. Derrière la grille se dressait la grange de Back End. Pierre et ardoise, une vaste porte pour les voitures, et une plus petite pour leurs conducteurs. Elle donnait à l'est, aussi le vent avait-il rabattu la neige en épaisses congères contre la façade du bâtiment. Les congères formaient des monticules lisses contre la grande porte. Contre la petite, l'unique congère avait été piétinée.

– Bon sang, elle a réussi, dit tranquillement Saint James.

– Je ne sais pas si c'est elle, mais il y a quelqu'un, corrigea Lynley.

Il jeta un regard par-dessus son épaule. Shepherd était descendu de la Range Rover mais il était resté appuyé contre la portière.

Lynley passa en revue les différentes possibilités qui s'offraient à lui. L'effet de surprise pouvait jouer en sa faveur, mais elle avait une arme. Et sans doute s'en servirait-elle lorsqu'il approcherait. Envoyer Shepherd à l'intérieur était la seule solution raisonnable. Seulement il n'était pas prêt à mettre la vie d'une tierce personne en danger s'il y avait une chance de la pincer sans qu'elle tire. Après tout, c'était une femme intelligente. Elle s'était enfuie parce qu'elle savait la vérité à deux doigts d'être découverte. Elle ne pouvait espérer s'échapper avec Maggie et s'en sortir une seconde fois. Le temps, son passé, tout était contre elle.

– Inspecteur. (Lynley sentit qu'on lui glissait quelque chose dans la main.) Vous aurez peut-être besoin de ça. (Il baissa les yeux, constata que le constable Garrity lui avait remis un porte-voix.) Ça fait partie du matériel d'urgence. (L'air gêné, elle désigna de la tête sa voiture tout en boutonnant le col de son manteau.) Le sergent Hawkins n'arrête pas de nous répéter qu'à la Criminelle on doit faire preuve d'initiative et ne jamais se laisser prendre au dépourvu. J'ai également une corde. Des gilets de sauvetage. Tout le bataclan. (Derrière ses lunettes embuées, elle cligna de l'œil.)

– Vous êtes ma providence, constable, approuva Lynley. Merci.

Il empoigna le porte-voix. Il regarda la grange. Pas le moindre rai de lumière ne filtrait sous les portes. Le bâtiment était dépourvu de fenêtres. Si elle était à l'intérieur, elle s'était complètement calfeutrée.

Que lui dire, se demanda-t-il. Quel genre de bêtises dignes d'un film noir pourrait réussir à la faire sortir de son trou ? Vous êtes cernée. Impossible de fuir. Jetez votre revolver et sortez les mains en l'air. Nous savons que vous êtes là...

– Mrs. Spence, appela-t-il. Vous avez une arme. Pas moi. Nous sommes dans une impasse. J'aimerais que vous sortiez avec Maggie et qu'il n'y ait pas de bobos.

Il attendit. Aucun bruit ne s'échappa du bâtiment. Seul le vent sifflait.

– Vous êtes encore à près de huit kilomètres de High Bentham, Mrs. Spence. A supposer que vous réussissiez à passer la nuit dans cette grange glaciale, je ne pense pas que Maggie et vous soyez en état de marcher demain matin. Vous devez bien vous en douter.

Rien. Mais il avait l'impression qu'elle réfléchissait. Si elle lui tirait dessus, elle pourrait s'emparer de son véhicule pour prendre la fuite. Des heures s'écouleraient avant qu'on s'aperçoive de la disparition de Lynley, et, si elle le blessait gravement, il n'aurait pas la force de se traîner jusqu'à High Bentham pour demander de l'aide.

– Ne me rendez pas les choses encore plus difficiles, poursuivit-il. C'est déjà assez dur pour Maggie. Elle est gelée, terrorisée et elle doit avoir faim. J'aimerais la ramener au village.

Silence. Les yeux de Juliet Spence devaient être habitués à l'obscurité. S'il entrait en trombe et parvenait à l'aveugler avec sa torche, elle ne le toucherait peut-être pas, même si elle pressait la détente. Ça pourrait marcher. S'il pouvait la repérer au moment où il s'engouffrait dans le bâtiment...

– Maggie n'a jamais vu quelqu'un se faire tirer dessus, dit-il. Elle ne sait pas ce que c'est que du sang qui coule. Inutile de lui fabriquer des souvenirs macabres. Pas si vous l'aimez.

Il aurait voulu en dire davantage. Lui dire qu'il savait que sa sœur et son mari n'avaient pas été à la hauteur lorsqu'elle avait eu besoin d'eux. Qu'elle aurait bien fini par cesser de pleurer son fils si quelqu'un l'y avait aidée. Qu'il avait la certitude qu'elle avait agi dans l'intérêt de Maggie en la kidnappant, cette nuit-là, dans la voiture. Mais il aurait également voulu lui dire qu'en fin de compte, ce n'était pas à elle qu'il revenait de décider du sort du bébé d'une adolescente de quinze ans. Que même si elle était convaincue d'avoir agi pour le mieux en enlevant la petite, personne d'autre ne pouvait se prononcer clairement là-dessus. Et que c'était cette absence de certitude qui avait poussé Robin Sage à agir comme il l'avait fait.

Il avait bien envie de rejeter la responsabilité de ce qui allait se passer cette nuit sur l'homme qu'elle avait empoisonné, sur son comportement sentencieux, sur la tentative maladroite qu'il avait faite pour réparer. Car, en dernière analyse, elle était sa victime autant qu'il avait été la sienne.

– Mrs. Spence, dit-il. C'est la fin, vous le savez. Ne rendez pas les choses encore plus pénibles pour Maggie. Vous savez que je suis allé à Londres. J'ai vu votre sœur. J'ai rencontré la mère de Maggie. J'ai...

Un cri aigu retentit soudain. Etrange, inhumain, un cri qui vous atteignait en plein cœur. Maman.

– Mrs. Spence !

De nouveau, ce cri. Suraigu. Terrifié. Suppliant.
– Maman ! J'ai peur ! Maman ! Maman !
Lynley passa le porte-voix au constable Garrity. Il franchit la grille. Et c'est alors qu'il aperçut une forme qui se déplaçait sur sa gauche derrière le mur.
– Shepherd !
– Maman ! cria Maggie.
Shepherd se précipita vers la grange.
– Shepherd ! hurla Lynley. Pour l'amour du ciel, écartez-vous !
– Maman ! J'ai peur ! Maman !
Shepherd atteignait la porte de la grange lorsque le coup de feu partit. Il était à l'intérieur lorsqu'une seconde détonation retentit.

Il était minuit passé lorsque Saint James gravit l'escalier menant à sa chambre. Il pensait la trouver endormie mais elle l'attendait comme promis, assise dans le lit, les couvertures remontées jusqu'au menton, un vieux numéro de *Elle* devant elle.
– Tu l'as retrouvée, dit-elle en voyant son expression. Que s'est-il passé, Simon ?
Il dit simplement :
– Oui, on l'a retrouvée.
Il était tellement fatigué qu'il se sentait faible. Sa jambe gauche pesait une tonne. Il laissa tomber manteau et écharpe par terre, jeta ses gants sur les vêtements.
– Simon ?
Il lui raconta toute l'histoire. Il commença par la tentative faite par Shepherd d'impliquer Polly Yarkin. Il finit par les coups de feu dans la grange de Back End.
– C'était un rat, expliqua-t-il. Elle tirait sur un rat.
Elles étaient blotties dans un coin lorsque Lynley était entré : Juliet Spence, Maggie. Ainsi qu'un chat pelé du nom de Punkin, que la fillette avait refusé de laisser dans la voiture. Lorsque les torches s'étaient braquées sur elles, le chat avait sifflé, craché et détalé dans l'obscurité. Mais ni Juliet ni Maggie n'avaient bougé. L'adolescente s'était réfugiée dans les bras de Mrs. Spence, se cachant le visage. La femme la tenait serrée contre elle, moitié pour la réchauffer, moitié pour la protéger.

– Au début, on s'est dit qu'on allait les retrouver mortes, expliqua Saint James. Un meurtre et un suicide. Mais il n'y avait pas de sang.

Puis Juliet s'était mise à parler comme s'il n'y avait personne autour. Tout va bien, ma chérie. Je ne sais pas si je l'ai touché, mais je lui ai flanqué la frousse de sa vie. Pas de danger qu'il revienne. Chut, Maggie. Tout va bien.

– Elles étaient dégoûtantes, poursuivit Saint James. Leurs vêtements étaient trempés. Je ne sais pas si elles en seraient sorties vivantes.

Deborah tendit la main vers lui.

– Simon, s'il te plaît.

Il s'assit sur le lit. Elle passa ses doigts sous ses yeux, sur son front. Elle repoussa ses cheveux en arrière.

Mrs. Spence était vidée, poursuivit Saint James, et elle n'avait pas l'intention de continuer à fuir ni de se servir de son arme de nouveau. Elle l'avait laissée tomber sur le sol de pierre de la grange et elle berçait Maggie, qu'elle tenait contre elle, sa tête au creux de son épaule.

– Elle avait retiré son manteau pour le jeter sur les épaules de la petite, enchaîna Saint James. Je ne suis même pas sûr qu'elle ait eu conscience de notre présence.

C'était Shepherd qui était arrivé le premier auprès d'elle. Après avoir ôté sa grosse veste, il l'en avait enveloppée et avait passé les bras autour des deux femmes parce que Maggie ne voulait pas lâcher sa mère. Il murmura son nom mais tout ce qu'elle dit, c'est qu'elle lui avait tiré dessus, qu'elle ne ratait jamais sa cible et qu'il était probablement mort, qu'elle n'avait plus rien à craindre.

Le constable Garrity fila chercher des couvertures. Elle avait apporté une bouteille thermos et elle leur versa à boire, ne cessant de répéter pauvres petites, pauvres petites, d'un ton plus maternel que professionnel. Elle tenta de faire renfiler sa veste à Shepherd, qui refusa, s'enveloppant dans une couverture tout en contemplant Juliet avec une sorte d'avidité navrée.

Lorsqu'elles furent debout, Maggie commença à pleurer, réclamant son chat, appelant Punkin ! Maman où est Punkin ? Il s'est sauvé. Il neige et il va mourir de froid.

Ils finirent par remettre la main sur l'animal, qui était derrière la porte, poil hérissé, oreilles dressées. Saint James l'attrapa. Le chat fit le gros dos mais se calma une fois qu'on l'eut rendu à la fillette.

Punkin nous a bien tenu chaud, hein, maman ? dit Maggie. On a bien fait de l'emmener. Mais il va être content de rentrer à la maison.

Juliet passa un bras autour des épaules de la fillette et appuya son menton sur le sommet de sa tête.

Prends bien soin de Punkin, ma chérie, dit-elle.

Alors Maggie parut comprendre. Elle dit ! Non, maman ! J'ai peur. Je ne veux pas rentrer. Je ne veux pas qu'ils me fassent du mal. Maman ! Je t'en prie !

– C'est alors que Tommy a décidé de les séparer, dit Saint James.

Le constable Garrity emmena Maggie. Prends ton chat, mon petit. Et Lynley emmena sa mère. Il était bien décidé à rallier Clitheroe, cela dût-il lui prendre le reste de la nuit. Il voulait en finir. Etre débarrassé.

– Je le comprends, commenta Saint James. Je ne suis pas près d'oublier ses cris quand elle a réalisé qu'il allait les séparer sans plus attendre.

– Mrs. Spence ?

– Maggie. Elle n'arrêtait pas de crier, de réclamer sa mère. La voiture avait démarré qu'on l'entendait encore.

– Et Mrs. Spence ?

Juliet Spence n'avait pas bronché au début. Elle avait regardé le constable Garrity s'éloigner sans réagir. Debout, les mains dans les poches de la veste de Shepherd, le vent lui rabattant les cheveux dans les yeux, elle avait regardé tressauter les feux arrière de la Range Rover tandis que le véhicule roulait sur la lande en direction de Winslough. Lorsqu'ils s'ébranlèrent à leur tour, à la suite de Garrity, elle s'assit derrière près de Shepherd, sans quitter les feux du regard.

Et puis elle dit, Que pouvais-je faire d'autre ? Il allait la ramener à Londres.

– Et c'est ça le plus affreux, dans cette histoire de meurtre, dit Saint James.

Intriguée, Deborah questionna :

– Comment ça ?

Saint James se mit debout et se dirigea vers le placard. Il commença à se déshabiller.

– Sage n'avait jamais eu l'intention de dénoncer sa femme pour kidnapping. Le soir du drame, il lui avait apporté suffisamment d'argent pour qu'elle quitte le pays. Il était prêt à aller en prison plutôt que de raconter où il avait trouvé la fillette après l'avoir confiée aux services sociaux. Bien sûr, la police aurait fini par savoir, mais à ce moment-là, sa femme aurait disparu.

– Ça n'est pas comme ça que ça s'est passé, fit Deborah. Elle ment.

Il pivota pour lui faire face.

– Pourquoi ? Le fait qu'il lui ait proposé de l'argent donne à son acte un caractère encore plus épouvantable. Pourquoi mentirait-elle ?

– Parce que... (Deborah se mit à tirer sur la couverture comme si la réponse s'y trouvait. Enonçant les faits d'un ton délibéré comme on abat ses cartes, elle dit :) Il l'avait retrouvée. Il avait découvert l'identité de Maggie. S'il comptait la rendre à sa véritable mère, pourquoi Juliet Spence n'aurait-elle pas pris l'argent et filé ? Pourquoi est-ce qu'elle l'a tué ? Pourquoi ne s'est-elle pas contentée de fuir ? Elle savait que c'était fichu.

Saint James déboutonna sa chemise avec soin, examinant les boutons l'un après l'autre.

– Mais parce que Juliet considérait Maggie comme sa vraie fille, mon amour.

Il releva la tête. Elle roulait un morceau de drap entre le pouce et l'index. Il la laissa seule.

Dans la salle de bains, il prit tout son temps pour se laver la figure, se brosser les dents et se donner un coup de peigne. Il retira son appareil orthopédique et le laissa tomber lourdement par terre. D'un coup de pied, il le poussa contre le mur. Métal, plastique, bandes Velcro. L'appareil était simple de conception mais indispensable sur le plan fonctionnel. Que faire quand vos jambes vous trahissent ? On peut avoir recours à l'orthopédie, ou s'installer dans un fauteuil roulant ou se déplacer tant bien que mal avec des béquilles. Mais on continue à aller de l'avant. Telle avait toujours été sa philosophie. Il aurait bien aimé que Deborah la partage mais c'était à elle qu'il appartenait de faire le choix.

Elle avait éteint la lampe de chevet mais lorsqu'il sortit, la lumière de la salle de bains derrière lui éclaira la chambre. Il vit qu'elle était toujours assise mais la tête posée sur les genoux et les bras autour des jambes. Impossible de distinguer son visage.

Il éteignit dans la salle de bains et s'approcha du lit, tâtonnant dans une obscurité d'autant plus dense que les vitres des verrières étaient couvertes de neige. Il se coula sous les couvertures et posa ses béquilles sans bruit sur le sol. Tendant la main, il lui caressa le dos.

– Tu vas prendre froid. Couche-toi.

– Dans une minute.

Il attendit, songeant que la vie n'était qu'attente. Il y avait longtemps qu'il avait maîtrisé l'art de l'attente. Ce don, ce n'était pas volontairement qu'il l'avait acquis : il le devait à l'alcool, à des phares fonçant sur lui, au grincement des pneus qui patinent. Par la force des choses, *prends ton mal en patience* était devenu sa devise. Cette maxime tantôt le poussait à l'inaction et tantôt lui procurait la paix de l'esprit.

Deborah réagit à son contact.

– Tu avais raison, l'autre nuit. C'est pour moi que je le voulais. Mais pour toi aussi. Encore plus pour toi que pour moi peut-être. Je ne sais pas.

Elle tourna la tête vers lui. Dans l'obscurité, il ne pouvait distinguer ses traits, seulement sa silhouette.

– En guise de récompense ? questionna-t-il.

Et il la sentit qui secouait la tête.

– Nous étions loin l'un de l'autre en ce temps-là. Je t'aimais mais tu refusais de m'aimer. Alors j'ai essayé d'aimer quelqu'un d'autre. Et j'y suis arrivée.

– Oui, je sais.

– Ça te fait mal d'y penser ?

– Je n'y pense pas. Et toi ?

– Parfois, oui. Ça me tombe dessus comme ça, tout d'un coup.

– Et alors ?

– J'ai l'impression d'être déchirée. Je pense au mal que je t'ai fait. Je voudrais pouvoir changer le cours des choses.

– Le passé ?

– Non. Le passé, on ne peut pas le modifier. On ne peut que l'oublier. C'est le présent qui me préoccupe.

Il comprit qu'elle l'amenait pas à pas vers quelque chose à quoi elle avait mûrement réfléchi au cours des derniers jours. Il aurait voulu l'aider à exprimer ce qu'elle avait sur le cœur, mais il ne voyait pas bien dans quelle direction elle l'entraînait. Tout ce qu'il voyait, c'est qu'elle paraissait persuadée que le non-dit ne pourrait que le blesser. Si la discussion ne lui faisait pas peur depuis qu'ils avaient quitté Londres, il ne cherchait qu'à la susciter, il se rendait compte que pour l'instant il ne la voulait qu'à condition d'en maîtriser le contenu. Qu'elle pût souhaiter mener le débat, dans un but qu'il ne s'expliquait pas clairement, lui faisait tomber comme une chape de plomb sur les épaules. Il essaya de s'en débarrasser, mais n'y parvint qu'à moitié.

– Tu es tout pour moi, dit-elle. Et moi je voulais être tout pour toi. Tout.

– Tu l'es.

– Non.

– Cette histoire de bébé, Deborah... L'adoption, les enfants...

Il laissa sa phrase en suspens, ne sachant comment la terminer.

– Oui, acquiesça-t-elle. C'est ça. Cette histoire de bébé. Des enfants. C'est ce que je voulais te donner. Ç'aurait été mon cadeau.

Alors il comprit. C'était le seul os à propos duquel ils se disputaient tels deux chiens bâtards. Cet os, il l'avait rongé pendant les années au cours desquelles ils avaient été séparés. Deborah n'avait cessé de le ronger depuis. Maintenant encore, alors que c'était inutile, elle continuait d'achopper là-dessus.

Il n'en dit pas davantage. Elle était parvenue à aller jusque-là, il était certain qu'elle réussirait à dire le reste. Elle était trop près de la vérité pour reculer, et reculer n'était pas son genre. Elle l'avait fait pendant des mois pour le protéger alors qu'il n'avait nul besoin d'être ménagé.

– Je voulais t'offrir une compensation, dit-elle.

Continue, songea-t-il, si ça ne me fait pas mal, ça ne peut pas te faire mal à toi non plus, dis-moi tout.

– Te donner quelque chose de spécial.

Très bien, songea-t-il. Ça ne change rien.

– Parce que tu es infirme.

Il l'attira vers lui. Au début, elle résista, mais elle se laissa faire lorsqu'il prononça son nom. Puis le reste jaillit, qu'elle lui chuchota à l'oreille. Une bonne partie de ce qu'elle disait ne voulait rien dire, c'était un curieux mélange de souvenirs, d'expériences et de choses qu'elle avait comprises au cours des derniers jours. La tenant contre lui, il se contenta d'écouter.

Elle se remémorait le jour où on l'avait ramené à Londres après sa convalescence en Suisse, lui confia-t-elle. Il était resté absent quatre mois. Elle avait treize ans, et elle se souvenait encore de cet après-midi pluvieux. Du dernier étage, elle avait observé la scène. Son père et la mère de Simon le suivaient dans l'escalier tandis qu'il progressait de marche en marche, s'agrippant à la rampe, ils étaient prêts à le rattraper au cas où il perdrait l'équilibre mais ne le touchaient pas, ne le touchaient surtout pas car ils savaient sans voir l'expression de son visage – qu'elle-même distinguait de son poste d'observation – que jamais il ne se laisserait toucher de cette façon. Une semaine plus tard, alors qu'ils étaient seuls tous les deux dans la maison – elle dans le bureau et cet inconnu irascible qui s'appelait Mr. Saint James à l'étage au-dessus dans sa chambre où il était resté cloîtré des jours durant –, elle avait entendu un affreux bruit sourd et compris qu'il était tombé. Elle s'était précipitée dans l'escalier, s'était immobilisée devant sa porte, gamine de treize ans, paralysée, ne sachant que faire. Puis elle l'avait entendu pleurer. Elle l'avait entendu se traîner sur le sol. Elle était repartie sur la pointe des pieds. Elle l'avait laissé affronter seul son malheur, ne sachant comment l'aider.

– Je me suis promis, chuchota-t-elle dans le noir, que je ferais n'importe quoi pour toi. Pour te faire oublier.

Juliet Spence n'avait fait aucune différence entre l'enfant qu'elle avait mis au monde et celui qu'elle avait volé, lui dit Deborah. Les deux étaient siens. Elle était leur mère. Il n'y avait pas de différence. Pour elle, la maternité, ça n'était pas seulement la procréation. Mais Robin Sage n'avait pas vu les choses de la même façon. Il lui avait offert de l'argent pour fuir mais il aurait dû savoir qu'elle n'abandonnerait pas Maggie. Quel que soit le prix à payer pour la garder, elle le paierait.

– C'est comme ça qu'elle voyait les choses, n'est-ce pas ? murmura Deborah.

Saint James lui embrassa le front et l'emmitoufla plus étroitement dans les couvertures.

– Oui, dit-il. C'est ça.

29

Brendan Power avançait le long du bas-côté en direction du village. Il aurait eu de la neige jusqu'aux genoux si on ne l'avait précédé. Le sol était parsemé de brins de tabac noircis. Celui qui était sorti faire une promenade avant lui fumait une pipe qui ne tirait guère mieux que la sienne.

Brendan ne fumait pas ce matin. Il avait emporté sa pipe au cas où il aurait ressenti le besoin de s'occuper les mains, mais il ne l'avait pas encore sortie de l'étui en cuir dont il sentait le poids rassurant contre sa hanche.

Les lendemains de tempête étaient généralement glorieux et la journée était aussi magnifique que la nuit avait été effrayante. L'air était calme. Le soleil matinal dessinait sur les terres de grandes raies de cristal incandescent. Le gel ourlait le faîte des murs de pierre sèche. Les toits d'ardoise disparaissaient sous une épaisse couche de neige. Longeant la première des maisons uniformes plantées à l'entrée du village, Brendan constata que quelqu'un avait pensé aux oiseaux. Trois moineaux picoraient des miettes de pain devant une porte. Les oiseaux lui jetèrent un coup d'œil circonspect mais, tenaillés par la faim, ils continuèrent de manger au lieu de filer se réfugier dans les arbres.

Il regretta de n'avoir rien emporté. Toast, tranche de pain rassis, pomme. Nourrir les oiseaux lui eût fourni un prétexte valable pour expliquer sa présence dehors à une heure aussi matinale. Car il lui en faudrait un lorsqu'il rentrerait. Il ferait bien de se mettre à en chercher un dès maintcnant.

Il n'avait pas songé à ça avant de partir. Posté devant la fenêtre de la salle à manger, regardant par-delà le jardin l'immense pâturage blanc qui faisait partie du domaine des Townley-Young, il n'avait pensé qu'à sortir, laisser des empreintes dans la neige fraîche, marcher droit devant lui.

A huit heures, son beau-père avait débarqué dans sa chambre. En entendant son pas martial dans le couloir, Brendan s'était glissé hors des draps après avoir repoussé le bras lourd et tentaculaire de son épouse qui le clouait au lit. Dans son sommeil, elle le lui avait jeté en travers du corps de sorte que ses doigts reposaient sur son bas-ventre. En d'autres circonstances, il aurait trouvé ce geste érotique dans ce qu'il évoquait d'intimité ensommeillée. En l'état actuel des choses, il resta allongé, le sexe flasque, vaguement dégoûté et en même temps soulagé qu'elle dorme. Pas question que les doigts de Becky se dirigent timidement vers la gauche pour vérifier l'existence d'une mâle érection matinale. Ainsi elle ne lui demanderait pas ce qu'il ne pouvait lui donner, le caressant furieusement, attendant de son corps – agitée, impatiente puis finalement furieuse – une réaction qui ne venait pas. Il n'aurait pas droit aux accusations débitées d'une voix métallique. Ni aux pleurs sans larmes qui lui crispaient le visage et résonnaient dans les couloirs. Aussi longtemps qu'elle dormait, son corps était à lui, son esprit libre, aussi se glissa-t-il jusqu'à la porte en entendant approcher son beau-père et l'entrouvrit-il avant que Townley-Young ne frappe et réveille sa fille.

Son beau-père était habillé de pied en cap comme d'habitude. Brendan ne l'avait jamais vu autrement. Son costume de tweed, sa chemise, ses chaussures, sa cravate témoignaient d'un souci pointilleux des bienséances dont Brendan était censé prendre de la graine. Les vêtements de Townley-Young étaient juste assez vieux pour indiquer le manque d'intérêt que l'aristocratie terrienne portait aux questions bassement vestimentaires. Brendan s'était souvent demandé en regardant son beau-père comment il réussissait à posséder une garde-robe qui, des chemises aux chaussures, paraissait vieille d'au moins dix ans alors qu'elle était neuve.

Townley-Young considéra la robe de chambre de

laine de Brendan et pinça les lèvres pour marquer sa désapprobation silencieuse au vu du nœud calamiteux que Brendan avait fait avec la ceinture. Les hommes dignes de ce nom ferment leur peignoir avec un nœud correct dont les deux pans sont rigoureusement de la même longueur, imbécile, semblait dire le regard du hobereau.

Brendan passa dans le couloir et referma la porte derrière lui.

– Elle dort, expliqua-t-il.

Townley-Young fixa le battant comme s'il pouvait voir au travers et se rendre compte de l'humeur de sa fille.

– Encore une nuit difficile ?

C'était une façon de présenter les choses. Brendan était rentré sur le coup de onze heures dans l'espoir qu'elle serait endormie pour se retrouver finalement, leurs relations conjugales étant ce qu'elles étaient, s'empoignant avec elle sous les couvertures. Dieu merci, la chambre étant plongée dans le noir, il avait réussi à aller jusqu'au bout de sa prestation ; ce qui lui avait également facilité la tâche, c'est qu'au cours de leurs séances bi-hebdomadaires, elle s'était mise à lui susurrer des mots qui l'aidaient à fantasmer. Ces nuits-là, ce n'était pas avec Becky qu'il couchait mais avec une autre partenaire. Gémissant et se tordant sous elle avec des : Oh oui, j'aime ça, j'*adore ça*, c'était à Polly Yarkin qu'il pensait.

La nuit dernière, Becky s'était montrée plus agressive, plus entreprenante que jamais. Elle lui avait prodigué ses caresses avec un acharnement voisin de la colère. Au lieu de l'accuser ou de fondre en larmes lorsqu'il était entré dans la chambre puant le gin avec l'air abattu d'un homme éperdu d'amour, elle avait exigé réparation sous la forme qui lui déplaisait le plus. La nuit avait donc effectivement été dure.

– Un petit malaise, dit-il en espérant que son beau-père s'en tiendrait là.

– Je comprends, fit Townley-Young. Eh bien, nous allons au moins pouvoir la tranquilliser sur un point.

Et de déclarer à son gendre que les travaux au manoir allaient enfin pouvoir s'effectuer sans interruption. Il expliqua pourquoi à Brendan qui, tout en hochant la tête, essayait de prendre l'air enthousiaste cependant qu'il avait la sensation que la vie le quittait comme la marée qui se retire.

Tout en approchant du *Crofters Inn* par Lancaster Road, il se demanda pourquoi il s'était si fort raccroché à l'idée qu'ils n'emménageraient pas à Cotes Hall. Après tout, il était marié avec Becky. Il avait gâché sa vie. Pourquoi le gâchis serait-il pire s'ils avaient leur propre maison ?

Il eût été bien en peine de le dire. Simplement, en apprenant que les travaux étaient sur le point d'être terminés, il avait entendu claquer une porte sur ses rêves, quelque futiles qu'ils eussent été. Et, cette porte refermée, il avait été pris d'un sentiment de claustrophobie. S'il ne pouvait échapper à ce mariage, du moins pouvait-il aller respirer l'air du dehors. Aussi était-il sorti dans le matin glacé.

– Où tu vas, Bren ? s'enquit Josie Wragg, perchée sur l'un des deux piliers de pierre flanquant l'entrée du parking de l'auberge.

Elle en avait fait tomber la neige et assise, jambes pendantes, sur son perchoir elle avait l'air aussi abattu que Brendan. Dos, bras, jambes, pieds, elle semblait voûtée de partout. Même son visage semblait pendre.

– Me balader, dit-il. (Et, voyant son allure, il ajouta :) Tu veux venir ?

– Impossible. Je peux pas marcher avec ça dans la neige.

Ça, c'étaient les bottes en caoutchouc qu'elle agita dans sa direction. Elles étaient énormes. Deux fois trop grandes pour elle. Par-dessus retombaient au moins trois paires de chaussettes.

– Tu n'en as pas d'autres ?

Elle fit non de la tête et enfonça son bonnet de tricot sur ses sourcils.

– Les miennes sont trop justes. Si je le dis à maman, elle va piquer une crise. « Quand est-ce que tu vas t'arrêter de grandir, Josephine ? » Celles que j'ai aux pieds, elles sont à Mr. Wragg. Ça lui est égal que je les mette.

– Pourquoi tu l'appelles Mr. Wragg ?

Elle tripotait un paquet de cigarettes, essayant d'en retirer la cellophane avec ses doigts gantés. Brendan traversa la route, lui prit le paquet des mains et lui en offrit une, lui proposant du feu. Elle fuma sans répondre, essayant sans succès de faire un rond de fumée, soufflant autant de buée que de fumée.

– C'est un jeu, déclara-t-elle finalement. Je sais que c'est idiot, pas la peine de me le dire. Maman, ça la fiche en rogne. Mais Mr. Wragg, il s'en moque. Si ça n'est pas mon vrai père, je peux toujours m'imaginer que ma mère a connu un grand amour et que j'en suis le fruit. J'essaie de me faire croire que ce type s'est arrêté à Winslough avant de continuer son chemin. Il rencontre maman. Ils tombent raides amoureux l'un de l'autre mais ne se marient pas. Parce que maman, pas question de lui faire quitter le Lancashire. Même si ç'a été le grand amour de sa vie et qu'il la faisait vibrer comme les hommes doivent faire vibrer les femmes. Et maintenant je suis là pour le lui rappeler. (Josie jeta de la cendre en direction de Brendan.) C'est pour ça que je l'appelle Mr. Wragg. C'est bête. Je sais pas pourquoi je t'ai raconté cette histoire. Je sais pas pourquoi je parle aux gens. Tout le monde va être au courant. Ça m'apprendra à l'ouvrir comme ça.

Sa lèvre trembla. Elle se passa le doigt sous le nez et jeta sa cigarette, qui siffla doucement dans la neige.

– Bavarder, ce n'est pas un crime, Josie.

– Maggie Spence était ma meilleure copine. Et maintenant elle est partie. Mr. Wragg pense qu'elle est pas près de revenir. Et elle était amoureuse de Nick. Tu étais au courant ? Vraiment amoureuse. Ils se verront plus. C'est pas juste.

– C'est la vie, remarqua Brendan.

– Et Pam a été consignée chez elle parce que sa mère l'a surprise la nuit dernière dans le séjour avec Todd. En pleine action. Sur le canapé. Sa mère a allumé la lumière et elle s'est mise à hurler. Comme au cinéma, d'après Pam. Alors j'ai personne à qui parler. Personne que j'aime vraiment. C'est pour ça que j'ai une sorte de creux ici. (Elle désigna son estomac.) Maman prétend que c'est parce qu'il faut que je mange, mais j'ai pas faim. Tu comprends ?

Brendan comprenait. Le vide, ça le connaissait. Il lui arrivait d'avoir l'impression de n'être que du creux.

– Et je peux pas penser au pasteur, dit-elle. Je peux penser à rien. (Elle plissa les yeux vers la route.) Heureusement qu'il y a la neige. Comme ça, j'ai quelque chose à regarder. Pour le moment.

– Oui.

Il hocha la tête, lui tapota le genou et continua son chemin, tournant dans Clitheroe Road, se concentrant sur la marche, focalisant son énergie sur cette activité pour ne pas penser.

Le trajet était plus facile dans Clitheroe Road. Des villageois avaient tracé un chemin dans la neige du côté de l'église. Il croisa deux des Londoniens non loin de l'école primaire. Ils avançaient lentement, tête baissée, en grande conversation. Ils lui jetèrent un bref regard au passage.

En les voyant, il sentit la tristesse l'étreindre. La vue d'hommes et de femmes bavardant, se tenant par le bras, serait pour lui une source inépuisable de chagrin au cours des années à venir. Désormais il lui faudrait se blinder. Il n'était pas sûr d'y parvenir sans le secours d'une présence amie.

Voilà pourquoi pour commencer il était sorti, avançant d'un pas régulier, se racontant qu'il allait jeter un coup d'œil à ce qui se passait au manoir. L'exercice lui faisait du bien, le soleil pointait, il avait besoin d'un bol d'air. Mais derrière l'église, la neige était abondante, aussi lorsqu'il finit par atteindre le pavillon, il traînassa cinq minutes, histoire de reprendre son souffle.

– Une petite pause, décréta-t-il, examinant les fenêtres à tour de rôle, guettant un mouvement derrière les rideaux.

Elle n'était pas allée au pub les deux derniers soirs. Il avait attendu jusqu'à la dernière minute, quand Ben Wragg annonçait la fermeture et que Dora s'activait, ramassant les verres. Il savait qu'il y avait peu de chances qu'elle arrive après neuf heures et demie. Mais malgré tout il avait attendu, perdu dans ses rêves.

Il rêvait encore lorsque la porte s'ouvrit et que Polly sortit. En le voyant, elle tressaillit. Il esquissa un pas vers elle. Un panier au bras, elle était emmitouflée de la tête aux pieds.

– Tu vas au village ? s'enquit-il. Je reviens du manoir. Je fais le chemin avec toi, Polly ?

Elle le rejoignit et jeta un coup d'œil en direction du sentier enneigé, vierge de traces de pas.

– C'est pas possible, tu n'as pas marché, tu as volé.

Il fouilla dans sa poche pour y prendre sa blague à tabac en cuir.

– En fait, je me rendais au manoir. Histoire de me promener. C'est une belle journée.

Des brins de tabac tombèrent sur la neige. Elle les regarda tomber, parut les étudier. Il vit qu'elle s'était cogné le visage. Un croissant violacé se détachait sur sa peau couleur crème et virait au jaune aux deux extrémités.

– On ne t'a pas vue au pub. Tu es occupée ?

De la tête, elle fit oui, examinant toujours la neige saupoudrée de tabac.

– Tu m'as manqué. J'aime bien bavarder avec toi. Mais tu dois avoir des tas de choses à faire. Des gens à voir. Je comprends. Une fille comme toi. Pourtant j'ai pas arrêté de me demander où tu étais passée. C'est bête, mais c'est comme ça.

Polly changea son panier de place.

– Il paraît qu'ils ont élucidé l'affaire. Cotes Hall. La mort du pasteur. Tu es au courant ? Tu es définitivement hors du coup. C'est une bonne nouvelle, non ?

Elle ne répondit pas. Elle portait des gants noirs dont l'un était troué au poignet. Il aurait bien aimé qu'elle les retire pour pouvoir regarder ses mains. Les réchauffer, aussi. La réchauffer elle.

– Je pense à toi, Polly. Tout le temps, lâcha-t-il soudain. La nuit, le jour. C'est grâce à toi que je tiens le coup. Tu le sais, hein ? Je suis pas doué pour dissimuler. Tu sais sûrement ce que je ressens, non ? Depuis le début.

Elle s'était mis un foulard pourpre sur la tête et elle le rabattit vers son visage comme pour le cacher. Elle gardait la tête baissée dans l'attitude de quelqu'un qui prie.

– On est seuls, tous les deux, hein ? poursuivit-il. On a besoin de quelqu'un. Je te désire, Polly. Je sais que ça serait loin d'être parfait, nous deux, ma situation étant ce qu'elle est, mais on pourrait essayer. Je ferais tout mon possible pour que tu y trouves ton compte. Si tu voulais bien me laisser essayer.

Levant la tête, elle lui jeta un regard empreint de curiosité. Il se mit à transpirer.

– J'ai pas dit ce qu'il fallait dire, n'est-ce pas ? Je me suis planté. Ce que je veux dire, Polly, c'est que je suis amoureux de toi.

– Tu ne t'es pas planté, dit-elle. Tu n'as pas dit ce qu'il ne fallait pas dire.

Son cœur se dilata de joie :

– Alors...

– Tu n'as pas tout dit.

– Qu'est-ce que je peux te dire de plus ? Je t'aime. Je te désire. Je serai sympa avec toi si tu...

– Si j'oublie que tu as une femme. (Elle fit non de la tête.) Rentre chez toi, Brendan. Va t'occuper de Becky. Tu as un lit, couche-toi dedans au lieu de renifler le mien.

Avec un hochement de tête, elle se mit en route vers le village.

– Polly !

Elle pivota. Visage semblable à du marbre. Elle refusait de se laisser émouvoir. Mais il réussirait à l'atteindre. Il arriverait à toucher son cœur. Dût-il la supplier.

– Je t'aime, dit-il. Polly, j'ai besoin de toi.

– Tout le monde a besoin de quelque chose, fit-elle en s'éloignant.

Colin la vit passer. Vision colorée sur fond blanc. Echarpe pourpre, manteau marine, pantalon rouge, bottes marron. Un panier au bras, elle avançait d'un pas régulier le long de la route. Elle ne tourna pas la tête de son côté. Dans le temps, elle l'aurait fait. Elle aurait glissé un regard furtif vers sa maison et s'il s'était trouvé en train de jardiner ou de bricoler sa voiture, elle se serait empressée de traverser pour lui parler sous un prétexte quelconque. Et ton père, Colin, comment ça va ? Qu'a dit le vétérinaire à propos des yeux de Leo ?

Maintenant elle s'appliquait à regarder droit devant elle. Ce qu'il y avait de l'autre côté de la route, les bâtisses qui la bordaient, la sienne en particulier, n'existaient pas. C'était aussi bien comme ça. Elle les épargnait tous les deux. Si elle avait tourné la tête et qu'elle l'avait surpris l'observant de la fenêtre de la cuisine, il aurait peut-être éprouvé un petit pincement au cœur. Or jusque-là, il avait réussi à s'empêcher de sentir quoi que ce soit.

Il avait vaqué sans conviction à ses occupations matinales : il avait fait du café, s'était rasé, avait donné à manger au chien, s'était versé des céréales auxquelles il avait ajouté une banane coupée en rondelles et du sucre avant d'arroser le mélange de lait. Il s'était même assis à la table avec son bol devant lui. Il avait plongé sa cuiller dedans. Porté la cuiller à ses lèvres. À deux reprises. Mais il n'avait pas réussi à manger.

Il lui avait tenu la main, poids mort dans la sienne. Il avait murmuré son nom. Il ne savait plus comment l'appeler. Juliet ou Susanna ? Susanna était son vrai prénom d'après le policier de Londres. Mais il lui fallait l'appeler d'une façon ou d'une autre pour la ramener vers lui.

Elle n'était pas vraiment là. Son enveloppe était là, le corps qu'il avait adoré, mais son être véritable était dans l'autre Range Rover, s'efforçant d'apaiser les craintes de sa fille, cherchant à trouver la force de lui dire adieu.

Il serra plus étroitement sa main. D'une voix sans timbre, elle dit :

– L'éléphant.

Il tâcha de comprendre. L'éléphant. Pourquoi l'éléphant ? Où voulait-elle en venir ? Que voulait-elle lui dire à propos des éléphants ? Qu'ils n'oublient jamais ? Qu'elle n'oublierait jamais ?

Et bizarrement, comme s'ils communiquaient dans une langue qu'ils étaient seuls à comprendre, l'inspecteur Lynley lui répondit :

– Il est resté dans l'Opel ?

– Je lui ai dit de choisir entre Punkin et l'éléphant.

– Je ferai en sorte qu'elle le récupère, Mrs. Spence.

Et ce fut tout. Colin la supplia intérieurement de répondre à la pression de ses doigts. Mais la main de Juliet resta inerte dans la sienne. C'était comme si elle s'était déjà retirée dans un endroit où mourir.

Cela, il le comprenait maintenant. Car il était arrivé au même stade. Au début, il lui avait semblé que le processus avait commencé lorsque Lynley lui avait exposé les faits. Il avait continué à se décomposer au cours de cette nuit interminable. Il cessa d'entendre leurs voix. Il sortit de son corps et, d'en haut, observa la fin de l'histoire. Il l'observa avec curiosité, enregistrant les moindres détails. La façon dont Lynley s'exprimait, pas comme un policier, mais comme quelqu'un qui cherchait à réconforter, rassurer ; sa façon d'aider Juliet à gagner la voiture, un bras passé autour de ses épaules, la façon dont il avait appuyé sa tête contre sa poitrine la dernière fois qu'ils avaient entendu Maggie pleurer.

Bizarrement, à aucun moment il n'avait eu l'air de pavoiser en voyant ses spéculations se confirmer. Au contraire, il semblait déchiré. L'homme handicapé dit un mot à propos du mécanisme de la justice mais Lynley rit avec amertume. Tout ça me fait horreur, dit-il, la vie, la mort, tout ce bordel. Bien que Colin écoutât de très loin, de l'endroit où son moi s'était réfugié, il se rendit compte que lui-même n'avait pas de haine au cœur. On ne peut pas haïr quand on est impliqué dans le processus de la mort.

Après, il comprit que ce processus avait commencé lorsqu'il avait levé la main sur Polly. Et maintenant, planté devant la fenêtre à la regarder passer, il se demanda si cela ne faisait pas des années qu'il était en train de mourir.

Derrière lui, la pendule tictaquait, les yeux du chat bougeaient en même temps que sa queue. Comme elle avait ri en la voyant. Col, c'est ravissant, il faut que je l'achète. Il la lui avait offerte pour son anniversaire, enveloppée dans du papier journal parce qu'il avait oublié le papier cadeau et le ruban, il l'avait posée sous le porche puis il avait sonné. Elle avait éclaté de rire, battu des mains. Accroche-la au mur tout de suite, Col.

Il la retira du mur au-dessus de la cuisinière et la posa à l'envers sur le plan de travail. La queue continuait de remuer. Il sentait que les yeux bougeaient aussi. Il entendait le passage du temps.

Il essaya d'ouvrir le coffret contenant le mécanisme, mais n'y parvint pas avec les doigts. Il s'y reprit à trois fois, renonça. Il ouvrit un tiroir dissimulé sous le plan de travail et chercha un couteau.

La pendule tictaquait. La queue du chat remuait.

Il glissa le couteau entre le dos et le coffret et tira. Une, deux fois. Le plastique céda avec un bruit sec, une partie du dos se détacha. Atterrit sur le carrelage. Il retourna la pendule et la plaqua sèchement contre le plan de travail. Un rouage sauta. La queue et les yeux cessèrent de bouger. Le léger tictac cessa.

Il cassa la queue du chat. S'aidant du manche du couteau, il creva les yeux. Il lança dans la poubelle l'horloge esquintée qui percuta une boîte de soupe, d'où s'écoula de la tomate.

Comment est-ce qu'on va l'appeler, Col ? avait-elle demandé, glissant son bras sous le sien. Faut lui donner un nom. Tigre, ça me plairait. Le tigre, le temps. Tu crois que je suis poète, Col ?

« Tu l'as peut-être été. »

Il mit sa veste. Leo jaillit du séjour, prêt à aller se promener. Colin l'entendit gémir d'impatience et lui frotta la tête au passage. Mais il sortit seul.

Le panache que formait sa respiration indiquait que l'air était glacial. Mais il ne sentait rien. Pas plus le chaud que le froid.

Il traversa la route et passa sous le portail menant au cimetière. Il vit que d'autres l'avaient précédé car il y avait une branche de genièvre sur une tombe. Les autres sépultures étaient nues, gelées sous la neige.

Il se dirigea vers le mur et le marronnier sous lequel reposait Annie depuis six ans. Il tailla une piste fraîche dans la neige, sentant les congères céder contre ses mollets.

Le ciel était du même bleu que le lin qu'elle avait planté près de la porte. Les branches dénudées du marronnier portaient une toile d'araignée étincelante de glace et de neige et jetaient un filet d'ombres sur le sol. Elles enfonçaient leurs doigts écorchés vers la tombe d'Annie.

Il n'aurait pas dû venir les mains vides. Il aurait dû apporter du lierre, du houx, une couronne de pin. Venir avec de quoi nettoyer la tombe, s'assurer que la mousse n'envahirait pas la stèle. Il ne fallait pas que l'inscription disparaisse. Il fallait qu'il puisse lire son nom en cet instant.

La pierre tombale était à demi enfouie sous la neige et il commença à déblayer celle-ci avec ses mains.

C'est alors qu'il la vit. La couleur attira d'abord son attention, rose vif sur fond blanc. Puis la forme : deux ovales entrelacés. C'était une petite pierre plate polie par l'eau de la rivière et elle était posée au pied de la stèle.

Il tendit la main, se ravisa. S'agenouilla dans la neige.

J'ai fait brûler du cèdre pour toi, Colin. J'ai déposé les cendres sur sa tombe. Et avec elles, la pierre aux anneaux. J'ai donné à Annie la pierre aux anneaux.

Il tendit machinalement le bras pour s'emparer de la pierre. Ses doigts se refermèrent dessus.

– Annie, chuchota-t-il. Mon Dieu, Annie.

Il sentit l'air glacé venu de la lande l'envelopper. Il sentit l'étreinte glaciale, impitoyable de la neige. La petite pierre dure et lisse reposait au creux de sa paume.

Table

IMPRIMÉ EN FRANCE PAR BRODARD ET TAUPIN
1474 – La Flèche (Sarthe), le 08-03-2000
Dépôt légal : août 1996

POCKET – 12, avenue d'Italie - 75627 Paris cedex 13
Tél. : 01.44.16.05.00